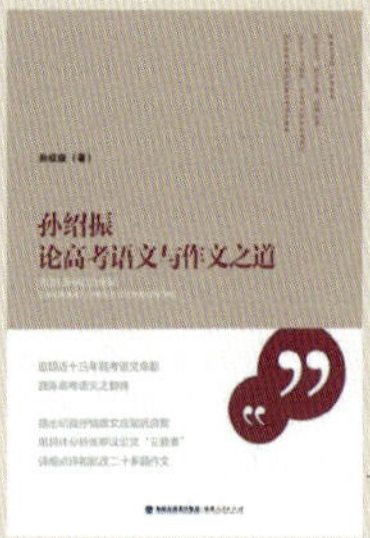

《孙绍振论高考语文与作文之道》

福建人民出版社　2013

《孙绍振论高考语文与作文之道（增订版）》

福建人民出版社　2020

孙绍振文集

作文之道和高考命题研究

海峡出版发行集团 | 海峡文艺出版社

图书在版编目(CIP)数据

作文之道和高考命题研究/孙绍振著. —福州:海峡文艺出版社,2025.6
(孙绍振文集)
ISBN 978-7-5550-3720-0

Ⅰ.G633.342

中国国家版本馆 CIP 数据核字第 2025QE8977 号

作文之道和高考命题研究

孙绍振　著
出 版 人　林　滨
丛书统筹　林可莘
责任编辑　林可莘
出版发行　海峡文艺出版社
经　　销　福建新华发行(集团)有限责任公司
社　　址　福州市东水路 76 号 14 层
发 行 部　0591—87536797
印　　刷　上海盛通时代印刷有限公司
厂　　址　上海市金山工业区广业路 568 号
开　　本　787 毫米×1092 毫米　1/16
字　　数　490 千字
印　　张　24.25　　**插页**　1
版　　次　2025 年 6 月第 1 版
印　　次　2025 年 6 月第 1 次印刷
书　　号　ISBN 978-7-5550-3720-0
定　　价　112.00 元

出版说明

孙绍振先生是我国著名的文艺理论家、文学评论家、语文教育理论家、作家，是“闽派批评”的旗帜性人物。

他学贯中西、思通古今，全面梳理中国传统文艺理论中的重要命题，对当代西方文论进行了系统的分析和批判。他的文学研究贯穿着“实践真理论”的世界观和辩证方法论。他以一个“文学教练”的矫健身手，在“文学创作论”和“文学文本解读学”的坚实理论基础上，进行海量的经典文本分析，洞察小说、诗歌、散文等文类的艺术奥秘。由此，他建构了富有原创性的中国特色文学理论话语体系，在理论和实践结合方面发出中国声音。

他以先锋姿态投入“朦胧诗”大论战，业已留下重要的历史文献；以创新思维和精准表达，体现文学批评的力量与高度。

在语文教育改革中，他以犀利的思想拨乱反正，为语文教育的学科建设做出独特的贡献。其成就不仅深刻影响祖国大陆语文教育学界，还辐射至宝岛台湾，有力助推两岸学术、文化与教育交流。

作为一个作家，他钟情于诗歌、散文创作，产出丰硕的成果。其演讲体散文，卓尔成家。

为了全面展示孙绍振先生的研究成果和学术成就，我社组织出版“孙绍振文集”（20册），汇编其迄今为止的全部代表性学术著述和文学作品，涵盖文学理论建构、文艺评论、演讲、语文教育、文学创作等诸方面内容。希望这套文集能全面展示孙绍振先生的理论成就、评论成果和文学创作的整体风貌，呈现中国学派崛起的绰约风姿及其在世界学术话语体系中日渐突出的自主地位。

海峡文艺出版社

二〇二五年六月

目　录

第一辑　高考语文试卷追击

第二辑　叙事与抒情

第三辑　议论文写作：以具体分析为纲

第四辑　新进和前卫

附录

第一辑　高考语文试卷追击

炮轰全国统一高考体制

全国高等学校入学考试的那个月份，被高中学生称为“黑色的月份”，这是绝对准确的。对于家长来说，这些日子不但是黑色的，而且是糟心的。哪一个家长没有在这种精神炼狱中忍受过煎熬？即使暂时没有应考的孩子的家庭，也没有本钱幸灾乐祸，除非决心断子绝孙，为人父母者或迟或早都在劫难逃。十余载的焦虑，四千多个日日夜夜的督促，几乎都是为了这几天。若说中国的家长为了这场考试付出了半条老命，是一点也不夸张的。

孩子们的牺牲更大，整整一代人没有童年和少年，青春的欢乐被考试的痛苦、恐惧、焦虑所淹没，父母的爱心变得残忍：温情脉脉的关注变成了猫对老鼠的监督，时间之长超过两次世界大战的总和。不论考前、考后，不论是春节、暑期，孩子才往电视机前一坐，背后就有绝望的喊叫。

美国人最羡慕中国尊重父母、教师的伟大传统，听说中国人曾把教师、父母和天、地、皇帝一起加以崇拜，在“天地君亲师”五个大字面前焚香、顶礼膜拜，就感动得要命。这几千年的传统固若金汤，在国家亡给异族时，也没有瓦解，但是今日却为一纸考卷而消解了。人世间最亲密、最丰富、最纯洁的亲子之情、师生之情，被歪曲成一种最简单、最粗暴、最干巴、最没有感情的功利：不管多么伟大的价值准则，都集中到一个焦点——分数上去。有多少爱就有多少苛刻和不近人情。母爱已经变质了，慈母有时比之严父更为严酷；什么师道尊严，什么有教无类，一切都是假的，在中国，只有考卷上的分数才是真的。它不但可以争得挤进大学门槛的权利，而且可以为教师争得荣誉，为学校提高名次，为校长垫高禄位的台阶，为父母赢得机会翘起下巴迎接邻居仰望的目光。

人们可以不理睬领导的讲话、红头文件、世界杯足球赛事，甚至股票行情，却不能对考卷上的标准答案、ABCD 选择掉以轻心。孩子的每一笔、每一画，不但意味着前途，而且意味着金钱。一笔之误、一分之差，可能导致数万元的经济损失。

上亿家庭的命运都要由这张考卷来决定!

凝聚在这张考卷上纵横交错的心灵电波，其间的血和泪、悲和愁的密码是其他任何一个民族，包括美国的军事间谍卫星，也绝对无法破译的。

然而，中国人付出这样的代价，换得这样一张神圣的考卷，是义无反顾的：正是它，结束了贫下中农推荐上大学的闹剧。那种在最圣洁的名义下向最龌龊的舞弊屈服的回忆一去不复返。肮脏的人事勾结，特权的厚黑，不管在什么地方都通行无阻，但是在这张考卷上却是“此路不通”。

1977 年高等学校入学考试制度的恢复，标志着平等竞争的开端。人们骄傲地想起：我国现代化建设的一代中坚就是从那时找到自我实现的坦途。

然而，不过是 20 年的时间，好事和坏事互相转化的辩证法就在无情地起作用了。随着时间的推移，毛泽东曾在 20 世纪 60 年代相当偏激地表示深恶痛绝的偏题、怪题、刁题开始与正常难度的考题鱼龙混杂，泥沙俱下。以学生为敌的倾向在语文考卷中最为突出，有些甚至达到荒谬绝伦的程度。例如，有一道题是关于朱自清先生的《梅雨潭的绿》，题目要求考生指出作者的观察点。许多考生都选择了梅雨潭，但是非常不幸的是，正确的答案是“梅雨潭边”。还有一道题要求在元曲作家中选出元曲四大家，但是，这个问题连大学教授都说在文献上有不同说法。长期如此，弄成了一个可悲的局面：中学教师辅导不了小学生，大学中文系教授做不好高考语文试题。据说，前几年，把高考语文考卷拿给全国著名的中学语文教学权威去做，也只能得到可怜巴巴的 70 多分。

这就不但把庄严的教学变成了儿戏，而且把人类精神文明的传承化作了疯狂。这样庄严的疯狂越来越引起全国有识之士的忧虑，然而身居高位、重权在握的人士，对于来自全国各地的呼声充耳不闻。据说有一次全国考生及格率很低，有人用扣帽子的办法发出不满：难道我们新时期的中学生水平就那么低？没有想到上面任凭风浪起，稳坐钓鱼船，只扔过来一句冷冰冰的话：我就没有打算让多少人及格！还有更为傲慢的：高考是淘汰制，不这样，你说如何淘汰？这无异于说，尊口免开。呜呼，坐在考试中心办公室交椅上的并不是很大的政治家，但是对付下面的意见却有大政治家稳如泰山的风度。

到了 1998 年春夏之交，这种人神共愤的考试引起的不满突然爆发了出来。从《北京文学》到《文艺报》，从《文汇报》到《羊城晚报》，不约而同地发起了声讨。最有气魄的是《羊城晚报》，一连一个星期的头版头条，以通栏标题的方式表示对于语文考卷的愤慨。第一天是《语文考卷，误尽天下苍生》，第二天是《考倒鲁迅、巴金！》……一时间，语文试卷的刁钻、恶毒、阴险、愚昧几乎已经成了过街老鼠。消息灵通的读者后来知道，大众传媒从国家教委新任领导那里得到了前所未有的支持。

大风吹到了国家教委考试中心的几顶乌纱帽上。当年的高考语文卷子就有了微调：取消了一些刁难怪恶的选择题，但是，距离真正的改革还很遥远。

为了让改革真正彻底，吾人不得不对考试本身进行原始要终的思考：一切考试都意味着平等竞争。我国现行高考的特点是不断强化“理想化”的平等程度。经过几年的积累，不仅在落实考试制度上，而且在改卷的机制上，都在防止一切主观性。改卷者可以机动处置、灵活掌握的题型逐年减少，而所谓“客观题”，也就是并不需要改卷者有任何判断能力的题型，逐渐占据了优势。这除了平等理想的追求以外，也有万不得已的苦衷。高考是全国性的统一考试，因而判题必须有全国一致的公平性。目标是：让北京、上海、广州的教师和穷乡僻壤甚至天山、喜马拉雅山山脚的教师按同样客观的标准评分，还要有一种操作的方便。这种操作性要达到这样的程度：不论是水平多么低下，还是有营私舞弊的意向，都难以使平等的准则走样。为了达到在我们960万平方公里幅员之内绝对平等，美国式的托福考试，那种ABCD的选择题就成为压倒一切的形式。而且结合中国国情，除了在单项选择题中设置了更为恶毒的陷阱，还创造出新花样——不定项的多项选择题，存心把试题弄得更为诡谲，于是刁题、怪题、偏题、荒谬题应运而生。以学生为敌的流毒遍于域中，闹出了许多笑话之后，有关人士还是执迷不悟。其原因不仅仅在于他们官僚，而且还在于他们在理论上对于考试的功能陷入了迷误。

考试是一种人才选择机制，它在被普遍地运用着，并不是因为它绝对准确，而是因为比较简便。从根本上来说，人才的选拔，最可靠的办法并不是考试，而是实践。没有一个国家的总统或者企业的董事长是用考试的办法来遴选的；也绝不能设想，在一场战役进行之前，用考试的办法来决定统帅。通常的做法是：在任命的过程中逐渐考核。这个方法本来最可靠，但是有致命的弱点：第一，在实践中考核花的时间太多；第二，不同的人在不同的时间、地点、条件下实践，缺乏现成的可比性；第三，考核者具有主观性；第四，结论只能在长期的实践以后得出，就算正确，也是事后诸葛亮。选拔人才，尤其是在青年当中选拔高等学校的学生，需要客观的预测和现成的可比性。要可比，就得在同一时间、地点、条件下进行，这是不现实的。而考试则以假定的可比性，代替了现实的可比性，用同样的题目，限制在同样的时间里，以同样的标准来评分，最后，把客观的结果以量化的形式表现出来。

中国目前实行的百分制量化方法是全世界最为细致的一种，比之俄罗斯学校的五级记分制、美国学校的四级记分制表面上看要精确得多，但是，这真能成为我们自豪的本钱吗？号称精明的美国人和俄罗斯人为什么那么傻？难道就不懂得把人才分成一百个等级比之分成四到五个等级要精密得多吗？

道理很简单：第一，现实对于人的需求是不拘一格的，无法用统一的标准加以等级化的区分；第二，人不是物，其才能是看不见、摸不着的，根本不能用机械的标准加以量化。人的素质，无法像称地瓜一样，锱铢必较。有谁能把汉高祖、项羽、韩信的才能用百分制计算出来呢？项羽、韩信打仗比刘邦强多了，但是，最后项羽失败了，韩信被刘邦捉住了。刘邦问韩信：你看看我这样的人能带多少兵？韩信倒是天才地做了量化说：大概是十万吧。刘邦又问：那么你呢？韩信说：多多益善。刘邦就说了：既然你能带的兵比我多得多，为什么又被我抓住了呢？韩信说：陛下不善将兵，而善将将。也就是，不会打仗，但是很会用干部。如果要给这三个人打分，我想不要说古代军事家没有办法，就是当代军事学院的教授也无能为力。

从这个意义上说，分数打得越细，就越是荒谬。

通过考试，给人的素质打分数，是一种不得已的假定。可现实却不能假定，真的要假定，就不能不是荒谬的。如果红军不经过福建上杭和湖北红安，没有后来的革命实践，谁知道陈丕显能当上海市市长，韩先楚能当将军？如果今天的军事学院要到这两个县里去招考，谁知道哪一个农民、哪一个小学教员是当将军、当政治局委员的料啊？

考卷是规格统一的，而人才是不拘一格的，从根本上来说，二者是不相容的，所以，中国的圣贤在人才选拔方面费了数千年的脑筋，至今还没有一个十全十美的方法。在人才最为活跃的春秋战国时期，就没有什么考试。最流行、最先进的方法是自我推荐或者推销。孔子、孟子、韩非子，乃至商鞅、李斯、苏秦、张仪，举凡大政治家、大学问家，为了推销自己，不惜周游列国。当时信息流通不灵，不如此就不能像毛遂那样脱颖而出，但是这个方法最明显的缺点，就是不能排除偶然性和虚假。光凭他自己吹嘘，就相信他有经世济国之才，太危险了。汉朝就有一点改进，你自己一个人说了不算，要让大家来评议，这就是所谓推举贤良方正的办法。从理论上来说，这个举荐制，比之自我推销要严密得多，但是，走后门的问题来了。人情关系把这种方法的优越性彻底地扼杀了。于是就产生了腐败：举秀才，不知书；举孝廉，父别居。寒素清白浊如泥，高门良将怯如鸡。这种办法发展到最腐朽的时候，就干脆实行一种血统论，根据人的出身把人分为三等九品，这就是有名的九品中正制。这当然没有好结果。到了隋朝，就来了一种比较客观的办法——分科考试。这种公开、公平的考试制度曾经被英国人学去，转化为文官考试制度。的确，从理论上来说，这是最为客观的了，在考卷面前人人平等，但是，考试的规格化和人才不受通常规格限制的矛盾，被制度的表面公平所掩盖了。在实践过程中，人们所遇到的问题都是越出常规的，是书本上所没有的。人才的可贵就在于创造，而创造就意味着对于规格的突破。规格化的结果就是，绝大多数状元，除文天祥等少数以外，都在政治上或者文学上没有太大的出息。不管是王安石还是曹雪芹，不管是李白还是林则徐，都不是状元。当规格化发展到极端，就产生了滑稽而野蛮的八股文程式。许多可笑的事就这样产生了，范进中举的喜剧，孔乙己的悲剧，不过是被艺术家表现出来的一个片段而已。到了1898年维新运动兴起的时候，科举考试就难免受到冲击了。即使变法失败了，后来科举还是给废除了，但是人才还是得选拔，因而考试并没有废除，只是换了一种方式。在孙中山的五权宪法里，考试被赋予了更重大的意义。在西方的三权分立的机构以外，又加上了一个考试院。据说，当初的设想是连县长都要经过考试才能任命，但是这个办法显然是空想。直到今天，孙中山没有解决的考试的程式化即僵化的问题，不但没有解决，反而愈演愈烈。就连毛泽东那样的权威发出多次警告也于事无补。最后，毛泽东干脆把高考一塌刮子取消拉倒。

贫下中农推荐上大学的制度实际上是汉朝荐举制度的复辟，荐举制度人情化的腐败则不但没有消除，反而在人事信息发达的当代更加泛滥成灾。最后邓小平毅然取消了这种复古的产物，恢复了“文化大革命”以前的全国统一高考。然而这只是解决了竞争的平等参与问题，却没有解决考试规格化和人才不拘一格的矛盾。考生的平等期望更加集中在学业成绩上，高考的量化更进一步畸形地细化，比之美国托福考试更为刁钻、恶毒、愚昧的多项选择题型应运而生。本来，托福的选择题型是对付非英语民族考英语的需要而产生的，照搬过来考本民族的学生本来就有一点可笑，至于把托福考试再拿来恶性繁化，就更滑稽了。这一点只要看看英国人考外国留学生的雅思和德国人考非德语人士的听读等方法不同于托福，就不难一目了然。

当然，不能过分地责怪我们的考试专家缺乏想象力，从客观上来说，也有情有可原之处。我们国家太大，要在全国范围内做到一点主观的斟酌余地都不留，杜绝人情后门的回旋空间，就必须把答案简化到只剩下最简明的ABCD这样的程度。考题的弹性越小，在全国范围内保证平等竞争的系数才越大，腐朽的人情关系的可乘之机也就越小。

但是，事情走向了极端，也就走向了反面。本来是极端客观的考题，造成了极端主观的、不讲道理的专横。我们的高考机制对于改卷者的任意性有了一系列防范措施，但是对于出题者的任意性却是完全的空白。

许多考题出得莫名其妙，答案武断到荒谬绝伦，弄得语文考试比之八股文还僵化。不但以学生为敌，而且以教师为敌。常常是当高考题目发下来的时候，没有一个语文教师有把握说出答案。

一个中学生告诉我，市里的质量检测结束以后，一位很有威信的教师照例给学生讲解试题。他仗着自己的资格老，懒得看标准答案，就一面讲一面问学生标准答案，学生用唱歌一样的声音作答，教师跟着解释为什么要做这样的选择，而不是做另一种选择。机械重复使得一些思想活跃的学生觉得太不过瘾，就故意朗诵错误的选择，而教师就牵强附会地说明它是如何的正确。等到调皮鬼学生说明真正的标准答案应该选择的是另一个时，教师又口若悬河地证明另一个答案的绝对正确性，全班终于忍不住哈哈大笑。

问题的关键在于，为了设置陷阱，连出题者自己也跌入陷阱。一旦出卷者自己陷入谬误，而这种谬误又很轻易地化为标准答案，全国就没有任何人能够挽救。有这样一个事实：一位重点中学的权威教师，在调进高等学校的那一年，他的公子面临考大学。当他应儿子之求，为之做语文卷子时，结果被判为错误百出；而他当语文教研组长的时候，他有出题的权力，他就是标准答案。

高考试卷不但是一份考卷，而且是一根指挥棒。考试的猜谜性质迅速渗透到教学的每一个环节中去。这样，语文课就堂而皇之地充满了一本正经的钻牛角尖，充满了伤天害理的文字游戏。在等而下之的各种东施效颦的习题集的洪水冲击之下，语文教学就逐渐变成了应付恶作剧的黑色幽默。这不但贻误了青年，而且使教师的头脑僵化、智力退化。两代人的才智就在这样荒谬绝伦的考试中无形地消磨着。

长期以来，我们总是把注意力集中在改题者可能产生的腐朽上面，却忽略了出题者的任意性所产生的荒唐。当前矛盾的主要方面显然是在出题的任意性。减少虚假的客观性，增加考题的主观弹性，正是当务之急。增加了弹性虽然也可能增加了改题者人情腐朽的可乘之机，但是，从减少了出题者的专制程度方面，我们仍然可以得到更大的补偿。

这样说，并非完全出于空想。把1998年全国高考语文考卷和上海的考卷进行对照以后，我们看到了一线希望。在上海的语文考卷中，只有两种题型，一种是阅读理解，提供四篇文章（包括古文）的片段；还有一种就是作文，大作文和比较小型的作文各一题。这就无声地回答了那位高而权重的人物的问题，不以刁难怪恶的选择题整学生，并非就意味着无法进行淘汰制的考试。上海之所以获得了一定的自由，就是因为应考者的地区性质，考生的范围相对缩小。

这就给我们一点启示：考生的范围越小，考题的弹性就越大；相反，考生的范围越大，弹性限度就越小，越可能导致僵化。考试的范围如果缩小到不是面对全中国而是个别的人，刁钻古怪的多项选择题就完全失去了必要。这就是为什么美国人不管录用什么人，最后都要来一个面试的缘故。到了面对面的时候，就彻底地从考试的规格化中解放出来了。

这并不是什么新发明，早在1977年恢复高考的时候，就是各省自行命题的。事实证明，它并没有降低录取的水平，1977级毕业生水平为改革开放以来最高，这是世所公认的。如果我们思想再解放一些，能不能设想：让各学校命题，多项选择就不必那么古怪了，标准答案也就没有那么僵化了。有了什么争议，就由出题者（或者命题小组）机动处理。这也不是什么不可想象的事，事实上我们现行的研究生入学、专业课考试就是这样的。

可不可以用会考的方法来解决中学生入大学的竞争问题呢？这在台湾已经实行多年了。在德国，中学生只要通过一种叫作“阿比托”的考试，就意味着他可以申请进入他所选择的大学，如果该大学名额已满，他的成绩可以长期保留，直到他所选择的大学同意接受他为止。如果再想远一点，中华人民共和国成立前我国大学并没有全国统考，各校分别招考，不也培养出了像杨振宁、李振道那样的诺贝尔奖获得者吗？

现状和习惯把人的思想束缚得紧紧的，使得我们的眼光只能看到习惯了的东西。这么多年来，我们对于德国人、英国人的考试方法，对于我们自己的考试传统，几乎视而不见。当我们被自己制造出来的试题整得落花流水、头晕眼花的时候，也许并不应该用太刻薄的语言去责备出题的人。完全可以想象，他们并不是疯子，但为什么要这样残酷地整人？是不是有什么力量在逼着他们身不由己呢？

当我们渴望从高考试题的怪圈中解放出来的时候，是不是应该更深入地设想一下：在多大程度上，这种残酷性来自人类历史发展阶段性的局限，多大程度上又是来自当事者对于考试制度的盲目迷信呢？

摆在面前的问题是：在当前，要最大限度地减少所谓绝对客观、绝对公平竞争的空想。

从相对的、地区性的公平性出发，从乃至单个学校范围内的公平性出发，表面上是缩小了公平性，但实际上却扩大了公平性。在我们这样一个幅员相当于西欧乃至南美许多国家的大国里，不顾实际情况，陷于无限公平的空想是绝对有害的。从根本上改变高考命题的混乱，不能仅仅从试题本身改革，而且要从束缚着试题的高考体制出发，做更深层次的解剖。当前最为迫切的任务就是及早废除全国性统一的高考体制，让高考从全国的大一统的镣铐中解放出来。然后，在条件成熟的时候，再把出题权下放到各级学校。

这不是对于未来的幻想，而是重提过去的历史。我们如果有魄力付诸实施，除了危及国家教委考试中心一些先生们的饭碗，承担起为他们分流寻找出路以外，我想不但不会对任何人有什么损害，而且对于后代更无疑是功德无量。

中国语文高考和美国托福试题模式的流毒

中国学校的评估体系和制度受美国托福考试体制的影响深广，不仅表现在英语方面，还表现在语文和其他各学科方面。因而要弄清托福式英语考试模式对中国教育的危害，不能就英语而论英语，应该从更为宏观的中国全国性考试选拔体制的改革着眼。美国的托福考试体制正面临着重大改革，而我国的“托福模式”却成了改革的障碍。

一、作文只占60分是天经地义的吗

改革是一个复合的系统工程，要取得成功需要每一个子系统的协同；只要其中一个子系统发生故障，它就有可能失败。正如一个人要活，循环系统、消化系统、呼吸系统、排泄系统、生殖系统、神经系统等子系统都要协同运行；可是要一个人死亡，并不需要所有子系统一起停止运行，只要一个系统，甚至其中一个部位发生故障。例如，在循环系统的大脑或者心脏血管中，只要有一块小小的血栓，虽然其余血管都十分通畅，但是鲜活的生命还是在几分钟之内就会永远结束。

语文课程改革当前遇到的问题正是这样。改革的各个子系统发展不平衡，有的子系统的一些渠道有形成血栓之势，这就是评价系统，主要是高等学校入学考试，这个关键环节的改革换汤不换药，整个改革系统就有梗死的危险。

你不能说它没有改革。从某些方面来说，高考改革的力度还不小。例如，在改革后，一张考卷覆盖天下的局面已经一去不复返，上海、北京已经单独命题；原来的全国考卷，150分的试题，除了作文60分以外，90分是标准化的客观题，而今标准化的客观题只剩下45分，其余45分已经变为主观题；过去是命题作文，对于主题有强制性的规定，如今强迫人说谎的题目已经成为笑柄，目前的话题作文，自行确立论点的能力成为考试的要求。尽管如此，令人尴尬的是，相对于语文课程标准的改革目标——课本的多元化，高考试卷的改革不能不说是滞后的。不说别的，就说高考作文分值比重固定在60分上，问题就很大。

作文，一般是很少不及格的，水平比较一般的，并不需要多大努力也能考到70分左右，折算起来42分。而作文非常优秀的学生，也很难取得满分，一般也就是八十几分，折算起来，也就是五十一二分的样子，相差不过八九分。作文水平一般的学生，要提高到优秀水准，要花多少工夫才有希望达到？有的人可能一辈子也达不到。人文素养和语言驾驭水准的提高，很难立竿见影。就算是皇天有眼，终于有所提高，甚至如愿以偿，也不过是八九分。而阅读题所占的分值要比作文大多了。以2003年全国高考语文试卷为例，一连三道篇幅不太长的阅读题，加起来是35分，要增加8分，甚至8分以上，并不需要多少人文素养的相应提高，只要在应试技巧上认真钻研一番，可以说是十拿九稳。在这样的考试模式的“君临”下，还有谁把作文水平的提高当作一回事？但是，一个学生的综合素质，最雄辩的标志就是作文，这恐怕是有识者的共识，谁也不能否认。

我国的基础学科教育在世界上也许并不落伍，尤其是数学，比美国要强上许多。一个普通水平的中学生到了美国，也许有半年时间在课堂上发呆，不知老师说什么东西，可是到了第二年，他的数学就能在全班名列前茅，再过一个学期，就可能是全校第一。而我们的作文，却不能这样乐观。一个美国小学六年级的学生经过自主阅读，写出一篇批评布什总统减税政策的文章，说明其有利于富人而对穷人不利，这并不很令人意外。要是我们的初中学生能做出这样的文章，就显得难能可贵了。看看我们高考所出的作文题就明白了，弄来弄去，都是一些感性的常识题：什么要不要坚强啊，要不要诚信啊，要不要救人啊……说是自行立意，可是道德前提明摆着，根本不用动脑筋就有现成的主题。这样的所谓话题作文，虽然已经从改革以前的政治话语的强制性规定中解放了出来，但是又进入了道德话语的狭隘牢笼，学生的独立思考、具体分析能力并没有得到相应的提高。2003年，全国高考语文试卷出了一道作文题，材料大意是有一户人家的墙倒了，邻居说得赶快修好，否则会有小偷，自家的儿子也说不修会遭偷窃。当天晚上，果然就被小偷光顾了。于是这家人就怀疑邻居是小偷，而认为自己的儿子很聪明。作文的题意，要求分析情感的亲疏和认知之间的矛盾，大部分考生捉襟见肘。据一个省的统计材料：往年作文平均分是42分（合70分），而当年的平均分则为34分（不到60分）。一般中学老师感到困惑并不奇怪，而一位颇有成绩的特级教师也在网站上发出“这样的题目脱离中学生实际”的声讨，这就不能不令人深思了。其实这样命题，改革力度并不算太大，与世界水准相比，还有相当大的距离。把我们的作文题和法国的高考作文题相比，真是让人不禁汗颜。人家的题目都有哲学的思辨性，诸如“我是谁”“权力是不是一定意味着暴力”“自由是否就是拒绝的权利”

等等。人家的题目考的都是学生对于抽象观念的分析能力，把这样的题目拿给我们的考生去做，恐怕就不是平均不到60分的问题，而是交白卷的问题了。

二、简陋的是非题模式被奉作神明

这本是秃子头上的虱子，为什么海内有识之士对之视而不见呢？

这是因为，客观题、标准化是从人家美国托福考试模式批发进来的。人家托福一年考几次，只有一次是考作文的，而且所占分数也不多。其实，这不是因为作文不重要，而是因为托福是一种商业化的营利模式。托福的意思就是一种把英语当作外国语的考试。考生来自世界各地，讲上百种母语，命题者对人家的母语一窍不通，万不得已，只好用英语考英语。至于把答案简化为四项选择，倒不一定是万不得已，而是为了有利于机械化的评分，工资支出可以减少到最低限度。而作文是主观的，不能机械化评分，得采用手工作业方式，一张考卷一张考卷地去改，人工耗费就大多了。把作文的分值降低，选择题的分值提高，也就是把成本降低，把盈利提高。光是2002年，全世界就有1200万人参加了托福考试，这家考试服务中心挣了7亿美元。客观题采用机械化评分，对于他们来说是摇钱树。

我们的高考是考外国学生吗？不是。我们的高考是为了赚钱吗？没有人敢做肯定的回答。为什么我们一定要袭用人家赚钱的商业模式呢？唯一可能的答案是：迷信洋人。

迷信的特点是：对于洋人的局限性，没有严肃的分析。

把问题简化到剩下四项选择，虽然有利于营利，但是可能产生另一个后果，那就是太简单，没有难度。为了弥补这一点，他们采取了一个办法，那就是设置干扰项，也就是弄一些似是而非的东西来掺和。这样的做法，往好里说是考核学生思维的精确度，往坏里说是逼你钻牛角尖，但是，由于语言符号本身的局限，再加上语境的变幻，能指与所指的浮动，越是复杂的问题，就越是难以绝对准确地定位。因而，干扰项就造成了一种人为的难度。这种难度的消极性，在比较简单的语句问题上，也许还不算太突出；到了比较复杂的问题，尤其是涉及富于人文精神的文学作品时，人为的难度就很容易变成人为的荒谬。美国人的实用主义让他们很聪明地避开了文学作品，托福考题从来都是在实用理性比较强的领域里打转。虽然如此，他们也很难避免这种模式本身从娘胎里带来的第二个局限：试题的贫乏，也就是思维模式的贫乏。只要把干扰项拿掉，就成了或是或非。这就暴露了它本质上就是是非题。从这个意义上来说，神乎其神的托福考试模式，不过是一只纸老虎，但是这只纸老虎在没有被拆穿之前，却受到神灵一样的无限崇拜。

这种崇拜的特点，就是把它当作放之四海而皆准的法宝。我们的高考语文试卷中，文学文本比之托福考题要复杂多了，因为人家考的是不会讲英语的外国人，而我们高中生的汉语是讲得很溜的。人家托福考的是低级英语（口语听力）和中级英语（经过简写了的文化故事和科普常识），而我们考题中还有高级的古代汉语。我们考试专家的胆子比人家大，不管多么复杂，一律都以托福为准绳，连中国古典诗歌的经典文本也敢拿来做标准化试题。其结果就是伪问题和荒谬的标准答案层出不穷。

托福考试作为思维模式是很简陋的，在考初级和中级英语的时候已经不够用了，要以干扰项来补救，用来考比较高级的汉语，就更不够用了。这就迫使我们不得不把干扰项更加繁化，发明出一种多项选择题，即提供四五项备选答案，正确的选项数目不定，也许是四项，也许是一项，只要选错一项，哪怕多数选对，也是一分不得。这种多少有点无理的“创造”，把托福考试的弱点发展到极其荒谬的程度，近几年在各方面的批评声中似乎销声匿迹了，但是，托福模式的根本法门，把本来简单的问题复杂化、模糊化，设置似是而非的干扰项去刁难学生，在历届高考试卷中则没有任何变化。其主要特点是，凭空制造一种混乱，把本来很清楚的问题弄模糊。

我们的语文高考试卷因为有比较复杂的问题，所以就又有了另一种“创造”，也就是把复杂的问题简单化。在古典和当代诗歌试题中不去追究情感和智性的整体内涵，而在枝节问题上钻牛角尖。如在郑敏的诗《金黄的稻束》中，本来应该探究为什么把收割的稻束和母亲联系起来，而且还强调母亲的“皱纹”是“美丽的”，“疲倦”是“伟大的”，但是试题却钻牛角尖，只考核学生对于字词句的机械识记，并要求学生判断这首诗的背景是不是“薄暮”。如果没有干扰项，做这样的辨识，易如反掌；有了干扰项，就神秘了。其实，真要研究背景是否是薄暮的话，就应该问一问：为什么这个母亲的意象，不能和朝霞联系在一起？

另外一种倾向，就是把本来简单的问题复杂化。例如，将许多成语组成令人眼花缭乱的排列组合，叫学生去找寻其中有一个错误的组合。这样的花样，充其量不过是“只见树木，不见森林”，有时则完全是无谓的庸人自扰、自我折磨。

虽然命题者口头上应该是不反对当代文化哲学的基本前提，即文本，尤其是文学文本是复杂丰富的，读者的理解是可以多元的，但是在所谓客观题标准化的模式中，却只能有一个标准的答案。尽管我们的高考作文试题已经有了“答案是多种多样的”，但那只是写作文时说说的，就在同一张考卷上，阅读题的答案却只能有一个。这是对当代文化哲学成就的嘲弄，但是，有一种力量比之当代文化哲学更有力量，那就是商业的力量。机械化评分标准和正确、错误在一定条件下转化是不能相容的。其结果是越复杂的问题，这种客观题的标准答案就越是可能带上主观武断的色彩，甚至带上文字游戏的味道。这样的文字游戏，表面上神气活现，其思维模式却是以粗陋贫乏为特点，竟然在中国横行达十多年，而很少人大声疾呼。这在思想解放的今日，实在令人不解。拿起这几年高考语文试卷的任何一卷，挑出其中的任何一道客观题，你都不能不为其思维的枯窘而感到惊讶。总是：下列理解不正确的一项是（ ），下列判断正确的一项是（ ），以下加点字读音相同的一组是（ ），下列各句没有语病的是（ ）。不管花样如何翻新，其实质就是形式逻辑的非此即彼。

非此即彼的模式如此反复地强调，在青少年的思维从简单走向复杂、从直觉走向分析的过程中，显然是有消极作用的，但是，屈服于高考的分数体制，除了以机械的重复练习来代替活跃的质疑和思考，别无选择。就是熟练地掌握了应试技巧，千辛万苦做对了（或者蒙对了），也是知其然而不知其所以然。更为严重的是，还有不知其所以然而然的（明明没有看懂，而是蒙对了的）。此外还有冤枉的，知其所以然而不然的（明明读懂了，却被干扰项搞昏了头，做错了）。从哲学上说，这代表着一种很僵化的方法论，即把学习当成机械的结论，而不是提出问题作正反面思考的过程。殊不知，如果只把真理看成结论，肯定是要变成教条主义的，因为真理是一个永远没有休止的过程，思考的过程比之结论更能表现水平。而托福模式，连起码的因果分析都没有。辩证法的矛盾对立在一定条件下转化，系统论互相制约，科学主义的证明和证伪，都被排除在想象天地之外。逼迫孩子长期在这种贫乏的思维模式中讨生活，实际上是对他们想象力和创造的潜能进行无情的摧残。

教学改革的所有目标到了考试这一环全部被消解。这样的“脑血栓”，理所当然地让有志于改革的志士仁人感到痛心疾首。

试卷最为荒谬的部分是以诗歌作托福式的选择，自然遭到最无情的批判。[①] 国家教委考试中心命题组很快做了开明的让步，第二年诗歌从托福模式中消失了。相应地，主观题增加了，这应该是对人文精神的一种解放了吧？然而，中学语文教师王大绩先生一语道破：“主观题客观化。”这不是没有根据的。本来主观题就是让学生自由发挥，以表现其独立的多元的见解，但是，几乎所有主观题都有所谓“参考答案”，也许为了方便改卷，本无可厚非，可问题出在构成那些答案的原则上，姑且不说那些每年都少不了的错误（包括常识性错误），就是没有多大错误的，也都是简单的几个“知识点”。这就暴露了它所贯彻的仍然是只重结论不重过程的应试教学，不过是换了一种形式，取得了合法地位，变成了一种“亚填空题”，在思维模式上和是非题没有多大的区别。就是这样，命题组还是不放心，非得在阅读题最后再来一道标准化的选择题不可。不仅全国高考如此，就连上海、北京的单

① 孙绍振：《标准答案还是荒谬答案》，《中华读书报》2001 年 12 月 12 日。在阅读题中，仍然基本上以文学性散文为主。他们在观念上连系统的自洽都顾不到，既然诗歌作为文学作品不宜做托福式的标准化理解，那么文学性的散文为什么又非得有客观的选择题不可呢？

独命题也如法炮制，“参考答案”的机械和僵化，与客观题如出一辙。这就暴露了命题组在诗歌方面的让步是羞羞答答的，而不是原则上的，多少表现了知其然而不知其所以然。

这种思维模式上的僵化，并不局限于高考，最令人担忧而无奈的是，它对于全国中学语文教学的霸权性规范。中国教育学会中学教学专业委员会会刊《中学语文教学通讯》高中刊 2003 年 7、8 月合刊，有一个“全国中学文学作品个性鉴赏大赛”，分为古代诗词曲鉴赏、中国当代诗词曲鉴赏、外国诗歌鉴赏、散文鉴赏、小说鉴赏、戏剧文学鉴赏、影视文学鉴赏和科技小品鉴赏。其中优胜的设计者 50 多位，想来作者都是在中学语文教学中有一定成就甚至是权威的老师。专题栏的名称表明编者是以“个性”为标的，但是，一个奇怪的现象却似乎违背了编者的原旨，这就是除了古典诗歌部分以外（因为古典诗歌不让步不行了）几乎所有的练习思考题都有客观选择题，即使有所谓主观题，也是主观题客观化。光是凭这一点，就不能不使人产生一种感觉，占据中学语文教学课堂要津的仍然是托福的思维模式。只要不为某种既得利益所迷惑，就不能不认同这样的呼声：高考指挥棒不改，其他的改革都可能化为骗人的包装。

彻底改革，必须是系统的改革，这当然需要一个过程，允许各个部门暂时有一定程度的不平衡，但是，系统的协同性质又不能承受任何子系统长期的滞后，长期的滞后可能导致系统的失调，甚至是崩溃。

新颁布的语文课程标准无疑是语文教学的“宪法”，语文教学的一切方面都在这里获得存在的理由，违背其精神的一切观念和做法，都要丧失其合法性。针对我国目前流行的客观化、标准化的考试方法，它特别规定了：标准化的客观题不能成为评估学习成绩的主要形式。然而，由于全国高考试卷的换汤不换药，主观题客观化仍然在回光返照、借尸还魂。

从表面上看，语文试题的争论集中在标准化和客观题上，这似乎属于外部形式范畴，但是从根本上来看，其蕴藏着深层的文化观念和思想方法问题。改革不是表面上考题形式的变化，而是价值观念的解构和重构。潜藏在托福模式下面的思维模式，其特点就是任何事情都有一个绝对正确的、唯一的、标准的、客观的答案。这种答案的正确性是不需要任何分析来支持的，与命题者确认的答案哪怕是有微小差异的表述，都是绝对错误的。这种绝对化的思维模式，不仅仅对于人文精神、审美的多元价值是一种背离，而且对于当代科学创造所不可或缺的想象力也是一种扼杀，但是，它却潜藏在高考这种决定命运的选拔功能的深层，这就不能不在青少年的思想深处打上深深的烙印，对于他们的世界观产生长期消极的影响。托福模式曾经使中国根深蒂固的考试传统获得了一副现代化的伪装，十多年来对中国青少年个性和创造力的扼杀惨烈到什么程度，很难以某种统计数字来量化。同时，不应该忽略的是，受害者也包括命题者本身，在这种简陋的思维模式以外，他们已经丧失了想象力。

如果有人公然主张，把客观题的分值降低到10%—15%，作文题的分值提高到85%—90%，他们会以为这是在发疯。不巧的是，这种疯子的狂想已经在他们奉为神明的美国从托福模式中孕育成熟了。这一点，正是我要详加论述的。

三、在美国人那里，旧托福模式已经面临寿终正寝

说起来，还真有点反讽的意味，人家美国人——托福模式的发明者，早就感觉到了这种模式致命的局限。那就是高分低能。这一点，我们高踞垄断宝座的命题专家可以熟视无睹，但是美国的商业机构出于对竞争的前瞻和市场利润的危机感，却不能无动于衷。

美国人并不是傻瓜，他们很快发现了中国的新东方英语培训学校的聪明专家们早已破译了他们的思维模式，发明了一套连看带蒙的办法，无往不胜。成千上万的托福“考试机器”被新东方批量生产出来，中国青年在英语考试中所获得的高分令美国人瞠目结舌。据统计，在全世界托福考试成绩中，除了以英语为官方语言的新加坡、印度、菲律宾，中国名列第一。中国留学生轻而易举地取得比美国大学生更高的托福成绩是屡见不鲜的事，但是不论在交际还是写作能力方面与美国大学生的悬殊是不言而喻的。

起初美国人还只能用不断提高中国留学生入学分数线来堵住漏洞，但是，道高一尺，魔高一丈，尤其在实行机考的过程中，中国学生的高分潮流一次又一次地让美国人大跌眼镜。他们终于意识到所谓客观题标准化的命题方式存在着根本的缺陷。《南方周末》记者李宏宇采访了美国教育考试中心，该总部的苏珊·秦承认：“以选择题为主的考试时间久了，难免出现高分低能的现象，不能准确地反映考生真正的语言应用能力。”他们自2000年就开始组织美国20多所大学的专家，成立了“托福2000小组”，制定出新的考试标准和方案。第一，托福增设了“TWE”（英语作文），其根本准则是看学生有没有自己的见解，思想的主体性和语言的灵活性都是评分的根据。唯一的、标准的答案在这里已无容身之地。从语法和正词法来看，也不像客观化、标准化那样有一点小错就扣去全部分数，有个把词汇或者语法上的小错，分数不受影响；只要你表达明白了，意思别人懂了，这就行了。第二，新一代托福的听力考试还和口语密切相关。“独立的口语技能”要求学生对给定的话题，比如“世界水资源保护”，发表自己的见解；“综合口语技能”则是在听或读一段材料后讨论。二者实际上是口头自由作文，没有自由作文能力的学生是很难获得高分的。写作则更是要求主体的见解和为文的构思能力，以及阐释、论证的能力，只不过是把口头表述变成了书

面的表达。[1]新一代托福考试的根本精神是发挥学生的自由思考能力和语言文字的灵活运用能力，标准化、客观化的试题已经从100%降低到10%—15%。这就是说，主观性的作文和口头的自由作文的分值，已经上升到85%—90%。

在托福模式的发源地，以标准化、客观化为特点的旧托福模式离末日已经不远了。在我们国家，追随旧托福模式的语文试题照理也应该是人命危浅、朝不保夕了。然而，改革又是权力和利益的再分配，既得利益者墨守成规，维护既得利益，在历史潮流面前，抱残守缺，千方百计地延长其好日子，是可以预料的，但他们的好日子不会太长也是可以预期的。花了十多年的工夫培养了对它的迷信，这种迷信已经成了一些人的思维模式，加上又和既得利益结合在一起，做些小修小补是轻松愉快的，但是要从根本上改变旧托福的思维模式，就有一点打破饭碗甚至打破脑袋的凶险了。对于旧托福模式的迷信，主要是对于所谓客观化的迷信，以为高考的公平和公正只有客观化、标准化才能保证。这么说也不无道理，但充其量只是一种建立在过时的技术基础上的道理。旧托福模式产生在20世纪60年代，当时的科学技术水平决定了它只能以一种非常简陋的塑料透明板覆盖在答题卡上，取得商业化的最高效益。然而40年后，电子科学的突飞猛进，已经使人机对话有了可能，主观性很强的随机对话的评分在技术上已经解决。高度主观化的答案已经不是评分的难题。托福网站上公布了一种试题，就是6幅连环漫画：

第1幅是油漆工人在公园的长椅子上钉一张纸，上面写着“油漆未干”；第2幅是一阵风把这张纸吹飞了；第3幅是一位先生在这张椅子上坐下了；第4幅是这位先生在椅子上看报纸；第5幅是他发现自己的衣服被弄脏了；第6幅是他走向洗衣店。

考题1：要求把这6幅漫画的故事在一分钟内用英语讲出来。

考题2：在30秒的时间内说明这位油漆工人本来应该怎么做来防止这样的事情发生。

考题3：如果你是这位先生，在你把衣服送到洗衣店以后发现你明天要穿这件衣服，而洗衣店一般要两天以后才能洗好，请你用45秒钟时间打电话，说明你想当天就要拿到洗干净的衣服。

考题4：这位先生在看报纸，报纸和电视是新闻的主要来源，用60秒的时间说明通过二者解决这样的问题各有什么优缺点。

答案肯定是五花八门的。在20世纪60年代，很难想象如何统一评分，但是，科学技术的发展已经把主观答案客观评价的难题解决了。可是我们位高权重的考试专家们却大愚若智，他们对于解决汉字并列和英语的单词分写之间的矛盾并没有紧迫感，只满足于往托

① 《南方周末》，2002年10月31日。

福旧模式上打些新鲜的补丁，但这一切并不妨碍他们天天在会议上喊“与时俱进”。

当然，我不是说中国的高考马上就要照搬美国新一代托福的模式，但是至少也应该从中得到一点启发，是不是也应该在新的科学技术基础上，像人家一样集中一批专家，花上几年的工夫，设计出一套有中国语文特点、符合中国国情的考试模式呢？

当然，这是需要时间的。问题的严重性在于，一万年太久，托福模式不仅仅在危害着中学语文教学，而且也在危害着大学。中国大学的所谓英语四六级考试，就是直接搬用托福模式的。其刁难的程度可能是世界之最，以致大学生们为了通过四级考试，拿到本科学士文凭，就只能在一二年级把 70% 的课外时间花在读英语上。用一位工科大学生的话来说，就是用 45% 的时间做实验，45% 的时间读英语，剩下 10% 的时间管吃喝拉撒。即使这样，每轮考试，全国平均也只有 40% 的学生能够及格。付出了全国性的专业水平下降的代价，如果把英语学得很好也就罢了，可是绝大部分仍然是既不能说也不能听。面对这种惨状，长期安之若素，一点紧迫感都没有，是不是令人想起麻木不仁的最深刻的含义呢？

除了英语以外，我们的数学、物理、化学，乃至历史、地理，无一不是跟托福考试模式跑，许多自然科学、社会科学方面的教授，时时为一代中国学生被这种僵化的教条束缚而感到焦虑，但是，我们的考试专家们并不着急。这是不是一种最严重意义上的失职呢？也许，我言之过重了，但不管眼下多么位高权重，对于漫长的实践来说，每一个人迟早都要被推到历史的审判台上去。

2001年全国高考语文试卷批判

2001年高考语文试题一出来，就有一些语文教师做了毫无保留的肯定和赞扬，我却感到相当困惑。究竟是认识水平真的就是如此，还是在考试的紧要关头，担心把保留的意见讲出来有碍考生情绪呢？如果是前者，则不能不令人忧虑。我国的基础教育改革正处在大转折的关头，一些改革刚刚开头，语文课程标准才修订完成，正待颁布。据我所知，目前高考改革距离新的语文课程标准的理念还相当遥远。新的语文课程标准将代替旧的“语文教学大纲”，成为语文教学、教材编写、考试评价体制的最高准则，是语文课程的“宪法”。就考试和评价体系而言，新语文课程标准将强调“探求式的学习方式”“从知识与能力、过程与方法、情感态度与价值观念几方面进行评价，以全面考察学生的语文素养。语文学习具有重情感和感悟的特点，因而量化和客观化不能成为语文课程评价的主要手段”。而2001年的语文考卷，在所谓客观题、标准答案方面几乎没有多大改革，所谓客观题一如既往，占了60%，而作文只占40%的分数。别的不说，光是和上海单独的命题相比，客观题的比例就高出了很多。这说明，它不但距离新的课程标准的要求相当遥远，而且还落后于一些改革力度比较大的省市。在两类题型中，老一套的东西还占着相当的优势。要改变这种状况，落实课程标准，还需要艰巨的、举国一致的、长期的努力。一些相当顽固的观念还在统治着我们的头脑，不把试卷的价值观念和方法从根本上改变过来，广大中学教师就很难从僵化的框框中解放出来。值得忧虑的是，目前大多数中学教师的教学思想还相当糊涂，不改变他们安于现状的积习，不迫使他们重新学习，我们的基础教育改革很可能落空，而他们日后也难免误人子弟，甚至在岗位竞争中落败。在真正意义上的、彻底的改革尚未开始的情况下就说改革已经成功，无异于说同志无须努力，除了麻痹自己以外，没有任何好处。当然，这几年来，高考语文试卷毕竟有了某些改进。2001年的所谓客观题，比之2000年、1999年，刁钻古怪的程度降低了，有些标准答案也不那么僵化了，阅读题的答案过去是清一色的被动选择，现在有了一些要学生用自己的语言来主动概括了。这当然是令人欣慰的，但是，2001 年的阅读题仍然隐含着一些基本原则上的混乱，最典型的是，和 2000 年一样，以两首诗歌作为标准化的试题。这在理论上，是盲目的；在实践上，是贻误青年的。

一、伪问题和谬答案

标准化的考试方法是我们从美国进口的，即托福考试，但是人家并不是政府的行为，只不过是一家商业公司在竞争中得到认可的选拔模式而已。我们在接受托福模式的时候，根本没有分析这种模式的长处和局限，而是教条主义地把它全盘照收。不过也不是没有任何创造，那就是把它进一步繁化，其代表性的“杰作”就是所谓的多项选择题，可能有好几项是对的，即使选对一些，只要选错了一项，就前功尽弃。即使单项选择题，也是挖空心思地钻牛角尖，制造一些比之美国人更为恍惚迷离的迷魂阵来折磨考生。例如，检查成语中的错别字本来是很简单的事，直截了当地让学生检查并不是不可想象，但是偏偏要用比托福烦琐得多的方法，把成语弄成四组，做颠来倒去的排列组合，先把考生弄得眼花缭乱，然后要求考生作出选择，这完全是毛泽东所批评的“以学生为敌”的做法。这种做法虽然有折磨人之嫌，还没有多大错误，但是把诗歌尤其是古典诗歌拿来作所谓客观化的考题，还有胆子给出自命为唯一的、标准的、绝对客观的答案，就表现出洋教条之毒已经到了深入骨髓的程度。命题者完全忘记了中国传统诗论中“诗无达诂”的原则。西方当代文化哲学、接受美学等前沿学科也认为在文学作品的阅读上不可能有标准、客观的理解，所以才有“一千个读者有一千个哈姆雷特”的名言。而我们的“老爷们”，却对于古代文论诗论经典和外国的前沿学术理论，像刁德一到了沙家浜，两眼一抹黑，因而就不能不产生一种“以其昏昏，使人昭昭”的可笑后果。

2000 年，他们就把赵师秀的《约客》拿来刁难中学生。赵诗的最后两句是：“有约不来过夜半，闲敲棋子落灯花。”

考题要求考生在四个判断中选择错误的一个。标准答案是：“‘闲敲棋子’这一细节生动地表现了诗人此时闲适恬淡的心情。”且不谈其理论基础如何，就事论事，对作品做微观分析，其答案也是荒谬的。这首古典诗歌是抒情的。从心理学来说，情感和理性的不一样之处就是很难定性，越是有特点的情感就越是微妙，越是难以用理性语言来定性，人们在激动的时候，每每弄不清是悲是喜，常常是甜酸苦辣一起涌上心头。20 世纪德国的实验心理学派就说了：情感是很难定性的。我国古典诗论则更早就提出了情感和理性的矛盾，“诗有别趣，非关理也”，这是严羽在《沧浪诗话》中讲的。明代戏剧家汤显祖说得更为明确：“情有者，理必无，理有者，情必无。”到了清代吴乔那里，则更进一步提出，诗的好处在于“无理而妙”。这一切和西方浪漫主义者赫斯列特所说的情感和雄辩的矛盾异曲同工。连西方的一个著名军事学者克劳塞维茨都说过：“虽然人的理智喜欢追求明确和肯定，可是人的感情却往往向往不肯定，人的感情不愿随理性思维走那条哲学的探索、逻辑思维的小道。”我曾经在20世纪80年代出版的著作中说过：情感不像理性那样，是不遵守逻辑的，尤其是不遵守同一律，是不能做简单的、明确的定性的。从心理学上来说，这是一种黑暗的感觉，是以模糊为特点的。[①]所以诗，尤其是抒情诗，是和情感的朦胧联系在一起的，越是精彩的诗，越难以用理性的语言加以明晰的概括。赵师秀这首诗，写诗人等候约定来访的朋友，等到半夜还不来。他是不是闲适恬淡呢？命题者要求考生给出统一的答案，本身就是对于美学和心理学的无知的表现。我国古典诗歌的好处就在于，言有尽而意无穷。硬要把无穷的意用简单四个字说清楚，就不能不削足适履。诗人等朋友不到，如果像一般人那样焦躁不安起来，就没有什么个性，没有什么心灵的魅力了，也谈不上诗的意境了。诗的妙处，恰恰是朋友半夜不来，诗人表面上并不焦躁，而是悠闲地、从容地、消消停停地敲着棋子。越是一副闲适恬淡的样子，越是能表现诗人的涵养非同小可。至于他内心是不是像表面上这样闲适恬淡，留给不同的读者去体验和想象，去做出不同的创造好了。

新的语文课程标准特别在七到九年级学段要求：“欣赏文学作品，能有自己的情感体验，初步领悟作品的内涵——对作品的思想感情倾向，能联系文化背景做出自己的评价；对作品中感人的情境和形象，能说出自己的体验。”这里强调的是两点：一是情感体验，而不是理性的概括；二是自己的，而不是别人的。这当然也意味着与众不同的、不一定标准的体验。诗中明明提示了“闲敲棋子”，“闲”在古代汉语中作为单音词，含义很丰富，到了现代汉语中分化为双音词：闲适、悠闲、消闲、闲暇等。已经明说了是“闲敲”，为什么不能够包含“闲适恬淡”的意思呢？可见命题者们迷信的所谓“客观题”，其实一点也不客观；相反，是命题者相当主观且相当狭隘的感想。问题的严重性在于，由于高考试卷有着教学指挥棒的作用，其荒谬之处就不能不贻误全国数以亿计的教师和学生。放任这样的错误自由泛滥，必然导致对一代青年的创造力和想象力的扼杀。可是事到如今，命题者并未意识到他们的诗歌理论、鉴赏水平和他们权力之间的严重不平衡。在2001年的高考试卷中，又出现了两首诗，其中之一是韦应物的《赋得暮雨送李胄》：

楚江微雨里，建业暮钟时。
漠漠帆来重，冥冥鸟去迟。
海门深不见，浦树远含滋。

---

① 孙绍振：《论变异》，花城出版社1987年版，第214—215页；又见孙绍振：《美的结构》，人民文学出版社1988年版，第52—53页。

相送情无限，沾襟比散丝。

和 2000 年一样，也是要考生指出四个判断中错误的一个。我仔细研究了四个选项，觉得都是对的，无论如何都找不出错误的一个。我的感觉是，不是我太愚蠢，就是出题者太愚蠢。不得已去看了所谓的标准答案，原来第三个是错误的："尾联将沾襟的别泪和散丝般的密雨交融在一起，十分含蓄地表达了诗人的送别之情，情与景巧妙地结合起来。"我反复钻研，还是弄不清把沾襟的泪雨和细雨的散丝结合起来，情景交融，为什么是不正确的。我虽然水平不高，但是也曾经对于古典诗歌尤其是唐诗下过功夫，把我全部的智能都调动起来，都无法弄清楚命题者葫芦里卖的是什么药。莫非他们认为，这最后一联的上句"相送情无限"并不"十分含蓄"，而是一个直接抒情的句子？但是，"情无限"是一种什么样的情呢？只有量的虚拟，并没有定性，只有和"沾襟比散丝"联系起来，"情景交融"起来，才能见出悲愁。这种悲愁的定性，主要不是通过所谓"情无限"，甚至也不完全是用打湿衣襟的泪水来表达的，更主要的是通过题目所点明的"暮雨"意象系列，才得到充分表现的。雨丝本来和人的感情并没有直接的联系，一旦联系起来，它的散乱，它在暮色中引起的联想就比较丰富了，而丰富就不是一句话能说得清的，因而也就比较含蓄了。全诗的总体意象构成了一种悲抑意境。据我所知，作者并未亲临现场，而是在另一个地方想象自己对朋友远行的依恋的沉重感，但是，这种沉重感并没有直接地说出来，而是通过所写的景物的特点暗示出来。意象的核心如题目所示是"暮雨"，诗人依恋的低回，就是通过这个核心意象的衍生十分含蓄地透露出来的。暮雨的色调是暗淡的，钟声是带着暮色的，因而引起阴沉的联想，船帆因暮雨打湿而显得沉重，连通常轻盈的鸟翅都变得迟缓了，树色是迷蒙的，大海的远方是凄迷的，全部景物都因为暮雨而构成了一种凄迷的、沉重的、阴湿的、低回的意境，表面上是客观的自然景观，实质上是诗人情感性质的体现。特别是暮雨的"散丝"，更是十分含蓄地暗示了诗人的感情是纷乱的、复杂的，是"情无限"的话语所难以穷尽的。这种语言所不能穷尽的情感，不可能不是"十分含蓄"的。

很难用理性的语言说清这首诗的情感是什么性质，它是沉重的吗？它是凄迷的吗？它是低回的吗？它是悲抑的吗？诗人在想象的意境中，真的流下了眼泪吗？他的眼泪纯粹是为了分离吗？或者是为了前途的渺茫吗？这一切也许都是对的，但这一切仍然是不完全的，读者所感受到的，比这要多得多。诗人的情感的性质渗透在一系列的意象的结构（意境）之中，读者就能朦胧地感受到它的丰富性。意境之所以成为意境，就是因为：第一，它不是直接用语言抒发出来的；第二，它是在整体之中的，它蕴含在整体的和谐之中；第三，它情绪内涵的丰富超出了诗行直接表述的总和。即使有个别直接抒情的句子，仍然不能改变意境的丰富，不能改变和谐意境"十分含蓄"的功能。这就是所谓的"不着一字，尽得风流”。为什么要“不着一字”呢？因为一着了字眼，就不含蓄了，光有“相送情无限”，也许可以说是不够含蓄的，但是和下面的“沾襟比散丝”，和暮雨结合起来，情绪就丰富而且含蓄了：暮雨钟声，风帆湿重，鸟翅迟缓，远树迷蒙，雨丝如泪。你可以想到前途渺茫，也可以想到再见何时，你也可以来不及想到什么，找不到准确的话来表述，但是，诗人的情绪还是深深地感动了你。这不是含蓄又是什么？从整体和局部的有机性来说，从全部诗句融入意境的和谐来说，它有一种不可分割的性质。试题孤立地提出一联的问题，在学术上是一个伪命题。从辩证法起码的常识出发，孤立地提出这样的问题，是形而上学的。从结构主义来说，结构功能大于要素之和，任何一个要素脱离了结构，就失去了结构的性质。希腊哲人说过，如果把一只手从人体上割下来，就不称其为手了。正如在一个美人面前，不问她整体美，而把人家的耳朵割下来，提出问题说："这只耳朵美不美？"如果说得更严酷一些，一个美人的头是美的，如果把它从躯体上割下来，那她是美丽的还是可怕的呢？全卷诸如此类的“标准答案”，不难归入两种类型：一种本身就是荒谬的；一种局部上好像有理，但却是伪命题和伪答案。

就目前中国命题者的学识水准来说，几乎可以断言，所谓“标准答案”的“客观性”与其文本的复杂程度成反比。文本越是复杂，答案越是荒谬。伪命题和伪标准答案，已经成了顽症，其严重性已经到了令人痛心的程度。

二、是独立思考还是盲目迎合

僵化的指导思想同样表现在作文命题上。不过，作文有很强的主观性，客观化、标准化在这里受到了最大限度的抑制。正是因为这样，这几年作文命题多多少少是有进步的。有时候，巨大的进步还令人鼓舞；但是有时候，曲折和倒退却令人伤感。本来，作文命题的根本精神就是要学生用自己的头脑确立自己的主题，在一切问题面前，有自己独立思考的自觉和能力，应该说，这是素质教育的根本精神之一。立意本来是考生思想、个性、想象力和创造力等素质的综合体现，可是把主题规定死了，就不能不压抑学生的创造性。1998 年的作文题是《感受坚强》，题目就把话说死了，谁还敢不坚强？对于一些学生来说，这无异于强迫说谎。为了迎合，于是大家都坚强，而且是同样模式的坚强，其极端者，出现了许多拙劣的造谣。据报道，在同一考场内，竟有十个以上的学生声言自己的父母得了癌症，或者遭到灾难。1999 年的高考作文《假如记忆能够移植》，则在根本上有了改变，没有主题的强制性规定，为学生提供了出奇制胜的天地。灵活性的命题，给满足于记忆的学生以强烈的冲击，对于有灵气的学生则提供了脱颖而出的机遇。福州八中的一个学生在作文中说，这很好，如果把当年日本帝国主义者南京大屠杀的记忆移植到日本青年一代的头脑中去，就不会有如今日本教科书和报刊上右派的疯狂叫嚣了。北方一个省的学生在作文中说，这太危险了，如果老鼠顺利地把一个教授的记忆移植到自己的脑部去，那岂不是对人类的巨大威胁？虽然二者答案是相反的，但是都很有创造性。2000 年的作文题《答案是丰富多彩的》，从根本思路上来说和 1999 年是同样的，但是，主题的限制性却太强。论题的目的在于拓展想象、开阔思路，对于同一个事物可以有多种多样的答案，但是在全国的考生中，就“答案是丰富多彩的”这一个论题来说，绝大多数却是一样的。这就说明命题的动机和效果之间产生了悖论。真正有创造力的学生是不会满足试题提示的现成观念的，杰出的学生往往能超越题目的框框。在我所见到的为数不多的试卷中，有一个考生说，答案是丰富多彩的，不错，一般说来的确如此，在特殊条件下，答案却不能是丰富多彩的，例如台湾是中国领土的一部分、人总是要死的等等。这种创造性的思路，得力于对问题的具体分析能力和魄力。讲了多少年的素质教育，具体分析就是最根本的素质。这表现为抓住看不见、摸不着的内在矛盾，勇敢地把它揭示出来，哪怕是向反面转化，也毫不手软。这在心理上就要有一点勇气。现成的、不言而喻的东西有一种约束力。权力话语学说认为，流行的话语有一种迫使人放弃思考的遮蔽作用，弄得人们连跟切身经验相矛盾的事实也视而不见，只满足于讲一些现成的套话。

我在一篇文章中曾经预言，2001 年的高考作文命题肯定将比 2000 年更为灵活，但是我的预言太乐观了。2001 年的作文材料是一则寓言：年轻的跋涉者到达一个渡口，已经有了健康、美貌、诚信、机敏、才学、金钱、荣誉等背囊，而安全过渡则需要丢弃一个背囊，于是青年选择了抛弃诚信。题目要求以“诚信”为题作文。从表面上来看，和 1999 年、2000 年贯彻着同样的原则；但是仔细分析起来，在主题和立意上，对学生限制还是太大。以“诚信”作为话题，道德价值取向已经不言而喻了。把诚信和才学、机敏、财富、美貌、健康对立起来，只能从与之绝对对立的方向去思考，思路几乎别无选择了。这就堵死或者忽略了诚信本身就是可以分析的。诚信像一切事物、一切概念一样，是具体的，而不是抽象的，都和一定条件和语境联系在一起，存在着内在的矛盾。对于自己祖国讲诚信的人，如果对敌国讲诚信，就可能成为卖国贼；对于自己企业讲诚信的人，就不能对竞争对手傻乎乎地实话实说。诚信的内涵也还可以分析，它并不是绝对地讲老实话，它同时包含它的对立面，亦即某种程度的不诚信，也就是“隐瞒”。在特殊条件下，如果不善于把一些不得体的事情做适当的隐瞒，就可能成为《红楼梦》中的傻大姐；不在特殊语境下掩盖一些事实，照顾自己人的情绪，就可能把好事办坏。把健康、才学等等和诚信对立起来，突出其矛盾，不能说没有道理，但是任何矛盾在一定条件下都可能转化。一个讲诚信但奄奄一息的人，一个讲诚信但无用的人，和一个虽然不在一切方面都讲诚信，但却能把一个企业救活的人，其价值是不能一概而论的。从做人来说，当然是讲诚信的好，但是在治理国家的时候就不一定了。曹操就说过，一个有过“盗嫂受金”不诚信记录的人（他指的是最后帮助周勃发动政变，扫荡了吕氏权势的陈平），如有治国平天下的才能，他还是要重用的。“金无足赤，人无完人”，诚信的价值会在不同条件下转化。现实生活和历史经验都告诉我们，对于复杂的问题，应该在多方面的矛盾中加以分析，不能简单化、绝对化地去做非此即彼的取舍。不懂得这样的道理，我们的青年很难不陷入天真烂漫的愚蠢，而我们的命题者往往喜爱以神圣的名义，把愚蠢当作道德的旗帜。从这个意义上来说，把诚信和才学、机敏、财富、美貌、健康绝对地对立起来，如果不是一个伪问题的话，就是一个相当不佳的问题。

只给材料，不限立意，本来是为了鼓励学生独立思考，而独立思考的关键就是具体分析，如果一个命题给出的对立面太绝对，就可能把分析的前提——潜在的矛盾和转化的灵活性遮蔽起来，失去了分析的自由。2001 年的作文命题之所以不利于分析，还有一个原因，就是有相当明显的政治倾向性，它很容易使学生想起“以德治国”。这是近来讨论的热点，报刊上相关的文章不胜枚举。从作文评价的可信度来说，避开热点，是题中之义，猜题和套题是独立思考的大敌，而 2001 年的作文命题可套性大大超过了以往任何一年。福建改卷组在试评标准卷的初期已经查到不少类似的题目，有案可稽的就有十余篇。有一篇叫作《高等教育》的文章，是浙江省质量检验的阅读题，这道题光在福建就发现了 30 卷雷同的，有一些甚至连题目都没有改动。有一所中学，一位高三的语文老师就曾以“诚信”为题，做过作文练习，而且反复修改过。当然，我并不以为套题和做过有关练习的就一定能够有出类拔萃的文章，但是，窒息独立思考，为投机取巧留下空子，则毫无疑义是有害的。胡适曾经说过，题目最好是从正反两个方面都能做文章。多年来失败的命题则恰恰相反，不是鼓励学生全面地、用爱因斯坦式的“两面神”来思考，而是引导学生做片面的、绝对的发挥，其结果是思想、情感的僵化和模式化。

过分贴紧现实，使得我国高考作文命题的空间越来越小。为了说明这一点，我们来看看法国高考的作文题：

文科：

1.“我是谁”这个问题能否以一个确切的答案来回答？

2. 能否说“所有的权力都伴随以暴力”？

3. 试分析休谟《结伴欲望和孤独》一文的哲学价值：“结伴”是人类最强烈的愿望，而孤独可能是最使人痛苦的惩罚。

经济科：

1. 什么是公众舆论能承受的真理？

2.“给予的目的在于获得”，这是否是一切交流的原则?

3. 试分析尼采《论罪行与犯罪》一文的哲学意义。作者在文中提出的问题是：舆论在了解了犯罪动机和作案具体情况后，即能遗忘错误，这是否有悖伦理原则?

理科：

1. 能否将自由视为一种拒绝的权利?

2. 我们对现实的认识是否受科学知识的局限?

3. 试分析卢梭《论人类的幸福、不幸和社交性》一文的哲学含义。卢梭说：“我们对同类的感情，更多的产生于他们的不幸而不是他们的欢乐。为共同利益联系在一起的基础是利益，跟共处逆境团结在一起的基础是感情。”

这里几乎没有一个命题是有预设答案的，现成的主题是不存在的，没有任何迎合的余地，片面的发挥、诗化的花言巧语的前提根本不存在。相比起来，我们长期以来的命题不论在难度上还是在思维的开阔上，是不是有点望尘莫及？要让我们的中学生来写这样的作文，是不是会束手无策？这难道还不值得我们反省吗？我们的作文题都是一些不用动脑筋就有现成答案的问题，甚至是窒息独立思考的问题；而人家考的是相当高深的哲学命题。从思维能力和要求来说，是不是差距太大了一点儿？当然，造成今天这样的局面，原因是很复杂的，这里有课程设置的问题（在法国中学，哲学是经典课程），也有教师水平的问题，但是与高考作文题长期粗浅、主题先行是不是也有关系呢？恕我直言，就算法国的作文题拿给我们高考的命题者去做，恐怕也有不少是要交白卷的。由于知识结构和思维方法的局限，我们的命题者自以为改革力度不小，已经有点心余力绌了，但与世界教育的现状与发展趋势相比，还是相当落伍。

此等顽症之所以积重难返，原因之一是我们的中学语文课本和其他学科课本里的哲学文化含量相对薄弱，原因之二是写作教学的理论基础相当薄弱。讲议论文，其基本理论就是论点、论据、论证三要素，翻来覆去地说，议论文就是根据自己的论点组织与论点相一致的材料进行论证。这种说法至今仍然被许多教材盲目地崇奉。其实，这在根本上是违反辩证法的。首先，你的论点是哪里来的？如果是流行的、权威的，它的可靠性、合理性如何？这是需要分析的。论点是一个人立场、价值取向的出发点，对于任何一个观点，如果没有经过思考，没有经过具体分析，就无条件地接受，而且盲目地加以论证，怎么可能发挥想象，出奇制胜地创造？盲目地强调根据现成的论点，选择和论点相一致的材料进行论述，本身就很危险，选择就意味着排除，你选择了和论点相一致的材料，就意味着把和论点不一致的材料排除，这就完全成了片面的武断，怎么谈得上分析和论证呢？命题者在主观上也许并不反对具体分析，但是在实际上却事与愿违，这是因为他们在操作理论上，对于当代科学哲学家波普尔（Popper）证伪的学说的一无所知。在写作学上只讲证明，不讲证伪，是具体分析不能在写作上落实的一个重要原因。

作文训练和考试的最根本目的，是让青年获得独立思考的能力，让他们的头脑复杂而丰富，而不是把他们弄得简单而幼稚。简单而幼稚的信念，哪怕是十分正统的，也很难顶住现实的考验。把简单而幼稚的头脑变成复杂而深刻的唯一办法，就是培养他们具体分析的能力。作文命题，不要给考生一种感觉，这是真理的尽头。如果不是这样，就有两方面的后果：一是贻误一些天真烂漫的青年，使得他们在现实的任何挑战面前没有独立思考能力；二是使一些比较有头脑的青年变得虚伪，为了取得高分而违心地迎合。实践的结果恰恰造成了悖论：2001 年的作文题提供了一则材料，关于一个青年为了安全渡河，不得不抛弃其中的诚信包裹。表面上这个材料是中立的，但是主流意识形态的道德准则不可动摇，因而这个材料已经包含着主题。命题者提倡诚信的善良目的，却造成了相当普遍的不诚信的后果。从这个意义上来说，2001 年的作文题比之 2000 年的《答案是丰富多彩的》，在指导思想上有某种倒退的趋势。就我所看到的为数不多的作文而言，相当大一部分的立意都有迎合的倾向，许多立意是近乎雷同的。其中套话空话，比比皆是。通行的模式是，片面地强调道德价值的绝对性，而忘记了提出以德治国的前提是“以法治国”，提倡道德价值是“以法治国”的一个补充。而法律只相信条文和证据，它是不相信主观的诚信、良心的，它连情感和眼泪也不相信。2001 年命题的导向的片面性太强烈了，一般学生往往把道德价值强调到极端，似乎道德——诚信，绝对地无往而不胜，就是缺乏起码的才学和机敏，脱离了必要的健康和财力，都可以解决一切问题。很少有考生把诚信（作为道德价值）和才学（作为科学的认识价值）其间存在着的矛盾拿来进行分析。水平比较低的，由于片面到极端，而陷于空洞，把报刊流行话语任意地搬用。水平比较高、语言文字上基础比较雄厚的，则用诗化美化的语言来形容诚信的无往不胜，诸如：诚信是前进的灯火；诚信是信念的花朵；诚信在严冬是炭火，在酷暑是浓荫；诚信在雾海中是航标灯；等等。但是诗化的抒情，在逻辑上以极端化为特点，而极端化从思想方法来说，是片面的、形而上学的，是掩盖矛盾的，也就不能不是肤浅的。更聪明一点的学生则以举例的方式，提出一些新颖的、寓意比较隽永的故事或者寓言，这虽然增加了文章的生动和新颖，但是却不能使文章深刻。一般地说，学生到了高中三年级，已经具备了一定的思考力、分析力、想象力，个性也基本形成。真正优秀的命题，应该有两个特点：第一，诱导学生回到现实生活中，多方面深刻地思考；第二，冲破流行的套话，回到自身的个性，找到自我，讲出自己的话语，表现出自己的独特个性。而低水平的考题则是迫使学生不动脑筋，讲一些不经过自己经验检验和理性分析的套话。

三、小将们在挑战

令人奇怪的是，2001 年出现了一些相当精彩的考卷，水平比之 2000年甚至 1999 年还要高，数量也不像 2000 年那样凤毛麟角。在一些相当精彩的文章中，作者们在题目苛刻的限制中，超常地发挥了独特的个性。有一篇作文题目是“被抛弃以后”，作者以童话的笔法，用第一人称写道：我（诚信）绝望地沉下了海底，遇到一个贝壳。贝壳安慰我说，不要伤心、绝望，总有一天，他会后悔，会来找你的。最后，那个青年果然千方百计地把我找了回来。原因在于这个青年把诚信扔下水以后，那个艄公把他劫掠一空。艄公说，你自己都把诚信扔了，我还和你讲什么诚信。诚信在被抛弃了以后，转化为它的反面——从被抛弃转化为被追求，这就有一点思想了。另一个作者以第一人称写了《寻求幸福》：诚信和健康、美貌、机敏、才学、金钱、荣誉同为兄弟，而妈妈视诚信为虚假。每天诚信都要受到妈妈的虐待。后来他出外寻找幸福，到了一个叫作虚假的城市。旅馆的老板本来笑容可掬，一听说他没钱，就把他赶了出去，这个老板的名字叫作“虚伪”。一个姑娘收留了他，她的名字叫作“同情”，但是，他拒绝了同情。待他来到一个叫作“欺骗”的城市，人们强迫他行骗，他拒绝了，结果被打昏在地。一个姑娘救了他，她的名字叫作“可怜”，他不要可怜，继续寻求幸福，终于倒在了路边。一个叫作“运气”的人救了他，把他交给一个在破庙里的老人。他诉说他追求幸福的绝望，于是老人取出一杆叫作“公平”的秤，让他六个兄弟站在一边，他站在另一边。奇迹出现了，他的分量居然比六个兄弟还要重。从此以后，他继续出行，但已经不是为寻求幸福，而是为传播幸福。如此精彩的文章，使我惊叹。我不得不承认，如果叫我写，在这么短的时间内，题目限制又这么严苛，我写不出这样水平的作文。我把这篇文章的大意在电话中转述给舒婷听，她也十分惊叹，说：“我也写不出。”这些文章的杰出之处，不但在于构思独特，而且在于思想深邃。尤其是《寻求幸福》这篇寓言，寓意层层深化：第一层次，批判了“虚伪”；第二层次，拒绝了“同情”；第三层次，离开了“可怜”；第四层次，“公平”使它比之荣誉、才学、机敏、美貌、金钱有更重的分量；第五层次，当他再行出发的时候，他已经不是为寻找幸福，而是为传播幸福了。

这种现象似乎颇有些矛盾，一方面，题目的限制性是如此之大；另一方面，出格的作品又是如此之多。原因可能是，命题虽然在内容上限制非常严格，但是在形式上留下的余地却比较大：“可以写自己的经历、体验、感受、看法和信念，也可以编写故事、寓言，等等。”所以，大量的优秀作文，都不是在思想上，而是在形式上，在观察的视点和角度上，有了不拘一格的天地。有一点很值得我们深思，大凡写实的作文，都比较平淡，而诉诸想象的，构思往往因为超越现实的、具体的、被动的描述，每每有独特深邃之处。南京有一考生以“赤兔之死”为题，全文如下：

建安二十六年，西元221年，关羽走麦城，兵败遭擒，拒降，为孙权所害。其坐骑赤兔马为孙权赐予马忠。一日，马忠上表：赤兔马绝食数日，不久将亡。孙权大惊，急访江东名士伯喜。此人乃伯乐之后，人言其精通马语。马忠引伯喜回府，至槽间，但见赤兔马伏于地，哀嘶不止。众人不解，唯伯喜知之。伯喜遣散诸人，抚其背叹道：“昔日曹操做《龟虽寿》‘老骥伏枥，志在千里。烈士暮年，壮心不已’，吾深知君念关将军之恩义，欲从之于地下。然当日吕奉先白门楼殒命，亦未见君如此相依，为何今日这等轻生，岂不负君千里之志哉？”赤兔马哀嘶一声，叹道：“予尝闻，‘鸟之将死，其鸣也哀；人之将死，其言也善。’今幸遇先生，吾可将肺腑之言相告。吾生于西凉，后为董卓所获，此人飞扬跋扈，杀少帝，卧龙床，实为汉贼，吾深恨之。”伯喜点头，曰：“后闻李儒献计，将君赠予吕布，吕布乃天下第一勇将，众皆言：‘人中吕布，马中赤兔。’想来当不负君之志也。”赤兔马叹曰：“公言差矣。吕布此人最是无信，为荣华而杀丁原，为美色而刺董卓，投刘备而夺其徐州，结袁绍而斩其婚使。‘人无信不立’，与此等无诚信之人齐名，实为吾平生之大耻！后吾归于曹操，其手下虽猛将如云，却无人可称英雄。吾恐今生只辱于奴隶人之手，骈死于槽枥之间。后曹操将吾赠予关将军；吾曾于虎牢关前见其武勇，白门楼上见其恩义，仰慕已久。关将军见吾亦大喜，拜谢曹操。操问何故如此，关将军答曰：‘吾知此马日行千里，今幸得之，他日若知兄长下落，可一日而得见矣。’其人诚信如此。常言道：‘鸟随鸾凤飞腾远，人伴贤良品质高。’吾不敢不以死相报乎？”伯喜闻之，叹曰：“人皆言关将军乃诚信之士，今日所闻，果真如此。”赤兔马泣曰：“吾尝慕不食周粟之伯夷、叔齐之高义。玉可碎而不可损其白，竹可破而不可毁其节。士为知己而死，人因诚信而存，吾安肯食吴粟而苟活于世间？”言罢，伏地而亡。伯喜放声痛哭，曰：“物犹如此，人何以堪？”后奏于孙权。权闻之亦泣：“吾不知云长诚信如此，今此忠义之士为吾所害，吾何面目见天下苍生？”后孙权传旨，将关羽父子并赤兔马厚葬。

这篇文章的杰出之处就在于它形式的创造性，以及作者的想象力和对文言文的驾驭力不同凡响。这就给我们一个宝贵的启示，仅仅是在形式上开了一个小小的窗口，就使青年学生神思飞越，做出了这么多精彩的文章，如果在内容上再少一点僵化的限制，那该出现多么令人鼓舞的情景啊。另一方面，我们也不能忽略，这几年的素质教育，不拘一格的价值准则已经深入人心，一些有才华的学生已经能够超越题目的狭隘性而做自由的发挥了。

如果说，我们的语文基础教育有什么特别令人鼓舞的地方，这就是一个。从另一个角度来看，倒是我们的命题者，我们有些教师是不是有落在了形势后面的感觉？在一个省级考区，对《寻求幸福》这样一篇寓意深邃的文章，第一轮评分的时候，居然有一个评卷者只打了 20 分（相当于百分制的 33 分），可见，长期以来的所谓客观化已经把我们的一些教师折磨得连起码的评判能力都没有了。这让我想到了马克思的教导：教育者必先受教育。同时我又想起了毛泽东在 20 世纪 60 年代就发出的警告：小将们在挑战。我们这些老头子，如果不向他们学习一点东西，可能就要完蛋了。

2002年全国高考语文试卷的几个问题

一、变相的标准化和人文精神的冲突

语文课程标准上已经规定了客观化和标准化不能成为评估的主要方法，在全国语文教学的讨论热潮中，高考试卷多少有些改变。最明显的就是所谓客观题所占的分量已经大大减少了，由原来的90分减少到45分（总分150分），作文的试题也由原来的封闭型命题、强制性主题规定变为开放型的话题作文。这说明，僵化的高考命题模式已经在节节后退。一些本来过分自信的命题人员在全国性的批评浪潮中，不得不在策略上进行调整。这种调整的意义是不可低估的。虽然从根本指导思想上来说，他们还没有真正理解语文教学从旧的工具论转向工具性与人文性的统一的全部深刻意义，但是至少在口头上，或者在具体做法上，他们的努力是值得肯定的。不过应该看到，仅仅这样一些改革还是比较肤浅的。从近年的语文考卷来看，有一种变相的工具论在顽固地抵抗语文教学改革的历史潮流。一些试题表面上已经由客观题改变为主观题了，可实际上仍然是变相的客观题。北京一位权威的中学老师一语道破："主观题客观化。"这在阅读与理解题中表现得特别突出。一些无谓的纠缠和故作玄虚、似是而非的答案仍然占着统治地位，就是在改革最前沿的上海的高考试卷中，也存在着相当普遍的洋教条模式。这在已经变成"主观题"的全国考卷的诗歌赏析中，表现得尤为明显。本来2002年把对于古典诗歌的欣赏改为主观题是一个进步，但是这个进步不大。把诗歌引入命题，目的是加强人文精神，标准化无疑扼杀了丰富的人文个性。2002年将古典诗词赏析改成主观题以后，并没有多少人文性的想象和独特的个性可以发挥。关键在于，有一种变相的标准答案在作怪。

如2002年的试题是赏析李白的《春夜洛城闻笛》。（谁家玉笛暗飞声，散入春风满洛城。

此夜曲中闻折柳，何人不起故园情。）

问题是：为什么“折柳”是此诗的关键？标准答案是：“《折柳》这首曲子寓有惜别怀远之意。”这个答案文不对题，问题是，“折柳”对于理解这首诗很关键，有什么深意？而答案是，《折柳》是一首曲子，是送别的，是惜别的情怀，是现场的感情。怀远，是怀念远方的亲人和朋友，人还没有走，谈得上怀念远方亲人或者友人吗？这两个观念，根本就不在一个视点上。问题出在命题者的混淆，没有弄清楚《折柳》这首曲子本身的惜别和听着这首惜别曲子的诗人的感受是两回事。曲子本身是惜别的，而远在他乡的诗人听着这首曲子的时候，却想起了当年的送别。这就不是惜别的意味，也不是一般的怀远，他所怀念的是“故园情”，想到当时离别故乡的时候折柳相送的情景，因而是怀乡。看来命题组集体对于唐人折柳送别的风俗不了解，恐怕连李白那首很流行的绝句《劳劳亭》（天下伤心处，劳劳送客亭。春风知别苦，不遣柳条青。）都没有用心去琢磨过。

通过临别折柳的风俗，抒发出惜别的情感：连春风都知道朋友之间的别离是很痛苦的，所以就不让柳条发青，柳条不发青，就不能折柳；不能折柳，就不能送别；不能送别，朋友就留下来了。诗人以奇特的想象，表达对于友人离去的留恋之情。在唐诗里，折柳是相当平常的典故，还因为早在唐以前就产生了一个曲子叫作《折杨柳》。这里的“折柳”是双关的，既是一个风俗（隐含着柳和留的谐音），又是一个曲调的名称，但是，命题者在这方面的文化修养似乎并不足够。问题的严重性还在于：虽然从形式上放弃了客观题和标准化，可从根本上没有把握人文精神的主要特点，那就是同样一个曲子，在不同情境中，有曲折和微妙的转化。粗疏地把自己片面的感想，当作全国统一的答案，这就不能不说是滥用给出答案的权力。这就怪不得一位中学语文教学的权威总结出了一条“规律”——“主观题客观化”。把丰富多彩的感情体验和理解转化为“知识点”（“惜别”和“怀远”）的猜摸，从根本上来说，还是穿新鞋走老路，换汤不换药。参考答案下面的说明，虽然说如果不符合参考答案，只要能够言之有理，也可以给分，但是就参考答案而言，仍然不能消除僵化的窒息。连续几年，不管经过什么样的包装，高考命题集体在审美情感方面的隔膜和对于诗歌体悟的茫然，可以说是欲盖弥彰。这不但暴露在诗歌命题上，而且也暴露在散文的阅读题上。

2002 年试卷散文阅读题的选择，暴露出命题组艺术欣赏水平方面致命的弱点。一篇很简单的关于沙尘暴的文章，却弄出四个纠缠不休的题目，明明是念懂了文章（比如我），却不会做那种题目。散文阅读本来应该选择艺术水平比较高的作品，可是林非的《话说知音》格调并不高，其艺术水准在当代散文中，应该说是比较平庸的。当然，在立意上，作者竭力求创新，做翻案文章：俞伯牙因为钟子期故去而不再操琴。故事的主题是知音难得，强调知音只能是唯一的，这从现实生活的实用价值来说，是感情用事，是非理性的。但是，情感逻辑是一种非理性的逻辑，是一种审美逻辑，它以极端化、片面性为特点，而理性逻辑是以全面性为特点的。不管什么事情，一带上感情色彩就不全面了。情感不符合同一律，以朦胧取胜，感情可以自相矛盾，无缘无故，凭直觉决定一切，理由有没有、理由充足不充足无所谓，也不讲究辩证法，全面分析、一分为二、理性、客观，与艺术无缘。如果把理性逻辑作准则来衡量，情感都不合逻辑。中国古典文论家严羽称之“非关理也”，清代诗论家吴乔谓之“无理而妙”。逻辑的极端性是抒情类作品的普遍规律。爱之欲其生，恶之欲其死；月是故乡明；情人眼里出西施；敝帚自珍；瘌痢头的儿子自家的好；看人家，豆腐渣，看自己，一朵花。都因其片面性、绝对化而显示出感情用事的可爱。讲究客观性，或者全面性，就没有感情了。中西的古典诗歌，中外浪漫主义的抒情经典，莫不如此。如果对这样的原则提出挑战，就意味着对审美情感的悖逆，必然导致荒谬，导致逻辑的扭曲，与习惯性的、心照不宣的常情构成“错位”，引发会心的微笑。这就是幽默的效果。但是，林非在这篇散文里追求的却不是荒诞的、幽默的效果，而是抒情。一本正经地提出问题：为什么知音只能有一个呢？世界上水平高的人多得很，只要你一直弹奏下去，就会有新的知音。何况你花了那么大的精力才练习到这样高妙的程度，不奏下去就太可惜，太浪费了。从典故的活用来说，不能说不可以，但是从文章的逻辑来说，背弃了抒情的极端化的、审美的逻辑，代之以一分为二的、具体分析的、全面性的理性逻辑。这就没有什么抒情可言，从审美价值下降到实用价值的层次上去了。从艺术创作来说，这实在是有一点呆气。而命题者在这一点上，不清醒到失去判别力的程度，实在是令人惊讶！

其实，不用讲多少理论，光凭直觉也不难判别：是强调知音唯一，不可重复，值得珍惜，富于诗意，还是强调知音无限，值得珍惜，富有诗意呢？如果是知音无限，随处可得，更为动人的话，是不是要把林非自己在文章中所引用的孟浩然的诗，“知音世所稀”“恨无知音赏”改成“知音遍世界”“喜有知音赏”呢？这里有一个重大的美学原则问题，涉及审美价值和实用价值的界限。要害是不懂得这个美学上起码的道理，不懂得审美价值对实用价值的超越性，把审美的情感价值和实用价值混为一谈。把情感的价值看得很轻，死了知音无所谓，只要把琴弹下去，反正还会有新的再来，这不能不说是极煞风景的。不管是林非还是命题组的人员，显然都有志于人文精神的张扬，强调审美价值的重要，但是对于情感与科学理性、实用理性的错位，与全面的、具体分析的矛盾这样的关键上却是糊涂的。“海内存知己，天涯若比邻。”难道情感可以改变空间的物理距离吗？一见钟情，为什么不多考验考验呢？“生命诚可贵，爱情价更高。若为自由故，两者皆可抛。”为什么不可以两全其美呢？为什么不竭力把命保住，继续为自由而奋斗呢？命题组人员没有看出，林非的文章显然是强烈抒情的，应该是把情感放在第一位的，但是由于在逻辑上否定了知音是失而不可复得的，心灵沟通的价值是超越实用世俗功利的，就必然以实用理性的逻辑代替了审美。作者显然对于审美逻辑异常茫然，却仍然大量堆砌了诗化的意象。这就造成了一个非常深刻的矛盾：内在的逻辑是反审美的，而外部的文字却是过度审美化的，这就把明眼的读者置于哭笑不得的境地。正是因为这样，文章的标准答案就不能没有混淆不清的地方。试题问：俞伯牙为什么激动？标准答案是：因为琴声“变幻无穷，神秘莫测”，钟子期却能够准确地感应他的琴声，领悟他的情思。这就太粗疏了，完全停留在表层的感觉上。更深刻的阐释应该是，《高山流水》是超脱世俗功利追求的，这种高洁的思想和情感境界，是一种审美的艺术境界，一般世俗之人是理解不了、想象不出的。而且音乐的曲调又和人类的语言不同，是很含蓄的，具有不确定性，没有高雅的人品与高深的音乐修养，是很难领悟的。而钟子期却能相当轻松地说出来，这样的人，在品格上和才能上是独一无二的。参考答案说什么“变幻无穷，神秘莫测”，完全是不着边际的打马虎眼。

二、无主题的话题作文和潜在的主题限定

和 2001 年一样，2002 年的作文命题是话题作文。这种题目的好处是，让学生有更为广阔的想象和个性展示的空间。本来，从命题作文变为话题作文，就是要学生用自己的头脑确立自己的主题，在一切问题面前，有自己独立思考的观念，应该说，这正是素质教育的根本精神之一。2002 年《心灵的选择》提供的话题是：一个人在风雪中行走，处于生命危殆之际，发现另一人冻僵在雪地。他选择了停下来救人，为此人按摩皮肤。结果自己和他一起得救。这实际上是即使不用思辨，也别无选择。本来顾名思义：“选择”，必然处于两难，难就难在要付出代价。而命题中的选择，则是没有代价的选择；排除了代价，就取消了真正的、深刻意义上的选择，给明眼人一种虚假的感觉。这样的“选择”，导致文章的选择和生活中的选择的背离。现实是严峻的。西方谚语说，没有免费的午餐。不准备付出任何代价就得便宜，就是机会主义，既救了人，又救了自己，空手套白狼，无本钱生意，这样的导向是真道德还是假道德呢？

据说，有研究者得出这样的结论：话题作文这种形式的好处之一在于考生在作文时不容易跑题。其实，这样的结论是十分可笑的。这是因为，人心不同，各如其面，本来应该丰富多彩的论题，变成了全国统一的大路货，本该多元的题意，狭隘化成唯一的，千人一面，没有任何独特性，当然就无题可跑了。把平时积累的套话、现成话组装起来，敷衍成篇，并不是难事。这是画好了圈子（姑且不说戴着镣铐）跳舞，怎么可能有不拘一格的情

思、才智的拓展呢？话题作文本来的要求是学生确立自己的、不同于别人的主题，取消了独立立意的要求，鼓励讲套话，不是事与愿违吗？这就把前几年潜在的局限暴露得更加突出了。尤其是话题停留在常识性水平线上，缺乏思维的冲击力和深度的诱导性。表面上，话题本该是没有答案的，是对于多种答案留下宽容度的，但是，这样的话题却包含着不言而喻的答案，在常识性的肤浅平面上滑行，以抑制思考为特点。高水平的命题应该是迫使学生不满足现成的观念，对于常识和现象重新思考，或者用学术语言来说，叫作对常识的批判。富于启发性的话题对于具体分析能力，也就是素质，展示出区分空间。讲了多少年的素质，具体分析就是最为根本的素质。这表现为抓住看不见摸不着的内在矛盾，勇敢地把它揭示出来，哪怕是向反面转化，也毫不手软。这在心理上就要有一点勇气。现成的、不言而喻的东西，有一种约束力。流行的话语有一种迫使人放弃思考的遮蔽作用，弄得人们连跟切身经验相矛盾的事实也视而不见，只满足于讲一些现成的套话。

当然，人们也很理解高考命题组专家们痛苦的根源：所谓思想性，尤其是道德理性的导向性的考虑。在我们这个大国家，精神危机严重，不能没有一点正面的诱导，但是，太明确、太狭隘的诱导，不但变成了对于思想的束缚，而且可能导向伪道德、说假话、唱高调。

问题的关键可能并不完全在客观上这样那样的考虑，而是命题者在思想方法上的局限。某些命题者似乎连辩证法的初阶都很欠缺。按照辩证法，一切都是在运动中走向反面的。不管是客观世界——自然界，还是人所创造的社会，还是人的观念，一切都包含着其对立面，都在运动中，必然走向它的反面，“诚信”“丰富多彩”“救人”也不例外。一说到某些道德意识很强的观念，命题者往往把它看得很绝对，以为是一成不变的，好像在任何条件下都不会走向反面似的。他们也许对于一些比较感性的事物、观念还能做一些具体分析，但是对于一些比较抽象的命题常常连分析的意向都没有。把一些道德命题看成是永恒不变的，这就说明，这些专家思想深处实际上还是机械论和形而上学占着绝对统治地位。这几年来，权力和学术水平的不相称，已经成为高考命题一大顽症的最深根源。

近年来，全国高考语文试卷的阅读题都有两首诗歌，一首古典诗，一首现代诗。这在理论上说，可以说是人文性、审美价值强化了，但是把审美的体悟放在标准化的选择题中，本身就是对于情感价值的粗暴扼杀。2000 年的全国统一考卷中，有一题是郑敏教授的诗《金黄的稻束》，原文如下：

金黄的稻束站在
割过的秋天的田里，
我想起无数个疲倦的母亲，

黄昏的路上我看见那皱了的美丽的脸，
收获日的满月在
高耸的树巅上，
暮色里，远山
围着我们的心边，
没有一个雕像能比这更静默。
肩荷着那伟大的疲倦，你们
在这伸向远远的一片
秋天的田里低首沉思，
静默。静默。历史也不过是
脚下一条流去的小河，
而你们，站在那儿，
将成了人类的一个思想。

题目要求考生指出对这首诗解释不恰当的一项。标准答案指出唯一不正确的是如下一项："'金黄的稻束站在割过的秋天的田里'一句涉及时间，从全诗来看，除了'秋天'外还隐指'暮色'降临以前。"出题者的意图显然是，这首诗的时间应该是在暮色降临或者以后，因为诗中已经明确指出是在"暮色里"，而且还点明"收获日的满月"，但是，诗中同时又明明说是在"黄昏的路上"，"黄昏"是在暮色降临以前还是以后呢？这就很难说了。再说，这首诗写的并不是一个静止的场景，而是一个概括的场景，从暮色、黄昏出发，延伸到"历史"（不过是脚下一条流去的小河）和"人类"（站在那儿／将成为人类的一个思想），显然，这是超越了时间和场景的具体性的。抒情诗与散文的不同之处，其中之一就是它的高度概括性，除了特殊的例外，在时间、地点上过分的确定，不利于它的想象，时间、地点、条件太具体，可能使它向散文退化。不论是艾青的《乞丐》《手推车》，闻一多的《死水》，徐志摩的《再别康桥》，臧克家的《老马》，戴望舒的《雨巷》，还是舒婷的《致橡树》，不论是雪莱的《云雀》、普希金笔下的大海，还是李白的月亮、苏东坡的长江，大凡诗人笔下之物之人，常有超越具体时间、空间的倾向。以初中语文课本中贺知章的《咏柳》为例：

碧玉妆成一树高，万条垂下绿丝绦。
不知细叶谁裁出，二月春风似剪刀。

这首诗并没有点明柳树是农村的还是城市的，是早晨的还是黄昏的。时间、地点、人物具体性的递增，导致想的自由和抒情性相应递减，抒情性的递减，必然导致叙事性的递增。"葡萄美酒夜光杯，欲饮琵琶马上催。醉卧沙场君莫笑，古来征战几人回？"不但现场的时间因素是淡化的，而且未来的时间也是淡化的。醉到什么程度？难道经过行军的漫长过程，上了前线还不醒？这一切都必须留在空白中让读者去想象。又如艾青的《乞丐》：

在北方

乞丐徘徊在黄河的两岸

徘徊在铁道的两旁

不但时间、地点是不确定的，连性别、年龄都没有。诗中的乞丐是整个黄河两岸的乞丐的概括性的群体意象，而不是某一个乞丐的具体描写，如果把性别、年龄都交代得清清楚楚，时间、地点、条件描写得十分明确，就必然失去诗的概括性，也就失去想象的自由。命题者每逢触及传统的抒情诗歌与散文的区别，往往就露出某种茫然。何况郑敏的这首诗是现代派诗歌，其时间、空间更加自由，且是形而上的概括的自由。母亲的形象是带着普遍性、智性的，甚至是象征的、色彩的。现代派诗歌比之古典诗歌更诉诸智性，更接近哲理的沉思，因而更具概括性和象征性。本来理解的难点应该在于，为什么不把母亲、母爱放在明亮视野中，而放在黄昏晦暗的背景里？疲倦的母亲为什么是“伟大”的？而“那皱了的”脸为什么是“美丽的”？为什么这样的母亲是人类的历史，又是一种思想？这种思想是什么？命题者如果是称职的，就应该明白，这首诗强调的是母亲为了生命的延续，不惜付出自身生命衰老的代价。秋天的稻穗，为什么是金色的？就是因为，孕育了更丰富的生命。这样的衰亡，把背景放在黄昏前后才是美好的、伟大的。把功夫放在这里，才有利于理解郑敏的这首诗。不引导学生在这方面钻研，而去纠缠是不是暮色中，只能说明命题者在学养上的局限：第一，以散文的时间和空间的确定性来扭曲诗。第二，对诗歌中的流派缺乏起码的修养。现代派的诗歌，重在智性的深思，其哲理深度的追求和浪漫派的主情有极大的不同。第三，对于自亚里士多德以来西方古典文论就强调诗的概括性，诗比历史和散文更近于哲学，以及当代西方文论对诗与思的文化哲学毫无涉猎。第四，对非此即彼的形式逻辑有过分执着的迷信，对于辩证思维，对于具体分析、矛盾转化，毫无自觉。这样低下的水平和权力之间的反差，已经把全国的中学师生折磨了如此之久，再这样糊涂下去，真是如《羊城晚报》前几年的头版大标题所说的“贻误苍生”了。

一道古典诗歌试题“参考答案”暴露出来的问题
——评2003年高考语文试卷

机械唯物论，或者形而上学反映论，在哲学界、美学界早就被抛弃了，但在中学语文教学和考试中，阴魂不散，有时还愣是摆出一副神气活现的霸权姿态。2003年全国语文高考的作文试题，是韩非子的寓言：一家墙倒了，儿子和邻居同样说，要赶快修，不然会遭偷盗的。果然晚上被偷了。这家人认为儿子很聪明，而邻居却被怀疑为小偷。题目的关键是人的主观情感的亲疏，歪曲了事情的客观性质，要害是情感与理性、主观与客观之间的矛盾。相对于以往高考比较着重于感性的作文题而言，这道作文题有一点哲理的难度。

一位省重点中学的语文权威教师在省电视某台上评论说，对于这样一种具有哲理难度的题目，解决的办法是：“深入生活”“贴近生活”，因为“生活的广度，就是作文的广度”。用“深入生活”作为一种万应灵方，这里又是一例。说句不客气的话，真是驴唇不对马嘴。理性的思辨，其特点是：第一，不是感性的，而是抽象的，比感性要高级的思维，很难自发地从感性上升；第二，文学形象也忌讳直接显示。所谓全面发展，可以从德、智、体方面去理解，也可以从知、情、意、文四方面去理解。文学作品给予青少年以认知和情感的熏陶，这还不够，在理性方面，更要全面提高。把那么多的学时给予数学、物理、化学、哲学社会科学和经济学的道理，从根本上来说，就是为了帮助青少年从特殊的感性上升为普遍的抽象，从而获得概括、分析的能力，以及独立思考、独立创造的能力。

要从生活的感性上升为理性，只能从理论的学习和钻研开始。

有趣的是，“深入生活”也是从一种哲学基础上冒出来的，那就是机械唯物主义：思想情感是客观的反映，只要深入生活就一定能获得。问题在于，思想不是具体的，而是抽象的，人的心灵就算是镜子，它也照不到。从生活中直接抽象出哲理性的观念来，这是一种哲学的创造能力，只有大师才能有这种创造的才华；一般人，只能从学习理论的过程中去体悟，去间接地形成抽象能力。

拘泥于机械唯物论思维方式，一到文本分析中，笑话就多了。2003年全国高考语文试卷中，有一题是王维的诗："不知香积寺，数里入云峰。古木无人径，深山何处钟？泉声咽危石，日色冷青松。薄暮空潭曲，安禅制毒龙。"题目要求：指出"泉声咽危石，日色冷青松"中哪两个字是"诗眼"，并阐述理由。命题小组前几年用古典诗歌作托福式标准化的试题，碰了钉子，犯了学术上的错误，从2002年开始把客观题变成了主观题，是令人鼓舞的。试卷提供的"参考答案"（实际上是标准答案，因为是评分标准）说，"咽"和"冷"是诗眼。这应该是没有错的，但是，其理由却令人怀疑。答案说："'咽''冷'两字，绘声绘色，精炼传神地显示出山中幽静孤寂的景象（意境）。"这就暴露了在哲学、美学思想上的严重局限。首先，这两个字之所以动人，仅仅是因为它写出"山中幽静孤寂的景象"吗？景象是客观的，光凭反映了客观的景象，就能动人吗？其次，这是一首抒情诗，抒情诗能够光凭客观反映的准确性动人吗？诗人的主观感情在这里起什么作用呢？再次，"咽"，是对于泉声的客观"显示"，还是诗人主体情感的表现？泉声本身是不会呜咽的，是诗人的情感使得它听起来像低泣。从物理科学的角度来说，日光也不可能是"冷"的，这里的"冷"，表面上强调日光幽暗，实质上表现诗人内心对现实世界的"冷"。其所以动人，恰恰是因为山中景象的"幽静孤寂"，表现了沉浸于佛学的诗人超越尘世的心灵与宁静的环境相和谐交融。主客交融并不是绝对平衡的，无疑是诗人的主观感觉起了决定性的作用。可以设想，换一个诗人，或者换一种心情，就是另外一个样子。就是叫早年写过"科头箕踞长松下，白眼看他世上人"的王维来写，也绝对是另外一个"景象"。最后，在"景象"后面用括弧加上个"意境"，就更加暴露了在哲学、美学上的混乱。"显示——景象"是客观的反映，而"意境"则是主观的情感与客观"景象"的化合。前面有"安禅制毒龙"（用禅意来消解尘世的、毒龙一样的感觉），拿王国维的学说来说毫无疑问，属于"有我之境"。机械唯物论的通病是只看见客体的物，而拒绝看见主体的人。正是因为这种呆里呆气的唯物论，使得命题组的思想僵化，一碰到诗歌，不是犯常识上的错误，就是在理论上陷入荒谬。

重新学习，迎接挑战
——2003年高考作文命题动向

2003年的高考作文题一出来，在考生和老师中，首先是一片哀叹，一言以蔽之：难；其次是，出乎意料。

那么，意料之中的是什么呢？可能会考SARS（传染性非典型肺炎）或者精神文明方面的题目吧。这些猜测，一出现就注定要落空。因为这种以政治社会热点问题来命题的原则早就落伍了，它盛行于20世纪五六十年代（如：《从国际歌想起的》），进入20世纪八九十年代，命题原则已经逐渐从政治社会热点向道德层次转移，六年前的《感受坚强》可以作为代表，特点是命题中规定着明确的道德教化的原则。这种强制性的规定，导致了许多虚假教条，从五年前的教改大讨论中，在理论上就破产了。所以才有《假如记忆可以移植》，真可谓“横空出世”，划时代的新原则：没有主题的规定性。这就有了所谓话题作文的说法。第二年来了一个《答案是丰富多彩的》，名义上没有固定的强制性的主题，全国考生都对“答案是丰富多彩的”大加发挥，但是就“答案是丰富多彩的”这一主题说，全国又是唯一的。这是个悖论，从根本上来说，违背了话题作文的精神。再后来，就退步了：丢掉“诚信”的故事。2002年是冰天雪地救人的故事。表面上都是话题作文，没有主题的强制性，但是，在道德的共识面前是别无选择的：诚信不能丢，冒险救人天经地义。话题作文的要义就是主题的不确定，要求学生自行构成主题，有自己深思熟虑的，最好是独特的理解。一旦话题中或明或暗地规定了主题，就和命题作文没有什么区别。规定主题的话题实际上是一种“伪话题”。伪话题的特点是，实际上把考生的思路局限在图解或者重复现成的主题上。

2003年的作文题，从根本意义上来说，就是对“伪话题”的一种突破。话题是《韩非子》中“智子疑邻”的故事。考生的任务就是对情感与认知之间的矛盾或者转化进行论述。

这个题目难就难在要在两个方面的考量中拿出自己的看法（主题），它不像道德性主题那样现成，那样别无选择。这需要有自己真切的理解：人因为情感而导致了认知显而易见的荒谬，情感在这里是否定性的。如果考生只能就此举例子，在选拔性的、淘汰性的高考中就没有什么竞争力。最好要想得更深一点。如果能进一步阐释，与主观情感亲近相对的是：客观的理性的认知。在二者的矛盾中进行阐释，水平就可能高一些。真正要有强大的竞争力，还要再想得深入一点。例如，人也不能完全排斥情感，光凭理性，人就变成机器人了，还要人文精神干什么？人应该有理性，但也不可无情。只讲理性，不讲感情，贾宝玉和林黛玉就不用那么折腾了。何况，人的感情也并不总是与理性的认知有绝对的矛盾。对于祖国、人民，正是因为有感情才有更好的认知。

这是需要全面分析的，不是光靠一点聪明就能写好的。

主题先行规定的作文，只要有具体的描写能力就游刃有余了。而 2003 年的高考作文题，就要有点抽象的分析能力，但是，从绝大多数考生来看，发议论的能力特别薄弱。直接用议论的方式完成作文的，凤毛麟角。大多数也就是用讨巧的办法，讲一个故事，把理性的结论作为“标签”贴上去。相当大一部分，发不出议论来，连讲故事都和题旨不沾边。

有语文教学权威在网络抨击：这样的命题，脱离了中学生的实际。我想，这种说法不但太粗暴，而且太没有出息。

首先，教育部已经颁布的《普通高中语文课程标准（实验）》中就规定了高中生要“养成独立思考的习惯，增强思想的严密性、深刻性和批判性”“学习运用科学的思想方法发现问题、分析问题、解决问题”。这几年我们对人文性在理解上有些片面，以为人文性就是文学性，也就是审美价值、情感价值。但是，理性独创也是人文性的一个重要方面。长期以来，议论文的教学在中学里成了薄弱环节。哪怕是比较优秀的学生，也往往是长于抒情与描写，而短于议论，缺乏提出问题、分析问题并得出自己的结论的能力，这已经成了通病。

其次，学生的年龄十七八岁，感情比较强，理性抽象比较弱，也不是理由。高中课程中的数理化已经是非常抽象的，学生完全能够理解，其解难题的能力，在许多方面并不亚于一般成年人。在世界上，我们在数理化方面还有相当的优势，有沾沾自喜的足够本钱。至于哲学、经济学方面，我们也并不十分落后，有关课程，其抽象度也是相当强的。学生在理解和具体分析方面并没有什么问题，为什么一旦在作文中要求做些抽象的分析，就有人高呼脱离中学生实际了呢？

其实是，我们的语文课程，尤其作文教学，严重滞后。

长期以来，我们的高考作文话题，一直是感性很强，只有单向的追随性，很少有矛盾的分析性，有时有一种通俗的趣味掩盖了题目的简单，从来没有想到把一定抽象度的观念、命题推到学生面前，让他们具体分析，拿出自己的见解来。

关起门来，我们自己不觉得落伍。如果和西方，尤其和欧洲比一下，就没有理由不对我们的作文教学表示忧虑了。请看，法国的“高考”作文题：

法国统一中学毕业会考试题①

文科：

1. 人们通过劳动获得什么？

2. 所有信仰都与理性相悖吗？

3. 解读斯宾诺莎《神学政治论》的一个节选段落。

社会经济科：

1. 是否可能存在天生的欲望？

2. 工作，是否仅仅为了有用？

3. 解读乔治·贝克莱《消极服从论》的一个节选段落。

理科：

1. 我们是否有寻求真理的义务？

2. 没有国家，我们是否会更自由？

3. 解读卢梭《爱弥儿》的一个节选段落。

和我们答案是很现成的，甚至是常识性的、感性的问题相比，人家考的是相当高深的哲学命题，几乎没有一个命题是具有显而易见的正确答案的，所有命题都不是用感性的语言就能讲清楚的，不用比较抽象的议论进行全面分析，很难把问题讲得透彻。让我们的中学生来做这样的作文题，是不是更难？就连讨巧地讲一个故事来图解，也肯定是很难及格的。从抽象思维能力和要求来说，我们和人家是不是差距太大了？也许有人会说，这是法国特殊国情，因为哲学是法国高中第三年的必修科目，所以法国“高考”始终绕不开哲学这个科目，但是，近在东邻的日本，其高考题目也有理性的分析。最发人沉思的应该是东京大学入学考试的一道试题：

阅读中国《左传·昭公二十年·晏子对齐侯问》章节，回答问题。

齐侯至自田，晏子侍于遄台，子犹驰而造焉。公曰：“唯据与我和夫！”晏子对

① 法国统一中学毕业会考（BAC）制度，由拿破仑1808年立法确立。在法国，BAC成绩达到80分是申请大学的依据，算是法国版的“高考”。与其他国家不同，法国“高考”始终绕不开哲学这个科目，哲学也是法国高中第三年的必修科目。

曰：“据亦同也，焉得为和？”公曰：“和与同异乎？”对曰：“异。和如羹焉，水火醯醢盐梅，以烹鱼肉，燀之以薪，宰夫和之，齐之以味；济其不及，以泄其过。君子食之，以平其心。君臣亦然。君所谓可而有否焉，臣献其否以成其可。君所谓否而有可焉，臣献其可以去其否。是以政平而不干，民无争心。故《诗》曰：‘亦有和羹，既戒既平。鬷嘏无言，时靡有争。’先王之济五味，和五声也，以平其心，成其政也。声亦如味，一气，二体，三类，四物，五声，六律，七音，八风，九歌，以相成也。清浊，小大，短长，疾徐，哀乐，刚柔，迟速，高下，出入，周疏，以相济也。君子听之，以平其心。心平，德和。故《诗》曰：‘德音不瑕。’今据不然。君所谓可，据亦曰可；君所谓否，据亦曰否。若以水济水，谁能食之？若琴瑟之专一，谁能听之？同之不可也如是。”

从国家政治的角度，晏子是如何论证君臣之间“和”与“同”的本质区别的？从中可以看出，国家治理应有的状态和理想境界是什么？

如果拿这样的考题来考中国学生，我们的权威老师不知道要愤怒到什么程度。

我们的权威教师，在高声呼喊反对之前，是不是应该先冷静地想一想，我们青少年一代在抽象思维方面的落伍状态和我们国家面临的挑战是不是太不相称了？

形势不但在逼迫着高中学生，而且也在逼迫着那些在教学上做出了突出贡献的教师。

当然，改革要循序渐进，但是不能以“脱离学生实际”来做变相的抵抗。

唯一的办法，是重新学习，迎接挑战。

附：

2010年法国“高考”哲学作文题

文科	1. 对于真理（相）的追求是否可能没有利害关系？
	2. 为了给自己一个未来，是否应该忘记过去？
	3. 解读托马斯·阿奎那《神学大全》的节录。
经济社会科	1. 某些科学真理是不是有可能是危险的？
	2. 历史学家的作用是否是评判？
	3. 解读迪尔凯姆（也译为涂尔干）《道德教育》节录。
理科	1. 艺术是否可能避免（不要）规则？
	2. 快乐取决于我们吗？
	3. 解读霍布斯《利维坦》的节录。

2011年法国“高考”哲学作文题

文科	1.人们是否可能证明一个科学假设？
	2.人类是否必然对自身估计过高？
	3.解读尼采《快乐的知识》的节录。
经济社会科	1.平等是否危及自由？
	2.比起科学，艺术是否不那么必要？
	3.解读古罗马哲学家塞内卡《论恩惠》的节录。
理科	1.文化是否使人类偏离自然？
	2.违背事实是否仍可能坚持真理？
	3.解读帕斯卡《思想录》的节录。
音乐舞蹈专科	1.自制力是否取决于自知之明？
	2.感受到不公正能否加深对公正的理解？
	3.解读尼采作品的节录。

从半自主到自主

——评 2004年全国 11 省高考作文自主命题

这几年中国的基础教育改变发展是迅猛的，但是阻力和动力同时存在。最为明显的是，评估体系，尤其是全国统一的高考体制严重滞后，成为改革的瓶颈。当然，公平地说，全国命题的试卷不能说没有改革，从某种意义上来说，改革的幅度还不能说是很小的。

作文命题经过几年的徘徊，说明了：第一，在命题的自由度和导向性之间似乎把握不定，给出一点自主立意的空间，又不放心，总要在道德教化上，把空间压缩到一种“保险的”单一孔道。其结果是，导向性和限定性往往占了上风。从表层来看，话题提供的自由度可观，可预设前提是道德化的，虽然相对于以往的政治化前提的严酷性来说，进步是明显的，但是其不可置疑性是心照不宣的。就是最老实的考生，也有足够的聪明暂时放弃自由，选择迎合。第二，实践证明，在我们这样大的国度，关系到千家万户后代命运的高考改革，少数人的智慧已经赶不上形势的要求，即使命题组早在几年前就向全国征集考题，也注定了效果不彰，就是征集到某些创意较好的题目，也难保不被一元化的体制所过滤乃至窒息。

改革的迅猛发展冲击着统一命题的体制，多元价值对话的教学原则与多元教材，必然要求多元命题。从命题的改革到命题体制的改革是迟早的事，发生在 2004 年的 11 个省份自主命题，在中国的教育改革史上具有突破垄断体制的历史意义。

正是体制上的这一点突破，让我们看到了命题百花齐放的生动局面。

从广东的命题上，我们看到了地域特点，这是在大一统的局面下不可想象的。从《郁离子・冯父》的故事，引申出方言语音差异，沟通产生误解，产生悲惨死亡的后果，这样的题目，只有广东人才出得了。广东方言复杂，比之方言同样复杂的福建来说，广东人又具有某种特殊的方言自恋，普通话的普及程度在中国内地可能是最低的。考题无疑会触发广东考生丰富的体验和记忆，一些幽默的段子或者笑话可能蜂拥而至。当然，这样的考题也有局限，一般的考生只能从现象到现象平面滑行，难以在文化层次上深化，考题规定的宗旨“语言对人们沟通带来的巨大影响”可能无法得到深邃的理解，能够从语音的差异上升到“语言”（包括词汇、语法文化心理）上去，从日常生活上升到人的生存状态来谈人与人之间的沟通，恐怕是凤毛麟角。也许是巧合，江苏省以“水的灵动、山的沉稳”为话题作文。这令人想到，江苏位于山明水秀、得天独厚的长江淮河之间的千里沃野上，在许多江苏人的眼中，水当然是灵动的，而山则必然是沉稳的，不可能是如毛泽东的十六字令所述“倒海翻江卷巨澜”的。像黄河壶口和尼亚加拉大瀑布那样的水，在一般江苏青少年的自发经验之外。当然，要让青少年真正体验到“灵动”和“沉稳”，而且真正有话要说，可能要求有比较高的诗化审美的修养，命题者所追求的正是对于考生文化修养的测试，但是，对于“灵动”和“沉稳”，本身就是一种严苛的限制，有多少考生能写出有深度的文章，不能有过高的预期。后来得到一条信息，说考生很少能兼顾水的灵动和山的沉稳，评分标准不得不适当调整，只要写到水或者山就算切题。

不管是否具有地方特色的自觉，各省的命题在一点上是相通的，那就是着意于扩大开放性，排除审题的障碍，给考生以充分的自由，自主立意、自选文体、自拟标题或者副题。在这方面，上海做得最为彻底，尽可能扩大自由度，弃绝无谓的限制。2003 年的命题只有一个字“杂”，2004 年的命题仍然是一个字“忙”。这种题目和全国考题有很大的不同，既不是话题作文也不是材料作文，也没有任何道德前提的暗示。也许在上海的命题专家看来，作文考试要考的首先就是确立论题的能力，能不能独立构成观点，对考生的素质是一种考验，在此基础上调集思维素材并加以驾驭，才能有自己的语言；不问青红皂白，没头没脑地去肯定现给定的论题，是不清醒的。和上海命题方式异曲同工的是湖南的以“家庭教育”为话题，浙江的以“人文素养”为话题，北京高职单招的以“时尚”为话题。在把立意的自由还给学生这一点上，几个省市的命题者无疑是很坚定的。

也许是前些年全国性命题作文审题的要求太严酷了，对于学生才智的束缚太严重了，这样反弹势所必然。但是命题如果太泛，完全放弃导向性，失去的则不但是道德的暗示，而且是思维深化所不可缺少的焦点。这显然是教育部考试中心的专家们所十分警惕的。从 2004 年全国性考卷的作文题来看，他们追求对于立意略加限定，其实就是引导。全国卷提供了四个内涵互相矛盾的格言（但丁：走自己的路，让别人去说吧。波兰谚语：常问路的人不怕迷失方向。达·芬奇：应当耐心地听取他人的意见，认真考虑其是否有理。塞纳克：相信一切和怀疑一切的人，其错误是一样的。）要求考生以“相信自己与听取别人意见”为话题作文。旨在二元对立的论断中，引导考生自主立意。用对立统一思想方法来解决当前命题中自由与引导之间的矛盾，是当前比较流行的一种模式。全国试卷另外一卷的命题也属于这个模式（遭遇挫折和放大痛苦），这个模式因为有其可操作性而有其相当强的生命力。许多省份的命题在思维模式上和它不谋而合。辽宁卷提供了一个名人母亲的直言——她还有一个挖土豆的儿子。要求学生以“平凡与自豪”为话题。天津卷的材料是：被木匠所放弃的形状怪异的树根却为根雕艺术家所取。要求以“材与非材”为话题。重庆的故事是：一登山队员上至 8000 米高度停止攀登，不再勉强自己，而他人为之遗憾。要求考生以“自我认识与他人期待”为话题作文。题干均为具体的故事，明确提示考生：立意关键在其包含着的对立和转化。题面已经从具体的事件中把这种抽象的矛盾概括出来了。就全国卷来说，也许为了减低难度，是不得已而为之，但各省条件悬殊，应该争取更为广泛的适应性。

对上海的命题专家来说，这样的“代庖”也许是没有必要的，对于天津、浙江、重庆这样经济文化上均相当发达的省市来说，有没有这个必要，地域的特点应该考虑到什么程度，需要更加慎重的决策。除此以外，还有一个问题是不得不面对的，那就是，我们所能看到的 12 种试卷，居然有 5 种从思维模式到题型结构，都是从故事中抽象出矛盾对立的，在道德（在这以前是政治）的导向性显得过于僵硬之后，在思想方法上用对立统一的模式来取代本无可厚非，但在数量上占到如此的比重，是不是会给人一种贫乏的感觉呢？比之 20 世纪 80 年代早期，借助《韩非子》中的故事，“毁树容易种树难”的对立，20 多年来，我们在题型上，乃至题干和题目的结构上，是不是会给人以一种踏步不前的感觉呢？

如果高考命题体制性的突破仅仅给我们带来这样的收获，这是难以令人满足的。幸而，我们看到了福建省的命题：

> 选择下列一个人物或人物形象为话题，自选角度作文。
>
> 人物：孔子、苏轼、曾国藩、鲁迅、史蒂芬·霍金
>
> 文学形象：曹操、宋江、薛宝钗、冬妮娅、桑提亚哥

同样是题目自拟、立意自定、文体自选，这里却提供了一种新的题型，没有故事，也没有材料来作题干，更没有已经明确化了的对立范畴，只给出一种很宽松的范围。这里有非常大的自由度，但并不是没有导向性，它的导向在深层，那就是一种经典的人文价值。从某种意义上来说，这种导向性非常严格。它不机械地追求贴近学生生活，而是追求超越日常生活的表层，对经典文化进行深入的思索。从这个意义上来说，它无疑有利于拉开不同文化修养的差距。做这样的题目，光有一点课本上的知识是难免捉襟见肘的，平时没有一点自主学习精神，没有一点课外的爱好，缺乏广泛阅读的积累，拿到这样的题目可能会是狗咬乌龟。这种潜在的导向性，孕育着对于素质教育和基础教育改革的冲击力。难怪题

目一公布，网上就有专家组把它评为“最佳”，这是令人惊喜的。这是一道真正的综合素质考题，但是，我们面对的是长期在应试教育体制下挣扎的学生，是不是可以妥协一点，在名人中加上一个大众明星，如姚明，对于缺乏文化底蕴的考生是不是应该显示一点宽容呢？虽然 11 个省市的自主命题取得了举世瞩目的进展，但是，这一切并不能令人十分满意，因为严格来说，这并不是真正意义上的“自主”，充其量不过是“半自主”。也许是事出仓促，来不及对全国性考试大纲加以修改，全国考试大纲里有许多与分省自主命题精神相矛盾的地方。例如，在 150 分的试题中，作文只占区区 60 分是定死了的，知识题、阅读题占 90 分，每一种题目的类型，所占的分值没有任何调节的余地。这种硬性规定与自主命题的精神是背道而驰的。一个人的语文素养，最主要的表现应该是其作文能力和口语交际的能力。而雅思正是基于这样的理解，设计了不同于托福考试而突出作文和口语的模式。在我们的语文试卷中，把作文分数限定得这么低，显然是受了美国托福考试模式的影响。人家把客观化、标准化强调到 100% 的程度，并不因为它科学，而是因为它便于赢利，光是 2002 年，托福考试就为发明它的“考试服务中心”赢得了 7 亿美元。尽管如此，这家公司还是居安思危，认识到这种模式容易产生高分低能，从 2000 年起就锐意改革，新一代的托福模式将于 2005 年启用，客观题将减少到 10% 左右，口头作文和书面作文占到 90%。这就宣告了旧托福式，亦即以客观化、标准化为特点的试题末日的行将到来。而全国语文考试大纲却对此无动于衷，体制的突破如果不在大纲上落实，则各省“自主命题”的潜在创新能量就很难得到全面发挥。摆在面前的任务是：给予各省以修订的权力，允许对大纲动刀。这样的要求并不高，同样是自主命题的上海市和北京市早就有了自己的大纲，上海早在几年前就把作文分值改为 70 分。这一改革，在当时比北京还勇敢，令人肃然起敬。而现在看来，可能并不算彻底。不把作文分数提高到具有决定意义的程度，就不能改变语文教学的应试性质，素质教育为应试顽症所扼的现状就不可能改变。

高考作文题的历史回顾和前瞻

——评 2005 年高考作文题

2005 年的高考作文题引发了许多议论，负责任和不负责任的批评与赞扬都停留在感觉上，与深刻的分析不沾边，主要原因就是缺乏历史意识。为了把研究引向深层，本文试从简略的历史回顾开始。

统一的高考作文命题应该始于 20 世纪 50 年代早期，半个多世纪以来，变幻多端，起伏跌宕，归根结底是限制性和自由度此消彼长，从历史的趋势来看，限制性呈递减之势，而自由发挥的程度则日益增强。20 世纪五六十年代，限定性主要在政治方面；从 70 年代末到 80 年代初期，政治化转向道德化；80 年代中期以来，间或有思想评析（如《毁树容易种树难》《近墨者未必黑》）的题型出现。单纯从题目看，有某种道德导向淡化的苗头，考生自由发挥的天地日趋广阔，但是，主题限定为毁树易于种树、近墨者未必变黑，本身就是片面的。题目强行规定了矛盾的重点，在改卷中，又有“切题”的严格规范，重点论就成了片面性的合法外衣。从 90 年代中期开始出现思想评论，甚至“中性”的命题，如《习惯》《尝试》等，但是未成潮流。根本性的突破是基础教育改革展开以后，1999 年的《假如记忆能够移植》和 2000 年的《答案是丰富多彩的》，至少从表面上看来，题目在价值上的规定性并无明显的倾向可循，自由发挥的天地空前拓展。

这样的命题大概可以叫作“无主题命题”。

十多个省市自行命题以后，各方面对于无主题命题的认识趋于一致，作文题型也开始趋同，话题作文、材料作文成了大势所趋，从题面到题干都有了流行的模式，但是，表面趋同的形势并没有窒息别具一格的创造。至少在两个方面，不应该忽略无主题命题的突破。

第一次突破是 20 世纪 90 年代末，上海的专家们创造了一种完全开放的作文题。例如，《面向大海》《杂》《忙》等，表面上是直接命题，实质上是完全开放的。完全开放意味着强制性主题的取消，同时也意味着自主立意的压力增强。对于考生来说，严峻的考验在于，无序的自由思考不能成为文章，极大的自由度可能造成散漫芜杂，成文的最低限度是集中和有序，发散的思考要有焦点和逻辑的连贯性。如何凝聚思考的焦点，成了对于考生素质的挑战。

第二次突破是2004年福建高考作文题，题面和题干焕然一新，只有10个历史名人和文学形象（孔子、曹操、薛宝钗、冬妮娅等），任凭考生自由评论。这不但要求考生有凝思概括、逻辑拓展的能力，而且对其文化修养也是一种挑战。考生若没有足够的课外阅读量，没有起码的具体分析能力，是无法应付这样的考题的。

到了2005年，自行命题的省份增加到15个，题型更加异彩纷呈、百花齐放，强制性主题作文日薄西山。湖南卷：跑的体验（先走好，还是先跑好）；四川卷：忘记与铭记；广东卷：纪念；北京卷：说“安”；浙江卷：一叶、一枝、一世界；山东卷：用自己的长处弥补别人的短处；黑龙江卷：位置与价值……几乎全部都是不设主题限制的。这种无主题命题之所以如此迅速地取得了主导地位，原因在于超越了命题作文的致命弱点。命题作文提供的主题，不但是现成的，而且是公共的、他人的，并不是学生自己从真切的体验中概括出来的。无主题命题的最大优点，就是把确立自己独特的、与众不同的立意放在第一位。立意是为文的前提，立意的难度在于必须在纷纭的现象和错综的感受中进行提炼，能否从中构成情感和逻辑的单纯线索，能否防止思维平面滑行、主题徘徊，能否在有效地推动思维层层深入的同时，控制跑题、离题的潜在危机，成了考查的重点。要通过这样的考查，光凭文字的华丽是不行的，思维灵活一贯、深化和可控性才是制胜的法宝。

这一切正体现了素质教育的精义。从根本上来说，自主的立意不但是作文的要领，而且是树人的根本，而立意和树人都有一个深化的过程。语文课程标准对于这一点有明确的规定：要让学生在“知、情、意”三个方面或者三个层次得到全面的发展。知，是感知，通俗地说，是感觉，属于心理比较低的层次；情，是情感，在心理学上，层次要高于感觉；而意，是意志，属于更高的层次，一般说，是智性或者理性的层次。知、情、意三个层次都得到发展，这是人的精神全面发展的表现。

高考作文命题，经历过长期的探索，引发了许多讨论，但是不管是探索还是讨论，往往局限在主题的有无，对于主题的感知和智性的含量问题，长期空缺。总体来说，各种命题对于感性层次是看重的，最明显的是2005年江西卷的“脸”和重庆卷的“筷子”。做这样直接感性的题目，文章的质量并不完全取决于主题的有无，而且还要看主题的情感和智性深度。要把脸和筷子这样很感性的文章做好，起码要从感觉层次深入到情感层次去，在情感基础上进行智性和理性的概括。江西和重庆的命题，好处很明显，就是完全开放，没有现成主题的暗示，但是，缺点更为明显，即缺乏情智的深度诱导。既然是命题，绝对没有任何深化的指向性（情感和智性的指向性），可能误导学生光在感性层次上徘徊而流于肤浅。另外一些省市的命题，以提供话题和材料为主干，带着很强的感情色彩，如北京卷的“说‘安’”（含有“安定”“安全”“安宁”“安逸”“安于”之类的联想），浙江卷的“一叶、一枝、一世界”（从“一叶飘落而知秋”“一叶勃发而见春”来），都提供了情感向智性升华的暗示，显然更有利于检测考生感受的和思绪的纵深层次。

提供一系列感性材料，以之为基础，启示学生深化感受，是基础教育改革以来得到广泛认可的题型模式。从开始运用到广泛流行，逐渐产生了一种倾向，那就是感性材料往往比较单调、比较粗浅，缺乏情感和智性的含量，这就难免使考生忽略从知觉到情智的跨越。其实，这是不可忽略的。当其为文之际，感觉是纷繁的、复杂的。《文心雕龙》形容这种状况叫作“云蒸霞蔚”“万涂竞萌”。要从感觉升华到情感或者智性，必须把复杂的无序提升为单纯的有序，没有这个提升，从感性到智性的深化是一句空话。如果这一点没有错，则今日流行的单纯感性的话题和材料，事实上是经过命题者梳理的二手货，取消了一手提纯的环节，就是取消了学生独立形成观念的第一个台阶，显然有违心智层次提升的规律。

当我们对于这一点还处于懵懂状态的时候，上海的命题专家可能觉察到了，他们2005年的命题提供了多元的感觉素材：

> 在课堂教学之外，以下现象也大量进入我们的视野，请看一组社会广角镜——镜头一：武侠小说风靡了几代读者，其实以侠为人格理想，是一种由来已久的精神传统；言情小说则往往将花样年华与感伤情怀交织在一起，这都是作品吸引众多青少年读者的原因。镜头二：中学时代《同桌的你》流行歌曲，唱出了莘莘学子的生活，幼稚与成熟，青春与成长，追求与迷茫，是一种难解的情结，在校园的绿草地上总有它的一席之地。除此之外，还有各种卡通、音像制品、韩剧、休闲报刊及时装表演等，因此需要对当今的文化生活作一番审视和辨析。谈谈它们对你的成长正在形成怎样的影响。

也许在有些人看来，这不过是一道材料作文题，没有什么新意，这样的想法比较粗心。从思想方法上说，显然未曾看出复合的感性材料比单纯的感性材料提示了情感和智性的凝聚难度以及向深度和广度展开的空间。

上海命题的感性材料是复合的，各不相干，处于无序状态，命题的旨意正是要求考生从无序的现象中发现统一的线索，这就不但需要独特的情感，而且需要独特的智慧。从某种意义上来说，这是无主题命题（材料作文）的一大进展。它强调了我们多多少少忽略了的环节：独立主题的形成始于对无序感知的梳理和提炼。忽略了这一环节，就是忽略了学生的主体建构的初阶。学生的主体建构始于感知的有序提纯。上海命题的好处还在于，在题干中提示“对你成长的影响”，这就明显地防止了流于感性，突出了智性和理性提升的要求。

2005 年比较好的命题都表现出共同的追求，那就是在提供感性材料的同时，诱导考生不但要向感情，而且要向智性和理性升华。全国卷“出人意料和情理之中”，湖北卷“入乎其内，又须出乎其外”，都显示出超越感性表面的指向性，为考生从具体的感性向抽象的思辨提升留下了巨大的空间。这无疑表明了我国语文素质教育的水准已经有了很大的进展，这种进展，是高等学校入学考试的功能所要求的，考试的目的是为高等学校选拔合格的新生。高等教育和中等学校的最大不同就是学科的理论性，没有一点从感性上升为理性的起码训练，到了高等学校，是比较难以胜任抽象度很高的理论课程的。无视这一点，一味满足于感性上滑行，或者一见到比较抽象的题型，就大叫“脱离中学生实际”（前几年针对“智子疑邻”的命题，就有知名的中学教师表示，题目难度太大，脱离中学生实际），其实所谓实际有两个，一个是中学生的实际，一个是大学的教育和世界各国大学教育的差距的实际，高等学校入学考试的功能是选拔，不是中学会考，如果一味以中学生实际为准则，就意味着迁就中学生偏重感性的惰性，遮蔽了为高等学校选拔人才的功能。

为智性和理性留下空间的共同倾向，还有一点不能忽略，那就是标志着我国的感性作文命题与西方，尤其是法国的高考作文命题的哲理性之间的距离开始缩短。从强制性主题到无主题命题的实质当然是一大历史性的进步，但是这种进步并不是平面的，而有着心理的递进性。第一阶段，从强制命题到话题（材料作文），从封闭性到开放性，从抑制学生自主思考到迫使学生独立概括；第二阶段，从在感性平面上滑行，到诱导学生深入情感和智性层次，在三度空间上进行主体建构，对自身的思绪进行自觉的驾驭。历史的发展已经把我们推向了第二阶段，有自觉历史意识的人士应该毫不犹豫地把智慧、智商，把理性思维的检测提上日程。可身处历史潮流之中的人，却有可能缺乏宏观的历史眼光。这是因为，历史实践往往是感性的，而其中包含着的规律性却是潜在的，历史的经验和教训往往并不能为同代人及时领悟，因而就产生了互相矛盾的现象，或者拘执感性，或者偏于理性。不管是偏向哪一方，二者之间的不平衡则是当前的主要矛盾。

流于粗浅感性，不能为智性提供起飞平台的情况，以 2005 年的全国卷为代表，题旨是出人意料和情理之中的矛盾，理性是明显的，但是所提供的感性材料却是薄弱的：

有一次，人们问丹麦物理学家玻尔教授：“您创建了一个第一流的物理学派，有什么秘诀？”不料玻尔却回答说：“因为我不怕在学生面前显露我的愚蠢。”听到这个回答，大家都感到十分诧异和不解。

玻尔的回答确实出人意料，但仔细想想又在情理之中。生活中，我们常常会遇到类似的情况。

本来，玻尔的回答并不太深刻，甚至有点故意大题小做。不怕在学生（或者普通人）面前显露自己的弱点，不可能是玻尔成功的全部或者根本的原因。“大家都感到十分诧异和不解”是理所当然的。命题者并没有在玻尔的逻辑空白中提供补充性的阐释，就唐突、武断地得出了“出人意料和情理之中”的结论。其实，在故事中，既看不出多少情感的交流，也没有什么发人深思的道理。如果说它不是太高明地表现了一个大科学家的谦虚精神，还大致说得过去，说它包含着“出人意料和情理之中”的意思，则完全是牛头不对马嘴。“合情合理”，是一种通俗的说法，但并不科学。不论从心理学上来说，还是从哲学上来说，情感与理性都是一对永恒的矛盾，合情的并不一定合理，合理的也不一定合情。故汤显祖曰：“情有者，理必无；理有者，情必无。”清代诗评家吴乔把诗的抒情归结为“无理而妙”。

感性材料和理性论题之间的脱节并不仅仅出现在全国卷上，而且出现在其他省市的卷子上。如江苏卷：

> 我们常常用古人所说的“凤头、猪肚、豹尾”六字来谈写作，意思是开头要精彩亮丽，中间要充实丰富，结尾要响亮有力。写作固然如此，仔细想想，小到学习、生活，大到事业、人生，又何尝不该这样呢？

本来，“凤头、猪肚、豹尾”是文章学的一种特殊的抒情话语，把它和学习生活、事业人生无条件地联系起来，十分牵强。把精神创造的一家之言，和丰富多彩的学校生活、客观现实笼统地、一元化地等同起来，完全抹杀其间的多元矛盾，从逻辑学上说，是犯了无类比附的错误。这种无类比附在话题和材料作文中是常见的，但是，像江苏卷这样粗糙的无类比附却是少见的。造成错误的原因是作者把诗化的抒情当作了理性，不但感性没有启发性，而且一点智性也没有。不顾具体事物的无限差异和矛盾，以抽象的概念代替无限丰富的现实，从思想方法上来说，是僵化的形而上学。常识告诉我们，人生不可能如命题者所轻率宣扬的那样自始至终地完美。这样的命题，表面上是无主题的话题作文，实质上把命题者人生完美的诗化主题强制性地硬塞给考生。2004 年江苏省的作文题“山的沉稳，水的灵动”也是武断的。把山规定为百分之百是沉稳的，把水定性为毫无例外是灵动的，这既不符合地理科学，也不尊重人文心灵的无限多元。江苏省这两年的两道题表面上相去甚远，实质上是一脉相承，都是以一种诗化的、抒情的、主观的感情代替客观的理性，是一种粗暴的框框。命题者不把抒情和理性的矛盾分辨清楚，这样的失误也许还要不断地重复下去。与这种倾向类似的是湖北卷：

> 诗人对宇宙人生，须入乎其内，又须出乎其外。入乎其内，故能写之；出乎其外，故能观之。入乎其内，故有生气；出乎其外，故有高致。
>
> 以上是王国维《人间词话》中的一则文字，论述了诗人观察和表现宇宙人生的态

度和方法。其实，这则文字所含的思想，对我们为文、处事、做人以及观赏自然、认识社会，都有启发。

通体从抽象到抽象，从概念到概念，没有一点感性材料，等于放弃了让学生从感性向智性升华的任务；更为严重的是，这样抽象的主题，原本是王国维的理解。王国维的话语体系是从传统的中国哲学话语中来的，其中的内与外、出和入，都与现代话语在内涵上有相当大的差异。命题者非常潇洒地把这样的夹生话语直接推到了考生面前，是不是忘记了考生的年龄和经历？再说，王国维本来就已经够权威的了，现在又加上了试卷的实用价值压力，考生在这样的严峻形势面前，除了放弃独立思考以外，可以说是绝对别无选择。从这个意义上来说，这好像是倒退到命题作文的历史隧道里去了。不过当年是政治性和道德性的主题强制，而今是哲理性的主题先行。

为什么会产生这样的倒退呢？这与当前对于命题评估中的形式主义思想潮流有关。许多命题评价，都一味强调命题形式，只要是所谓材料作文，或者话题作文，就算有了改革精神，其他的一切，都视而不见，听而不闻。

关于2005年福建省的高考作文题，虽然网上有各式各样的议论，但是，我觉得还是比较好的。它继承了2004年作文题的自主性和提示性统一的精神，而且还有所变化。把两个比较抽象的材料放在考生面前，让学生自主地构想主题，有一定的难度。这样的难度，是必要的。没有一定的抽象思维的能力，停留在感性的平面上，很难适应大学的理性抽象思维的根本要求。所谓抽象，在这里，就是从个别的图形，上升到普遍的事物的共同属性。这个题目所要求的抽象度其实是比较粗浅的，充其量不过是考查学生以两个不同的图形进行概括。圆形和带有棱角的“圆形”均有其明显的优长和局限。从感性层次来说，这是具体的图形；从抽象的层次来说，这也是世界上的一切事物，包括自然和社会、动物和植物。人类的生活和思想都莫不具有两面性，二者是互相矛盾的，又是互相补充的。描述两个图形的属性话语，都是成对的，周长和面积的大小标准、有无棱角、稳定和多变，都是矛盾的，同时又是可以互相转化的。抓住这样的关键，从具体感性上升为抽象的普遍性，既不太容易，又不太困难，但是，出题者可能低估了考生的能力，文字提示过分烦琐，过分坐实，反而限制了学生的自由思考，有些表述可能又不太严密，可挑剔的余地比较大，引起了网上一些议论。尽管如此，两年的实践证明，福建省的命题水准还是比较高的，这很令人鼓舞。

语文高考试卷的阅读题和对话原则

——评 2006 年高考语文试卷

语文高考改革的争端，最初集中在客观题上。20 世纪 80 年代末，引进美国式的托福客观化、标准化模式，语文试卷上，客观题占了 60%。经过 10 年的实践，到 90 年代末引起全民公愤，遭到全国各大报章口诛笔伐：刁难怪钻，以学生教师为敌者有之；文字游戏，人为设置陷阱者有之；命题者知识残缺，伪问题荒谬答案者有之。更严重的是，荒谬的考题，迫使语文教学为题海操练所代替，从根本上扼杀了语文的人文精神。在强大的压力下，教育部考试中心顽强抵抗，节节败退，不得不作出让步：把客观题分值的硬性规定，改为各省自由决定。这是语文高考改革的重大胜利。标准化的客观题，在分值上大大减少，据统计，已从原来的 90 分变成现在的 30 分左右。

这样大幅度的改革对于语文教学应该是大大的解放，应试的、题海的教学模式应该随之瓦解，教师、学生应该欢欣鼓舞才是，但是实际上，第一线的反应仍然令人困惑。应试式的题海战术方兴未艾，就连上海那样文化高度发达的城市，题海操练仍然占着统治地位。一些乡村的中学，到了高三甚至干脆把语文课时间全部用来做题目操练。为害最烈者，题海的操练，还延伸到所谓的补习中去。应试语文之顽强是我们始料未及的。这不能一味埋怨第一线的教师，问题根源在于试卷。

表面上客观题已经减少到三分之一，但改变的题型大都是变相的客观题。表面上有一定的主观色彩，实际上是一种伪主观题，基本是知识点的填空。而所谓知识点又并非确定的事实，而是鉴赏性的观点。此等观念，往往并无必然性，仅仅为命题者所认同，这就造成了难度。

由此而产生操练的必要，旨在揣摩命题者的心意，掌握应试技巧。特别是某些阅读题，沿袭美国托福题型，依然故我，以不变应万变，刁难怪钻，以其昏昏、使人昭昭者，比比皆是。

这与真正的素质教育无疑是南辕北辙。问题在于，这不但没有引起第一线老师的非议，不少老师反而相当认同。这种认同，表现为对真正的主观题，如作文题分值提高的抵抗。2005 年的福建省高考语文试卷将历年置于开头的拼音和文字的选择题取消，其内容放到了作文中去考查，这就引起极大的风波。有人甚至提出，以客观题的操练提高竞争力，是落后地区、弱势群体的一种优势。取消此种题型，就是对弱势群体的打击。这种扣帽子式的说法，至少说明了以下几个问题。

第一，习惯和现状紧紧地束缚住了这些老师的思维，他们把素质和分数混为一谈。其实，那种操练出来的效果，就是能一时获得某些分数，也是以牺牲学生的青春为代价的。以同样的时间，真正进行素质熏陶，也许并不见得就不能相应地提高分数。

第二，我们的考卷，改革得不彻底，仍然为应试操练留下了极大的投机空间。

第三，我们的老师想象不够开放。难道除了托福模式或者变相的托福模式，就没有别的模式了吗？我在分析托福模式的时候，揭露过托福模式的几个特点。一是，名为选择题，实际上是是非题。四项选择，三项是干扰，只有一项是要求考生作出是与非判断的。二是，有利于改卷的效率（美国考试服务中心的利润），不利于考生素质的发挥。三是，答案是唯一的，这是机械的、僵化的，违反当代多元文化哲学。四是，标准化的、唯一的答案，与基础教育改革的多元对话精神背道而驰。可惜的是，对于我的这些论述，许多第一线老师感到困惑。他们无法想象，除了客观化、标准化的试题以外，还有什么更优越的阅读试题形式。

其实，这个问题并不是个理论问题，而是历史和现状的见识问题。语文考题在 1949 年以前，就有过问答题。而且，现在世界上，许多国家的母语考试，还存在着一种基本上是没有标准答案的开放性的问答题。在欧洲，许多国家母语是多元的，学历教育的母语考试，可以在多样语言中任选。法国公民可能选英语，德国公民可能选法语，值得一提的是，中国公民在欧洲也可以选择任何一种语言，其中包括汉语，只要及格，就能取得学历的承认。我看到一种国际学校的母语考试，这是在全欧美、拉美都得到承认的。他们的汉语考试就全部是问答题。考卷提供了杜谷的《泥土的梦》，考题是：

1. 诗人赋予泥土什么样的性格？

2. 诗人在诗中表达了什么感情？

试卷还提供了一篇小说，考题是：

小说创作常常表现了作者的自我反省意识，你读了这篇作品后，觉得这个观点能否成立？

还有的试卷并不提供任何作品，只是提出一个问题：

激情是诗人的生命。这是一种说法，联系课本中的诗歌作品，说说你对这个观点的看法。

还有一个考题完全是理论化的：

戏剧创作，常常是人物面临一大堆难题，作家的才能在于如何结尾。结合课本上作品的结尾，谈谈你的看法。

应该声明一点，这不仅仅是汉语的命题模式，同时也是英语和法语的命题模式。这样的命题模式，比之那些折磨学生的托福式题目不是更能检验出学生的素质吗？我们难道不能从中获得某种启发吗？从理论上来说是肯定的，但是，从现实来说，许多老师、官员对这样主观化的、没有标准答案的命题是望而生畏的。说来说去，就是害怕评分标准难以掌握。这说的是可行性，但人家的评卷只给出一系列原则，就把试卷分别寄往有资质的人士，由两位各自在家里评分，由第三位做适当调整。人家可行，为什么我们就不成？这里有一个思想问题——总是期盼一种绝对客观、任何人都能操作的标准。为了成全这种标准，不惜把问题简单化，答案简单化，但是，太简单了又不符合高考的选拔性要求，于是就产生了一个做法，就是把简单问题复杂化。其不二法门，就是设置干扰项，设置陷阱，把考生的判断引向歧途，唯恐其对题目不发生误解。后果就是，从素质来说，问题并没有难度，但是从考试技巧来说，则大有讲究。于是考试技巧变成了学习的重中之重。

当前语文考卷之所以没有根本的改变，原因就是这种“托福后遗症”。

这种后遗症使得语文试卷长期处于低水平的自我蒙蔽之中。这种情况，突出地表现在阅读题之中。2006 年福建省高考语文试卷阅读题，引用的文章说的是：公众的思想观念，常常是由媒体的舆论制造出来的“固定的成见”。考题抓住一些似是而非的字眼，让考生在文字表达上捉迷藏。这也许不是完全没有道理的，但在根本上，却是没有道理的，因为阅读的任务，并不仅仅是追随作者，弄清他说些什么，如果光是这样，就谈不上学生的主体性了。我们的教育改革，最主要的原则就是启发学生的主体性。仅仅追随作者的阅读，就是没有主体性的阅读，是奴隶式的阅读。在课堂里，反复调动学生的主体性，而到了考试，扼杀主体性才能拿到高分。什么是阅读的主体性？就是分析和批判。文章说，公众的意见都是报刊媒体制造出来的“固定的成见”，那么，不同阶层、民族、性别有不同的“固定的成见”，如何解释？为什么这一部分人不理睬另一部分的报刊和媒体的成见？对“固定的成见”的选择，就说明，“固定的成见”不是绝对“固定的”，而是会消解的。而且随着社会思潮发展，变化了的思想，据文章推理，应该也是报刊和媒体制造出来的“固定的成见”，那么此前的“固定的成见”，被后来的“固定的成见”所代替，不断变化的成见，还能是“固定的”吗？

不把学生往有头脑的主体方面去引导，而是把学生往奴隶式追随去逼迫，这不是借助国家权力推行愚民政策吗？

我们有些老师，老是强调阅读试题的重要，有极端者甚至说，作文并不重要，因为中学、大学毕业后，可能一辈子不用写文章，但不可能一辈子不阅读。须知，不写文章的人，不可能不在工作中就面临的课题与同仁对话。阅读课程就是教会学生如何以主体与课题对话，只有具有分析、批判眼光的人才能说出自己的见解。其实就是作文的主论。俯首帖耳的倾听、膜拜式的阅读，是培养自卑的奴隶式的阅读，遇到具体问题说不出自己的道理来，拿不出自己的方案来就是素质低下。

在这一点上，我们有些老师是不清醒的。

贴近生活的真和假定性想象
——评 2006 年高考语文试卷

2006 年高考作文题，一经网上发布就引起争议。有位比较苛刻的评论者这样说："一个及格的高考作文题目，最基本的要求是让学生看了都觉得有话写，并且能够在几十分钟之内写出来。更进一步的要求，是要跟学生的日常生活密切相关，学生才能够写出真情实感的作文。如果以这样的标准来衡量 2006 年的高考作文，我不得不说，绝大多数的作文题目是没有达到及格线的。"这个说法显而易见有点极端，不为多数网友认同，但其"及格标准"，不但无人正面表示异议，相反，存在于许多论者潜藏的前提之中。其理论上的混乱，是迫切需要澄清的。

这个"标准"包含着两个方面，一要让学生看了有话可写，二要"跟学生的日常生活密切相关"，这是最为关键的。正是因为这样，一些与中学生日常生活没有直接关联的题目，就理所当然在否定之列了。如湖北卷，以带"三"字的成语为题；浙江卷，以"生无所息 / 生有所息"为话题。但是，除此之外的许多题目，无疑大都"跟学生的日常生活密切相关"。如北京卷的《北京的符号》，全国卷的"网上阅读和纸上读书"，安徽卷以"读"为话题，江苏卷的《人与路》，重庆卷的《走与停》，四川卷的关于"问"，天津卷的《愿景》，上海卷的《我想握住你的手》，辽宁卷的《肩膀》。读书、走路、问话、握手、肩膀、向往，难道不是与中学生的"日常生活密切相关"吗？至于一些以寓言故事为材料或者话题的，如江西卷的"雨燕减肥"，光是"减肥"，就是中学生的日常话题。至于全国卷Ⅱ的"乌鸦抓羊"，要联想到中学生的日常生活，也是不难的。明明是中学生日常可感的，为什么又产生了某种远离日常经验的感觉？原因是，仅仅拥有日常生活，仍然不能保证"有话可写"。

"要让学生看了有话可写"，这当然是有道理的，学生看了无话可写，又要应付考试，就可能讲空话、大话、套话，甚至鬼话。这在课程改革以前，教训是很深刻的。这几年来，全国和各省自主命题不约而同地把题目出得接近中学生的感性经验。除了出于吸取此前强迫说谎的强制命题作文的教训以外，还有一层理论上的认识，就是对于学生主体的尊重。既然学生是主体，就应该尊重他们，让他们写出“真情实感”。但是，仅仅“跟学生的日常生活密切相关”，就能表现真情实感，就一定能写出好文章吗？这是很值得思考的。

贴近了中学生的感性生活，就一定能出好文章，其隐含的理论基础是机械反映论，显而易见的漏洞是忽略了文章是精神的表现。生活一旦被反映，就与主体心灵的特点结合了，就不再是简单的生活，而是心灵的结晶了。我国古代文论最根本的原则就是心灵的活跃，《毛诗序》中说：“诗者，志之所之也，在心为志，发言为诗。情动于中而形于言，言之不足故嗟叹之，嗟叹之不足故永歌之，永歌之不足，不知手之舞之足之蹈之也。”心灵活跃起来，才能把无序的生活加以概括、提炼、变异，与情智交融，作者以强大的气魄，把混沌无序的生活经验按自己心灵的秩序重新安排。这个重新安排的过程，就是想象提纯的过程。日常感性生活是芜杂的，不利于想象的翅膀起飞。文章不仅仅是感性生活的反映，也不仅仅是自发情感的表现，只有二者猝然遇合，经过想象升华，才能根据文本的规范构成有序的思路，理顺文意脉络。由此看来，好的作文题目，恰恰是超越日常生活，在想象、假定、虚拟境界中，才显出了优越性。例如，基础教育改革之初的高考作文题《假如记忆能够移植》。台湾作家张晓风在福建《作文大革命》讲座上出的题目就是《假如我是上帝》，中学课本有海伦·凯勒的经典文章《假如给我三天光明》，艾青有诗曰“假如我是一只小鸟”，舒婷《致橡树》中纲领性的句子就是“如果我爱你”，这些都说明只有通过假定、想象，才能超越日常生活，激发情感、趣味和思绪，形成意脉。从感到文，其中有一个相当复杂的程序，但是，机械反映论和自发表现论把这个过程盲目地抹杀了，同时也就把学生丰富的主体窒息了。作文教学和作文命题如果要突破，不但要在理论上从机械反映论中解放出来，而且要在自发的主体论中解放出来。原生的生活和原生的感情都要经过想象的扩张、淘汰、凝聚和提炼，才能转化生成文章。只有在这样的条件下，原生的嬉笑怒骂才会超越粗鲁的叫嚣，升华为个性化的文采、情采和智采。在想象的境界中，思想、情感的独特性才能获得创造的自由。这几年高考作文评分的实践也证明，同样一个题目，往往是想象性的寓言式的文章，比之现实的描写，更有深度。评论作文题，不能从粗浅的直觉出发，至少应该把感觉和历史的实践经验结合起来。只有在理论上自觉了，实践才可能摆脱自发性。

自发的主体表现论和机械反映论一样束缚着我们的头脑。原始情感不加舍弃、集中、提炼的倾泻，是肤浅的、芜杂的。青少年的心灵，并不是平面的，而是立体的。日常生活往往是浮在表层的，智性和理性则是积淀在深层的。只有在想象中进行深化，才有可能把潜在的智慧调动起来，因而好的命题，最大的特点乃在于激活其智慧的“潜在量”，这种潜在的智慧，在一般情况下是沉睡着的，只有在命题的规定和想象自由的双重冲击下，才能激发出灵气的火花来。

懂得了这一点，我们才能解释，为什么话题作文和材料作文一度风起云涌，盛极一时，不久又显示出走向没落的迹象。话题和材料虽然有取自日常生活经验的（如上海 2005 年列出纷纭大众文化现象：网络、时装、流行歌星、武侠小说等），但是，也有大量的往往并不取自学生的日常生活，而是取自经典的文献和历史人物的命题（如 2004 年福建卷列出 10 个古典文学形象和名人），都是优秀的命题，但同时也出现过过于简单的命题（如“筷子”）。某些话题和材料，在时间上和空间上距学生日常生活经验相当遥远，但是仍然能够区分出语文素质的档次；差距并不仅仅在感性经验层次上，而且在感性经验深层的智慧上。富于激活力的话题，能够考验学生智性的概括能力和分析能力。本来语文课程标准对全面发展的阐释，就包含知、情、意三个层次。光有感知和情感，是不够的，还得有意志、有智慧、有理性。只有具备了理智的分析能力，才能由表入里，由浅入深，层层深入地分析，在复杂的感性生活面前才能拿出自己的，而不是重复流行的、权威的见解。

长期以来，我们的作文题过于沉溺于学生的感性，对于抒情过分偏执。流行的“真情实感”论，就很明显是不全面的。公然放弃了智慧和理性，在作文中忽视学生的智性，已经成为顽症。一个美国教授曾经批评过中国留美学生的写作，最大的问题是动不动就抒情。许多命题者在这方面是糊涂的，他们并不真正明白，高考是为大学选择人才。大学和中学最大的不同，就是几乎所有的课程都是系统的理论，理论思维的系统和严密是根本素质。片面强调贴近学生的感性生活，必然忽略智性的开发和深化。正是因为这样，前几年“智子疑邻”的作文题目，提示感情亲疏，影响对于同一事件的判断，本来颇有思辨价值，却被有些中学权威教师斥之为“脱离中学生实际”。什么叫作“中学生实际”？全面地说，应该包括三个方面：第一，十多年的感性生活经验；第二，大学所要求的系统、抽象、理论思维；第三，实际上在物理、化学、数学领域中，中学生的抽象思维能力已经达到相当深邃的程度，在许多方面赶上了甚至超过了发达国家的水准，就是有差距，也并不遥远。但是，在语文方面却不同，我们的作文题常常是流于感性。所谓贴近中学生日常生活实际，其实就是迁就。物理、化学、数学，如果要做这样的迁就，就等于自我取消。语文长期迁就到很低的水平，反而成为金科玉律。

问题出在命题者把注意力完全集中在命题的模式上。一旦话题和材料作文取得了一时的成功，就把它当作万应灵药，完全忽视了话题和材料只不过是形式。某些话题和材料作文题的成功，主要的原因在于其内涵，在于其激发感性和智性“潜在量”的功能。同样是话题和材料作文题，也有扼杀深层潜在量，沦落为变相的劣质命题的可能。相反，某些命题作文却能激活深层智性思维，成为命题作文中的佼佼者。在2006年的作文命题中，北京卷的《北京的符号》和上海卷的《我想握住你的手》得到全国几乎一致的赞扬。值得深思的是，两者恰恰是命题作文。

《北京的符号》好处是很明显的，它的规定性很宽松。一个作家说，北京是一个古老与现代结合得十分紧密的城市，有古老的符号，也有正在形成的新的符号。从这个意义上来讲，北京的符号是多元的，有物质性的，也有非物质性的，京剧、脸谱、老北京天桥的杂耍、百姓的吃穿住行等。在如此纷纭的文化符号面前，如何排除杂乱的原生感受，抓住最适合自己的一个焦点，考生的想象力和概括力就面临第一层次的考验。第二层次就是这些符号历史的积淀和民族文化价值。要揭示出这样的“潜在量”，就要超越日常感性。再强大的精神主动性，纵贯古今，比较中西，构成深刻的意脉，显示警策的洞见，没有智性的思考和分析也是不行的。作家梁晓声说，《北京的符号》有意“模糊了这感性和智性之间的界限”，“总的来说，这个题目较难，就看考生能不能悟出其中的双重性”。当然，这种双重性是富有弹性的，擅长感性写作的考生如果仅在感性层面发挥，也可能有不错的成绩，但比把握了双重性的考生要略逊一筹。上海的《我想握住你的手》也一样，握手也具有双重意味：一重是日常的，一重是象征的文化意味。二者之间的关系，一般的考生是不会忽略的，因而，就区分度而言，还是《北京的符号》更为理想。

而湖北的作文题，带“三”字的成语（三思而行，三人行必有吾师，举一反三），之所以遭到一些诟病，可能就是缺乏某种和某些擅长感性的考生妥协的空间，智性的要求，抽象思辨，别无选择。“三”是抽象的，要从中揭示出文化内涵和人生哲理，难度过大。（有人对此反感抬杠说：想到三妻四妾、三从四德，怎么办呢？其实从批判的反思来说，也有可能使文章更丰富。）浙江卷的“生无所息 / 生有所息”，除了它在题面的释义方面可能引起的争议以外（见附录），其不足在于纯粹是抽象思辨。从高校选拔具有抽象思辨能力的学生来说，这是天经地义的，但是，从尊重部分学生的感性主体来说，这样的题目明显涵盖面不够普遍。至于《愿景》（天津）、《谈意气》（湖南）、《读（书）》（安徽、全国卷Ⅲ），日常感性不足，从功能上来说，缺乏智性的冲击力，在形式上又是纯粹的命题作文，很可能诱导考生写出大量“高考八股”。这类命题可以归入走老路，不求有功但求无过的一类。相比起来，重庆的“走与停”和江苏的“人与路”，尽管形式比较陈旧，但既有直接感性，又有潜在的矛盾暗示。“雕刻心中的天使”“雨燕减肥”“乌鸦学鹰”，把智性的观念蕴含在感性的情节中，然而从题干到题面，都似曾相识，命题者有偷懒之嫌。纵观追求智性的“潜在量”的，福建作文题算一个，出了三个题目供考生选择。第一个是《草船借箭不满十万支》，第二个是《戈多来了》，都有相当的历史文化内涵，继承了该省2004年的10个古典文学人物和文化名人的思路。这样的题目要做出水平来，是需要考生反思，甚至是颠覆性的智慧的。可能考虑到大量学生的不适应，第三题《留下一点空白》难度大大降低。这种思路和贴近学生日常生活是异曲同工的，但是，由于三题的难度相差太大，造成了评分的困难。值得一提的是，2006年北大自主招生的作文题《贪官检讨》，有评论家认为，这是一个"写空话、写大话、写套话、写假话的题目"，是"假话集锦、空话比赛"。根据我的评卷经验，倒觉得这是一个创造。稍有修养的考生都会把这个题目写得很幽默，肯定充满了反讽和调侃。这对于习惯于正面立意的高考作文来说，是别开生面的，期待会出现一些情智交融的文章。

附：

对于浙江考题的题面释义，网上有文异议，录以备考：

浙江地区高考作文题材料中引《列子》中的话："子贡倦于学，告仲尼曰：'愿有所息。'仲尼曰：'生无所息。'"这句话后面是康德、歌德关于工作和休息的名言，并且要求考生写的题目就是"生有所息"，可以看出来，出题人是把孔子的"生无所息"中"息"理解为"休息"，要求学生写的是工作跟休息的关系，但孔子的"生无所息"却不是"休息"的意思。《列子》"天瑞"篇原文是："子贡倦于学，告仲尼曰：'愿有所息。'仲尼曰：'生无所息。'子贡曰：'然则赐息无所乎？'仲尼曰：'有焉耳。望其圹，皋如也，宰如也，坟如也，鬲如也，则知所息矣。'子贡曰：'大哉死乎！君子息焉，小人伏焉。'仲尼曰：'赐！汝知之矣。人胥知生之乐，未知生之苦；知老之惫，未知老之佚；知死之恶，未知死之息也。'"这里子贡"倦于学"的意思是，学，本来应该学列子的自然淡泊之道，子贡居然疲倦，说明子贡学得不好；而孔子的意思是，活着就有气息、知觉、动作，所以不是"息"，真正的"息"是死亡，并且在君子看来，生不见得乐，死不见得苦，死亡只是像回家一样。

从感性诗化向智性分析深化
——评 2007 年高考作文题

从 1999 年高考改革以来，积累了 8 年经验，2007 年的高考作文题，可以说以丰富多彩引人注目。这几年比较流行而且比较出彩的材料作文题，仍然占了相当大的比例。如全国卷《出事了》，以一幅学生出事后学校、家长、社会都大为紧张的漫画为材料；北京卷是以刘长卿的“细雨”为核心的诗句及对之多元评论为材料（1. 春天的美好意境；2. 不为人知的寂寞；3. 恬淡的处世之道；4. 不适合当今的世界）；全国卷Ⅱ关于“帮助”也附带材料：歌手助人而不得回报，大学生助人而后陷于危难；浙江卷的题目是“行走在消逝中”，附带着玛雅文化的湮没、高昌古国的消逝、苏东坡的诗句等资料，都具有材料作文的性质。也许是由于前几年这类题型的水平已经相当高，2007 年的这类题型，就最佳者而言，只能说水平没有明显的降低，在材料的深刻和新颖方面几乎没什么突破。而话题作文，水准则有所下降。最为明显的是湖北卷，以“母语”为话题：“母语是一个人最初学会的一种语言，人人都有自己的母语。母语是民族文化的载体，是民族生存发展之根。在当今世界多元文化竞争与交汇的时代，母语越来越受到普遍关注，我们交流思想感情，欣赏文学作品，掌握科学文化知识等，都离不开母语。可以说，我们每天都在感受母语，学习母语，运用母语。针对以上材料的理解和体会，写一篇作文。”这样的“话题”，显然太泛，所提供的背景（如民族文化的载体、民族生存发展之根）太抽象、太空泛，远离学生经验，既没有感性经验的召唤性，又缺乏思维的触发焦点，此等大而化之的空话，犯了话题作文的大忌。前几年重庆卷的“筷子”、江西卷的“脸”等都属此类。我在《高考作文三十年纵观》中把这类题型归入无聚焦的“泛开放”之列。[①]

① 见《中华读书报》2007 年 6 月 13 日。我在这篇答记者问中，把不理想的命题分为：“伪开放”和“泛开放”。

和湖北类似的是江西卷，以“语文学习”为话题，也有一段导言：“每天，我们都要和语文打交道，无论是在课内还是在课外。在你的记忆深处，或许留有许多语文学习的深刻印象，或许留有对语文的诸多感想。”显然江西省的命题者感到这等话语从根本上来说还不是命题，真正的命题还要在感觉上和思绪上凝聚起来：“请以‘语文，心中的一泓清泉’或‘语文，想说爱你不容易’为题作文。”不言而喻，作文中的“话题”不是一般意义上说话的题目。作文的话题有其特殊功能：一是调动感性经验；二是提供凝思的焦点，触发理性思维。江西省这个题目中的“一泓清泉”，就是一种感性的触媒。当然，这样的触媒还不够强大，不足以构成为文的焦点，是为遗憾。但是其第二题，“想说爱你不容易”，“爱”和“不容易”是一对矛盾，既构成精思的焦点，又有充分的感性和智性的拓展空间。水准介于湖北卷和江西卷之间的重庆卷是这样的：“高考恢复 30 周年，学生们对高考有各种各样的看法，高考充满了酸甜苦辣，请结合你的自身体会，写一篇高考体会的文章。”应该说，在处理命题的导向性和自由度方面，略高于湖北卷：点出了“酸甜苦辣”，虽然不及“想说爱你不容易”那样富有冲击性，但其启发性还是不可忽略的。

2007 年的材料作文，不论在新颖的程度上，还是在其潜在的含量上，比之往年那些带有经典性的题目显得逊色。在某些省市甚至出现可以说是倒退的迹象，如辽宁卷：“登山的每一步都是一个新的高度：我能。”这明显是前些年重庆卷的翻版：“一位登山队员参加攀登珠穆朗玛峰的活动，在海拔 8000 米的高度，他体力不支，停了下来。后来当他讲起这段经历时，大家都替他惋惜，为何不再坚持一下呢？再攀一点高度，再咬紧一下牙关？他说：‘不。我最清楚，海拔 8000 米是我登山生涯的最高点，我一点都没有遗憾。’”题材所提供的思维空间是多元的，包括顺向和逆向思维的种种可能性。而辽宁卷主题潜在的规定性太强，明显暗含着广为认同的道德价值，形同老生常谈，对想象的空间实质上是一种屏障。这种题型表面上是开放的，但事实上是封闭的，和改革之前的那种强迫人说谎的命题——《感受坚强》没有多大的区别，应该可以归入“伪开放”题型之列。所有这类的命题，比之 2005 年上海的“大众文化三镜头”对青少年成长的影响，在创新的程度上、在确立独特主题的挑战性上，只能说是望尘莫及。

2007 年高考作文题最大的亮点不是材料作文题和话题作文题，而是近年来多多少少被忽略了的命题作文。本来，命题作文最大的局限是提供现成的主题，对主题强制性的限定不利于考生的个性发挥，但是经过近十年改革的命题作文，却呈现了两个特点：一是不再提供现成的主题；二是为考生自主立意提供想象的空间，以经验的召唤和思维的冲击为特点。如上海的《必须跨过这道坎》，关键就在这个“坎”字。“坎”，虽然只有一个字，却隐含着丰富的内涵：一是意味着难度；二是意味着拒绝逃避，知难而进；三是意味着新的高度；四也是最为主要的，这种坎，既可以是具体的实体，也可以有象征性，是生活和人生的考验。从这里可以看出，其关键词语的潜在量是不可忽略的。关键词语如果有多重内涵，则导向性和开放性得到统一，如果是狭隘的、单义的，则想象的空间可能是单向的、贫乏的。江苏省的命题《怀想天空》就有这样的不足。命题的解题是："人人头顶一方天，每个人的生活都与天空紧密相连，每个人的心中都有一片天。明净的天空，辽阔的天空，深邃的天空，引人遐思，令人神往。"从上下文来看，"人人头顶一方天"这个天，应该是属于同样的天。"每个人的心中都有一片天"，顾名思义，应该是每片天空都与人心一样各不相同，但是，命题却把天空的意味强制性地单一化。"人人头顶一方天"，还具有大自然的性质，"每个人的心中都有一片天"，就只能是心灵的世界了。有一位特级教师在评点这个题目时说，可以联系到康德的"头上的星空，胸中的道德律"。这显然没理解清楚命题的意图，因为康德的"星空"就是大自然的星空，而命题者却要把天空定性为精神的，而且一定要"明净""辽阔""深邃"。把天空限定为精神的，不是大自然的，已经狭隘、武断了，为什么又一定要规定为"明净的""辽阔的""深邃的"？在阴云密布的天空中，高尔基不是也写出《海燕》吗？"淫雨霏霏，连月不开，阴风怒号，浊浪排空，日星隐曜，山岳潜形。"天空并不明净，范仲淹不是也写出了大块文章吗？"七八个星天外，两三点雨山前"，这里的天空谈不上辽阔，更与深邃无涉，难道就不是好作品吗？精神境界"明净"了，一眼望得到底，会不会和"深邃"无缘？深邃得如一潭古井，还可能"明净""辽阔"吗？再说，"明净""辽阔""深邃"明明是把复杂的心灵诗化了，可又明确宣布不能写成诗歌。命题者是不懂诗，还是不讲理？实在难以妄测。至少可以断定，命题之失，失在关键词的随意性。"明净""辽阔""深邃"，完全是任意罗列的，其间并无内在的矛盾，以及有机的统一和转化。虽然把"深邃"列在字面上，但是完全忽略了"深邃"与"明净"，"深邃"与"辽阔"之间的矛盾和转化，所以说，这样的并列是无序的。

联系到江苏省前几年的命题，一贯具有追求诗意的倾向，"山的沉稳，水的灵动"是一例，"凤头、猪肚、豹尾"又是一例。命题一味以追求诗化为务，殊不知，抒情的诗意是情绪化的，以情绪的极端化为特点；而极端化就不是理性的，不理性、不讲全面、不讲分析，何来深邃呢？故盲目的诗意化，实质上是把复杂的生活和心灵肤浅化、概念化。同样是追求诗意的全国卷Ⅰ的命题，《人生，诗意还是失意》就没有陷入盲目的诗化，而是把人生理解为诗意和失意的矛盾统一体，虽然在字面上没有深邃的字眼，但对考生的触动，就要深邃得多了。追求诗意到了忘却理性的程度。这不是一个孤立的现象，而是一个普遍模式。这是由于命题者热衷诗意，可是对于诗意的特点和局限并不在行。对诗意缺乏清醒的分析，把诗意绝对化，就不能不导致以开放性之名行封闭之实。安徽卷的《提篮春光看妈妈》就是一例。为什么一定要带着“春光”才能看妈妈？秋色、丰收就不行吗？冬雪、夏日，就不可能为亲子之爱提供一个火热的或者严酷的独特背景吗？

任何事物，包括诗意和理性在内，都是有局限性的。强调一个方面，从情绪上来说可能是很痛快的，但是要清醒，保持高度的警惕，不要忽略了其他方面。追求诗意到忘却理性的起码常识，已经成为当前命题的顽症。肤浅的诗意无限张扬导致了智性的跛足，此等现象比比皆是。

与这种在诗化的话语中打转而弄巧成拙的命题相比，海南的命题《论科学家的创新与创造》反而干脆得可爱，还有宁夏卷的《机遇与坚持不懈的精神》也爽快可爱。为什么呢？直截了当地要求做理性的分析和思考，虽然不是最好的办法，但至少不会误导。

综观 30 年高考作文命题，命意变幻多端，题型五花八门，但其中两种倾向值得比较。一种是把观感美化，诱导学生抒情，这类题型可以叫作诗性题型。另外一种，是把现象转化为问题，把诗性和其对立面结合在一起（如“诗意还是失意”)，把抒情和理性的分析结合起来。这在各省的命题中屡见不鲜，如天津卷的“材与非材”，辽宁卷的“平凡与自豪”，浙江卷的“一枝一叶一世界”，福建卷的圆形和有棱角的形状，等等。全国卷中“智子疑邻”的故事和“忘记与铭记”都是如此。把诗意与理性结合起来的命题，常常保持着稳定的水准，这是因为情感固然是美好的，但是它又是片面的，只有和它的对立面结合起来才可能全面。

长期以来，我们对于语文的人文性理解，多少有些偏颇。那就是把情感、审美当作人文性的全部，对理性思考、全面分析能力有意无意地忽略。这反映在作文题上，就是沉溺于感性。人文性应该是情感与理性的统一。理性之所以遭到忽略，还有一个理论根源，那就是“真情实感”论，这个理论很权威，但是很片面。感情如果离开了理性，就可能变成虚伪的滥情矫情。人既是情感的动物，又是理性的动物。在作文中忽视智性，已经成为顽症。许多命题者在这方面是糊涂的，他们并不真正明白，语文课程标准中明确指出了学生的全面发展包括知、情、意三个方面，而不只是情感和审美。

从作文命题看中国与西方之差距

——评 2008 年高考作文题

高考作文命题改革的关键就是封闭性与开放性的矛盾。应该说，对于千差万别的考生，做统一的命题，本身就带着对于个性的限制，命题针对的只能是考生智能的最大公约数，一定程度的限制性是不可避免的。改革前的命题把限制性推向极端，变成了主题的严酷封闭，把命题和主题混为一谈，强行规定唯一合法主题，扼杀考生个性，窒息了多元话语空间，与高考检验考生素质的任务背道而驰。作文改革以来的话题作文和材料作文（以《假如记忆可以移植》为代表），最大的成就就是把限定主题转化为无主题或者开放性主题。主题的独特建构、深化，成为写作的前提，这无疑有利于显示考生在知、情、意、文四个方面的区分度。故在一个时期，此等命题横空出世，风行天下。然而，不久之后，某些此类命题却暴露了某种内在的悖论。一些话题材料作文表面上是无主题或者开放性主题，但隐含的潜在社会道德价值取向成为不言而喻的选择，潜在主题篡夺了有待建构的主题，开放主题又变成了封闭主题。这可以说是不折不扣的“伪开放”命题。一旦涉及社会道德和某种共识，开放性变成了聋子的耳朵——摆设。显性的题面（多元化）就为隐性价值的一元化所窒息，选择性变成别无选择。

本以为此等矛盾在改革初期为经验匮乏所致，但是连续十年，此等弊端如挥之不去的幽灵，直到 2008 年，不止一个省仍然未能免俗，不过程度和水平有异而已。宁夏和海南同题：从关鸟于笼中到放飞小鸟的故事，再加上“放生活动”的邀请，环保主题的硬性封闭昭然若揭，可以说是一种典型的“伪开放”命题。当然这样粗糙的封闭性是很罕见的。另一种封闭性则以优雅的语言掩盖着的。如湖南以“草色遥看近却无”为题，本来思维的空间是比较空阔的，可是命题者似乎不准备让考生有太大的自由，紧接着就来了严酷的规定：“诗句的意境是美的，隐含的哲理也很丰富。它使我们领悟到：置身太近，有时反而感觉不到实际存在的东西；要把握某一事物，有时需要跳出这一事物；人对事物的看法与对美的感受同距离是有关系的……”用这样严密的语言把主题加以限定，无异于用天鹅绒套着锁链，不但有极大的片面性和遮蔽性，而且降低了对考生抽象理性的挑战，从开放性的角度来说，还不如山东的《春来草自青》和安徽的《带着感动出发》那样朴素的题目富于多角度、多层次的暗示。同样，广东的《不要轻易说不》，就相对的开放性而言，也比它广阔，甚至深邃得多。

命题的开放性本来是改革的核心，但是十年的改革远远还没有达到普遍自觉的程度。同样以2008年四川抗震救灾为题，全国卷和四川卷在开放程度上，就有着不可忽略的差别。四川卷就是两个字“坚强”，显然不如全国卷提供四则新闻，然后特别点出“一样的爱心，不一样的表达”。前者是一元化的“坚强”，后者则提示多元化的“不一样”。①

当然，这种不自觉的封闭现象并不是全部，甚至可以说是比较少见的，大多数的材料和话题作文，都显示出一方面在话题和材料上求新，另一方面尽可能在限定性与开放性之间保持必要的张力。如福建的三人不同选择，一人选择果汁因其甜，一人选择咖啡因其苦中有甜，一人选择矿泉水因其平淡，并未加上湖南省那种画蛇添足的哲理性阐释。北京卷的装满一个杯子的种种思路，虽然材料比较陈旧，但也保持了足够的开放性。当然，这只是一种从思想上求新的风格。江西卷的题目，以洞庭湖鼠灾为背景，妙在形式上求新，规定以田鼠或者以田鼠天敌的口吻叙述。这本来是有点惊险的限定性，但是以田鼠或田鼠天敌口吻拓开了想象的空间。多多少少有些遗憾的是对于几十万考生而言，除敌我两方的选择以外，没有任意想象的余地。命题者对二元对立的思想方法的局限性认识不足。

材料比较有新意，开放度的自觉性比较强的还有好几个省。如辽宁以对让座、喧哗、随地吐痰等社会调查为题，重庆卷关于“自然”的三种定义，浙江卷的“触摸城市感受乡村”，湖北卷的“举手投足之间的生活细节”，不但以自由度较大而且以难度较大见长。自由度与难度是相辅相成的。自由度越大，似乎越容易作文，实际上，现象和思绪也就越纷纭无序，这就是《文心雕龙》所说的“云蒸霞蔚”“万涂竞萌”；而为文却要求条贯统序，一脉相承又起承转合。

命题之要义就是在自由度的纷纭与统一性的简洁的矛盾之间，保持必要的张力。以张弛有度为上：过张，过紧，则僵化；过宽，则茫无头绪。值得注意的是，过窄，并不一定窄在表面的题义上，而是窄在内在的价值观念上。就现状而言，共同的倾向是单纯的、过

① 当然，在一般情况下，大事件不适宜用来作为考试作文题，容易套题，不利于独特个性的发挥。1998年曾有个作文题是《坚韧——我追求的品格》，封闭性比较强，造成考生被迫说谎的倾向，有一个考场就有十多个学生以父母车祸、癌症为核心事件。2008年情况例外，虽然是共同话语的大题目，但是对许多学生来讲，的确有话可说，四川有很多考生一边写一边流泪。

多的诗意和抒情，显性和潜在的价值有时简直是唯一的选择。以江苏近年命题为例，2008年江苏以“好奇心”为题，可以说是一大突破。首先突破了江苏省历年偏于诗情画意的模式。自主命题第一年的“山的沉稳、水的灵动”，表面上是开放的，实际是把一种风格的诗意当成封闭的限制。谁说山一定是沉稳的，四川的龙门山系，不是大大震动了一下，余震达到上万次吗？这是对地质学史极其无知的表现。从方法论的角度来说，以静止的、固定的眼光看事物，是形而上学的。从审美价值观念来说，根本不存在固定的、沉稳的山。越是超越沉稳越有审美价值。如王安石笔下的山就是动态的：“一水护田将绿绕，两山排闼送青来。”（《书湖阴先生壁》）山都冲进门来了，还沉稳吗？辛弃疾眼中的山肯定是与沉稳无关的：“我见青山多妩媚，料青山见我应如是。”（《贺新郎》）至于说水的灵动，则更是坐井观天，完全不顾大江的奔腾、海洋的浩渺、瀑布的飞流。败就败在以一种诗意风格作为唯一的立意准则。和2005年的以“凤头、猪肚、豹尾”与人生相比，二者虽命意有殊，但是思想方法却如出一辙，那就是以诗意的、片面性的美化遮蔽复杂的、矛盾的现实和人生，把为文立意的理想境界和人生命运的复杂曲折混为一谈。这完全是被诗化弄昏了头脑，到哪里去找从出生到死亡完美无缺、没有失败的人生？这实际上完全是空想的，从写作的角度来说，就是强迫说谎了。古典诗意的思维定式显然控制着命题者的潜意识。古典审美思维中的情感和理性不同，它以极端片面的率性、无视矛盾为特点。以这样古典的思维模式来命题，不尊重当代学生主体。2008年命题突破了古典审美思维，比较尊重心灵和生活现实的多元化矛盾、错综。诗意价值仅仅是命意的一个方面。好奇不但与积极的、诗意的心绪（发现、智慧、高尚、惊喜、快乐）有关，而且与消极的情思（烦恼、平庸）相联系，更有深度的是，还和智性的“质疑”发生联系。突破还在于对于这样纷繁错综的现象和好奇心的关联，并没有做明确统一的定性，只是用了一个浮动性很强的比喻“影子”，如影随形：这样就为多元价值留下了空间。从为文来说，提高了从无序中提炼出有序的思绪难度。

当然，从创意上来说，上海卷更有水平：“平常大家关注更多的也许是‘我们’，如果把视线转向‘他们’，你会看到什么，又会想到什么？请以‘他们’为题写一篇文章。”这样的题目至少在开放性方面，并没有被局限在诗意。在审美价值方面，“他们”所提示的不仅仅是感性的抒情，而且是智性的思考：还多多少少隐含着“他者”的含义，似乎具有哲学的、智性的内涵。这里还显示高考命题另一种追求的萌芽，那就是把感性的审美抒情和智性的分析结合起来。这种倾向不仅在上海卷中有，在全国卷的“老鹰和海龟”、山东卷的“春来草自青”、湖南卷的“草色遥看近却无”、重庆卷的关于“自然”的三种解释、北京卷的“填满杯子”中也隐约透露出来。所有这一切，似乎有一种共同的处理方式，那就是把智性的思考隐含在感性的话语材料之中。好像有一个无声的命令，驱使命题者不约而同地回避了直接以抽象观念来命题。在高考作文中，这是唯一的法门吗？抽象的命题难道就不适合高三学生的思维特点吗？这是很值得怀疑的。与西方高考命题做些比较可能是有益的。现在来看美国的“高考作文”（SAT）命题：

1.“如果我们不满意环境，就设法改变它，但是，从我们的角度来说，最重要、最有效的改变很少发生。这就是说，我们不必为改善身边的环境焦虑，而是应该考虑改变自我，使之更适合环境。”改变自己的态度比改变环境更有利吗？（2007 年 1 月）

2.“每一项重要的发现都是由于耐心、坚持和专注，有时候，甚至要长年累月地专注于一个问题，为了发现新的真理就要一直被一个问题所吸引，就要对任何与此无关的问题漠不关心。”（圣地亚哥·罗曼·卡赫罗）所有的重要发现都是对一个问题的长期专注的结果吗？（2006 年 1 月）

3. 在某些情境中，奉承是不可或缺的：新娘永远是美丽的；注视某人的艺术作品，我们总是说些敬意有加的话语；访问有孩子的人家，我们有义务说孩子是聪明伶俐的。在这种情况下，什么也不说是粗鲁的。我们互相抬举，因为我们知道奉承可以使生活顺畅发展。称赞他人，明知过度，这也是生活的一个必要部分吗？（2005 年 11 月）

4.“媒体不仅仅传播消息和文化，而且决定什么消息是重要的，这样，它们就帮助形成文化价值。”（柏恩斯坦）报纸、杂志、电视、收音机、电影、互联网等等，能够决定多数人意识中什么是重要的吗？（2005 年 1 月）

5.“出名带来幸福，似乎这是人们最向往的东西，我们相信，不管以什么方法，出名都是一种自我证明。但是，那些出了名的人士常常抱怨名气是一种可怕的负担。实际上把出名当作成就，注定要付出浪费时间和精力的代价。”（科拉考夫斯基）是出名的人幸福还是不太出名的人更幸福？

对比法国、美国和中国高考作文题的区别是很有趣的。中国的高考作文题具有明显的抒情的、诗意的、审美的倾向，回避正面做理性的抽象，即使蕴含着某种智性的内涵，也总是竭力以感性语言和生活现象为题干；而美国高考作文题却并不追求任何诗意，往往是直截了当地提出理性的问题，即使涉及某种现象也常常是概括的，而不是具体特殊的感性场景，引用抒情诗句在作文题目中是不可思议的。他们考核的重点并不在感情感知的审美价值，而是提示一种观念（往往是权威的）或没有结论的普遍现象，要求学生拿出自己的观点来。他们的评分标准是：是不是具有批判性思维，能不能发展自己的论点，用逻辑和恰当、清晰的例证支持自己的观念，能不能在首尾一贯的推演中使之深化，文章是否组织得有序，论题是不是统一在焦点上，是不是自如地演进，语词是不是丰富，句法结构是不是有变化。他们的题目不叫命题，而是提示；他们的要求不是按题为文，而是讨论和评论。

很明显，这些要求和抒情审美散文毫无关系，从文体来说，这些都是议论文的要求。

为什么会出现这样巨大的差异？当然，可以用欧美与中华民族文化传统的不同来解释。例如，我们是一个诗教传统源远流长的国家（“不学诗无以言”，以诗取士）。这种解释并不有力，因为即使像新加坡这样受到大中华文化圈巨大影响的国家，他们的高考作文题也是以理性的议论为纲的，如：

1. 科学提倡怀疑精神，宗教信仰镇压怀疑精神，你对此认可多少？

2. 中国的崛起是近年来对世界最大的威胁，请评论。

3. 哲学只是提问而并不回答，为什么学习它？

4. 海外留学是一项被高估的经历，你认为呢？

5. 阅读幻想小说只是对现实的一种逃避，除此没任何其他意义，你同意吗？

6. 全球暖化会如何影响今后的政治？

7. 外国人对你的国家带来的问题比他们带来的利益多？

8. 讨论一下生活中自我约束的价值。

9. 在全球化的世界中只会一种语言绝对是一项劣势吗？

10. 我们崇拜年轻人而嘲笑老年人，你对此有什么看法？

新加坡规定，高考作文只能写议论文，但考生可以在这些考题中选择其一。网上有人称赞这样的考题：“对比我国 2008 年高考试题，感到他们主题更深沉，含量更丰富，论域更宏大。这几道题其实分别包括政治、科学、艺术、人文和社会几大类，每类两道题左右。”作为一种导向，显然是要让学生在重大的社会问题面前拿出理性的见解来。

也许我们也不应该妄自菲薄，我们的考题自有不可忽略的优势，如比较贴近学生的感性经验、诗化的追求，也有利于情感的发育。但是，审美思维占优势的倾向，有一利必有一弊，对学生理性思维的诱导和规训却不能不有所忽略。新加坡方面认为，高中生与初中生不一样，必须培养理性思维能力。胡适当年强调，初中生着重演讲，高中生则应该在辩论中提高智慧。二者可谓殊途同归。

这样巨大的矛盾长期存在，我们并不是完全没有看到，而是有一种视而不见的势力在顽强拒斥。有一年全国考题用了《韩非子》中的“智子疑邻”故事为材料，却引起一些中学特级教师的反对，说是“脱离学生实际”；而对于命题者来说，不可回避的现实是，我们正在全方位和国际接轨，难道在命题方面可以闭关自守吗？如果以美国式的批判思维来衡量，湖南省命题中对“草色遥看近却无”的阐释，就是应该质疑的：“置身太近，有时反而感觉不到实际存在的东西；要把握某一事物，有时需要跳出这一事物；人对事物的看法与对美的感受同距离是有关系的。”这是有道理的，“不识庐山真面目，只缘身在此山中”，但是，这种所谓的道理是片面的。事实上，“草色遥看近却无”是早春一种非常特殊的现象，在正常的季节里，草色常是远看则无，近察则有。“遥知不是雪，为有暗香来”，梅花远望是雪，近看则肯定不是，但是不用近观，就知非雪而是花，因为雪没有香气，有香气才知不是雪。如果没有香气，远观就是看走眼了。“要把握某一事物，有时需要跳出这一事物”，这并不完全，应该加以批判：有时就不能远离，显微镜的功能就是彻底近观。安徽卷的《带着感动出发》，如果让美国人出题，就可能旨在鼓励挑战：带着感动出发，是普遍的、绝对的吗？感动，就是比感觉更加强烈了，科学一带上感情色彩，就消失了。没有理性，跟着感觉走是很危险的。从这个意义上看，2008 年全国大部分作文题都有挑战的余地，“春来草自青”不是绝对的，而是有时间、地点、条件限制的，在北冰洋、戈壁沙漠呢？从哲学上说，这是一种单因决定论，只要季节条件成熟，一切变化就是必然的。决定事物变化，有多种多样的条件。如果碰上干旱，没有水，草还能青吗？此外，变化有规律性，但规律是相对的，太阳每天在早晨升起，可是恩格斯说过，不能由此推断它明天早晨会再升起。彻底的具体分析是无所畏惧的，就是 2008 年最高水准的上海题，也是经不起真正彻底的具体分析的：“平常大家关注更多的也许是‘我们’，如果把视线转向‘他们’，你会看到什么，又会想到什么？请以‘他们’为题写一篇文章。”这是从主体性的极端走向另一主体性的极端，从哲学上来说，解决此等问题的法门乃是不同主体之间的对话，这叫作主体间性。最后对 2008 年四川卷带着某种神圣情感价值的“坚强”作些分析：首先，是个人的坚强还是民族的坚强？其次，救灾既是精神，也是科学，单纯的精神力量是足够的吗？再次，人在自然力面前是强大的还是脆弱的？这些都是批判性理性思维所不能不考虑的问题。命题在整个教育事业中，可能是芥豆之微，但是，一粒沙中可以看世界，一滴水可以看大海。从命题的分析中，是不是可以看出我们的教育观念中培养目标方面的缺失？

如果我的上述分析没有太大的错误，我们是不是可以反思一下：普遍流行的诗意命题模式，扼杀了多少青少年理性思维的生命？

静悄悄的变革：作文加到80分

——评2009年高考语文试卷

2009年语文高考一结束，各大报纸、网站纷纷热炒作文题。之所以值得炒，原因在于，作文是考生素质的综合表现，是学生水准最为雄辩的说明。实践证明，一度无可争议的拥有霸权的所谓客观化、标准化模式，只有利于提高评分的效率，而不利于区分学生语文素养。经过近10年的批判，这一点几近达成共识，客观化、标准化试题的分值已从90分减少到20分左右，但是，作文分值却未能相应增加。福建率先于各省自主命题的第一年，就把作文分值提到了70分，2008年江苏追随福建的脚步，把作文提高到70分。其他各省至今按兵不动，保持了意味深长的观望。

众所周知，福建省的教育理论家一向主张要真正显示考生的语文素养，最为理想的做法就是把作文分值提高到90分，甚至120分，但是这样的主张，就是在福建本省也并未能付诸实践。原因颇为复杂。从客观上说，作文虽然有利于考生素养的表现，却不利于评分的公平性。无可讳言，大量教师水准跟不上形势，评分可能有比较大的差异，因而在长达10多年时间里，客观题占据语文试卷60%的分值，作文只占40%的分值。这样的颠倒，倒也不完全是对于西方考试模式的盲目追随，而是由于作文评分的主观性，造成了社会过度的忧虑情绪。托福式的客观题表面上的公平性，对社会这种心理构成了某种虚假的安慰。其实，这种社会忧虑经不起具体分析。客观化、标准化的题目，表面上看答案客观而且标准，从本质上来说，其选择性答案在是与非之间。干扰项的设置，交相错位，制造了人为的难度，其结果是客观化、标准化，并不客观，更多的是命题者的主观武断。这种答案本身充满了无谓的纠缠，甚至错误，造成的后果是全国性毫无例外的混乱，导致对一代人的个性和想象力的扼杀。作文评分固然有个体性的差异，其范围和影响要小得多，但是，社会对于提高作文分值可能造成不公的忧虑，却在程度上大大超过了标准化客观试题的危害。

这就使得语文试题的根本改造踏步不前。当上海、福建、江苏把作文分提高到 70 分以后，其他各省的沉默，其原因并不是出于对不同考题的长处和局限的考量，而是对我们这个时代社会心理的一种畏惧，其实质就是对于公平制度操作者缺乏信任。

面对着这样的社会心理，福建的命题专家并没有退缩，在体制上完成了改革以后，终于走出了极其智慧的一招。他们并没有在敏感的作文分值上遽然增加，而是在作文以外的试题上做了隐蔽的改革。请看 2009 年语文试卷上的“语言文字运用”一栏（共 10 分）：

从下列材料中，选取必要的信息，为心理咨询下定义。（3 分）

1. 心理咨询是给咨询对象以帮助、启发和教育的活动。

2. 这种活动必须运用心理学的理论、知识和方法来妥善处理各种心理问题。

3. 这种活动通过言语、文字或其他信息传播媒介来达到咨询目的。

阅读下面两则材料，回答问题。（7 分）

材料一：近年来清明节祭奠亲友，从烧冥钞、纸人、纸马发展到烧纸电视机、纸数码相机，甚至烧纸汽车、纸别墅……

材料二：今年清明节前，某市首个在线祭祀网站开通，清明节时，许多市民纷纷登录该网站，上传纪念图片，发布纪念文字，祭奠逝去的亲友，表达哀思。

用一句话概括上述材料的内容。（2 分）

你对上述现象有何看法？请简要阐述。（5 分）

从表面上看，这是考语言文字的运用，但实际上这是作文，类似于 20 世纪 80 年代曾经出现过的所谓“小作文”。这就是说，作文已经悄悄地增加了 10 分，由 70 分变成了 80 分。不过，这不是简单的重复，而是创造了新的题型。前面分值为 3 分的一题，要求十分明确，就是“下定义”。这里有两个特点：第一，不像以往的小作文，仅仅要求描写和抒情，而是智性的概括力，这是一种抽象能力，这种能力的关键在于将感性的描述归结为智性抽象。第二，感性是纷纭的，而概括的要求是全面，要把纷纭的感性话语（如“帮助、启发和教育”“运用心理学的理论、知识”等）完全涵盖进去，不得有所遗漏。这就得细致地把心理咨询的对象、问题、知识内涵和方法，有条理地加以组合。这既是对语言文字驾驭能力的考验，又是对考生抽象思维能力的检测。这就大大超越了感性描写和抒情的功能。这种题型还隐含着一个突破，那就是不仅仅检验中学语文具体教学的效果，而是按大学生的抽象能力进行素质定位。大学课程与中学最大的不同，就是系统的理论性。科学体系起码的要求，就是基本概念的内涵确定，讲究定义的深邃全面。福建卷的“小作文”遵循的显然是高等学校选拔学生的准则。

下面一题，提供关于清明节的两种相反的现象，要求用一句话“概括上述材料的内容”，这个要求更高一些，前一题是把现成平列的感性现象加以条理化，这一题提供的是相反的现象。这就要求：第一，在不同的现象中看出相反的东西，也就是矛盾；第二，看到消极如何在另一种条件下转化为积极，冲突如何转化为和谐；第三，在语言上，要求简明扼要，只能用一句话，也就是直截了当地抓住要害，这是理性思维迸发进行第一手抽象的基本要求。

最后一小题则进一步要求，针对如此矛盾的现象，拿出自己的看法、观点来，并且要做“简要阐述”。什么叫作“阐述”？就是阐释，如果不阐释，就不明；阐释了，才能明确。怎么阐释呢？那就是把问题的矛盾转化的条件揭示出来：在什么条件下，消极的变成积极的，冲突的变成和谐的？

早在几年前，福建的高考理论家就反复指出中国高考的作文命题太过倾向感性，和欧美乃至日本、新加坡的作文试题倾向理性形成鲜明对比。这并不符合高等学校选择人才的准则。当然，长期停留在感性和抒情上，有认识上的不足，也有民族文化差异的障碍，但是，作为高等学校选拔合格入学者的考试，不能不把口径对准高等学校学业的理论性和系统化抽象的实际。这一次福建省的创新，采取了低调的、隐蔽的形式，实现了静悄悄的然而又是深邃的改革，这样明显的改革，居然瞒过了一些热爱炒作的记者以及各省轻率发表评论的特级教师，实在是令人欣慰。

中西文化的情智差异和中国高考作文命题的嬗变

——2009年高考作文题评议

每年语文高考试卷一公布，最能引起热议的就是作文题目，报刊上、网站上立即充满了赞扬或者攻讦。但是，2009年却不像往年，媒体对于作文题的得失没有表现出多大兴趣。是不是2009年的作文题实在没有什么新鲜，不值一谈呢？似乎很难遽尔下这样的断语。多数作文题，沿着前几年开拓的思路，提供话题材料，启发学生自行立论。就对综合素质的调动而言，大抵重在感性的抒情。如北京卷的《我有一双隐形的翅膀》，对学生的想象应该说具有冲击力，但是和1998年的全国卷《假如记忆能够移植》相比，在推动抒情上异曲同工，就没有引起重视。和北京卷《我有一双隐形的翅膀》诗情的想象异曲同工的还有全国卷：英国科学家道尔顿为妈妈买袜子，暴露了他色盲，却因而在研究视觉缺陷方面做出了科学贡献。故事的结论明显是单向性的：坏事变成好事，消极转化为积极，矛盾双方转化为对立面，几乎是无条件的。这种不加分析的绝对化，为中国式励志性所掩盖。励志价值是社会的共识，具有天经地义的优势，可是作为命题，要求学生自行立论，则需要留下顺向和反向质疑的余地。真正的自主立意，意味着对材料的隐含价值做批判性的分析，也就是质疑，甚至是颠覆：色盲是一种不幸，一种人生的缺陷，并不是每一个色盲在任何条件下都能走向辉煌的成功，像道尔顿这样幸运的其实是凤毛麟角。绝对以道尔顿为未来的期许，必然导致对自身局限的盲目，恰恰不利于把局限转化为优越。其次，道尔顿的成功并不是因为色盲，而是对色盲的战胜，如何达到胜利，避免失败，才是思考的核心。不做这样的反思，很难说达到即将踏入大学校园的高中毕业生理性思维的水准。中国学生在课堂上虽然每天都在受到鼓励，对任何一个文本都要做多元的解读，但是在作文命题面前却往往被诱入一元的、顺向的、片面的抒情惯性。在反思能力的激发上，应该承认，西方命题有其优势，他们给出的材料绝对不会包含着任何现成结论，他们命题的原则就是鼓励对天经地义的、不言而喻的现成观念进行质疑和挑战。

当然，这是一种差距，但是这种差距不能片面地看待。换一个角度看，西方命题也存在不足，那就是对抒情和审美的扼杀。面对一个诗情洋溢的题目，在中国学生看来，可以轻而易举地落笔成文，而一个欧美考生可能觉得丈二金刚——摸不着头脑。例如，北京卷《我有一双隐形的翅膀》，在一个英国人眼中，竟然引起了这样的自卑感：

> 这是我第一次在中国看到的高考，作文的要求之宽泛与苛刻让人咋舌。我不知道英国高中生是否被要求做此类的事情。但有一点可以肯定，20 多年前我参加考试时肯定不是这样。这些题目只给几点提示，让考生自由发挥，展示自己的知识面和语言运用能力。北京的考题是《我有一双隐形的翅膀》，是去年四川地震中类似“颂歌”的一首流行歌曲中的一句。我深深感到，英国许多名牌大学也证明了这一点：同不足以分清良莠的英国高中测试体系相比，中国的更具挑战性，也更能测试出学生的水平。我想，现在是英国效仿中国设立全国作文竞赛让人才脱颖而出的时候了。但我还要说一句，求知是件愉快的事，我将永远不会参加此类考试。[①]

实践证明，这样的题目，对中国考生不但没有特别的难度，而且很有调动感情和智慧的功能，成为难易适中、受到广泛欢迎的命题。英国学生的困惑，是他们长期很少变动的考题模式造成的。他们并不要求抒情和想象，只要学生对现象作出评论。以 2009 年 1 月的雅思作文为例：

> 1. 有些人相信，对于个人来说，技术条件扩大了穷人与富人的差距；而另外一些人则认为，效果恰恰相反。请讨论这些观点，并提出你的看法。
>
> 2. 大学生、中学生和教师一起从课本上学到的远不如从其他方面（如互联网、电视）上学到的更多。你在什么程度上同意这样的看法？
>
> 3. 富国经常给予穷国以财政援助，但并没有解决贫穷问题，那么富国应该采取其他方式代替财政援助。在什么程度上你同意这样的说法？
>
> 4. 如今，技术进步导致了大量环境问题，一些人主张人们应该简朴地生活；而另一些人则认为，技术进步恰恰能够解决环境问题。讨论这两方面的观点，并提出你自己的见解。

这样的题目虽然要求相当的分析和思辨能力，但是其题型已经是多年一贯了，对于英国学生来说，冷峻对待不相容的观念，排除个人的情感，在分析中立论，可能是驾轻就熟。可长于抒情的中国学生则可能惶惑起来，不知如何在拿出主见的同时表现出自己的情采和

① 《英国人眼里的中国高考》，原载英国《每日电讯报》2009 年 6 月 9 日，又见英文版《环球时报》2009 年 6 月 11 日第 14 版。

文采。其实英国的题目还不是欧洲高考或者中学会考中最典型的，法国的题目更以抽象分析为特点。[①] 如2009年的题目：

理科哲学作文题：

1. 期盼得到不可能的事情是否荒谬？

2. 世上是否存在任何科学都无法解释的问题？

3. 评点法国哲学家亚历西斯·德·托克维尔《论美国的民主》中有关鼓励民众参与民主的一段文字："因此，给民众以管理琐事的机会，比让他们参与管理国家大事更能激发民众对公共事务的关心。"

经济社会科哲学作文题：

1. 从交换中我们能得到什么？

2. 技术进步是否改变人类？

3. 评点英国哲学家约翰·洛克在《人类理智论》中有关人的道德不是与生俱来的一段文字："我承认，在违法分子的社区内部，他们自己会遵守正义和平等的规则；但是循规蹈矩并不是他们的天性，只是因为他们的社区内需要实行必要的规矩。"

文科哲学作文题：

1. 语言是否会背离思维？（或：语言是否可以忠实地反映思维？）

2. 历史的客观性是否意味着历史学家的公正性？

3. 评点叔本华在《作为意志和表象的世界》一书中一段有关匮乏和欲望满足的论述："欲望，也就是匮乏，是所有快感的前提条件……所以，所谓心满意足不过是相对于痛苦而言的某种需求的满足。"[②]

这里显示出两种文化传统和教育理念之间的深刻差异。客观地说，双方都有优长和不足。如果说，西方的不足在超越实用理性的审美价值方面，我们的不足则是在实用理性方面。当然，文化差异只是问题的一个方面；另一方面，人类智慧的考核毕竟还有共同准则的。暂时撇开人家的弱点不谈，把审视的目光定格在自己的薄弱环节上，则不难看到，抒情和感性叙事命题长期占据霸权统治地位，理性命题长期受到忽视，会不会导致学生在素质上多情而低下？这是一个不可回避的问题。脱离"真知灼见"，盲目甚至麻木地拘执于"真情实感"[③]，抒情散文成为语文课本的主导文类，是绝大多数教师的理想范本，也是当前高考作文抒情泛滥而思想肤浅、智性缺失的根源。拿这样的倾向和美国高考的评分

① 参见王卓：《2009年雅思写作作文题目汇总》。

② 参见2009年6月19日新浪教育，选自翟华的博客。

③ 关于对"真情实感"的批评，参阅孙绍振：《世纪视野中的当代散文》，《当代作家评论》2009年第1期，又见《新华文摘》2009年第9期，特别请参阅其中"真情实感还是虚实相生"一节。

标准比较一下，可能获得深刻的启示。当我们把抒情叙事的审美散文几乎当作唯一期待的时候，美国 SAT 的评分标准却明确规定其文体是智性的随笔（Essay）。[①] 在早就进入后现代的美国学校生活中，浪漫的抒情是傻气的，被视为带着老古董的气息，显得缺乏智慧。他们的 Essay 要求观念明确一贯地驾驭（Clear and consistent mastery），深刻有效地展开（Effictively and insightfully develops a point of view），最为重要的是，表现出突出的批判性思维（Outstanding critical thinking），用恰当简明的例证和理由（Using appropriate simples and reason）支持自己的论点。[②] 平心而论，这样的理性思维能力并不是美国大学的特殊要求，而是全世界大学新生的起码准则。不论是相对于高等学校课程的科学理性的系统和严密来说，还是对于迎接全球知识经济的挑战来说，这样的要求应该是超越民族性的。理性素质的长期忽视，会不会导致我们在人才的竞争中产生某种危机呢？这实在不可不深长思之。

从这样的战略来观察 2009 年高考作文命题，则应该有相当不同的视角。

与 2008 年相比，2009 年的作文命题，在我看来，有极其可喜的突破。如江西卷的以“圆明园兽首文物在法国横遭拍卖”为题，要求写议论文。这个题目本来是很容易写成抒情散文的，但是，命题者却义无反顾地要求写成议论文，其高瞻远瞩的良苦用心，很值得跟着习惯和现状盲目奔波的同事深长思之。[③]湖南卷以“踮起脚尖”写议论文或者记叙文的命题，虽然没有江西那么坚决，也足以提醒许多教师和学生：智性的反思和审美抒情，作为素质的组成部分，二者缺一不可。天津卷的“我说 90 后”和广东卷的“谈‘常识’有关的经历和看法”，海南卷和宁夏卷的“诚信与善良”，虽然不如欧美的那样明确提示批判理性，但是至少为议论文的发挥留有余地。

令人振奋的突破还在某些知识性考题中，大量题型超越了知识性，转化为抽象的概括力考核；而概括的全面和深刻，属于议论文的最基础素养。山东卷要求概括《人民日报》关于东盟十国与中日韩财长会议宣言的消息。还有一个省的考题，提供一幅漫画，要求以几十字说明漫画寓意。题面是“说明”“寓意”，顾名思义，是潜在的意义，要求深刻，不能肤浅，应该是深度概括。广东卷阅读题要求回答托尔斯泰一生在“哪些方面”和

---

① 在英语国家的百科全书中，并没有独立的作为文体的“散文”条目，只有有关的文体，例如：Alliterative Prose（押头韵的散文），Prose Poem（散文诗），Nonfictional Prose（非虚构的写实散文），Heroic Prose（史诗散文），Polyphonic Prose（自由韵律散文）。和我们所理解的散文比较接近的并不是 Prose，而是 Essay 和 Belles-lettres，也就是通常所说的随笔（小品）和美文。按西方的理解，随笔是一种分析、思索、解释、评论性质的具有一定文学性的作品；较之论文，篇幅短得多，不太正式，也不太系统，它往往从一个有限的、经常是个人的角度来讨论一个观点。很显然，它是以议论为主，和我们所习惯的抒情叙事散文有很大的不同。

② SAT 评分标准：美国大学网（College Board）SAT CENTER。

③ 当然，从另外一个角度上讲，这样的命题似乎也并非十全十美。为什么只能写议论文呢？对长于写抒情性散文的考生是不是不够公平呢？这是可以讨论的。

土地须臾不可分离，这就涉及概括复杂现象时不可缺少的分类。还有一题《黄侃先生二三事》，要求考生着重概括黄侃先生所追求的中国学问有什么特点，应当采取什么样的态度，应当作出什么样的贡献。不但要求概括，还有语言的运用，原文是书面语和文言，要求考生“用自己的话”表述。这样的题型，比之流行的阅读题中那些“下列诸项不正确的一项是”的模式无疑要聪明得多。至少没有那种为设置干扰项而透露出来的捉襟见肘的窘态。当然，在所有这样的突破中，福建省迈出的步子更大一些。请看2009年语文试卷上的“语言文字运用”一栏（10分），实际上把作文分值提高到90分，这是一个非同小可的变革。

福建的高考理论家在对主观题评分病态地不信任的语境下没有退缩，也没有鲁莽地另立新题，为议论文单独加分，而是采取了低调的、隐蔽的形式，静悄悄地为议论文的基础能力考核加了10分。当然，这种暗度陈仓的办法固然回避了社会情绪的动荡，但也局限了改革的力度。不过，这样的题型，这样的进展，从某种意义上并非绝对新异。至少从思维的模式来说，与西方，尤其是美国的托福、英国的雅思作文，多少有某些相似之处，创新度还不是很大，还没有达到把议论文作为单独的文体来要求的程度。从改革的进度来说，也难说是独领风骚。其实，在中考的语文试卷中，早就普遍出现了类似的题型：在文学名著阅读题中主观性评论题比比皆是，好像有点不约而同。如2008年南通市初中毕业、升学考试试卷名著阅读：

请从下列人物中任选一个谈谈你的评价。（结合作品内容，50字左右）（4分）

宋江　祥子　格列佛　汤姆·索亚

2008年苏州市初中毕业暨升学试卷名著阅读：

《水浒传》里的许多故事充满了智慧，“智取生辰纲”就策划得极其巧妙。请你说说吴用等人是怎样一步一步地“智取”生辰纲的。（5分）

2007年泉州市初中毕业考名著阅读：

《西游记》中，猪八戒的形象令人捧腹，请简述一则表现猪八戒憨厚可爱或忠勇善良的故事。（50字左右）（5分）

所有这类中考命题的特点都是主观的、抽象的、理性的，而不是抒情的。类似的题型还出现在古典诗歌赏析题中。可能正是因为有了这样普遍存在的基础，福建省对于议论文分值的增加，并没有造成惊世骇俗的反响。从另一个方面来说，渐进性的改革还存在着更大的空间，这很值得我们以谨慎的乐观来期待。

对立统一模式命题的突围和退守
——2010年高考作文命题纵论

一、评价准则从历史实践中来

评论2010年的高考作文题，有一个标准问题，实际上是有关历史的自觉性的问题。不弄清楚我们命题的历史进程已经解决了什么问题，超越了什么阶段，面临着什么样的难点，就不能不陷于盲目甚至倒退。

十年来命题的主要胜利在于冲破了政治和道德教化扼杀个性的封闭性，回归语文素养。具体来说，表现在以下几个方面：第一，命题并不给定主题，而是给定材料或话题，开放地给学生以确定自己主题的自由，以此作为考核的首要关键，因为在纷繁的社会现象面前，拿出自己的观念立场，这不仅是作文，而且是为人的根本。因而，传统的主题性命题变为非主题性的开放命题，成为历史性的突破。第二，开放性不是绝对的，而是有限度的，是与导向性的制约紧密相连的。这一点，除了社会价值观念认同的必要以外，还由于评价的可比性。第三，开放性与导向性的矛盾消长，正是命题不断发展的内在机制。第四，在调节开放性与导向性的过程中，产生了两种倾向：一种是字面上的开放，但潜在的道德理念却是别无选择的，是名副其实的“伪开放”命题。近年来，此等“伪开放”命题虽然尚未根绝，但已经得到一定程度的抑制。与此相反的另一种倾向则是不含任何导向性的“泛开放”，如前几年上海的《杂》等。这种倾向导致了套题，也增加了评分（可比性）的困难，故总体来说，日见其少，但是，并未绝迹。2010年湖南就以《早》为题，属于泛得没有边的一类。在台湾，这种泛开放的命题却日见其多，几乎成为主流。如2002年的《镜子》，2003年的《猜》，2005年的《回家》，2007年的《探索》，特别是2009年的《惑》，可能是泛开放的极致。这可能与社会意识形态，也可能与考生总量较小有关。表面上泛开放的命题也不乏比较成功的，原因就在于，题目背后隐含着对立面。如2009年上海的《他们》，潜在的“我们”不言而喻。2010年重庆《难题》的“难”针对的是“易”，故不至于泛得漫无边际，但还是不及前几年上海卷的《必须跨过这道坎》和《我想握住你的手》，其中的“坎”和“手”，均含具体语义和象征语义，具体语义是封闭的，而象征语义是开放的。第五，不管是开放性还是导向性，都以有利于考生自由发挥个性为上，当然这种自由是相对的，不但受到社会共识的约束，而且受到文体的规范。在文体上，西方命题，尤其是美国式命题的基本模式是提供矛盾现象迫使考生做两难分析。例如：对朋友的妻子和孩子都言过其实地奉承是礼貌，否则是粗鲁，难道这样的虚假是绝对必要的吗？有趣的是，面对矛盾，我国则往往以二者的统一为题，如2010年北京卷的《仰望星空与脚踏实地》。这样的命题，当然比较有利于审美抒情，但分析议论和审美抒情均为人文素质之组成部分，不可偏废。我国命题长期偏于审美，出于全面发展的考虑，近年命题有从感性向理性开放的潮流。

这就是我们的历史，其中有弥足珍贵的经验，也有代价极其昂贵的教训，评价的准则就在其中。

开放性与导向性的矛盾仍然是当前命题的主要矛盾，不过内涵都有了些进化。当前的开放，不仅仅是向学生自主立意开放，而且是向学生独特的、个性化的立意开放；目前的导向，不但是向感性表层开放，而且是向学生的理性深度开放，向文体的自由驾驭开放。非常遗憾的是，并不是所有评论者都具有这样的自觉，缺乏历史清醒度的胡言乱语比比皆是。即兴的、网络式的胡吹瞎捧，不负责任的谩骂，冬烘式的瞎子摸象自不必说，一些文化明星似是而非的评论，造成更大的混乱。

2010年高考开考之初，于丹在新浪网上发表对高考作文命题的评论，说“很社会，很当下，很思维”。“很社会”其实就很不通，“很社会”针对的是“很个人”。命题的功能就是以公共现象激活考生的个人立意。“很当下”针对的是“历史”，“当下”难道可以脱离“历史”？她对“当下”的解释是：“第一就是特别强调中国社会在转型时期的社会现象……要看你怎么看待社会转型时期的一些特定现象。”“第二个特点就是紧扣当下的一些国际概念……我们看到像绿色生活……其实都是紧扣着时下的环保和可持续发展，它是给考生一个社会责任的思考。”这个“很当下”实际上就是当下社会关注的热点问题，这是很外行的。和当下有所结合，并不是2010年命题的特点，甚至也不是中国的创造，而是美国、新加坡和中国命题的一种共同现象。汶川地震时期四川的“坚强”，不是更为“当下”吗？但这个题目在当年并不是比较好的，而是比较弱的，因为它把救灾中人的意志绝对化了，完全忽略了救灾又是一种科学。多年的实践证明，以当下大事件来命题是幼稚的。现成的话语格局对考生的个性是一种压力，而猜题、套题者却有可乘之机。结合时事式命题，绝不是我国当下命题的特殊原则。新加坡前些年有过《中国的崛起对我们的利和弊》这样的作文题，不是也“很当下”吗？其实，这属于平庸命题。把当下社会热点问题放在首要地位，指导思想仍然是把作文作为政治道德图解，这对作文是粗暴的，在命题原则上是不折不扣的倒退。

当然，于丹也不是没有说到命题的开放性，但是，她的开放性却是离开了导向性的，如果说有什么导向性，就是她所谓的“注重思维方式的考察”。她还提出“立体性思维”，其实都是空谈。因为：第一，思维并不等于语言，思想并不等于作文，思维与语言之间存在着矛盾，正是因为有“言不及义”“意不称物”“可意会不可言传”的现象，学习语言，是非下苦功不可的。此外，语言还不等于文体，还有一个文体的规范和开放问题。一些省份的命题提出要求“文体意识明确”，浙江省明确规定：“以‘角色转化之间’为题，可以讲述故事，抒发情感，也可以发表见解。文体除诗歌外不限。”离开了文体意识的“思维方式”，不能不变成没有躯体的幽灵。

有了这样的历史意识和文体意识的自觉，就不难发现近年的命题有一种明显的倾向，就是把现象（材料）转化为问题，单纯的抒情成分递减，理性矛盾对立分析成分递增。这样的变革之所以必要，原因乃在于抒情和议论遵循不同的逻辑。抒发感情可以极端、片面（“情人眼里出西施”“月是故乡明”“爱之欲其生，恶之欲其死”），而理性分析则不能不是全面的，至少是正面、反面兼顾的。离开了这一点，大谈什么“立体思维”，只能是欺人之谈。

二、对立统一模式的突围和退守

从这个角度来看，2010 年的作文命题，一方面，把现象聚焦在矛盾上，使之转化为问题，这是大部分省市均已达到的普遍水平；另一方面，在个别命题中，连材料都相当散乱，还没有达到起码的统一性，根本就谈不上矛盾。

最能代表 2010 年命题普遍水平的是北京卷《仰望星空与脚踏实地》。这个题目朴实无华，没有玩多少材料和话题等花样，提出的问题是一对矛盾：“理想”和“现实”。显然蕴含着理性的成分，而语言却很感性。偏于感性的考生，可以放心大胆地使用诗性的话语、格言、故事；偏于理性的考生，也可以放手具体分析，驾驭例证，层层生发，议论风生。这个题目中还隐含良苦用心：鼓励作议论文，又为抒情留下了空间。既有一点与国际高考理性为主接轨的意味，又保留着很强的中国抒情审美特色。当然，这个命题也显示出某种局限，就是导向性甚于开放性，理想与现实的统一显然别无选择。如果改成美国托福式的，论点（主题）就不会这么便宜地和盘托出了。他们大概不会暗示理想与现实的统一，而是把矛盾交给考生：人们被教导说要有信仰，像仰望星宿一样追求伟大的理想，可是多数人的经验证明，越是伟大理想越是容易落空，于是人们又被告知，更应该脚踏实地、戒绝空谈，在自己的岗位上做出并不一定伟大的成绩。人们应该何去何从呢？西方式的命题，特点是迫使考生面对两难，然后决定取舍，评分标准不管论点是否“偏颇”。美国加州有一个极端的例子，论点为要求那些丑陋的女人自杀，也没有扣分，他们只看主题是否得到一定的论据（包括逻辑和事实）的支持，论题是否首尾一贯，词汇是否丰富，句法是否有变化；而我们的命题则是把主题暗含其中了，“仰望星空”与“脚踏实地”的统一不言而喻地成为公共的主题。对立面的冲突被显而易见的统一性调和了，开放性就相应地消解了。

强调对立面在一定条件下向相反方面转化，是全国命题的普遍取向。其中，似乎隐约透露出某种保险性认同的心态。

当然，这种模式既有我们的局限，也有我们的优长，不能不做具体分析。上海卷的材料是：

1. 丹麦人钓鱼，将不够尺寸的小鱼放回河里。

2. 孟子曾说过：“数罟不入洿池，鱼鳖不可胜食也。”

矛盾是：放弃（小鱼）变成获得（大鱼），小失是大得的转化条件。命题者似乎为两个材料在时间上、空间上的大距离所惑，其实转化的条件（结论）一望而知，留给考生发挥个性的空间比较狭窄。

结论的不言而喻是这类命题的通病。

安徽卷提供一首绝句：“交流四水抱城斜，散作千溪遍万家。深处种菱浅种稻，不深不浅种荷花。”题目要求以此“哲理诗”引发的思考和联想为文。已经点明是“哲理”了，一般智商的考生当然会就深浅不同栽种植物不同去为文，因地制宜的主题就会不约而同。相比起来，全国Ⅰ卷的局限则更明显：“在餐桌上，许多猫吃鱼，就一只猫捉老鼠，别的猫说：‘有鱼吃还捉老鼠？’”题目提示了两个矛盾：第一个矛盾，吃鱼者多，捉鼠者少。这是正面表述出来的。第二个虽然没有直接表述出来，但是一望而知，吃现成的鱼成为猫不捉老鼠的原因。材料作文的优越性就是主题的开放性，也就是多元性，但是，在这里开放性是假的，因为不用捉老鼠的唯一原因，已经不言而喻，考生只能以唯一的原因作为主题。当多元变成唯一的时候，开放性就转化为封闭性。伪开放性的要害是主题现成，对于学生的智商没有挑战，难度太小，结论太浅，停留在常识层次，高水平的考生发挥的空间太小，低水平的考生也不难仅凭感性敷衍成篇。

与这种保险性同调的是湖北卷，干脆把答案直接放在命题之中：从孙悟空的筋斗云，哪吒的风火轮，到晚清幻想小说《新中国》预言百余年后在上海举办万国博览会，再到法国凡尔纳梦想“从地球到月球”，都在今天成为现实。“幻想源自人类的求知本能，展现了人类非凡的想象力。幻想推动现实，幻想照亮生命，幻想是快乐的源泉……”把结论用排比句加以渲染，可以说是开放性命题之大忌。反复的铺排淹没了问题，公然要求考生根据这些写“理解和体会”。这样的命题如果拿到美国去，会给人家笑掉大牙。

如果以北京卷为中轴，则全国的命题呈现两种倾向：一种就是前述保守性的，将矛盾消解，倒退到规定主题的老路上去；一种是对二元对立的思维模式进行突围。这种突围的努力为命题展开了广阔的前景。其具体表现就是：从单纯一个系列的矛盾转化为复合的多重矛盾。天津卷在这方面做得比较勇敢，材料是：世界在画家笔下是“色彩缤纷”，在音乐家琴弦上是“跳动的音符”；世界因“创新而进步”，因“和谐而温馨”；“神奇虚拟的网络”，更演绎着“平凡真实的”人生；说起来“很大”，其实又“很小”……这里包含着对立的关键词（创新、和谐；虚拟、真实；很大、很小）是纷繁的，不是熟知的一元化的二元对立，而是多元化的二元对立，可又没有失去逻辑一贯性导向。这应该是对命题思路模式化的一种冲击，其开放度和难度同步地扩大了。

突围的勇气不亚于天津卷的是福建卷：格林两兄弟本以为民间童话和历史文化有密切联系，但却求证不成，遂把耗费多年精力的笔记束之高阁。朋友偶然发现并出版了，发行上亿本，《格林童话》成为举世公认的经典。这里的矛盾并不是单纯的，而是多层次的：第一层次的矛盾是，社会文化历史价值的阙如和经典文学价值的巨大；第二层次的矛盾是，文学价值是客观存在的，而被发现被认可却是主观的偶然。题目的难度在于，第二层次的矛盾只提示了矛盾的一个侧面，就是“偶然”，“必然”则是隐含在字里行间的，如果不将之补充出来，则论点缺乏层次。在这方面更有勇气的是新课标卷，提供三个材料：（1）有一种热带观赏鱼，在小鱼缸里不管养多长时间只能长到三寸来长，然而把它放在大水池里，不到两个月就能长到一尺长。（2）狼是一种好奇心很强的动物，它们对周围环境总是充满好奇，从而不断体验，发现食物，躲避危险，顽强地生存下来。（3）心理学家罗森塔尔随机挑出一批学生作为“最有前途者”，然后将名单交给班主任。由于老师对这些学生寄予更大期望，8个月后，学生的成绩有明显提高。材料表面上互不相干，但是实质上隐含着二元对立。鱼的大小和狼之野性取决于环境，而人的成功，却源于对自己天赋的自信。一个强调客观环境，一个强调主观信心，从纷繁无序的现象中抓住“矛盾的矛盾”，使之有序。这就是对考生的抽象能力的考验，个性化自由发挥的空间就在其中。

更加值得称道的是广东卷：“你我为邻，相互依存。‘你’可以是有形的，也可以是无形的；‘邻’，无法回避，却可有所选择。”这里提供的矛盾（有形、无形；可选择、不可选择），不但没有通常这类命题的感性，也没有不言而喻的答案，而是直接提供抽象的观念，不以具象的材料或者故事为基础。从这一点看，这样的命题方式接近欧美命题的模式。也许这在我国高考作文命题中有重大突破的意味。山东卷：“人生的一切变化，一切都有魅力，一切都是由光明和阴影构成的。”在抽象命意方面，异曲同工，只是在文字上更为简练。与之同调的，应该是四川卷：“一个点可以构成一条线，线又可以构成一个平面，最后构成立体。人生就像不规则的几个点，这些点又可以连成无数条线，这些线又可以组成不同的平面，不同的平面又可以组成不同的几何体。”从思维方法来说，这从根本上已经突破了二元对立，而是多元共生了。

正当二元对立命题模式化日益得到广泛认可，有可能趋向僵化的关头的时候，这种思维模式上的突围，无可争辩地提升了开拓进取的信心。富有进取勇气固然值得赞扬，但保险性的依附固定模式亦非一无是处，能够把矛盾以显性或潜在的方式作为问题摆在考生面前，不管从世界范围，还是从改革的历史进程来看，都能保持相当水准。但是，中国实在是太大了，发展之严重不平衡，是不可否认的。前进中有倒退，实属必然，但是倒退得最离谱却是令人惊讶的，例如全国卷Ⅱ，关键词是“浅阅读”，浅阅读的定义是“追求简单轻松，实用有趣的阅读”。材料提供的另一信息是联合国教科文组织确定读书日的灵感来自一个美丽的传说，又和一些伟大作家生日巧合。题目属于泛开放，泛到逻辑混乱的程度。“浅阅读”，针对的应该是“深阅读”，可是接下来的关键词却是“美丽的传说”，“浅”跟“美丽”二者之间的逻辑是断裂的。最后的关键词“生日”，与“浅”“美丽”根本无法凝聚为统一的思路。整个题干一盘散沙，关键词互相游离，恐怕没有多少考生能把这三个关键词水乳交融、层层深入地贯通起来。须知，开放的思绪和立意的聚焦是矛盾的。无限度的泛开放，就是无限度地为立意聚焦设置障碍。面对这样错综的关键词，考生要么狠心舍弃，要么表面上勉强串联，在意脉上不断忍受断裂和错位干扰。关键词的散乱，暴露了命题者逻辑修养上的缺陷。

类似的缺陷还有辽宁卷：一个人 3 岁的时候太贪吃糖果，手卡在糖罐里拿不出来。20 多岁的时候，农场分水果，他拿了最小的水果，却很满意。58 岁的时候，公司说谁能要回 30 万英镑欠款，就给他 10 万。他要回了，因为他只向债务人要 21 万英镑，自己只留下 1 万。第一个材料说明他太贪心；第二个材料说明约束贪心，并没有得到更多，只是获得了愉快，物质上有所失，精神上有所得；而第三个材料，似欲说明有所失才能有所得，但与前面的拿小苹果，则有不可比之处。拿小苹果是自己有所失，而后面的只拿 21 万，则是公司无所失，自己还是有物质上的收获。前后二者由于主体不同，结果也不对称，故在概念上是错位的，互相干扰，在逻辑上犯了无类比附的低级错误。

这种命题出现在基础教育改革 10 年之后，实在不能不令人浩叹改革之艰巨：说到底，命题原则离开了命题者的水准，是不能不落空的。

从偏重感性抒情走向理性分析
——评2010年高考作文题兼论关键概念的严密和统一

每年高考作文题一经解密，立马成为炒作的热点，都市报标题套红，作文网站视频滚动，或采访名流，或特约为文；或以考题为文，重金奖赏；或伪造零分满分作文，轰动一时。从特级教师到文化明星，从博客写手到网络游民，风云际会，一体狂欢。谩骂者比比皆是，称赞者振振有词。众说纷纭，唇枪舌剑，意在耸动视听，莫不耻于求同。中华大地，春夏之交，此乃一大文化景观也。无奈两三星期之后，硝烟散尽，留下的只是舆论废墟。莫怪其寿数奇短，个中微妙并不神秘，炒作周期已过，热门变为冷宫，且请委屈冬眠，静等来年再度开锣登场。综观中国高考作文论析，年年热闹，年年水平如旧，原因在于年年“理论”都是旧饭重炒。国人仅仅为传媒炒作浩叹是不够的，仅仅为“被炒作”扼腕也是不够的。有目共睹的是，被炒作者并非等闲之辈，至少也有数十年生命投入，研读试卷如杜甫读书至破，方成为一方重镇。其之所以反复被炒作而不自省，究其深层原因，倒不全在于虚荣，而在于观念上糊涂，方法上混乱。

一、命题历史的实践走向：把感性现象化为问题

被誉为“著名高考研究专家”的王大绩先生，语出惊人，认为作文题不存在高低良莠之别：“作文题无所谓好不好，好比奥林匹克运动会，每个项目都能展示你的才能。”[①]把他的观念做通俗演绎，就是各省作文题如跳高和游泳之不可比。但这样的论断可能在逻辑上犯了无类比附的错误。高考作文如果要和奥林匹克运动会比附，不该在多个项目之间，而

① 参见《中华读书报》2010年6月9日。

应在同一项目之内，就像跳高只能以高度，而不能以游泳的速度相比一样，命题显然具有可比性。如果没有好坏，没有高低，那“著名高考研究专家”不是又面临失业的危机了吗？一切事物，包括高考作文命题，之所以不是静止的、僵化的，而是生机勃勃的、不断发展的，就是因为其中蕴含着差异和矛盾，世界上并没有什么好坏不分的无差别境界。把高考作文题看成无好坏、无差别之分，在哲学上属于佛家无差别的涅槃境界，但此种可能性并不太大，更大可能是从根本上就不喜欢这种考核学生素质的主观题，其热情完全在另外一种题型，那就是标准化的客观题。从这个意义上说，其真实理念令人想到“春光乍泄”的成语。

提出这种现象并加以讨论，并非针对个人，而是因为它代表了一种潜隐的对客观题的怀旧情绪。当然，这在当前并不占优势。在《中华读书报》的同一版面，北京大学曹文轩教授的评价是“还是一年比一年好”。这就是说，还是有好坏之分，也就是有标准的。曹教授的标准是：“题目的发挥的空间不能过大，也不能过小，过大的弊端就是什么话题都可以往里放，过小就是有些高手不能施展他的思想和才华。”我想曹教授虽然说得比较感性，但是说到了点子上。用理论语言来说，那就是既要有开放性，又要有适当的导向性（限定性）。我要补充的是，光是静止地分析这样的矛盾是不够的，因为这个规律不是共时性的现象，而是历史发展过程中呈现出来的。衡量作文命题的标准，不在某些“高考研究专家”的脑袋里，而在历史的实践过程中。

标准只能在命题的历史变迁中去探寻。

历史的发展并不是直线的，而是曲折的；矛盾不是平衡的，而是在对立面的消长中转化的，总是克服了一种片面又产生了另一种片面的，因而标准不是绝对的，而是带着历史的相对性的。

基础教育改革以前，命题就是主题，可以叫作主题性命题。从 1952 年高校全国统一招生以来逐渐形成了传统，这个传统之所以被颠覆，是因为主题的唯一规定性造成了封闭性，而封闭性与高校期待有独立思考能力的学子的宗旨背道而驰。矛盾僵持了近 50 年，直到 20 世纪 90 年代末出现了那道很有名的作文题“坚韧——我追求的品格”，只能写绝对的坚强，实际上是强迫说谎。据报道，某省考场 40 多个考生，有十几个考生写亲人或患不治之症，或遇车祸之类。这种强制性主题命题还有一个弊端，就是思想上的片面性。20 世纪 80 年代中期有“毁树容易种树难”之题，只能写消极容易积极难，破坏容易建设难。一考生强调毁树之所以容易，是因为种树后缺乏管理，如能像阿拉伯国家治小偷那样，毁一树断一指，树可以再种，而指不可再生，则不是毁树容易种树难，而是种树容易毁树难。初评乃被判为“离题”。虽然在权威高考研究专家看来，封闭不封闭无所谓，但是历史却不能长期容忍封闭性扼杀个性，窒息想象。野蛮的奴隶式的封闭性终于被历史实践所颠覆，话题作文、材料作文应运而生。命题与主题的分离，以主题的开放性为特征。新型作文题只给题材、话题，给予尽可能大的自由空间，但就是不给主题，开放性期待的就是自行立意的独特性。中国高考作文命题历史由此展开新的一页，可以称之为“开放的非主题性”命题阶段。

非主题命题带来了主题的多元和主题的深化。展示主题不再限于顺向展示，同时又可逆向反拨。与主题命题的窒息自我相反，开放性命题大大盘活了深层沉睡的自我。按主题性命题，写“近朱者赤，近墨者黑”就只能亦步亦趋地写环境决定人，对于早已熟知的“出淤泥而不染”的真理性，只能敬而远之；而面对开放性命题，则以深度唤醒自我为上。若题目为“人不犯我，我不犯人”，则可在肯定之余，从反面展示“先下手为强，后下手遭殃”的合理性；论述“退一步海阔天空”时，可以把记忆中“狭路相逢勇者胜”调动出来；在“有缘千里来相会”和“不是冤家不聚头”之间，在“浪子回头金不换”和“狗改不了吃屎”之间，在“苦海无边，回头是岸”和“开弓没有回头箭”之间，在“金钱不是万能的”和“有钱能使鬼推磨”之间，展开矛盾的分析，其精神活力就可节节递增。非主题命题不但带来思想深度的解放，而且带来了想象力和文体的解放，超越现实的寓言体取得了比写实性记叙体更为突出的成绩。在白话文的汪洋大海中，甚至出现了《赤兔之死》那样的半文言传奇体作文。

但是，开放性命题并不一帆风顺，中国传统的实用理性的习惯势力很快借尸还魂，出现了一种特殊现象：在貌似开放的题目中，隐含着实用道德理性的共识。最明显不过的就是“生命的选择”：在风雪中有人倒下，有毙命之虞，同行者停止逃命，为之拖救，结果一齐脱离险境。题目是《生命的选择》，不言而喻是在死亡与生命之间的抉择，但故事的结局却是毫无风险的、唯一的选择，此乃“伪选择”，命题遂有“伪开放”性质。此等伪开放往往因某种伪装而难以识破，以致2010年江苏卷的伪开放题“绿色生活”仍然得到某些人士的称赞。其伪装为诗化的煽情：“绿色，生机勃勃，赏心悦目。绿色，与生命、生态紧密相连。今天，绿色成为崭新的理念，与每个人的生活息息相关。”命题者越俎到如此程度，殊不知为题目确定的内涵越多，考生自由发挥的余地就越小。难道环保仅仅就是绿色吗？太湖中有害的水藻，阻塞江南水道的水浮莲不是绿色的吗？霉菌难道不也是绿色的吗？与论题相反的感性经验沉积在记忆深处，是把它调动起来，把心灵的积累“盘活”，启示其提出更深层次的问题为上呢，还是把它闷死，不做反思，傻乎乎地追随，更有利学生心智的发育呢？环保不仅是自然生态平衡，而且是社会发展问题。问题如此严峻，为什么长期不能得到解决呢？无非是与经济发展的矛盾，把环保与经济发展的矛盾作为问题，激活深刻的矛盾分析，展示开阔的心胸，恰恰是为文创新之道。两种思路意味着两种思维的深度，更重要的是两种文体、两种表述范畴：前者不言而喻是抒情散文，把绿色定性为美好的理想，加以诗化；后者则为议论文，重在分析发展与环境的矛盾，把主题深化到不仅是发展中国家，而且是整个人类的生存困境。

从素质教育的战略目标来说，理性与情感两个方面均属人文精神，本该全面发展，但是，当前中国的语文教育在这两方面发展不平衡，情感的抒发方面享有强势，理性的分析则比较薄弱。从20世纪50年代到90年代，这种不平衡愈演愈烈。

近年来，我国命题呈现出从感性诗化向智性分析的走向。这一点在2010年的作文命题中比较突出。新浪网“第一时间点评高考”播出北师大语文教育研究所张秋玲博士评高考作文命题“更加注重理性的反思”，而另外一位先生的评论则是“如果用一个词概括今年的高考作文题，那就是‘辩证’”。当然，两位论者看到的还只是2010年命题理性倾向的平均水平：在感性材料的基础上向智性的矛盾延伸。考生既可不接触矛盾，做抒情的诗化散文，又可以正视矛盾，做智性的分析。命题的前卫则早已开始对二元对立的思维模式进行突围。其具体表现就是：从一个系列的矛盾转向复合的多重矛盾。

二、抒情散文也离不开智性分析

许多论者感觉到了这种命题暗示着将教学向议论文诱导的倾向。这当然有道理，但并不完全，应该说，在最深层次也涉及抒情文章。智性的分析与感性抒情不仅相互矛盾，而且相互统一。长期以来，中学生抒情散文每每流于滥情，是因为缺乏智性的支撑。情感的强烈以逻辑的片面、极端为形式，而智性的分析则兼顾全面，粗浅地说，就是正反两面。

抒情向单一方面衍生，造成思维空间狭窄，难免无以为继，乃以堆砌辞藻为务。如一篇以“热忱”为主题的文章，提出的问题是，如何将“青春年华”转化为一种“人生态度”，引出关键词语“青春的热忱”。全文反复抒写“青春的热忱是知识的渴求”“是渴望与奋斗的决心”“是修养自身，不求闻达的君子儒”，其“成功则是浸透了奋斗的泪泉和牺牲的血雨”。接下去一段：“热忱是‘天下兴亡，匹夫有责’的社会责任感”，是“爱国情操”。例证：（1）鲁迅“刀一样的笔”“刺破了多少的反动面具”。（2）“觉慧们”“冲破封建藩篱，打破政府的恐怖镇压”。（3）“汶川地震的志愿者中，又何尝少了青年承担社会国家的责任的身影？”另起一段：“青春的热忱，究其根本，其实是未来的不灭希望，有青春热忱的人，不会被绝望掌握。”再起一段：“青春的热忱就是永远前进的姿态，破釜沉舟的勇气，不是孔乙己那种书生腐气。”最后的结论是：“热忱抛却，颓唐必及灵魂”“故应该以热忱突破时间的篱墙，以免来日感叹青春的泛黄”。无疑这是一篇抒情散文，感情不可谓不强烈，但是难以感人。原因在于：

第一，文章缺乏起码的智性，单纯强调热忱如何美好，如何宏伟，如何壮烈，如何无敌，如何通向永恒。文章写了四五段，思绪却停留在第一段宣泄热忱的绝对全能，论点在同一层次上徘徊，没话找话说，颠三倒四，词语交叉重复，完全不是人在写话，而是话在写人。

第二，此等话语显得片面。热忱的实质无非是热烈的感情，就所述天下兴亡之重大责任而言，绝非仅凭热忱就能所向披靡，绝对的热忱，不与智慧结合的热忱，只能是盲动，必然在现实面前碰得头破血流。热忱与冷峻、情感与理智相结合，才能担负起时代的重任。

第三，文章逻辑混乱，主要原因是主题概念在行文过程中发生错乱。“热忱”本有相当确定的内涵，但是，作者几乎把与热忱邻近的美好词语通通塞了进去。热忱是人生态度，是奋斗的决心，是知识的渴求，还勉强可以归纳为意志上进层次，可是接下来的“爱国情操”则属政治范畴，而“不求闻达的君子儒”则是道德范畴，而且“不求闻达”是一种平静的心态，与热忱相去甚远。鲁迅刺破反动面具，并不完全靠热忱，觉慧反抗的并不是“政府的镇压”，最后拿孔乙己“书生腐气”来反衬，则与鲁迅和觉慧更是凿枘难通，无类比附。表面上文章从头到尾一直扣紧“热忱”，内涵却不是重复、断裂，就是偏离。作者对“热忱”的内涵不求确定的理解，对与热忱相近的观念不做起码的辨析，就眉毛胡子一把抓，鸡毛蒜皮一锅煮，令读者不能不产生一团乱麻之感。

抒情文章不能完全靠感情的倾泻。感情是无序的，只有以智性逻辑梳理，才能化无序为有序。智性逻辑的基础就是概念的严密性、稳定性，在行文中的一贯性。为了保证概念的严密和一贯，最起码的办法就是下定义。如果作者在文章的开头有起码的下定义的自觉，就不至于造成相邻概念反复错位，交叉概念叠床架屋了。

也许某些一线老师要质疑，对中学生作文提出概念严密的要求是不是过于苛刻，脱离实际？我的回答是：否！

高中几乎所有的学科（数学、物理、化学及政治中的哲学）都是建立在严密、统一的概念、范畴的基础之上的。学生的心智长期在严密稳定的概念系列潜移默化，但是处于自发状态。作文是智慧和情感的创造，把自发提升到自觉绝对必要。提高学生的智能素质，没有捷径，只能从概念内涵的严密抓起。为了彻底说明问题，恕我举 2010 年 5 月号《语文学习》披露的一篇高考作文为例。该文题目是“包容”：“小的时候，包容是接受幼儿园老师发给的最后一个小苹果……长大了一些，包容是代自己心仪的女生受过……老了以后，包容是不在乎儿女在外面闯荡而忘却了自己……”很显然，文章模仿了余光中《乡愁》递进性的抒情结构，用感性的、对称性的事例展示“包容”主题。这种复沓节奏本来具有情绪递增的功能，但是事与愿违，因为每段开头的主题句的内涵非常混乱，混淆了“包容”

和“容忍”。包容是包括、容纳，针对的是不同于主体的事物，如包容异类，如社会主义体制包容资本主义经济成分。包容是直指对象，并不指向其性质。对水平不高的幼儿园老师可以包容，其不公平的属性则不是包容的对象，对消极的属性，只能叫作容忍。对女友可以包容，对其过错可以容忍，而“代人受过”，却既不是包容，也不是容忍。对于有缺点的儿女可以包容，而对其不够孝顺的行为，则是容忍。文章的问题出在相邻概念反复混淆，造成主题从头到尾的混乱。

要根治这样的毛病，没有什么一劳永逸的特效药方，最实际的办法就是强化学生对概念下定义的训练，包括对相邻概念加以辨析的训练。这不仅是理性思维的基础，而且也是审美抒情的基础。

从这个意义来说，抒情和议论既有区别，又相互渗透。

面对中学生中普遍存在的严峻问题，高考命题难道不应该有所改进吗？

令人欣慰的是，2009年福建省除了在作文命题上，还在其他试题上做了一些题型的改进，如出现了“语言文字运用”的题型。2010年福建省坚持这样的方向，在“语言文字运用”中有这样的命题：

> 材料一：近年来我国不少人喜欢过西方的一些节日，如圣诞节、愚人节、父亲节、母亲节、感恩节等。
>
> 材料二：据报道，春节期间，纽约帝国大厦亮起了代表喜庆和吉祥的彩灯向华人拜年。农历大年初一被定为该州的法定节日。在英国，近50万人从英国各地聚集到有“伦敦心脏”之称的特拉法加广场和唐人街，看龙腾狮舞，品中国小吃，享受鞭炮声和欢笑声中浓浓的中国年味。

题目要求“用一句话概括”全部内容。这显然仍然属于下定义范畴，不过把定义落实到以简明抽象语言概括丰富的感性材料上。福建省对于命题上的实质性突破，采取了低调的、隐蔽的形式，不是把作文分值加到80分，而是另设“语言文字运用”题型，总分值是13分。从严格意义上说，作文的总分值已经达到83分。这无疑在推进着一场静悄悄的，然而又是意义深远的改革。

从抒情文体向议论文体的历史过渡
——2011 年高考作文题纵横谈

2011 年高考作文题一出来，就遭到各种批评，《新京报》6 月 7 日的社评认为“新意不足”，理由是“与现实相关的命题”“几近绝迹”。这可谓睁着眼睛说瞎话，明明与现实相关的占了相当大的比例，如全国卷Ⅱ：代买彩票；新课标卷：中国崛起的特点；北京卷：中国乒乓球队包揽金牌；福建卷：袁隆平的梦想；陕西卷：中国的发展；天津卷：我生活的世界；浙江卷：我的时间。有关偶像：钱学森、袁隆平、刘翔、张艺谋等人在全国 20 家命题中，有 8 家之多，占了 40%，怎么能说“几近绝迹”？为什么会产生这样荒谬的指责呢？原因很难说是作者的粗心大意，更明显出于一种狭隘观念。命题只能直接与社会感性现象有关，否则就是脱离现实，“了无新意”。其实，这种批评本身才是“了无新意”。所谓“与现实相关”，在作者心目中，限于“社会事务的参与或管理”。这不但比之往年的机械反映论更为狭隘，而且有词不达意之嫌。要求还没有走出校门的高中生，以“社会事务的参与或管理”为文，不是强制闭门造车吗？什么叫作“与现实相关”？说穿了就是与时事相关，但是，学生凭什么去与时事相关呢？真正与现实相关，离得开学生主体正在成长发育的心灵吗？如果这一点没有多少疑问，那么河南卷的《长大》、四川卷的《总有一种期待》、江苏卷的《拒绝平庸》、山东卷的《这世界需要你》，甚至安徽卷的《时间在流逝》，不都是贴近现实主体的心灵吗？

全面分析起来，2011 年的命题大致可以分为三类：一类是一如既往，比较适合抒情的，如山东卷《这世界需要你》、四川卷《总有一种期待》、重庆卷《情有独钟》、江西卷《孟子“三乐”》。无可讳言，此类抒情题，在导向性与开放性的把握上，过于侧重导向性，个性化发挥空间甚小，命题水准落后于前些年。江西卷虽为材料题，然而连主题都规定死了（孟子“三乐”，“应当成为我们今天崇尚的人生之乐”）。所幸，此类平庸题所占比例不大。更多的是第二类，抒情性与理性议论兼容，但更侧重于智性分析。如北京卷：中国乒乓球队在各类世界比赛中包揽冠军。题型的特点是提出荣誉与球艺发展的矛盾。天津卷：从望远镜、显微镜、反光镜、哈哈镜、三棱镜中选择两种镜，结合自己的感悟为文。立意的核心就是两种不同的效果之间差异，这和江苏作文题目《拒绝平庸》异曲同工，核心就是“不避平凡，不可平庸”的矛盾。事实上，这类题目，如果光是从抒情诗意方面着眼，是难以出格的，局限于抒情肯定缺乏竞争力，只有在内在对立中分析出转化的条件，主题才有可能深化。第三类则根本上是理性分析题，也就是说，最适合作议论文，很少有抒情的用武之地。浙江卷：一代又一代的偶像，写进了种种励志读本，然而其成功很难复制，因为时间在变，万物在变，成功的赋予也在变。题目把矛盾揭示得很彻底，可惜的是题目的文字太烦琐，特别是最后的“人生的真谛不在复制别人的成功，而是认识自己，在合适的时间里做好该做的事”，简直是画蛇添足，主题本来应该由考生自主确立的，命题者却在越俎代庖。在这方面处理得比较理想的是上海卷：“犹太王大卫在戒指上刻有一句铭文：‘一切都会过去。’契诃夫小说中的一个人物在戒指上也刻有一句铭文：‘一切都不会过去。’这两句寓有深意的铭文，引起了你怎样的思考？”题目的对立面很鲜明，在字面上互不相容，对考生的思辨能力挑战性很强。在相反（过去和不会过去）到相成的转化（现在中就蕴含着过去）过程中，智性的发挥空间很大，大而至于自然史、民族史，小而至于一棵树苗的疤痕、童年心灵的梦想等，正面和反面，都可能和当前外部的形态精神特征有因果关系。直接对立的素材，不但为智性分析提供了空间，而且有上升为哲理性的可能。当然，这样的题目并不绝对排斥抒情，但是缺乏一定的理性分析，抒情的诗意将失去基础。有了哲理的基础，抒情也因而达到了情理交融的深度，如舒婷的《这也是一切》所说：“一切的现在都孕育着未来，未来的一切都生长于它的昨天。”

在此类命题中，和上海卷在哲理意味上异曲同工的是辽宁卷：哲学家拿一个苹果给同学们看，说这是他刚从果园摘来的，你们闻到苹果香味了吗？有的学生说闻到了。三个学生默不作声。哲学家拿着苹果转了转，一个学生说没闻到，一个摸了摸问：这是什么苹果？另一个说我感冒了。最后哲学家把苹果给大家传看，才知道是一个用蜡做的假苹果。这里涉及的是主观预期和客观实在的关系问题，命题的重点显然是挑战考生在对立面（客观的假和主观感知的真）中寻求转化的能力。属于这一类的还有广东卷的“回到原点”。应该说，在所有命题中，这个题目难度是最大的。“原点”可以是道路的起点，可以是长河的源头，可以是坐标的中心，可以是事物的根本。看起来，指向性有点模糊，和上海卷的“过去”“不会过去”直接提供对立面不同，而是把“原点”的针对性隐藏起来了。“原点”所针对的是“当下”，“源”针对的是流，“起”针对的是终，“中心”针对的是边缘，“根本”针对的是枝蔓。把对立面还原出来，就不难分析展开论述了。正是在这个意义上，这个题目对考生思辨能力的挑战相当严峻，缺乏思辨修养者，很可能写成强调“不忘本”的片面抒情的文章。

如果允许我命名的话，这类题目可以叫作问题性命题。就提出问题而言，这种题型和托福和雅思的命题类似，甚至可以说与欧美命题的议论模式基本接轨：其特点是把一对两难矛盾置于考生面前，迫使其做理性分析。此类命题比之往年显著增加，实在不可忽视。更直截了当的是新课标卷：据美国全球语言研究所公布的全球21世纪十大新闻，中国作为经济和政治大国崛起的新闻名列首位。那么，中国的崛起主要有什么值得称道的和关注的特点呢？《中国青年报》和新浪网对中国网民进行了调查，排在前六名的分别是：经济发展、国际影响、民生改善、科技水平、城市新进程和开放程度。题目要求以此为文。这是一道典型的智性（而不是感性）议论题，提供的素材比之湖北卷的“旧书”那样单纯到单调的题目，丰富而且复杂。对于考生来说，在有限时间里，确立独特的命意和建构有序的思路，其困难不亚于某些数理化的难题，如果对时事、对国家的命运从未有相当的关切，没有足够的感性体验和理性的概括力，连破题都很难，更不要说将如此宏大素材凝聚为贯穿到底的主题。这样的题目，考的就是从感性上升为智性的议论能力、具体分析能力，以及思路的驾驭能力。从形式来说，考查重点无疑侧重于对议论文体的自觉把握，抒情话语最多只能成为依附性的陪衬。

在三类作文题中，从数量到质量上比较突出的是议论性的题目，往年普遍得到称赞的题目如《我有一双隐形的翅膀》《北京的符号》《我想握住你的手》《必须跨过这道坎》《提篮春光看妈妈》，这类倾向于抒情的题目数量和质量都在下降。这种变化似乎并不是自发的，而是有着某种自觉，有着明确的针对性。好几个省份都在强调“文体明确”，在这方面，做得最为坚定的是福建省，毫不含糊地规定只能写成议论文或者记叙文。事实上，就命题的内涵而言，标准的记叙文得有完整的故事，很难有现成的素材，其结果是85%的考生选择了议论文。如果要说2011年命题的新意，这就是新意，而且是带着历史转折性的，从以抒情审美为主向智性议论为主过渡。《新京报》的社评对之视而不见，表面原因在于其线性思维：只要切近当前感性时事，就能卓尔成章、文质彬彬。这其实是对语文课程标准明确规定的全面发展，包括知、情、意（对于作文来说还要加上“文”）三个层次的不理解。“知”是知觉，“情”是情感，二者并不是素质的全部，对于高中生来说，还有“意”，也就是意志、智性。从内心初感到情感，从情感到智性，这是个升华的过程。将这个过程转化为有序的文章，不但是从被动反映到主动驾驭的过程，而且是对文体把握、征服、搏斗、创造的过程。文体并不是笼统的，其规律是因形式而分化的。就抒情文体和议论文体而言，一个属于情感范畴，一个属于理智范畴。抒情强调主观，感情追求强烈，逻辑可以极端甚至片面，这样才有诗意；而议论则强调客观，贵在冷峻、追求全面，这样才有深度。

近年来第一线老师普遍反映，高中学生不会写议论文，缺乏思想，内容苍白，多数沉溺于华丽文采之中。根本原因就在于他们误以为情感是唯一的价值，而不知使之上升为理智，达到情理交融才是更高的层次。

近一两年来，有些有识之士开始呼吁，作为教学指挥棒的高考作文应该强调议论文体，以免这种萎靡浮华的文风泛滥，对青少年的智性创造力造成损害。就我所知，世界上还没有哪一个国家的高考会把这样的作文当作优秀作文。2011 年命题强调议论文的倾向，一方面是针对现状；另一方面也是与国际接轨，命题从抒情为主向议论文体过渡顺应着历史潮流。当然，这才刚刚开始。不足为奇的是，许多命题者并不自觉，暴露出诸多矛盾，就是有坚定文体自觉的福建省，也未能免俗。福建省的作文材料是袁隆平的一段话：

> 我的工作让我常晒太阳、呼吸新鲜的空气，这使我有了个好身体……我梦见我种的水稻长得像高粱那么高，穗子像扫把那么长，颗粒像花生米那么大，我和我的朋友，就坐在稻穗下乘凉。

80% 以上的考生选择了议论文，但是，规范的议论文凤毛麟角。这当然与平时缺乏议论文的训练有关，但是，根本的原因还在命题。题干中袁隆平的话分为两个部分：第一部分，集中在晒太阳、呼吸新鲜空气，因而身体健康；第二部分，怀着美好的梦想。好身体和梦想是同质的，都是诗意的，袁隆平的胸怀把野外作业的艰辛、反复失败的痛苦，用抒情的话语升华为诗的想象，而梦想则更提高了审美的层次。前些年，高考命题的对立统一模式之所以普及，就是因为提供了具体分析的基础，可是这个命题却仅仅是抒情的一个侧面。一般学生，很难把袁隆平的艰苦奋斗历尽艰难还原出来，进行理性的分析。从写作学的角度来说，这样的题目更适合写抒情散文，而命题实际上强调的是议论文体。题目内容与形式要求的矛盾，暴露了命题者自身的局限。显然，命题者并不真正明确，同样的素材，追求抒情诗意时，所遵循的逻辑可以是片面的。如“出淤泥而不染”，可以尽情抒发诗意，而作议论文却要揭示潜在的矛盾，同时考虑“近朱者赤，近墨者黑”。又如，“三个臭皮匠顶个诸葛亮”，用以抒发“团结就是力量”时是生动的，但是作为议论文则显然不全面，要做理智的分析，就要联系到“三个和尚没水喝”。美国 SAT 评分标准中，就有批判性思维原则，既是对学生素质（从感性抒情上升到理性批判）的要求，也是议论文的根本准则的规定。这就要求对一切公认的说法，包括谚语、格言，都要进行反思，不管是马克思主义，还是解构主义，其活的灵魂，都是具体问题具体分析。“有缘千里来相会”是富有诗意的，但是，这是需要分析的，笼而统之是缺乏智性的，同时把“不是冤家不聚首”考虑进去，进行具体分析，才可能有理性的深度。“水滴石穿”是有道理的，但是，这个道理在特殊条件下会转化为反面：在溶洞中，水滴不但滴不穿石，相反会长出石笋来。一些老师教学生为文执着于“名言荟萃，名人开会”，殊不知名人名言往往带着潜在的片面性，不加具体分析，都是死的，只有进行具体分析，加以批判，才能有生命，变成自己的主题。袁隆平的这段语录，也是要具体分析的。科学研究失败的风险和长期的挫折，与理想的实现和成功的自豪是对立统一的。袁氏以诗化的想象，把矛盾淡化到隐性层次，所遵循的是抒情逻辑。要写议论文，就要把理想（梦想）的诗意和现实的艰难之间的矛盾还原出来，从而做理智的、全面的分析。

揭示此等命题的内涵与形式之间的矛盾，从全国来说，不但因其具有普遍性，而且因为有其严峻的迫切性。就我所知，2011 年福建省考生议论文的水准，反倒不如 2010 年。原因在于，2010 年的命题提供了矛盾和转化的内涵，便于做理性的分析，而 2011 年却只提供了一个抒情的片面。

长期以来，高中生普遍不擅长写议论文，对议论文的基本规范缺乏起码的自觉把握。这固然与基础教育改革之初语文课程标准“淡化文体”有关，但是，课程标准的根本精神却是培养学生对一切现成的、权威的共识挑战和质疑的能力。片面理解导致了实践的偏差，应运而生的则是一种被称为议论文不像议论文、记叙文不像记叙文的“四不像”文体。当然就文章的不拘一格而言，“四不像”中也有创造，也有才气不可羁勒者，几近于西方随笔（essay）者不在少数，并不能一概否认，但就高中的基本训练以及和大学衔接而言，议论文的基本素养则是不可或缺。此等素质上的欠缺，被近年来甚嚣尘上的所谓贴近中学生生活的命题观念所遮蔽。实际上是拘于感性，造成了积重难返的抒情、矫情泛滥，而思想则从理性的分析中产生，是不能不超越感性的，思维干涸的顽症病根在此。更为严重的是，感性泛滥在应试体制的催化下，居然形成了一套僵化的模式。

北京大学温儒敏教授对此等现象深恶痛绝，称之为“文艺腔”（这个命名是否准确，当然还有讨论的余地，一来，大量中学生毕竟连文艺腔都不会；二来，如果有相当的独立见解，则文艺腔不可一概抹杀）。他所谓“文艺腔”实在具体有所指，在答《南方周末》记者时他指出：“有位老师说自己找了三个名人——季羡林、霍金、苏东坡，让考生背熟这三个人的名言，经过排列组合，可以应对 15 个不同的题目。”这其实还不够全面，有老师把这类套路归结为“名言荟萃，名人开会”。更内行的，将此归纳为公式，叫作“引、解、联、结”四部曲。“引”是引用名言或名人故事，“解”是解释名言和名人故事，“联”是联系实际（自己的，或者社会的），“结”是篇末点题。这样的作文应试模式被广泛推广，无疑把考生变成做题机器。殊不知，所引名人名言是他人的，是死的，本该进行具体分析，与自己的经验和现实状况相结合，使之化为自己的、活生生的。只有这样，不管是抒情还是议论，才可能有自己的体悟，有独立的见解，形成个性化的话语，然而，既无分析亦无验证，华丽的名言成为空洞内容的豪华包装。

我曾经见过一篇此类文章，一开头就引用了诗句“春天里不要做秋天的梦”，接着又引海子的诗句“面朝大海，春暖花开”。就这两句单独而言，都是相当精彩的，但是直接连在一起，却互相矛盾。第一句是主题句，从下文可知，是指中学生不要早恋，春天做秋天的梦，是不现实的。可是第二句，却是说春天已经很美好，和秋梦春做——不现实，逻辑上完全脱节。下文又引罗曼·罗兰的话“要向他人播撒阳光，首先要自己内心有阳光”，则又从自我转移到老师的修养。此等现象，实质乃是逻辑的断裂，在中学作文中比比皆是，原因均在于，对于名人名言缺乏逻辑的、理性的分析，因而，不能贯通为统一的思路。正是因为这样，强调文体重点在议论文体，重中之重在具体分析（福建 2011 年的命题表现得很坚决，这是难能可贵的），从这个意义上说，不管作抒情性的散文还是规范的议论文，都离不开概念的、逻辑的严密贯通，对矛盾的具体分析。2011 年许多省的高考作文命题注意到了这一点，是可喜的，基于此做回顾和前瞻，不能不说，这可能是具有历史意义的转折。

回过头来看《新京报》的所谓“现实相关论”的命题原则，其谬误昭然若揭。从观念来说，是机械唯物论和狭隘功利论；从方法来说，则是对从感性到理性、从思维到话语的曲折多层次转化的无知。这种线性思维，在哲学上，表现为对于情感到理性的飞跃一无所知；从文体来说，则是把感性抒情和理性抽象议论混为一谈。头脑如此糊涂，却哇啦哇啦大发议论，应该说是当前语文界普遍存在的“以其昏昏，使人昭昭”的典型。

超越抒情，突出理性分析

——2012年高考作文题评析

2012年高考作文题一揭晓，报刊网络的评论就纷至沓来。参与评论的人士除了中学语文界，还有培训托福考试的成功人士，连香港的大学教授都卷了进来，人们不约而同地把中国高考的命题与欧美进行对比，指出西方相关的作文题着重理性，特别是逻辑思维，不要求抒情。培训托福考试的成功人士还指出，欧美作文尤其是美国的托福作文评分，并不在于作者的观点是不是"正确"，而在于其论证是不是到位，特别看重其立论过程是否具有"批判性"。依照欧美这种标准来评价中国2012年的高考作文命题，把话说得特别尖锐的是香港岭南大学的许子东先生。他说："跟香港比，内地的题目太文艺腔、太专，很多题目就算我身为中文系老师也无从下手！相比《忧与爱》《手握一滴水》这类不知所云的选题，国外与高考水平相当且针对高中毕业生的考试作文，题目却有大不同。"除了崇尚理性思维，他把这种"不同"还概括为"告别抒情"。

许子东先生直接批评了两个省的命题，一个是江苏省的，原题是：

> 慈母手中线，游子身上衣。临行密密缝，意恐迟迟归。（孟郊）
>
> 为什么我的眼里常含泪水？因为我对这土地爱得深沉。（艾青）
>
> 在这些神圣的心灵中，有一股清明的力量和强烈的爱，像激流一般飞涌出来。甚至无须倾听他们的声音，在他们的眼里，他们的事迹里，就可看到生命从没像处于忧患时的那么伟大，那么丰满，那么幸福。（罗曼·罗兰）
>
> 请以'忧与爱'为题写一篇不少于800字的文章。

虽然就总体来说，他对内地高考作文命题的评论并不全面，而且所谓"文艺腔"也不是他的首创，而是北京大学温儒敏教授。就"文艺腔"而言，在我看来，似乎不能一概抹杀，这一点，在内地也颇有一些争论：第一，这涉及东西方文化传统的差异；第二，教科书中文学作品所占比例悬殊。如果这一点可以暂且按下慢表，那么许子东先生的批评，确有研究的价值。

就许先生所点名批评的江苏命题而言，不能不说弱点是显而易见的。首先，自从基础教育改革以来，命题的原则就是把命题和主题做了清晰的区分，命题并不是主题，主题不能由命题提供，而是要学生自已确立。能不能自主立意，已经成为考核学生语文素质的重要准则。其次，这几年来，诗化抒情的路子，已经逐渐向理性的议论过渡，理性命题占据优势的倾向越来越明显，正在与世界高考着重理性思维接轨。而江苏省这个题目的缺点在于，把主题做了明确的规定，即“爱与忧”，这可能是出于作文励志性的考虑。把命题变成主题的强加，给人一种倒退到改革以前的感觉。但是，仔细分析起来，江苏省的题目，毕竟不同于改革以前那种强迫说谎（如：《感受坚强》《毁树容易种树难》）的命题，因为题目提供的两个要素，即“爱”与“忧”，存在着差异，提供了在两者之间思考的空间。对于思辨能力比较强的学生而言，并不一定就只能抒情，也可能在爱与忧二者的差异和统一中，发挥出自己的思考来。但是，这种思考的空间是比较有限的。原因就在于，命题者把爱的内涵规定得太狭隘了，仅仅限于爱与忧之间。其实，爱的内涵非常丰富，包含着多元的矛盾和错位，例如：爱是心心相印的，又是充满了隔膜的（像在《红楼梦》中）；爱是欢乐的，又是充满了痛楚的；爱是无私的，又是自私的；爱是无条件奉献的，又是霸权统治的；爱是天长地久的，又是瞬息万变的；爱得到呼应是幸福的，爱转化为仇恨又是恐怖的。世界文学、历史为爱提供了无限丰富的内涵，江苏命题对爱理解的狭隘性在于：第一，把爱仅仅与忧联系在一起，显得很贫乏；第二，二者在逻辑上既非并列关系，又非矛盾关系，勉强只能算是一种从属关系。许子东先生说他这样的中文系教授对之都“无从下手”，有情绪化之嫌，但是，命题要素在逻辑上不对称，不能不说许子东先生的恼火与之有相当的关系。

其实，这种倾向，或者说这种缺失，在全国命题中还不是最突出的，更为明显的还有重庆卷、辽宁卷、北京卷、全国大纲卷。特别是北京卷：老工人长期在大山深处独自巡路，得到经过的每一列火车的鸣笛致敬。这就把主题限定死了，从形式上看，也未提供任何内在的差异或者矛盾，推动考生做理性的思考，赞美、抒情是难度最小的思路。这正是许子东先生所要“告别”的。抒情倾向更为明显的是湖南卷。一只手的图画：“伸出是温暖的服务，摊开是放飞的想象，张大是创造的力量，捧起是收获的快乐……”“温暖”“放飞”“创造”“快乐”，题目提示的四项都是正面的、同质的，毫无理性分析、反思的空间，除了屈从这种单向的思路做肤浅的抒情以外，可以说是别无选择。

至于全国大纲卷，问题则不在抒情的暗示，而是题材本身就是片面的。孩子帮助妈妈挑担，感到劳累，妈妈叫他把外衣脱了，把鞋子脱了，重新挑担。孩子一下子就觉得担子轻了。妈妈说："你不是没能力挑这个担子，你是担心摔倒，弄脏衣服，注意力不集中。脱掉外衣和鞋袜，就甩掉了多余的顾虑。"题目提供了从难到易、从逆到顺的转化，但是，条件仅仅是"甩掉了多余的顾虑"。从艰巨到顺利，只要一个条件，那就是丢掉顾虑。这个道理，不但肤浅，而且片面。由于抒情的逻辑，是主观的、片面的（如"月是故乡明""情人眼里出西施""敝帚自珍"），而这样的片面性最有利于抒情的发挥。顺应世界高考理性思维的潮流，就要告别抒情，但是，怎么告别呢？许子东先生似乎没有深入思考下去。其实，就是告别片面性的抒情。

西方高考作文强调"批判性思维"。批判什么呢？就是批判片面性。怎么批判呢？就是对文章的命题要进行反思。事情真的那么简单吗？繁重的劳动，力不胜任，只要丢掉顾虑，就能举重若轻吗？这是不是太天真了？反思就要从反面去提出问题，丢掉了顾虑还是挑不动的可能是不是仍然存在呢？丢掉了顾虑只是主观上集中了注意，从失败到成功的转化，条件是多种多样的，集中注意力只是条件之一。我不止一次地在文章中引用过西方科学家波普尔的经典命题，要论证"一切天鹅都是白的"，不管举多少白天鹅的正面例子都是徒劳的，相反，只要举出一只天鹅是黑的，就不但可能推翻"一切天鹅都是白的"，而且可以说明"并不是一切天鹅都是白的"肯定是正确的。这在自然科学中叫作证伪高于证明。举例不能证明，最多只能说明，反例证伪才能推动思想的深化和突破。我把这个通俗化地叫作"寻找黑天鹅"。高中议论文有所谓议论文由论点、论据、论证三要素构成的说法：根据论点组织与之相符的事例就是论证。这对于初中生来说，可能有一定实用价值，因为在比较初级乃至复杂的议论中，论点与论据的脱离，并非多见。但是，到了高中阶段，还停留在这样的层次，文章的题旨就很难有新意，论证也就不可能深邃了。

理性思维是批判性思维，也就是具体问题具体分析。分析的对象是矛盾，揭示矛盾是具体分析的前提。寻求反例，就是具体分析的切入点。对于一切不言而喻的、天经地义的命题、观念、格言，不仅要从正面寻找白天鹅，而且要从反面寻找黑天鹅。对许多中学语文老师来说，批判性思维听起来有点神秘，甚至是望而却步。我在上海听一位重点大学附中语文组长的课，我对他说："优点很多，最大的缺点就是缺乏批判性思维。"他愣了一下，回答说："在中学课堂上不能讲批判性思维。"这使我很惊讶，同时很自谴：这么简单的问题，居然重点大学附中的骨干老师都很蒙昧，这是我们这些大学教师，尤其是师范大学教师责任未尽的铁证，不能怪中学老师理论上腐朽，应该坦承都是我们这些大学老师作的孽。

其实，这样的道理并不深奥，在大学哲学课上，应该是耳熟能详的常识：具体问题具体分析，这是传统的马克思主义，也是前卫的解构主义的活的灵魂。西方高考作文，考的不是知识，而是研究、创造、突破的潜能，实际上就是从统一的现象中揭示矛盾，提出问题加以具体分析的素质。当然，要把这一点理解得到位，不要说我们中学老师，就是许子东先生也不见得能行。遇到具体的作文题，也很难说他是进行了具体分析的。这在许子东先生批评四川卷时表现得特别突出。四川卷提供的是一首小诗："手握一滴水 /一滴水里有阳光的谱系图 / 有雪的过去和未来式 / 有大陆架和沙漠 / 有人的生命……/ 我手握一滴水 / 就是握着一个世界 / 但一个小小的意外，比如一个趔趄 / 足以丢失这一切。"许子东先生也许以为这又是他要告别的讨厌的抒情了。殊不知，这里蕴含着多重矛盾：第一,一滴水之小和一个世界之大；第二，雪作为固体和水作为液体的转化（雪的过去和未来式）；第三，水的消失（沙漠）和隐藏（大陆架）；第四，非生物的水和生物界的最高形式（人的生命）；第五，这一切说明水的伟大，但又是很脆弱的（一个趔趄 / 足以丢失这一切），这么多重的矛盾提供了多元的思维空间，考生的想象可能得到多方面展开，立意和思路就可能有多元的选择。在测试考生的逻辑思维和分析能力方面，这样的考题和欧美的考题不仅异曲同工，而且内涵丰富，但是，许子东先生为什么对之不屑一顾呢？

这就涉及中西命题模式的差异了。一些批评中国命题的人士心目中有一个标准的命题模式，那就是欧美的模式。其特点是直接以抽象的语言把问题、矛盾提出来。法国高中毕业会考 2010 年文科类的作文题是："对于真理（相）的追求是否可能没有利害关系？"英国高中课程考试的作文题是："哲学只是提问而并不回答，为什么学习它？"美国学术能力评估测试的作文题目是："我们大家都以为出名带来幸福，似乎这是人们最向往的东西，我们相信不管以什么方法出名都是一种自我证明。但是，那些出了名的人士常常抱怨名气是一种可怕的负担。把出名当作成就，注定要付出浪费时间和精力的代价。（克拉考夫斯基语）是出名的人幸福还是不太出名的人更幸福？"

从这里可以看出，欧美的考题是直接用理性的语言提出二元对立的问题，并不提供标准答案，考生可以选择赞成其中之一，也可以在二者之中寻求折中。从迫使考生独立思考来说，这样的命题和四川卷在原则上是一致的。但是，四川卷的题型特点在于，首先，不是用理性抽象的话语直接提出问题，而是把多重矛盾隐含在感性形象之中；其次，不是单一的二元对立式的，而是多元交错的。从这一点来说，四川命题作为中国式新时期命题模式的代表，比之欧美的题目有更大的难度。这一点，就是新东方有关人士在网上答记者问时，也是坦然承认的。

许子东先生之所以对这样的题目感到无从下手，可能就是习惯于直接的现成的两难推理的模式。但是，中国式的命题丰富了欧美的模式，增加了思考的元素，提高了难度，同时也强化了区别度的功能。这样的命题是近几年来命题实践的一个创造，可以毫不夸张地说，这样的命题，不但在中国，而且拿到世界上去，也足以列入优秀命题之列。平心而论，它不但不应该被轻浮地否定，而且应该分外加以珍惜。

综观全国各省的优秀命题，最能代表近年成就的应该是：一方面弱化抒情性，强化批判理性；另一方面则又保留了一定的抒情性和审美诗性。四川命题并不是中国近年来创造的唯一的，与之相似的还有上海卷："人们对自己心灵中闪过的微光，往往会将它舍弃，只因为这是自己的东西。而从天才的作品中，人们却认出了曾被自己舍弃的微光。"这里的矛盾是双重的：一是微光和天才；二是轻视自己的和重视他人的。所有这一切，都带着很强的审美价值。这就给那些文字比较华彩的考生提供了用武之地。

当然，这几年中国也有与欧美相近的命题模式，如福建卷引用了冯骥才的话："运动中的赛跑，是在有限的路程内看你使用了多少时间；人生中的赛跑，是在有限的时间内看你跑了多少路程。"但是，中国人似乎不太满足于欧美式朴素的甚至是日常的语言，往往采用形象性的格言。这一点，在广东卷中表现得相当突出（由于篇幅所限，另文详述）。看来，回避直接把矛盾的对立面提供给考生，诱导考生自己从感性语言中归纳、总结，上升为抽象的理性，从统一的、诗性的格言甚至故事中揭示矛盾，进行具体分析，正在成为多数命题者不约而同的取向。中国式的命题，正在形成自己的民族风格，目前的态势是云蒸霞蔚、万涂竞萌，正处于优胜劣汰的过程之中。而反观欧美命题，则似乎在多年的命题模式上处于固定化（例如法国的哲学性考试是 1808 年拿破仑定下来的），是不是有点僵化了呢？这是很值得慎重思索的。

理性分析：立论的基础
——2012年高考作文题评析

2012年高考作文题一出笼，应报刊和网站的炒作需求，一些浮躁的、并无真知灼见的、充满胡言乱语的急就章，就照例甚嚣尘上起来。语文考试结束第二天，《羊城晚报》即刊出了一篇口气很大的评论文章《高考作文题为何迷失方向》，对全国十几道命题的优长轻描淡写一语带过："今年全国10多个作文题中，不乏众口称赞的好题目。"但是，众口称赞的题目是什么，却不屑一顾，因为"赞赏命题者并无太大意义"，作者笔锋一转，以罕见的自信，指责2012年的命题"平庸"，原因在于总体上"迷失了方向"，"走进了'哲思'的歪路"。

"'哲思'的歪路"是作者立论的基础、推理的前提，起码应该加以全面论证，至少应该阐释一下"哲思"的内涵：为什么是"歪路"？如果"哲思"是"歪路"，那么什么才是"正路"呢？起码的学理规范至少要求从两方面进行论证：第一，权威的话语谱系的根据；第二，历史过程的实践经验。但是，对于这样的立论的学理规范，作者显然茫然无知，一味采取报刊炒作的手法，肆意武断，反正我意如此，信不信由你。这样粗野的文风，必然导致一系列虚妄的评断：

> 无论是大纲卷"放下顾虑"，还是上海卷"曾被舍弃的微光"、湖南卷"一只手的不同意义"、四川卷"一滴水的象征意义"，你不觉得都很玄虚、空洞吗？而天津卷"小鱼不知道水质清澈还是浑浊"，江西卷"你不要想着你没拥有什么，而要想着你拥有什么"，辽宁卷"人要隐没于音乐之后"，更有点云遮雾罩。

作者虽然装腔作势，好像在进行理性的批评，实际上是"眉毛胡子一把抓"，连理性思维的起码规矩都不管。在对一个复杂对象进行评论时，最低层次的要求，就是分类，这在逻辑学上叫作划分，作者对之漠然，就只能以逻辑学上最靠不住的"简单枚举"的方法，加以全盘否定，在逻辑上犯了轻率概括的低级错误。其实，认真分析起来，他所否定的一系列命题，与他的论点“哲思”，并不完全统一。只要认真划分一下，至少可以分为两类。第一类，是他所说的大纲卷“放下顾虑”：孩子和母亲一起挑担感到不胜劳累，母亲看出他心理上的负担——顾忌弄脏衣服和鞋子，于是让他脱掉，他一下子就感到轻松愉快地胜任了。这个命题带着典型的抒情性质，担子从重转化为轻，唯一的条件是主观的心理（情感）。严格来说，把解决问题的唯一条件归结为主观心理，这是非理性的、很片面的。理性思维的起码要求乃是全面、客观和对于矛盾现象的反思：是不是还存在放下了顾虑仍然挑不起担子的情况呢？这种情况是大量存在还是可以略而不计的偶然呢？揭示了矛盾，而且把矛盾的量度估计进去，才能从感性直觉进入理性思维，才有可能突破抒情的片面性，从而确立理性的论点。湖南卷“一只手的不同意义”与上述命题有同样性质。命题提供一幅手的图画，说明是：“伸出是温暖的服务，摊开是放飞的想象，张大是创造的力量，捧起是收获的快乐……”这四项提示具有同类的性质，都是奉献的、向上的、创造的、欢乐的。很明显，这样单向的诱导事实上成了透明的牢笼，学生只能做片面的、被动的追随，而这种追随最便捷的途径就是诗化的抒情。这里，从根本就排除了作者所厌恶的“哲思”。从议论文初级写作原则来说，作者犯了观念与材料不统一的低级错误。

至于作者所指责的另外几道命题，在性质上恰恰相反，不是单向的、片面的思路，而是把矛盾的两个方面提供给考生，由考生去进行理性的分析。这里最明显不过的就是江西卷：“你不要想着你没拥有什么，而要想着你拥有什么。”考生别无选择的是要对“拥有什么”和“没拥有什么”二者进行分析，得出此等对立在何种条件下转化的论点。

与这个命题在原则上相近的还有福建卷：“运动中的赛跑，是在有限的路程内看你使用了多少时间；人生中的赛跑，是在有限的时间内看你跑了多少路程。（冯骥才）”这里提供的双重的矛盾，一个是赛跑，在固定的空间中，尽量缩短时间；一个是人生，在固定的时间中，争取更大的创造空间。这样的命题，无论从内涵还是从形式上，都表现出向理性分析进展的历史进步。

本来，高等学校入学考试，在功能上是选拔性的，着重理性思维的考核，是由高等教育培养大学生独立思考、创造性、突破性的目标决定的。故几乎所有欧美国家的高校入学考试作文试题基本上都是提出问题，要求考生做理性分析，抽象出自己的观念，加以全面论述。分析的对象乃是命题中的矛盾，具体分析必然隐含着某种哲学方法，这就是所谓“哲思”。其实，《羊城晚报》的那个作者所指斥的此类命题，与西欧、北美的高考作文模式大体是一致的。

基础教育改革以来，我们的命题逐渐走向与欧美一致，这并不是偶然的。在初期，我们废除了给定主题的模式，以材料和话题诱导学生自主思考，独立形成自己的主题。命题的指导思想，是以贴近学生的生活直接经验为主。记叙和抒情的美文一度成为潮流。但是，过度侧重抒情，易造成理性思维的窒息。到了近期，有些一线老师发现学生过度抒情、迷恋于文字的华丽，往往造成滥情，不会写议论文则成为通病。而一些重点大学教师则痛感优秀新生虽然文采风流，但抽象概括、分析议论的能力较弱，缺乏形成自己独特观念的抽象能力。

中国学生在这方面的不足，还引起了西方大学某些人士的注意。耶鲁大学校长理查德·莱文曾经指出："跨学科的广度，是中国教育和中国学生所缺乏的，中国需要创建一种课程和教学法来鼓励学生的创造力以及独立思维的能力。"这里的关键是"独立思维的能力"，只有思维从现成的、权威的、公认的观念中解脱出来，才可能有创造性。而这种能力的欠缺，往往被过度张扬的抒情能力所湮没。据我在美国大学工作的经验，美国教授对中国学生作业中的抒情语言甚为困惑。这样的困惑并不能仅仅以中西文化传统的差异来解读，其最深刻的根源在于情感与理性在逻辑上的矛盾。情感的审美逻辑以主观、片面和极端见长，而理性逻辑则以客观、全面和哲思见长。故科学家不但不能跟着感觉走，而且不相信自己的感觉和知觉，宁愿相信冷冰冰的仪表上的刻度。正是因为这样，西方大学的入学考试着重理性思维，学历愈高，愈是不重学分而重论文。只有个别国家的个别学院，才允许以文学作品代替论文。这种精神还贯彻到毕业论文的写作、送审、答辩的严格程序中去。对于西方的这种观念和体制，我们已经系统接受，只是在入学考试命题方面还相对滞后。

我们当前的命题改革正经历着从重抒情叙事向重议论复归的过程。表面上看来，我们最优秀的命题，正在向欧美靠拢，对欧美模式亦步亦趋；事实上并不然，我国的科举考试，议论为主的传统更为深厚，除在唐代曾经断断续续有过以诗取士以外，一般的命题都是"策论""史论"性质的。以清朝最后一次科举考试为例，殿试第一场史论题目之一："诸葛亮无申商之心而用其术，王安石用申商之实而讳其名论。"科举废除了以后，民国时期，大学入学作文试题也是以议论文为主的。1932 年，北大入学考试，作文试题一：《艺术与人生》，试题二：《科学与人生》。（选做一题）1946 年，北大、清华、南开联合招生试题：《学校与社会》。从这个意义上，与其说以理性议论和分析为主的题型是对西方的追随，不如说是对我国传统的回归。

这不等于说，这几年来的实践就没有我们的创造。最明显的就是，第一，我们不像欧美那样，把哲学原理用简明的语言直接提供给考生，而是更着重于把矛盾隐藏在经典的寓言、格言，或者在感性形象之中，考生是否具备从感性直接向理性升华的能力就成为关键。这和我国科举考试要求对具体的历史事件、人物进行分析的取向息息相通。当前最为出色的命题常常回避日常生活的直接表述，而是借助权威人士的感性话语来展示。如广东卷：“醉心于古文化研究的英国历史学家汤因比曾经说过，如果可以选择出生的时代与地点，他愿意出生在公元一世纪的中国新疆，因为当时那里处于佛教文化、印度文化、希腊文化、波斯文化和中国文化等多种文化的交汇地带。居里夫人在写给外甥女涵娜的信上说：‘你写信对我说，你愿意生在一世纪以前……伊雷娜则对我肯定地说过，她宁可生得晚些，生在未来的世纪里。我以为，人们在每一个时期都可以过有趣而且有用的生活。”从这个意义上来说，最能代表我们未来的命题，不但旨在理性的严峻内涵，而且为之提供了感性审美基础。与之相似的还有湖北卷：一方面有杜甫的“家书抵万金”这样的经典；另一方面又有当代社会信息技术的发达，打电话、发短信、写邮件比之书信更为便捷，手写的书信失去在日常生活地位中的重要性。值得重视的是，首先是命题的深邃——科技进步的理性与人性交往感性之间深邃的矛盾，其次是表述的经典性与日常性的结合。

第二，我国近年最出色的命题，提供的矛盾不是单层次的，而是隐含着多层次的矛盾。如被前述文章作者嗤之以鼻的天津卷：“两条小鱼一起游泳，遇到一条老鱼从另一方向游来，老鱼向他们点点头，说：‘早上好，孩子们，水怎么样？’两条小鱼一怔，接着往前游。游了一会儿，其中一条小鱼看了另一条小鱼一眼，忍不住说：‘水到底是什么东西？’看来，有些最常见而又不可或缺的东西，恰恰最容易被我们忽视；有些看似简单的事情，却能够引发我们深入思考……”命题就提示了双重的矛盾：一是最常见的不可或缺和最容易被忽视；二是简单的事情和深层内涵。

上述种种命题，显示着我们时代的智慧，从这个意义上说，其中蕴含着历史进步的信息，正确的态度是珍视，而不是轻浮地、粗暴地否定。

对于宏观历史发展规律无耐心研究，凭着狭隘的、破碎的、不成体系的知识，哇啦哇啦发议论者甚多。其中包括像于丹这样的传媒明星，往往言不及义，2010 年她对高考作文题的评论“很当下”就很外行，以当下热点命题乃命题之大忌，因为最容易被猜、被套，而且很难不为主流话语所拘。外行的随意性，只是在网络上昙花一现，热闹一番，形同过眼烟云，不可能对实践造成很大的影响。但是，一些业内人士的信口胡诌却可能“以其昏昏，使人昭昭”，造成不可小觑的混乱。前述《羊城晚报》上的文章，其作者曾是中学语文教师，显然具有相当写作水准，应该拥有一定的成就。正是因为这样，其文章暴露出来的糊涂，就不能不令人忧虑。

议论文的抽象思辨苗头
——2013年高考作文题评析

与往年相比，2013年各省高考作文题最明显的变化就是议论文的指向占了优势。不管是材料作文还是话题作文，都是把相互矛盾的因素或明或暗地提供给考生，迫使其进行具体分析，形成自己的论点，展开论述。上海卷可为代表：

生活中，大家往往努力做自己认为重要的事情，但世界上似乎还有更重要的事。这种现象普遍存在，人们对此的思考也不尽相同。

这个题目不像一般命题那样提供感性的材料，而是把“重要的”和“不重要的”观念直接摆在考生面前，有点像法国的高考题，题目很抽象，带着哲学性的意味，要求比较强的抽象能力。对一般习惯于从感性到理性，从具体到抽象的考生而言，这种富于思辨性的考题，挑战性很强。但如果能够抓住“自己认为重要”也就是个体的重要性，和“世界上”也就是人类的“重要性”的矛盾和转化的条件，思路就可能打开，不至于茫然失措。如果再适当引入正、反两面的感性材料或者格言，阐释和分析就可能比较深入，不太可能流于肤浅。

在这方面几乎如出一辙的是安徽卷。题目为萧伯纳的名言：

有的人看到已经发生的事情，问：“为什么会这样？”我却梦想从未有过的事物，然后追问：“为什么不能这样？”

这个题目和上海卷的相同之处是，并未提供感性材料，完全是抽象的议论，但是，比上海卷要复杂一点，那就是不管发生过的和没有发生的，后面都跟着一个为什么。这就要求作更多层次的分析。这个题目对学生的思辨能力挑战性更强。题目出得这样抽象，难度这样大，显示了一种倾向，那就是在和西欧的高考作文命题接轨。这类题目有两种做法：一是遵从题目的提示，从抽象到抽象地演绎和分析。对一般学生来说，可能难以展开，估计能够这样做的学生凤毛麟角。二是结合实际事例或者格言进行分析，就可能比较容易展开。对一般学生而言，最讨巧的做法，将论点感性化，举些具体的材料，不能满足于简单的例证，要有竞争力，在引述感性事迹、格言时能展开分析，文章才能不但有血有肉，而且有深度。

相对而言，北京卷表面形式上与历年命题一样从感性材料出发，但是难度不亚于前二者。材料为科学家与文学家的对话，关于爱迪生来到 21 世纪会对手机怎么看。

题目没有直接揭示矛盾，难在需要考生自己去概括出来，要把历史上的科学发明和 21 世纪很普及、具有丰富功能的手机对立起来加以分析。把矛盾简明地概括出来，才能进入理性思考。但是，对这样的反差，既要有尊重历史的观念，又要有肯定进步的观念。历史伟人在后来进化的环境中好像是落伍了，但是，他们的贡献恰恰是今日科学发达的阶梯。

从这个意义上来说，2013 年的题目较之 2012 年是有所突破的，令人可喜。从理论上看，作文比之那些五花八门的选择题或者变相选择题，更是考生语文素养最雄辩的证明。语文素养，按课程标准就是人文性和工具性。人文性包括情感和理性，也就是情感的丰富和理性的严密，这分别在抒情散文和议论文中得以表现。工具性就是考生对语言的实际把握和运用能力。二者互相渗透，可以说是密不可分的。对于初中生来说，可能抒情叙事更重要一些；而对高中生而言，理性的立论和严密的分析、阐释、论证则更重要。因为进入大学后，不管是文科还是理科，课程都是系统理论。

2013 年的高考作文题在理性的抽象度上可以分为两个类型。但是，上述比较拔尖的作文题，有一种很突出的现象，表面上看来是导向议论文的题目，实际上很不全面，基本上是诗性的抒情命题。而抒情的逻辑则以片面见长。最不能令人满意的是，材料本身往往是比较片面的，题目却隐隐约约地表现出变相的强制性主题，用于作抒情性散文，可能得心应手，但是要作出议论文来，就要对材料本身进行分析和批判。如浙江卷：

中国作家丰子恺：孩子的眼光是直线的，不会转弯。

英国作家赫胥黎：为什么人的年龄在延长，而少男少女的心灵却在提前硬化？

美国作家菲尔丁：世界在失去伟大的孩提王国，一旦失去这一王国，那就是真正的沉沦。

表面上这是议论文的题目，实际上，这种观念明显有片面性，大凡有片面性的格言式的话语，都带着抒情的片面性。如果要写成像样的议论文，就要理性分析，也就是要全面思考。如果能指出这句话隐藏着的片面性，就可能胜人一筹：固然年龄增长与心灵硬化有一定的相关性，但是如果全面分析一下，这只是问题的一个方面。问题的另一个方面，则是人的理性在不断成长和成熟。天真的孩子，其直线眼光可能自发地自私，如不肯将食物分给任何人，无理要求得不到满足时就任性地哭闹。这并不是理想的人格，相反，是非理性的任性，成人要对之进行教育和规范，结果并不一定是“硬化”。如果要说失去什么王国，也并不是理性的王国，而是孩子的本能不可持续的无序的王国。只有理性的分析，才可能避免为这种儿童主义论所误导。

这类题目发展到极端，就是倒退到强制性主题命题的老路上去。如海南卷：

高中学习阶段，你一定在班集体里度过了美好的时光，收获了深厚的情谊，同窗共读，互相帮助，彼此激励，即使是一次不愉快的争执，都给你留下难忘的记忆，伴你走向成熟。

某机构就“同学关系”问题在几所学校做了一次调查。结果显示，60%的人表示满意，36%的人认为一般，4%的人觉得不满意。

如果同学关系紧张，原因是什么？有人认为是自我意识过强，有人认为是志趣、性格不合，也有人认为缘于竞争激烈，等等。

对于增进同学间的友好关系，营造和谐氛围，72%的人表示非常有信心，他们认为互相尊重、理解和包容，遇事多为他人着想，关系就会更加融洽。

结论已经有了：“互相尊重、理解和包容，遇事多为他人着想，关系就会更加融洽。”立论的空间在2013年的题目中可能是最小的，考生只能被动迎合。与之相近的还有江苏卷：

一群人来到光线暗淡、人迹罕至的洞穴里探险。洞穴里很神秘，他们就点了几支蜡烛，发现里面竟然有一群色彩斑斓的蝴蝶。他们欣赏了一会儿，不想惊动打扰蝴蝶就离开了。几天后，他们回到原地，想看看蝴蝶在不在，却发现蝴蝶已经栖居到更深更黑的地方去了。他们在想，是不是几支蜡烛的光亮影响了蝴蝶的生活习惯呢？

作文要求考生根据一点点细微的变化，自定主题。说是要“自定主题”，但是，题目明明把“根据一点点细微的变化”说死了，就谈不上自主了。材料性命题本来是对强制主题命题的突破，可是这样的材料，却把主题规定得死死的，对语文课程标准的理解可能是得其形而忘其神也。

还有一种情况，就是题目本身不但提供了现成的主题，而且其主题的片面性十分明显，不在少数的考生可能不满足对之加以机械的图解，而对之加以分析，甚至批判，其结果是出现命题者出乎意料的惊喜。如辽宁卷就有这种可能：

一位年轻人在海边徘徊，闷闷不乐。“有什么事想不开？”一位老者问。年轻人说，他做人做事尽心尽力，但得不到承认和尊重。

“看好了，”老者拈起一粒沙子，随手一丢，“能找到它吗？”年轻人苦笑，摇摇头。“我有颗珠子，”老者掏出一颗珍珠，掂量一下，轻掷在沙滩上，“不难找到吧？变成了珍珠，就没人忽视你了。”有道理啊，年轻人点头深思。

“不过，沙子一定得变成珍珠，才能被人承认和尊重吗？”年轻人还是有点疑问。

这个题目可以说是太机械，强制性立论太明显了，不善思辨的考生可能就拿最后的一句话，沙子只有变成珍珠才能得到别人的认可作为主题，显然片面而肤浅。但是也可能让考生感到有陷阱，将问题相反的一面揭示出来：第一，许多平凡的人物即使没有得到社会的认可，也可能有平凡中的伟大；第二，就是得到认可的，也可能是极其庸俗的价值。命题的粗浅和片面，暴露出命题者思维的简单粗浅，如陕西卷：

一位商人发现并买下一块晶莹剔透、大如蛋黄的钻石。他请专家检验，专家大加赞赏，但为钻石中有道裂纹表示惋惜，并说："如果沿裂纹切割成两块，能使钻石增值；只是一旦失败，损失就大了。"怎样切割这块钻石呢？商人咨询了很多切割师，他们不愿动手，说是风险太大。

后来，一位技艺高超的老切割师答应试试。他设计了周密的切割方案，然后指导年轻的徒弟动手操作。当着商人的面，徒弟一下子就把钻石切成两块。商人捧起两块钻石，十分感慨。老切割师说："要有经验、技术，更要有勇气。不去想价值的事，手就不会发抖。"

这是一道道德性质的命题，题意在风险与冒险之间，片面性强调勇气决定一切，一举成功，完全忘却无经验可能带来更大的风险。勇气胜于经验是绝对化，可信度很差。有头脑的考生要拓展想象的空间，只有对这个命题材料进行分析，指出这样的成功事例可能是孤证，决策应该对失败的风险做充分的估计。这样立论可能深刻一些，但是，可能会被一些思想僵化的阅卷教师判为"离题"。

与此有某些类似的是湖北卷：

你注意到了吗？装鲜牛奶的容器一般是方盒子，装矿泉水的容器一般是圆瓶子，而装酒的圆瓶子又一般放在方盒子里。方圆之间，各得其妙。古诗云：方圆虽异器，功用信具呈。人生也是如此，所谓：上善若水任方圆。

这个题目明显带着哲学性，可能算这类题目中水平比较高的。方与圆表面是矛盾的，但其"功用"却是各尽其妙。哲学的根本是对一切观念的反思和批判，而这个题目却把"人生也如此"的结论摆在了考生面前，实际上把主题规定好了，没有反思的余地了。说得苛刻一点，这样的命题和海南的命题一样，属于强制性主题命题模式。

2013 年福建省的高考作文题是很值得研究的，题目是顾城的一首诗：

我仰望着夜空，感到一阵惊恐：如果地球失去引力，我就会变成流星，无依无附在天宇飘行。哦，不能！为了拒绝这种"自由"，我愿变成一段树根，深深地扎进地层。

这个题目有值得称赞的一面。它突破了某种机械反映论的指导思想，这种思想几乎成了命题的成规。命题者往往拘守于贴近生活，反映现实的教条，完全无视片面强调贴近生活现实，可能窒息了学生的想象。而一切创新是和想象不可分割的。文章并不仅仅是客观对象被动的、机械的反映，还是精神的创造；写作和修改的过程，不仅仅是语言的提升，还是人格在超越现实中创造。高考作文是一种竞争性的写作，忽视了人的精神就谈不上文章的竞争力。这个题目，好在不但是激发了想象，而且在想象中揭示了矛盾。人为地球所吸引，是不自由的，飞向天空就有了自由。留下的问题不难想象，马上就产生了如何生存的问题。苏轼在《水调歌头》中就担忧过“高处不胜寒”的风险。不仅仅是寒冷，还有空气，还有水和食物的问题，也就是生存的问题。但是，不能停留于此，如果进行更深层次的分析，论题就可能深化下去：虽然人还不能直接在太空生活，但是太空提供了电子运动的空间，因此才有了可以遥控的卫星，才有了汽车的定位器，才有了互联网，才有了探索月球、火星的航天器等等。这个题目想象的空间很大，不但是情感的，而且是理性的空间。但是，很可惜，命题者对想象的伟大作用有些漠然，造成题目有明显的缺陷，那就是把诗人的结论告诉了考生：“为了拒绝这种‘自由’，我愿变成一段树根，深深地扎进地层。”在自由与现实的矛盾中，把矛盾的主要方面确定为现实，为了现实，宁愿牺牲自由，这在顾城的作品中，诗的境界是比较低俗的。当然，这样的思想不是不可作为命题的材料，只是把这样的思想明确地显示出来，就限定了考生立论的题旨。这有点煞风景，把这样的思想规定为文章的主题，考生还有什么空间自主立意，还有什么个性独特的发挥呢？前些年北京卷的“仰望星空，脚踏实地”与之表面类似，但是，并没有规定为了脚踏实地就要牺牲仰望天空的自由。

与上海卷、安徽卷等比较优秀的命题相比，福建卷就相形见绌了。

总体说来，高考作文命题走向的变化，可以分为两个阶段：第一个阶段，就是从命题作文，主要是强制性主题命题，走向非主题命题。所谓话题作文、材料作文，首先考核的是学生自主确立独特主题的能力。在材料和问题面前拿出自己独立的见解来，这是素质的主体性、创造性，也是竞争力。第二个阶段，这几年的命题逐渐从侧重抒情性的命题转向议论性的命题，也就是理论性的命题。这符合世界各国高考命题的共同趋向。不论是美国，还是澳大利亚、英国，作文的命题都是理论性的；而法国是哲学性质的；新加坡甚至规定只能写议论文，不能写抒情散文。把检测理性思维的能力放在重要地位，曾经有中学语文教师指斥脱离中学生实际，这话恰恰脱离了高校要选拔在理性思维方面有前途的学生。立论不但是为文之本，而且是为人之本。我们一直说，要把学生教得像人，像人就是要有自己的思想。启蒙思想家笛卡尔说：“我思故我在。”把这个命题阐释一下，我能独立思考，能拿出自己的观点来，故我在；反过来说，如果不能拿出自己的观点来，就是我不思，人云亦云，故我不在，也就是这一辈子白活了。

理性思维导向及其对抒情性思维的超越
——2014 年高考作文题纵评

按：高考作文题目一出，专家们纷纷发表评论，任意评骘，言不及义者有之，哗众取宠者有之，以其昏昏、使人昭昭者有之，网络媒体热闹炒作一番，数日之间，遽尔偃旗息鼓。年年如此，陷入套话而不知疲倦者不知其凡几。表面上热热闹闹，实际上空空洞洞循环不已，源于评价准则并非来自实践经验之历史总结，囿于形式，拘于意识形态，耽于感想，违背情感与智性全面发展之空论甚嚣尘上；十多年来，满足于高高在上之意气评论优劣，鲜有从考生和第一线教师角度出发，提出应对策略：面对优题，其优长与难度并存，考生如何于难中取巧，对于劣题，考生当如何避其短，化拙为智，补其不足。不从考生和第一线教学改革出发，满足于为评题而评题，几成顽症。

2014 年高考语文作文题和前几年一样，大都只给出材料和话题，旨在立意的开放性，把学生自行确立主题的能力放在考核的首位，其意义之重大不仅在于为文（所谓“意犹帅也，无帅之兵是为乌合”），更重要的在于立人。一事当前，要有形成独立观点的自觉和能力，这是语文教育的人文性的根本精神所在。从基础教育改革以来，命题从封闭走向开放，其间虽不无曲折，但开放性共识越来越占优势，应该是改革的重大进展。有见识的老师提出把学生教育得像“人”，这个“人”，从正面说，就是能够概括自我感知，通过深思熟虑，能独立形成观点的人，从反面说，就是摆脱人云亦云的套话的人。西哲有言，我思故我在，意思是，凡事都要经过自己的思考，分明是非，辨别真伪，确立主见。最初提出这个命题的笛卡尔生活在 16、17 世纪（1596—1650），四五百年来，一直被视为育人衡人的至理名言。但在基础教育改革以前，高考作文命题基本上是主题性命题，强制性规定了政治性的或者道德性的教化性的主题，主题的唯一性带着很强的封闭性，迫使考生迎合，造成套话、假话连篇，泯灭个性，扼杀思考和表达能力实为必然。

为打破这种僵化的顽症，命题改革从形式上开始，材料和话题命题乃应运而生，其根本特点就是非主题性的、开放性的，考生的思想和个性乃有解放的契机。然而，人的思维不是平面的，而是立体的，如语文课程标准中所说的有“知（感知）、情（感情）、意（意志）”三个层次，一般说，把知情合而为一，简化为感性和理性的两个层次。最初阶段的材料话题命题，大都比较感性，故开放性往往偏于抒情。（如《提篮春光看妈妈》《我有一双透明的翅膀》）当然，还有隐蔽的，以寓言故事为题者：渡船载量有限，在健康、财富、美丽和诚信等之间必须牺牲其一方能平安到达对岸，渡者选择了抛弃诚信。此等命题表面上很开放，但是，道德价值的社会共识，已经决定了诚信为上乃唯一之选择。此类命题导致考生作文多以抒情散文为主。当然也产生了一些精彩的，甚至堪称杰出的优卷。但是，由于对此类命题缺乏分析，学生误把抒情散文当为唯一的选择，导致了辞藻堆砌成风，滥情淹没思想，议论文写作能力遂日趋薄弱。温儒敏教授发现就是北京大学中文系的新生，也大多过度耽溺于“文采”，不善于写议论文。这个弱点，对于高校学生来说，是比较严重的，

因为，不善于立论，就是缺乏理性思维能力。高校不管文科还是理工科，其教学和考核都是以理论思维为主。故在美国和欧洲，入学考试均系理性议论，美国托福式的作文命题以两难现象为主，法国的作文命题干脆就是哲学化的。地处亚洲的新加坡甚至明确规定高考作文不得写抒情散文。随着世界各国的命题模式不断被介绍到国内，命题与世界接轨的追求逐渐明显起来。高考作文命题的开放，就不限于形式上的材料和话题，而是从感性抒情向理性议论开放。在有些省份，以议论文为主有走向自觉，甚至理论化的苗头，对开放初期视为天经地义的所谓“贴近学生生活”的指导思想有所分析和批判。几年前，高考作文曾以韩非子《智子疑邻》为题（房墙倒塌，儿子和邻人都说要修理以防小偷，结果遭盗，其人以为儿子聪慧，邻人则可能为小偷），把矛盾放在考生面前，需要做理性分析的题目，很难简单地抒情，竟然有武汉特级教师斥之为“脱离中学生实际”。此论遭到批判，第一，何谓实际？高考非中学会考以检测中学教学效果为主，而是高校选拔性考试，合格大学生当有理性思维基础，方能有科学创新能力。大学的选拔性考试，只能以大学的培养目标为准。第二，学生生活是感性的、具体的、有限的，而议论则不但是理性的，抽象的、普遍的，光是贴近学生的感性生活，虽有利于抒情，但是不足以上升到理性的普遍抽象。当然，发展是不平衡的，此一基本理念，至今一些省份在原则上还相当朦胧。但是，在实践中，抒情式命题呈递减，议论性命题呈递增之势已经是不争的事实。

当然，要达到与世界接轨（同时也是与中国传统考试接轨），完成高考作文的理性化，可能需要相当长的时间。因为这里涉及的不仅仅是文体，而且涉及命题与现实的关系。今年的作文题，得到某专家的赞扬，首先是因为“命题极其阳光，弘扬主旋律，传递正能量”①。我想，具体分析中马克思主义的活的灵魂，如此宏大话语须要具体分析。就以这位专家所赞扬的广西卷来看：老王生病，医院全心全力治疗，老板帮忙支付医药费，老王痊愈后回工地赶工，又提出到医院兼职做陪检员以支付剩余医药费，因为感同身受他能更好地照顾病人。这样的命题是励志性的，“很阳光”，意味着只能抒情，但是，其主题毫无开放性，和基础教育改革以前的封闭性如出一辙。时至今日，高考作文命题还出成这样，而且受到专家的赞美，实在不可思议。我想这样的题目之所以受到赞扬，原因可能还在于专家对语文课程标准中对学生知、情、意三个层次的全面发展缺乏理解。抒情性文体在思维方法上和议论性文体在思维方法上是统一中有对立。抒情带着极端化的情绪，如口语中的“情人眼里出西施”“金窝银窝，不如自家的狗窝”“看自己一朵花，看人家豆腐渣”等。在诗歌中，如“谁谓荼苦，其甘如荠”“露从今夜白，月是故乡明”“海内存知己，天涯若比邻”。在散文中那就更多，鲁迅就称赞为他买了《山海经》的长妈妈有“伟大的神力”，郁达夫认为北方的秋天才像秋天，南方的秋天就不够味。所有这一切都是因为感情用事，绝对化而显得生动，若以理性来分析，都是不全面的，甚至不能成立的。作文命题如果不能提供考生理性思考的空间，可能养成学生片面性的思维定式。一味只会以“阳光”赞美，以为生活全是“正能量”，一旦遇到非阳光境地，就失去了思考力，甚至觉得一片黑暗。

比这样的题目稍好一些的是四川卷：“人只有站起后世界才属于他”。这是一句很有诗意的格言，主题似乎就在命题之中，也有点封闭，顺应字面，最顺手的是写抒情散文，但是，聪明的考生，应该感到此题并不绝对封闭，因为题目并未绝对肯定这句格言，对之做理性的分析的余地还是有的，在这方面如能稍有施展则无疑有较强的竞争力。例如，从进化论来说，人站起来以后，还是原始人，面临着洪水猛兽，随时都处于种族绝灭的危机之中，就是到科学昌明的当代，人对于许多大自然的灾难还是无能为力的。当然，还可以从人站起来的概括意义上去分析，在人与自然的关系中，把人类当作自然的主宰，这是人类中心主义的狂妄。

对于高考作文命题，各式各样的“专家”评点，免不了见仁见智，但是，专家们往往只是评题，这对于考生的帮助是有限的，因为不管专家如何评优说劣，考生面对的却是别无选择。因而负责任的专家最高的任务，不仅仅是评说，而且要从考生的立场出发，教考生即使遇到明显有弱点的题目，也要力争发挥得比他人略胜一筹。

① 《中华读书报》，2014 年 6 月 11 日第 1 版。

在当前的命题中，类似“人只有站起后世界才属于他”这样励志性的、格言式的题目屡见不鲜。真正称职的专家应该指出，在高考这样的竞争性考试中要取得优胜，对一切此类格言仅仅满足于抒情性的赞美，很难出色，如果能有一定的理性的具体分析，则不难略胜一筹。格言无疑是人类智慧的结晶，但是，由于其过分简洁明快，往往把复杂的问题简单化、片面化，从逻辑形式上说常常是绝对化的。如失败是成功之母，出淤泥而不染，三个臭皮匠顶一个诸葛亮。这些讲的都是矛盾的转化，从失败转化为成功，从臭皮匠转化为诸葛亮，在污泥中不受污染，但是，这样矛盾转化，一经具体分析，就不难看出，是要有条件的，而且条件还是比较复杂的。失败为成功之母，只是强调了要有毅力，但是光有毅力，可能是蛮干，失败可能仍然是失败之母。三个臭皮匠顶个诸葛亮，只是讲了三个人团结，但是光是团结是不能把平庸转化为杰出的智慧的。三个臭皮匠团结起来，更大的可能还是三个臭皮匠，弄得不好，变成三个和尚没水吃。长期处于污秽的环境中，多数人是要受到污染的，没有非凡的主观条件，是不可能不受到污染的。具体分析起来，近朱者赤，近墨者黑可能更有普遍性。理性思维的能力，就是具体分析的能力，反思的能力，在语文课程标准上叫作“批判性思维”。许多教师在解读文本、合作探究时可能还有所应用，可到为文时，却往往抛之九霄云外。

从这个意义上来说，笛卡尔所说的，我思故我在，似乎应该进一步改成：我分析故我在，我反思故我在，我批判故我在。

另一些省的命题比四川省更胜一筹，不是把反思的余地放在空白中，而是把相互矛盾的现象摆在了考生面前，迫使其作出自己的分析。如江苏卷：“有人说，没有什么是不朽的，只有青春是不朽的；也有人说，年轻人不相信有朝一日会老去。这种想法是天真的，我们自欺欺人地认为会有像自然一样不朽的信念。”把不朽与老朽的矛盾直接摆出来，考生要写得比较全面，就不能不做双向的，甚至悖论式的分析。可惜的是，命题者的语言比较芜杂，“我们自欺欺人地认为会有像自然一样不朽的信念”不但是多余的，而且是节外生枝，干扰了命题的焦点。本来命题的核心是关于人的青春和老朽，把大自然的“不朽”扯了进来，使得焦点模糊了。这就把本来可能简洁明快的意思说得很拖泥带水。

与之相比，同样是矛盾性命题，上海卷不但明快，而且没有江苏卷的可能导致考生坠入悖论的困惑。“你可以选择穿越沙漠的道路和方式，所以你是自由的；你必须穿越这片沙漠，所以你又是不自由的。”上海的命题受到了广泛的称道，为什么呢？这对于我国理性命题的形式来说，有所突破。首先，对那种要求贴近学生生活（直接经验）的教条是一种冲击，很难设想，有几个考生有过穿越沙漠的直接经验；其次，这种命题充分显示了中国式的理性命题的特点。西欧、北美这类的命题往往是把抽象的理念直接表述出来，而中国即使是理性导向的，往往以某种感性语言，或者寓言为主干，寓理于事。前几年的较好的命题都是这样，这次上海的命题虽然有感性的沙漠，但是并不是主干，只是背景，直接以抽象的话语把自由与不自由的矛盾摆在考生面前。这样的考题，对考生的挑战是比较严峻的，因为，第一，感性资源比较少，要有比较广泛的联想，主要不能靠直接经验的，而是间接经验的联想；第二，要在相互对立的观念中作全面分析；第三，要把在语文课内和语文课以外积累的抽象话语在短短的半个多小时内盘活。

今年作文考题受到称道的还有北京卷："北京过去有许多老规矩，如出门回家都要跟长辈打招呼、吃菜不许满盘子乱挑、不许管闲事、笑不露齿话不高声、站有站相坐有坐相、做客时不许随便动主人家的东西、忠厚传世勤俭持家等，这些从小就被要求遵守的准则，点点滴滴，影响了一辈辈的北京人。世易时移，这些老规矩渐渐被人们淡忘了。老规矩被重新提起并受到关注，这种现象引发了你哪些思考？"这个题目从内涵到形式，比之上海卷更有创新性。首先是"这种现象引发了你哪些思考？"没有明显的导向性，分析的、反思的空间是无限的。其次，素材比之上海卷要复杂，并未将之概括为二元对立的论题。再次，情况比较丰富而无序，正误、深浅、不在一个层次上，一下子无法以一个观念，或者一对矛盾将之统合起来，这就需要分别做具体分析。例如，第一类，有些老传统今日已经明显过时：笑不露齿、话不高声、站有站相，坐有坐相等，带着封建宗法秩序对个性的束缚的性质。第二类，具有一般礼貌性质：吃菜不许满盘子乱挑，做客时不许随便动主人家的东西，这些算不上有多么重大的意义，但是仍然有礼貌性的价值。第三类，出门回家都要跟长辈打招呼，这虽然带着孝道的色彩，但是在尊重长辈的行为规范上，和西方亲子到了成年就如朋友迥然不同，是中国式的优良传统。第四类，勤俭持家，在物质匮乏的时代是一种美德，就是在物质相当丰富的当代也有其积极意义。第五类，忠厚传世，这就更需要分析，忠厚是一种美德，但是并不是唯一的、排他性的美德，例如，疾恶如仇，不能说是恶德，绝对的忠厚，可能导致无原则，要求世世代代都要同样地忠厚，那既不可能，在某种条件下还可能变成软弱无能的"烂忠厚"。这个题目最大的好处就在于让考生面对复杂得连按统一的标准分类都很困难的现象。这对要全面把握命题的挑战就比较严峻，第一，把握纷纭的题意，很难无所遗漏；第二，对之不能做统一的具体分析，只能分别为之；第三，分析的结果可能是无序的，要写成文章，就要对之作归纳，化无序为有序，使文章意脉贯通首尾，结构完整有机。这对于当前考生来说，无疑是有难度的，但是从高等学校选拔功能来说，其区分度却可能是比较大的。

坚持理性思维导向，注意抒情逻辑的局限
——评 2014 年福建高考作文题

2014 年福建高考作文题是：“提到空谷，有人想到的是悬崖，有人想到的是栈道桥梁。”孤立地评价是很难到位的，切实可行的办法是比较。首先是和该省去年的比较，其次是和其他各省比较。

和该省去年的比较，似乎有所进步。（详见本书《议论文的抽象思辨苗头——2013 年高考作文题评析》）

去年的题是顾城的一首诗，意思是，假如地球没有引力，人就会在天上自由飘浮。为了拒绝这种“自由”，诗人愿变成一段树根，深深地扎进地层。

该省今年的考题，应该说比去年开放，“提到空谷，有人想到的是悬崖，有人想到的是栈道桥梁”。好处是并没有像去年那样把主题包含在命题之中，而是把不同的观感直接置于考生面前，让考生自己去确立主题。题干提供的材料，显然具有对立的性质，对立面的强大，有迫使考生作正反两面的思考的功能。一方面是“悬崖”，一方面是“栈道桥梁”，当然继承了去年的考题激发想象的好处，但是比之去年的不一样，这种想象并没有片面地规定为只能是立足大地，而是开放的空间比较大，把题旨隐含在对立矛盾中。这样就有利于展开全面的思考。从这个意义上说，今年的考题显然能启发理性思考，具有议论文的导向性。这和近年来，全国大多数省的命题理性思维导向是一致的。命题特别提示可以写议论文，也可以写记叙文。可能是考虑到目前中学生议论文写作能力比较弱，不得已做出的一点妥协，这种妥协不但是必要的，而且有利于显示出区分度。

须知要完全切题，最好是把对立的两个方面统一起来做分析，写议论文容易展示思维的全面性，写抒情散文，则容易取其一端。题目的关键是，对同样一种现象，不同的人有不同的观感。要展开立论进行阐释、分析、论证，就要有一定的论据。第一线流行一种方

法，那就是引用名人名言。这当然有操作性很强的优点，但是要切题并不容易。为什么呢？目前一线教师推崇的名言，往往是励志性的，抒情性的，而本题并不具励志的性质，去年以顾城的诗命题，在情感上是强烈的，而情感和理性是一对矛盾，情感强烈，理性就不能不薄弱。情感逻辑以片面性为特征，如，出淤泥而不染，是诗化的，但是，从严格理性观之，把人的品德不受环境影响绝对化了，是片面的，因为还有近朱者赤，近墨者黑这样的事实。又如，失败乃成功之母，也是片面的，其意不过说失败了不能气馁，要有毅力，但是成功并不光凭毅力，还要有其他条件协同，如自身的素质，客观的形势，外在的条件，乃至偶然的机遇。要成功，多种条件缺一不可，要失败，只要一个条件不具备，正如人要活命，起码要有几十种机制的协同，要死亡，只要一个条件，例如，脑子里有一个微血管阻塞。故无条件地说失败乃成功之母，用来抒情是可能的，但用来讲道理，就很肤浅了。几乎所有名言，都有这样的缺陷，如三个臭皮匠顶一个诸葛亮，说的不过是团结的力量大于要素之和，但是，三个臭皮匠，在绝大多数情况下并不能凑成一个诸葛亮。在一般情况下，三个臭皮匠，还是三个臭皮匠，甚至还有这样的可能，三个臭皮匠，不如一个臭皮匠。故有所谓三个和尚没水吃的谚语。三个臭皮匠要变成诸葛亮，要有许多条件的结合，缺一则败。

严格的议论文在思维方法上，和抒情的诗化是有区别的。要引用名言，要切题，就不能仅凭励志性的诗化取胜，而是要有哲理的全面性。决计写议论文的考生在引用名言时，不但要有广泛的积累，而且要清醒地选择。最好是引用比较具有哲理性的名言，例如，“仁者见仁，智者见智”意味着“仁者不能见智，智者不能见仁”。故“释者所以为释，老者所以为老”。为什么佛家和道家乃至儒家对生命所见不一呢？这就有了稍微理性分析的基础。如果在理性的分析上自知不足，则可以回到感性上来，举一些感性的材料，印证，归纳。对某些于议论文有所准备的考生来说，完成一篇文章，难度不是太大。

当然，这只是一种思路，另一种思路则是诗化的抒情，悬崖是可以转化为通途的，如果仅仅以抒情为务，可以引用毛泽东的“一桥飞架南北，天堑变通途”，但是光是这样可能没有层次，没有深度，比较单薄。如果把悬崖和栈道桥梁的矛盾展开分析，悬崖变成通途，不是像诗的想象中那样简单的，而是充满了矛盾的，而矛盾的转化是要有条件的：首先是，桥梁栈道有没有建造的必要；其次是，经济上是不是有足够的投资和回报的效益；再次是，有没有相应的科学技术，更重要的是，是不是有失败的可能等。理性思维的客观性、严密性和抒情逻辑的主观性是不同的。

从这个意义上来说，今年福建省的命题的理性导向是明确的，和许多省份的命题可谓异曲同工。如辽宁省的：祖孙二人倚窗远眺，瞧万家灯火，大街通明，霓虹闪耀，真美。男孩说：“要是没有电，没有现代科技，没有高楼林立，上哪儿看去？”老人颔首，又沉思摇头："可惜漫天繁星没有了，沧海桑田转眼之间啊！当年那些祖先山洞边点燃篝火，看月亮初升天汉灿烂，他们欣赏的也许才是美景。"山东省的题目《窗外》：窗子就是一个画框，通过它可以看到不同的画面，有的人看到的是雅，有的人看到的是俗。有的人看到的是静，有的人看到的是闹。题目和福建省的如出一辙，但是比较粗糙，"窗子就是一个画框"是没有来由的，而有人看到雅，有人看到俗，也空洞抽象，所指不明。

当然，福建省的命题，并非十全十美。在语言上有明显的疏漏。如，"提到空谷，有人想到的是悬崖，有人想到的是栈道桥梁"，逻辑就并不严密，空谷，有两重意涵，空，意味着无人，最切近的联想——幽兰，幽，与空相应。此外，由于空谷回声比较响还有空谷足音，空谷传声。这些都是成语词典现成的。所有这一切，都与悬崖并无更直接的联想，就算是联想到"悬崖"，那也是呈圆形闭合状。此等形态，如作桥梁，则毫无意义，如建栈道，则首尾相连，全无桥梁、栈道之交通功能。此题显然经该省精英教师反复推敲，逻辑粗疏如此，实在是令人扼腕。

福建省的命题议论文导向和多数省份不约而同，教育家熊丙奇先生在新浪网上说："把各省市的材料作文放在一起，不少给人似曾相识之感，比如广东和辽宁的高考作文，材料说的都是科技进步和人的关系，湖北、福建、山东的作文则都涉及看'风景'，这表明，在材料的提供上，出题者的思路还比较局限——材料作文的要义是拓宽考生的思辨、表达空间，这同样给出题者提出要求，要有开放的出题思维。"熊先生此言，还停留在从主题性命题到非主题命题的进展上，故拘于材料作文的视角，其实近年高考作文命题，早已跨越了材料和话题之说，发展到从抒情散文到理性逻辑的导向上。熊先生所说的材料的"似曾相识"，恰恰不是缺点，而是近年来与世界接轨的以理性思维为务的历史潮流。虽然处在共同的历史潮流中，但是并不雷同，而是风格各异，各有所长。如，湖北省的"游客在山下的时候，碰到山上旅行团下来，问山上风景，有人说好，有人说不好"，这题目好在议论的开放性，其不足乃是拘于日常经验，比较浅白。广东题：黑白胶片的时代，照片很少，能唤起许多永不褪色的记忆，但照片渐渐泛黄，日益模糊。数码科技的时代，照片很多，永不模糊，在快速浏览与频繁更新中，值得珍惜的"点滴"也可能被稀释。这样的命题，就接触到现代化与前现代之矛盾，应该说，更能考核出考生对当代社会问题的独立思考的深度。上海题提供沙漠中行走的自由与不自由，则带着明显的哲理性，对学生的抽象思维能力，是相当严峻的挑战。而北京题则罗列了一系列"老规矩"，如"出门回家都要跟长辈打招呼""吃菜不许满盘子乱挑""不许管闲事""笑不露齿话不高声""站有站相坐有坐相""做客时不许随便动主人家的东西""忠厚传世勤俭持家"等，这些"老规矩"在新时期淡化，要求考生发表意见。这类考题涉及传统文化在当代的继承和分析和批判问题，意蕴比较深邃，比纯粹思辨的议题要复杂得多，对考生从感性上升到理性，也有更大的挑战性。

直接论格言命题的抽象高度

——评 2015 年福建高考作文题

今年福建高考语文作文题，被媒体简称为“路路路”：“地上本没有路，走的人多了，便也成了路；有时，走错路也是一件有意思的事情，如果没有走错了路，就不会发现新的路；世上没有走不通的路，只有不敢走的人。”和其他许多省份都以感性材料命题不同，直接以抽象的格言式的话语命题，显然暗示着思辨的导向。不知为什么一些一线老师，居然看不出。例如一位特级教师说：“去年的题目有对立的方面，但是，今年没有。学生要打开思路，不能狭隘地局限在一分为二看题目看问题层面。”这可真是闭着眼睛说瞎话了。整个命题的精神就是对立的统一的思辨。第一句是地上没有路和后来有了路的对立，第二句是走错路和新路的对立，第三句，走不通的路和不敢走的对立。不过，命题的对立，是一分为二的。命题的要害还在于，矛盾（对立面）在一定条件下是可以转化的。例如，没有路，变成有路，条件是，走的人多了。这是辩证思维的起码规律。同样第二句，走错路，也就是走不通了，没有路，但是，可以变成“发现新路”，从错路到新路，这也是对立面的转化。不过，这里的命题是把转化的条件做了隐性的处理。第三句“世上没有走不通的路，只有不敢走的人”，仍然隐含矛盾对立的转化。路走不通是结果，不敢走是原因。反过来说，只要敢走，联系到前面所说，走错路，走不通，恰恰是发现新路，走通一切路的条件。

这个命题的思辨性，很明显，而且不是一般的思辨性，而是直接以抽象的话语，而不是感性经验材料作为思辨的基础。表现上是三句话，实际上包含着三个方面，三个层次有机统一，和美国托福的二律背反式命题有些相似，但是，又不简单是两个相反的观念，而是把对立面的转化隐含在转化的结果之中。从精神上说，有点类似法国式的哲学性命题。

在我看来，这是一个水平极高的命题。比之福建省 2024 年的十个名人的命题，更有思维的深度和发挥的空间。

但是，这样的命题深邃内涵，却得不到特级教师的领悟，这也暴露了我省议论文教学的薄弱，主要是老师哲学基础的薄弱。正因为此，对此命题的不理解，在特级教师中并非罕见。另一位特级教师说："近几年福建的命题导向是写议论文，如果学生按照命题的角度去写记叙文是不太好写的。而今年的题目是比较好写的。"其实即使写记叙文，如果没有一定的思辨基础，仅仅为地上本没有路，走的人多了，就有了路，或者走错了路，经过努力又发现了新路，举些经验性的例子，或者名人名言，或者传奇故事，主题仍然是单层次的。学生的作为有限，有些就不得不借助一些华丽辞藻来装点门面，其结果是很难逃脱套话。因而，也就没有竞争力。

在二元对立和多元有序之间
——2016年高考作文命题评议

每年高考作文题出来，都不免议论纷纭，都是就本年题目，做当下性的分析，当然有其好处，趁热打铁，有利于考生总结得失，对教师把握动向、改进教学，也有事半功倍之效。对于报刊来说，时效快捷，读者关切度比较大。但十多年来，年年如此，是不是应该有所反思，做些分析，总结经验，争取来年有所提高？出于这样的考虑，我想应该有些宏观的思考：与基础教育改革以前相比，十多年来，最大的进展是，思想活跃，众声喧哗，一方面大大推动了命题的水准的提高，另一方面，促进了作文教学的实效。这是有目共睹，毋庸置疑的。但是，不可否认，这几年来，年年就题论题，孤立地评论是不是也有些不足。例如，一些评论，特别是一些文化明星，发表印象式的浮光掠影的议论，什么“很当下”啊，还有一些专家，不是从作文本身的规律出发，而是单纯从意识形态导向性出发，做不着边际的称赞。不疼不痒的套语，已成惯例，似乎除此以外别无选择。之所以如此，皆因缺乏历史的回顾与前瞻。

我想，纵观十多年来高考作文命题的发展，似乎有一个趋向：从强制性的封闭性的主题性命题，转变为开放性的自主立意的命题。材料性、话题性的命题，获得广泛认同，成为主流。从理论上总结，其精神乃是题旨的导向性与自主性的统一。在这方面，从全国性到地方性的命题，除了个别省份时有起伏以外，共同的取向是以一个显性的感性材料蕴含着潜在的隐性的意味，二者之间或者存在着普遍与特殊，或者暗示着对立的矛盾，对考生的要求，往往侧重在理性的论说，这种命题模式已经达到相当的水准。

今年各省的命题大体都显示了这种历史趋向。例如北京卷：《白鹿原上奏响一支老腔》，记述老腔的演出每每“撼人肺腑”，令人有一种“酣畅淋漓”的感觉。某种意义上，可以说“老腔”已超越了其艺术形式本身，成为一种象征。请以“‘老腔’何以令人震撼”为题，写一篇议论文。要求：从老腔的魅力说开去，不局限于陈忠实散文的内容。其关键乃是从一篇具体的、个别的、感性的散文出发，“说开去”，写议论文，就是要超越感性，从具体达到普遍的抽象。山东卷的《备好的行囊》：行囊已准备好，开始一段新的旅程。路途漫漫，翻检行囊会发现，有的东西很快用到了，有的暂时用不上，有的想用而未曾准备，有的会一直伴随我们走向远方……与之相似的则是浙江卷《虚拟与现实》：网上购物，视频聊天，线上娱乐，想象在未来，在家里安装VR（虚拟现实）设备，便可以足不出户地穿梭于各个虚拟场景：在商店的衣帽间里试穿新衣，在足球场上看比赛，成为新闻事件的“现场目击者”，等等。题目要求，在“虚拟”越来越成为现实世界中的“现实”时，是拥抱这个新世界，还是与它保持适当距离？这个题目富有强烈的时代色彩，但是，从思想方法来说，仍然是虚拟与现实的二元对立的模式。

但是，北京卷显然对这种理性的议论有点犹豫，接着又出一题：“书签，与书相伴，形式多样。设想你有这样一枚神奇的书签：它能与你交流，还能助你实现读书的愿望……你与它之间会发生什么故事呢？请展开想象，以‘神奇的书签’为题，写一篇记叙文。要求：表现爱读书、读好书的主题；有细节，有描写。”这也许是考虑到考生的个性各异，对偏于抒情者的照顾，或者让步。这表明，我国命题从抒情叙事向议论的转化还在过程之中，有些考生，甚至一些命题者，还没有充分意识到，这是大学的选拔考试，不是中学的水平考试（会考），不是检查中学的教学是否合格，而是以大学理性思维能力为标准的竞赛。这是世界各国的共同取向。从策略上说，也许在目前阶段，有一定的必要性，但是从战略上来说，这种妥协，应该是随着历史的发展必然逐渐淡出。

相比起来，山东卷《备好的行囊》对理性分析的要求则坚决得多：“行囊已准备好，开始一段新的旅程。路途漫漫，翻检行囊会发现，有的东西很快用到了，有的暂时用不上，有的想用而未曾准备，有的会一直伴随我们走向远方……”这从思想方法上来说，显然是二元对立的。这说明，二元对立的思维模式，已经成为一种普及的模式。这种模式提供的思维自由度是比较大的，可以说与美国托福式的二元对立异曲同工。也许可以说，这种命题思路已经在某种意义上与世界接轨。

可喜的是，有一些省份的命题，在二元对立的思路上有些突破。如江苏卷的“有话则短，无话则长”——别人无话可说的，我也许有话要说。有时，这是个性的彰显，有时则是创新意识的闪现。这个命题的特点是不从感性出发，而是把相当抽象的话语直接摆在考生面前，把对立面说得很清晰。有话和无话，长话和短话。题目中的“无话则长”，没话找话说，通常是负面的，要把这个负面的命题转化为正面的，做翻案文章，难度相当大。命题的好处是提示了矛盾转化并不是无条件的，而是有条件的：彰显个性，刻意创新。这样的提示，把难度降低，比较切合当前学生水平。

许多类似的命题美中不足，其原因，可能是由于命题者，未能将对立统一的思路贯彻到底。这种概括力不足的情况，如天津卷《我的青春阅读》表现得就比较突出了：在阅读方式多元化的今天，可以通过手机等在网络空间汲取知识；也可以借助多媒体，“悦读”中外名著；也可以手捧纸质书本。题目要求在阅读方式的选择上，围绕不拘一格的阅读方式，谈谈“我的青春阅读”。这个题目就有点散漫，命题者概括力显然不够，没有把网络、多媒体阅读归纳为一类，和纸质相对，不但陷入现象的散漫罗列，而且与命题“我的青春阅读”中的“青春”毫无关系。该命题语句烦冗，带有明显的修辞上的瑕疵，许多词语是多余的。试将其中可有可无的字句，以括号标出：

在阅读方式多元化的今天，（你）可以通过手机（电脑）等电子设备，（在宽广无垠的网络空间中）汲取知识；（你）可以借助多媒体（技术），“悦读”有形有色、有声有像的中外名著；（你）也可以继续手捧（传统的）纸质书本，享受（在墨海书香中）与古圣今贤对话的乐趣……当代青年（渴求新知，眼界开阔，个性鲜明，）在阅读方式（的选择）上不拘一格。请（围绕自己的阅读方式，）结合个人的体验和思考，谈谈“我的青春阅读”。

与这种情况形成鲜明对比的是上海卷，在考查考生的理性思维方面比较勇敢。他们的题目，既不从感性材料出发，也不提供二元对立的线索，而是给出一个很抽象的命题：“评价他人的生活：随着现代社会的发展，人们的生活更容易进入大众视野，评价他人生活变得越来越常见，这些评价对个人和社会的影响也越来越大。人们对‘评价他人的生活’这种现象的看法不尽相同，请写一篇文章，谈谈你对这种现象的思考。”也许在有些拘泥于“贴近学生生活”的人士看来，这样的题目，有脱离学生生活之嫌。但是，作抽象的议论，就是超越学生特殊的、感性的直接经验，向普遍的、间接的理性升华的。上海这个题目，比之北京的要深邃得多，难度也大得多。好像有意与流行的，写在语文课程标准中所谓“贴近生活”论唱对台戏。这个对台戏唱出了很高的水准。命题中，需要做多重分析，首先是，自身评价，视野非常有限；而评价他人，则要求从习惯性的心理定式突破。其次是，评价个人和评价社会的关系，更需要超越个人的狭隘经验，需要理性的想象力和概括力。高中生走向大学，从心理发展来说，处于从感性的特殊走向理性普遍的阶段。这从哲学上来说，是一种部分质变，对于许多同学来说，是一个痛苦的蜕变，要完成这种蜕变，应该有相当的自觉和引导，甚至逼迫，像北京二卷，那样适当向记叙抒情妥协，只能是暂时的、过渡性的。

上海的教学水准，不但在全国领先，而且在全世界是领先的，这有连续几届的世界性统一考试为证。对于他们已经取得的成就，应该有充分的敏感，以充分的热情加以总结。

值得庆幸的是，这样命题的并不是上海一地的孤立的现象，而是多少带着普遍性的，例如，全国卷Ⅱ——《语文素养提升大家谈》："语文学习关系到一个人的终身发展，社会整体的语文素养关系到国家的软实力和文化自信。对于我们中学生来说，语文素养的提升主要有三条途径：课堂有效教学，课外大量阅读，社会生活实践。"命题要求"比较上述三条途径，阐述你的看法和理由。"这个题目其挑战性是显然的。题目包含的要素并非二元对立，而是三条途径：课堂的有效教学、课外的大量阅读、社会生活实践。这种三元组合，已经够复杂了，但是命题又加上人的终身发展，国家的软实力和文化自信，合起来，五个立论要素，要全面立论，而不是随意性抓住一两点，就要在这看似纷繁的要素中，将其逻辑化为一线索，使之有序化。

从这个意义说，这种命题方式和上海命题一样，都带着历史的突破性，其主要表现为，从思想方法上，突破了仅仅提供二元对立的材料或者话题，而是提供以多个元素，考验学生更加复杂的概括、分析能力，特别将无序的、杂陈的关键词语进行有序化的能力。

对这种突破性的命题，如何应对，我在前文中已经阐释了，此处不赘。

这种倾向，不仅仅是对考生的挑战，也是对教师的挑战。

当前在中学作文教学中，流行着一种模式，那就是所谓：引——解——联——结。引就是引用名人名言，解就是做一些解释，联就是联系实际，结就是篇末总结。这种模式的缺点，就是引用多种多样的名人名言，并不致力于其间的逻辑联系，使之统一在文脉之中，层层推进文章的主题，而是满足于堆砌，殊不知名人名言是不同时代，不同人物，针对不同倾向而发的，为文的任务，是将这些本来是游离的，甚至是互相矛盾的话语，在内涵上联系起来，对学生逻辑思维能力的挑战在于：引用越多，则将在逻辑上统一起来的难度越大。

上海和全国二卷这样的命题，既然代表着一种突破，一种新的趋向，对我们应该是有所启示的。一方面前卫性的命题已经走到了世界的前列，至少已经突破了美国托福式的那种一味提供二元对立的话题模式，另一方面一些省份的命题却在二元模式的高度概括还存在动摇和徘徊。

从命题模式来说，一个新阶段已经开始，对于许多命题和老师来说，看清历史走向应该是刻不容缓的。

在理论与实践的关系中考察其进展

——谈 2016 年全国卷高考作文题

一

十多年来，高考作文题一出来，新闻媒体虽众说纷纭，然大抵聚焦于其开放性和导向性。这里显然反映了某种历史的进步。命题的开放性，针对的是命题的主题强制性。材料性和话题性命题的出现，乃是对基础教育改革前此等弊端的反拨。十多年来，在理论上取得共识的是，第一，立意的自主性、独立性，第二，从感性抒情走向理性议论。基于此，评价命题的准则也渐趋一致。但是，不可回避的是，存在着两个问题，首先，命题的优劣，并不完全是个理论问题，更重要的是考生的实践，这方面似乎严重地被忽略。毋庸置疑的是，开放性命题自然有利于激发考生的潜在能量，封闭性命题肯定会窒息考生的个性自由发挥。其次，从考生来说，最为关键的是，不论优秀命题，还是有缺陷，甚至是劣等命题，都是别无选择的。十全十美的命题是罕见的，就是在有缺点的命题面前，也只能回避其缺失，发挥其优长，盘活自己最大的潜在量。从考生的作文实践来评价命题的优劣，在理论上有重要意义。毕竟从严格意义上来说，检验真理的标准只能是客观的实践，在客观实践尚未来得及充分显示之前的评论，从最严格的科学意义上说，只能是某种假设。从理论到理论，从概念到概念的演绎并不能证明理论的真实性，这一点马克思早在《关于费尔巴哈的提纲》说得很清楚了："人的思维是否具有客观的真理性，这不是一个理论的问题，而是一个实践的问题，人应该在实践中证明自己思维的真理性。""关于思维——离开实践的思维——的现实性和非现实性的争论，是一个纯粹经院哲学的问题。"[①]实践真理论是我们的立国

① 参阅马克思《关于费尔巴哈的提纲》，《马克思 恩格斯 列宁 斯大林论文艺》，作家出版社 2010 年版，第 47—48 页。

之本，对此，我们长期缺乏应有的自觉，每每自觉不自觉地以自己未经实践检验的理论为真理。

基于此，反思去年全国高考新课标卷一作文题，就很具有启发性。该命题的核心是父亲驾车接电话，家人屡劝不改，女儿出于生命安全考虑，乃以微信举报，交警对其父进行责罚和教育，并发布公报。题目要求考生以多种形式发表意见。本来命题中亲情从属法制的指向性是很鲜明的，我自己写的评论中就提出，“出于生命安全考虑”导向性太强，开放度不足。但是，后来看到一些优卷，深感聪明的考生回避了题目将一般违章上升到“生命安全”的极端，从不同角度，以不同身份写信，如，对父亲进行劝导，不能怪女儿不讲亲情；与交警商榷是否有必要将此等具有隐私性质的事情加以公开？鼓励女儿的作为，但是，建议其注意方式。所有这些实践都超出了我当时的评论，我不能不承认，我当时的评论具有一定的片面性。这就给了我两点启示：第一，我的评论应该有所修正补充；第二，评价文题的优劣，不能离开考生的作文实践。最雄辩的评价应该是在评卷以后。但是，新闻媒体的运营规则，却是抢在阅卷之前，抢时效，博眼球，就是媒体的价值，而实践却不能抢时间，没有相当的时间，矛盾的各方面不能充分显现。对命题的准确评论，不但要在本届阅卷之后，有时，还要在多年的实践之后。二者的规律是矛盾的。这一点不是我们一下子能够改变的。但是，也不能因而停止早期的评论，只是要清醒地看到当下评论的局限性乃是理论所不可避免的预计性。虽然不能立即与当下考生作文实践相结合，至少应该结合此前的考生写作成败。因而，不能满足于孤立地就题论题，更重要的是，把目标定位于有助于考生吃透考题的潜在含量。不管是优秀的，还是水准不高的命题，考生的任务乃是发挥出潜在的、可能的深度来。就是很优秀的命题，其优长往往也不在表面，而在其深层。考生如不能深入理解，很难避免满足于平庸的，没有竞争力的老套。

二

2016年全国卷语文作文考题，共三题，从立意到模式给人以耳目一新之感，说得直率一点，应该是全面突破。其最有趣、最贴近考生直接经验的应该是第一题《奖惩之后》。

这个题目最突出的优点在于贴近学生的生活，审题几乎没有难度。但是，其中蕴含着的分析层次之多，对考生智商和思维能力的区分功能在历年考题中是少见的。考题的挑战不在表面，而在深层。对考生的语言表达力和思维能力、具体分析能力、逻辑推演能力的挑战含而不露，是一种隐性挑战，其潜在的思辨层次相当丰富。

对于一般考生来说，把视觉图画转化为抽象的、简明的语言，将其中没有直接表达出来的双重矛盾，准确地、完整地、富有逻辑性地概括出来，而不是片面地表述，难度也许并不大：得了 100 分的就得到亲吻，考了 55 分的遭到一记耳光。对比很鲜明，一望而知。某些概括力不强的考生，可能立论仅仅限于此一矛盾，联系自己或者同学的切身经验，把矛头指向打耳光的家长。对此等野蛮的（甚至是侵犯人权的）行径给予批判。文章如果做到这里为止，按历年阅卷的经验，也可能及格，如果文字上再丰富一些，甚至可以得到更多一点的分数，但是，高考系选拔性考试，这样的立论，是缺乏竞争力的。

这个考题的好处在于，分析的焦点是全面的对比，更深刻的挑战乃是，前后两组的结合。考生要对双重矛盾进行具体分析。考 61 分的，比考 98 分的低了那么多，却得到了亲吻，而考了 98 分的，却得到一记耳光。题目的挑战性在于立论的全面性。把这两组矛盾结合起来，才有可能把论题深入分析下去：亲切的亲吻和野蛮的耳光，表现上是绝对背道而驰的，但是，其内在的标准是一致的，那就是唯分数论，把分数当成绝对标准。一般的考生可能满足于此了，但是，这并不是考题的寓意的终点。更深的思考应该是，对分数的重视，隐含着对人的轻视，甚至对人的侮辱。分析到这里，并没有穷尽考题的隐含的思维空间。这种侮辱之所以普遍，是以爱的名义，在寄托厚望的美好动机的掩盖下，野蛮就此取得了合理性。这使我想到丰子恺先生作于 20 世纪三四十年代的漫画《似虐之爱》。写到这里，如果再深入分析一下，还隐含着另一个层次，对 61 分的表扬，应该是对其进步的肯定，而对 98 分的耳光应该是对其退步的惩罚。这种鞭挞和表扬都包含着误导，关键在于对学业的进步的机械片面的理解。学业的进展，不可能是直线前进的，一帆风顺的，而是曲折、波动的，起伏的，螺旋式上升的。

考题提供的分析空间，还可以继续。野蛮的教育观念之所以横行，是因为思维僵化，前进与后退，是相对的，一是与他人相比，可能分数比较差，但是，与自己相比，则有了进步。这个进步也许不大，但是，正是生命的成长，也是日后追上他人的基础。反过来说，有时，分数有了退步，聪明的人并不完全从消极方面去看待，而是从积极方面寻找到其中的原因，也同样是日后提高的条件。

这个题目虽然很具体，但是，包含着向更普遍的带着哲理性的方面去拓展的余地：相对的进步的积累，是改变绝对的落伍的前提，相对薄弱点的发现，是更上一层楼的条件。矛盾转化的规律是普遍的。不仅是对于学业而且是对于事业，不仅仅是对于人，而且是对于民族、文化、历史都具有普遍性。在这样层层深入的具体分析中，激发思维，强化思辨，这是培养独立思考，具有创新能力的必由之路。

第二个题目《语文素养提升大家谈》和前面的那个题目有所不同，其挑战性是显性的。题目包含的要素相当丰富，语文素养的提升的三条途径：课堂的有效教学、课外的大量阅读、社会生活实践，这种三元组合，和世人已经习惯的命题只提供二元对立的素材大不相同，又加上人的终身发展，国家的软实力和文化自信，五个立论要素，对考生的化无序为有序的能力的挑战是比较严峻的。要全面立论，就要在这看似纷繁的要素中，抓住主要线索，将其逻辑化、有序化。例如首先是课外和课内的关系，在时间上，课内是有限的，课外是无限的。但是，课内是精读，课外是泛读。精读的优长在深度，泛读缺乏深度，但是有广度。从某种意义上说，课外的阅读更符合语文素养所需的潜移默化的积淀。但是，课内精读的深度，是课外所不能及的。叶圣陶说，课文无非是个例子。对例子的精深理解，对于课外阅读的广而不深，积以时日，则不难有触类旁通，举一反三之效，如果能上升到一定层次的理论，如比较、还原、具体分析，进入历史语境等，则有方法论的意义，对于泛读无疑有促其深化的功能。

这是第一层次。

如果满足于此，则不能说全面，也很难有较强的竞争力。要有强大的竞争力，则应该在他人停止的地方进一步提出问题，把命题与社会生活实践联系起来。如，精读泛读，都属于书本知识（认识）范畴，而知识还得通过社会实践的检验和运用，才有可能转化为创造性的能力。

这是第二个层次。

在此基础上，再把个人能力和国家实力结合起来：虽然是个人的能力和创造力，但是，结合起来就成了国家软实力。

这是第三个层次。

这个题目施展的空间和挑战性都很大。最有竞争力的做法是，把五个方面都兼顾到。立论的全面性，就是把命题中的五个要素，在逻辑上统一起来，构成有机的文脉。漏掉任何一个要素，都是对竞争力的损害。从某种意义上来说，这样五个要素贯通的命题，不但在我国是新颖的，而且对于美国一味提供二元对立的、固化的托福作文命题模式也是一种突破。要争取更高的竞争力，就需要具有将丰富的素材进行系统化处理的能力。迎接这种特点和难度，光有直觉可能是不够的，最好有明确的自觉。

至于第三个命题《小羽的创业故事》，在指导思想上更有突破性。提出的问题是创新遭遇假冒之后的对策。在有些人士看来，这个题目似乎有点超前，其理论根源在于素来被奉为准则的贴近学生生活，但实际上却远离学生生活。从理论上来说，贴近生活的说法也许只适应叙事抒情，并不适应议论性文体。因为记叙和抒怀可贵之处在于个性的特殊性，个体经验的直接性，语言的感性。而议论性文体的论点，则不能限于个体经验的直接，而应该是普遍的、广泛的、共同的经验的归纳，具有大量抽象观念的演绎。只有超越个体的直接经验，也就是远离学生的生活，才能上升到智性，达到理性的高度。只有超越直接经验，才能从个别到一般，从特殊到普遍，也就是通常说的，从一粒沙子看世界，从一滴水看大海，是不需要直接去看整个世界和全部海洋的。从有限的经验，向无限的世界拓展，是需要想象的，只有依托经验，超越经验，才能想象，才能从具体到抽象，形成自己的观念，进行演绎和分析。这对于中学生的思维来说并不遥远。在物理、数学和化学课程中，这种抽象演绎的能力早已成为起码的常态。而在语文课程中，尤其在作文课程中，却似乎有点陌生。拘于贴近生活的观念，就不可能看到这里可以分析的余地更大，只有克服此难度，才有望获得更强的竞争力。从这里，可以看到，对于这样的命题，这样的挑战，中学作文课程在基本理论上是有缺失的，在一些基本理论上是糊涂的。这样的命题模式对于中学作文教学来说，应该是一种预警。

以上作文命题似乎透露了某种新的迹象，那就是作文命题自主立意，自行确立主题的历史任务接近完成，但是，也存在一些问题，那就是“名人开会，名言荟萃”和“引（用）、解（释）、联（系）、结（总结）”应试法门，流行（毒）甚广。堆砌大量不着边际的名言，几成通病。众多名言、佳句、诗词与论据之间缺乏起码联系，有时还能蒙蔽阅卷者，名言与名言之间没有起码的逻辑关系，不难博得文采风流的评价，但此等弊端之要害在于，有名言而无思想，无内在的逻辑贯穿其间，名言、佳句、诗词便成为一地鸡毛。

而今年的全国卷三道命题恰恰是要有思想的。不过第一道题考核的是多层次的思想，多一个层次就多一份竞争力；第二题挑战的是能不能以统一的思想把五个要素贯通起来，使之层层深入地推演下去；第三道题的难度在于，如何在困境中，以对自己不利的办法获得胜利。

十多年来，基础教育改革的实践已经走在了理论的前面，而命题评论家们却未能觉察自己落后于形势，更谈不上领先形势。原因在于一些论者被媒体（主要是新闻媒体）牵着鼻子走，在命题一公布，媒体热议之时，就发表大而化之的议论，事后却不将自己的议论以考生的作文实际进行起码的检验，进行严肃的分析，以致十多年后和十多年前一样，媒体上充满了大量的老生常谈。不研究新现象，不分析新问题，以致对于积重难返的流弊熟视无睹，成为顽症。要改变这种状况，最根本的办法是，对高考作文命题做长期的、系统的、不间断的研究，在理论和历史实践两个方面做出经验的总结，对陈旧的观念进行批判，在此基础上进行新理论的建构。这不是一两个人所能完成的任务，起码应该是一代人，甚至是几代人的历史使命。笔者不过是有志者之一。

议论文的全面性和历史的具体分析问题

——评 2017 年高考作文题

一、二元对立和多元有机组合

今年全国作文卷一："一带一路"、大熊猫、广场舞、中华美食、长城、共享单车、京剧、空气污染、美丽乡村、食品安全、高铁、移动支付。要求从以上词语中选择两三个关键词来呈现你所认识的中国，帮助外国青年读懂中国。

这个题目，对于许多考生来说，最初的感觉也许比较乱，比较难，12 个关键词罗列，和他们历年来熟悉的二元对立的题型（或隐或显，2 个关键词）很不一样，大大出乎备考预期。这样的题目是不是有点刁难？其实，并不难，因为，题目并不要求考生把全部关键词都概括到文章中去，而是明确说，选择两三个关键词。长于二元对立分析问题的考生，完全可以从 12 个关键词中，选取两个（或三个）具有对立性的词语，其他词语则略而不计。

网上有文评曰，这样的题目完全是为城市学生设计的，对于不熟悉互联网、移动支付、共享单车的农村学生十分不公。我想，这样的批评是片面的，因为农村学生就算是从未听说过移动支付，如果对"一带一路"、长城都一无所知，其精神空间如此狭隘，是不是应该反思呢？须知，命题的导向性就在于考核学生对国家的快速发展与东西方世界的关系，对现代经济生活和自然生态的关系是否有起码的关注，有独立的思考。高等学校的培养目标是应对世界性的文化、经济、军事全面竞争形势的创造性人才，如果其视野仅仅限于家乡、学校的直接经验，对于祖国经济战略，现代社会生活日新月异的变化缺乏关注和思考，只能说明其胸怀比较狭隘。退一万步说，就算把农村考生的局限完全归咎于客观条件造成，但是，客观条件的局限，也不是不可能转化为优越，农村考生完全可以选择美丽乡村、中华美食等直接经验以构思主题。当然，这样的选择可能并不是最佳的。因为，第一，这比较容易倾向于抒情性，表现诗情画意的话语因为其现成性，纷至沓来，古典诗歌的只言片语，驾轻就熟，文章很难有深度，因而缺乏竞争力。第二，这样的选择可能全部是正面的，立意也陷于片面，因为题目提供的不但有正面的，而且有负面的。片面选择的可能并非仅限于农村考生，城市考生同样容易发生。例如选择共享单车和移动支付，广场舞和高铁，同样难以穷尽题目暗示的全面性。文章的灵魂在立意。不应该满足于从同类、同质的关键词中选择，而是从异类，从对立的、相反的、矛盾的关键词中看出其中的联系，这样的立意才全面、才高。王夫之说：意犹帅也，无帅之兵，是为乌合。深度立意是强帅，片面性立意乃是弱帅。

真正要把题目导向做深做透，不但取决于立意，而且要看立意在文章中如何向纵深发展，从思路上来说，这就要求揭示其矛盾如何在一定条件下转化。从写作技巧上来说，叫作驾驭文脉，控制立意贯穿文章的首尾，不受相近、相似的观念的诱惑、干扰，如李渔所说，“立主脑，减头绪”，保证文脉层次分明地深化。

例如，选择“一带一路”和空气污染 / 食品安全。一方面是空前高度的世界性的经济战略宏图，一方面是迫在眉睫的对健康的危害。发展是为了提高生命的质量，而污染却降低了生命质量。有了矛盾，就可以有具体分析的高度上立意，文脉的层次深化则是通过分析出矛盾转化的条件：发展是硬道理，只有经济、科学、文化高速度、可持续地发展了，才有条件改变环境污染、食品安全。如果考生在课外关注过发达国家也曾有从污染到治理的历史，则思维将更加雄辩，话语也更加丰富。当然，考生也可以选择其他方面的二元对立，例如，传统的京剧和广场舞，最古老的长城和最新潮的移动支付，等等。在矛盾的展示中不难将文脉上升到中国当前最先进的和最古老，最发达和最落伍的两个侧面的矛盾和转化。

只有把立意和文脉把握好了，题目的导向性才能做全、做深、做透，才有比较强的竞争力。

二、有机联系之一：对立中的统一和转化

许多特级教师和某些专家，不约而同地指出，要在所选的关键词中写出“有机联系”。这当然是对的，但是，对于什么叫作有机联系，如何达到有机联系，却没有任何说明，因而，实质上是一句正确的空话。问题在于，题目列出的 12 个关键词，完全处于无序状态，

不但不存在有机联系，而且连起码的联系都谈不上。对潜在的联系缺乏洞察，一些考生就可能选取比较同类的，如美丽乡村、中华美食、大熊猫之类，进行诗化的抒情，这当然并无不可，但是，从表现文化视野和对国家命运、世界形势的思考，也就是文章的立意来说，既不全面也不深刻。文章的对象是外国学生，从宣传中国现实来说，应该是全面的、深刻的，一味赞美，如同一味批评（如环境污染），是片面的、肤浅的，对外国学生可能缺乏说服力，甚至误导。

问题在于，许多教师在说着有机联系的时候，并不明确有机联系的内涵，也不知道如何将各自独立的、无序的关键词转化为有机的整体。最简单的办法，就是把在表面上各自独立的、异质的，甚至是对立的，转化为相互联系的；这种联系不是静止的，而是在矛盾中转化的。高铁和长城在原生形态上是没有联系的，但是，文章立意的高度就在从原生的、多角度的内涵中寻找到某一个角度，揭示出其潜在的逻辑联系。高铁是中国居于世界前列的科技，目的是造福人民，不但为中国人民，而且推广到世界，造福他国人民。而长城则是古老的文化传统的标志，中华民族是爱好和平的，故以防御为先，长城的功能是保卫我国人民的幸福家园。从这一点上说，二者的联系就在造福和保卫上从隐性上升为显性的了。

在无序的、多维的范畴中间，寻求某一逻辑的联系，不但是对考生的思维立意和驾驭文脉的能力是货真价实真正的检验，对于许多教师也是严峻的挑战。这种能力主要是从异质的对象中，从多种潜在的可能性中概括出一种共同点来，这种异中求同的能力就是抽象的能力，这种能力对于学习高等学校几乎全部是抽象理论的课程来说，是必要的基础。特别值得注意的是，有机联系不仅仅是一种求同的联系，而且包含着矛盾中的联系，对立中的联系是一切联系中最深刻的。什么叫作有机联系？就是相互不是游离的，而共生的，不可脱离的，既是相辅相成，又是相反相成的，对立的统一体中。相反的东西，在一定条件下，互相转化，才是最高意义上的有机联系。

从反面来说，有机联系就不是随意性的罗列现象，常见的那种一、二、三、四，甲、乙、丙、丁，A，B，C，D 的罗列表面上也可能是有序的，但实际上是无序的。因为从逻辑上说，这是分类，合乎逻辑的标准应该是统一的，一贯到底的，不能时面交叉，时而从属的，要避免这样的毛病，就要在没有联系的地方找到联系，在一般性联系的地方，找到不可分割的、潜在的逻辑性线索。例如“一带一路”和食品安全有什么联系呢？在其现成的状态下，可以说一点关系都没有。但是，从更深刻的意义上，“一带一路”，是最先进的科学实绩，是世界性战略发展显蓝图，而环境污染、食品安全则是它的对立面，恰恰是最先进的发展带来的。这种联系乃是因果性，要解决这个矛盾，也只有通过更加科学、快速的发展，而不是后退，只有更科学的、可持续的发展，食品安全问题才可能迎刃而解。这样的矛盾，这样的转化，就是文脉的贯穿和深化。

同样，最古老的京剧和现代的广场舞，好像是没有关系。古老的戏剧文化，其艺术性经过百年积淀，水准是很高的，在目前具有相当突出的精英色彩，而广场舞，则是大众文化、民间草根文化，艺术水准是不高的。但是，京剧其最初也是起源于民间的。下里巴人是经过长期的积累，才成为阳春白雪的。广场舞有着全世界最大的群众基础，设想经过几百年的积淀，谁敢说，在艺术上不可能达到今天难以想象的高度呢？

三、寻找黑天鹅

与全国卷相比起来，一直在命题上具有优势的上海卷，今年似无多大创新，其题目是“预测”和反预测。因为生活充满变数，这是一。有的人乐于接受，有的人则不以为然。这是二。应该说，这个题目很朴素，难度不大，但是，要把“生活充满变数”作为反预测的论据，转化为预测可信的条件做透，对考生把握立意和文脉的挑战性很大。但是，成绩的区分度也大。

这里隐含着一种非常深邃的科学发展的规律。

从严格的意义上说，一切科学规律的产生都产生于预测，或者叫作假设。因为科学规律的普遍性（逻辑学上叫作周延性）所要求的经验的无限性和人的经验的历史、个人的局限性是一对永恒的矛盾。故恩格斯说一切科学都始于假设，用波普尔在《猜想与反驳》中的理论来说，人类所把握的一切规律从严格意义上说，都是猜想，仅仅举例是不能证明的其真理性的。中学里，乃至大学里流行着议论文三要素，先有论点，再选择与之相符的事例，进行论述，这只能在文章局部起具体说明作用，其合理性仅限于此。但是，作为理性思维来说，则是不能成为证明的。第一，根据观点选择材料，意味着排除与之不合的事实，这就不能不是片面的。第二，你的观点是不是可靠呢？这是需要反思、需要分析的。故从根本上来说，只有把与论点相符和相反的事例统一起来加以考虑，才可能全面立意。从这个意义上说，反例比之正例更为重要，因为它能显示正例的片面性。有一个经典的命题说，一切天鹅都是白的，你即使举出成千上万的例子来，也不能证明其正确，而只要有一个黑天鹅这样的反例，则一切天鹅都是白的，就被推翻了，相反并不是一切天鹅都是白的，绝对是正确的。波普尔据此说，观念只有被证伪了，才能推动科学的发展，从人类认识发展的历史来说，反驳比之举例更有价值。这就是说科学要发展，文明要进化，就需要对人类一切现成的知识进行反思，或者叫作批判。

四、批判性思维和历史语境

正是因为这样，上海一批教师在努力把提倡批判性思维贯彻到教学中去，这是很值得欣慰的事。但是，也应该看到不在少数的教师对此还缺乏自觉。有两种情况使我对这方面不敢太乐观。一是，以中学语文教学的特点为由，公然拒绝批判性思维。前几年，我和上海市一所重点中学语文教研组长谈到对课文有一定的批判性，这位也许水平并不低的老师断然说：在中学里，不应提倡批判性思维。二是，一些号称推广批判性思维的老师，包括一些大学教师，对此缺乏起码的理解。批判性思维，不是随意唱反调，而是对具体事物、观念非常精致地具体分析。首先就是历史性的分析，经典理论家指出，具体分析的第一要求，就是把事物、观念放到历史语境中去。故以今日的科学发展观绝对否定愚公移山（不如把家搬到山前，破坏生态等）是反历史主义的愚昧。

批判性思维一旦脱离了历史语境，就可能变得荒谬。令我惊讶的是，几位山东省的大学老师肯定美国中学生读孔融让梨的故事时，提出种种匪夷所思的问题：孔融的父亲不民主，事先没有征求大家的意见，就让孔融主持分梨；孔融可能并不爱吃梨，却剥夺了其他兄弟的让梨的权利；孔融的父亲的朋友送梨，为什么不送一样大小的。诸如此类不一而足。看来是笑话，但是两位大学老师却把美国学生对中国历史文化的无知，近乎无理取闹，当成了具有批判性思维的典范，并以之反衬中国学生缺乏批判性思，拿到一个全国批判性思维的大会上宣扬。

正是由于在基本观念上的糊涂，造成了我国中学生议论能力的薄弱，如今全国及各省命题的议论文导向是非常及时的完全必要的。

天津卷的“重读长辈”，明显并不要求严格的议论文，但是，即使是以记叙为主，立意也需要有对代沟的理解和分析。题目分明提示，要从长辈的生活中“读出人生的事理，读到传统的积淀，读出时代的印记”这一点不能忽略。这里虽然可以写成抒情散文，但是，题目要求“人生的事理”“传统的积淀”“时代的印记”，这里就提示着，不能完全是抒情，要把抒情提升到理性高度，这里就涉及两个时代，两代人的价值观念的矛盾，需要把长辈和自己放在不同的历史语境中进行分析，这样的立意，才有深度，如果一点理性思维都没有，一味抒情，文章可能流于表面、片面，品位就高不了。

体现议论能力的导向，北京卷最为鲜明，干脆就宣布以“说纽带”为题，说，就是论说。表面看来，考生很难从题目上发现切入点，但是，在题目有不少提示，如人心、经济全球化、文化的交流、历史的传承、社会的安宁、校园的和谐，看来互不相干，但其中就有许多可以分类，可以构成对立，因而可能分析的地方。这样的命题，可以说与全国卷异曲同工。

与之相似的是江苏卷：车。车来车往，见证着时代的发展，承载了世间的真情；表面上很感性，应该是不难做的，但是，题目要求，要从车来车，“折射出观念的变迁，蕴含着人生的哲理。”这就要有自行发现矛盾，从而分析出一定的哲理来，才有比较高的立意。

浙江卷初看似乎有点令人困惑。有位作家说，人要读三本大书：一本是“有字之书”，一本是“无字之书”，一本是“心灵之书”。这位作家的说法，在逻辑上有问题。书的分类，一是，有字之书，二是，无字之书，还算标准统一，第三是“心灵之书”，标准似乎转移。前面的标准是有字和无字，后面的标准是，心灵和非心灵。是不是意味着前二者（有字和无字）乃非心灵之书呢？逻辑上讲不通。但是，好在命题给考生留下了评论的自由：“对此你有什么思考”“对作家的看法加以评说”。很难判断这个逻辑漏洞是不是命题者有意留下的。如果命题者有意如此，则重点则在考生的批判性思维。对于习惯于“扣紧题目”作文的考生来说，则可能是非常严峻的挑战。

今年最奇异的是山东卷：

> 某书店开启24小时经营模式。两年来，每到深夜，当大部分顾客离去，有一些人却走进书店。他们中有喜欢夜读的市民，有自习的大学生，有外来务工人员，也有流浪者和拾荒者。书店从来不驱赶任何人，工作人员说：“有些人经常看着看着就睡着了，但他们只要来看书，哪怕只看一页、只看一行，都是我们的读者；甚至有的人只是进来休息，我们也觉得自己的工作是有意义的。”

从题干来说，文字有点芜杂，从内涵来说，所提供的现象是比较表面的，其指向性比较平面，服务态度优良而已。但是，其议论的空间是比较大的。例如，读者与非读者，经营的效益和持续性等，议论余地还是不小的。这个题目不太高明，但是，对于善于具体分析的考生来说，写出奇制胜的妙文，也未可知。

从历史和世界视野看高考作文命题的理性思维走向
——评 2018 年高考作文题

一

从基础教育改革以来，每年语文高考一结束，作文题就成为媒体评论的热点。一些明星、名人对于高考作文题的采访，不可避免地流于浮泛，甚至误导。当然，对他们不必苛求。要求他们对中国考试历史、西方高校入学考试等具备系统知识是不现实的。

20 年来，年年炒作，似乎成为常规，没有太大的变化，但是，细细研究一番，变化还是有的。在最初阶段，大约是 20 世纪末到 21 世纪的第一个十年，评论集中在命题与主题的关系上。此前为主题性命题，主题由题目强制性地规定。考生不敢越雷池一步，主体性完全被扼杀。改革的第二阶段，变成了非主题性命题。材料作文、话题作文应运而生，立意有了开放性，考生能否自主立意，立意之高下，成为关键。这是从 20 世纪 50 年代以来，命题指导思想的历史性突破。非主题性命题，并不绝对放任考生自发性，而是在材料和话题中，隐含着价值观念、道德理念等的导向性。十几年来，经历了曲折的实践，有成功的经验，也有失败的教训，在以下三点上形成共识：第一，开放性与导向性的统一。第二，命题的思维模式，大致由显性的或者是隐性的矛盾组成。第三，与之紧密联系的，是文体从着重抒情散文，向理性议论转化。占据主流的命题，重在诱导考生在统一性的表面下揭示出相反的意涵，从而进行具体分析。这种变化的深刻性不仅单纯在文体上，更重要的是，显示了高校的选拔原则。高考不同于中学会考，中学会考只是检验其教学效果，而是高考是按大学标准，选拔有思考潜力的学生。这一点至为重要，至今在广大的中学老师中，尚未得到最自觉的认同。有一种与之并不完全符合的观念尚未得到澄清，那就是要贴近中学生活经验。这对于抒情叙事性散文来说，有一定的合理性，但是，对于议论文，则不然，抒情是个别的、特殊经验性质的，而理性的议论，则是普遍的，超越个体经验的，建立在概括的、抽象的、想象的推理基础上的。这并不神秘，数学方程式、万有引力、原子核结构、市场经济和计划经济，是高中生已经学习了的，都是超越直接感知经验的。理性就是从特殊向普遍的飞跃，从可直接感知的有限的经验，在想象中，向无限的，不可直接感知的存在的概括、推理。没有起码的抽象概括推理能力，就没有研究、创造的潜力。

这种选择准则是有历史经验的根据的。

我国的科举考试通常有“史论”，着重在历史的和政策的分析。清朝最后一次科举殿试第一场史论题目如下：1. 周唐外重内轻，秦魏外轻内重各有得论。2. 诸葛亮无申商之心而用其术，王安石用申商之实而讳其名论。教师超越个体直接经验的。在科举废除前后，民国初期学生的作文题目还大都如下，理论类：杨朱人生观。说经类：郑伯克段于鄢论。论史类：论洪杨失败之原因，马谡战败街亭论。论事类：论吾国实业不发达之原因等。孤立起来看，这样的题目对于当代的高中生来说，实在有点难于上青天的感觉。但是，联系到当时单纯读经读史为纲的教育体制，应该是顺理成章的。

智性议论的选择还是世界高考命题共同取向。

法国高考从拿破仑皇帝以来，200 年不变，以长达 4 小时的哲学考试一马当先，只有哲学考试合格了，才能获得参加高考的资格。2017 年法国高中会考的作文题是：“我有权做的一切是否是对的？”“理性能使一切变为理性的吗？”这样的题目，一度吓坏了某些国人。但是，考虑到法国中学的分量很重的哲学课程，这样的思辨性论题就不足为奇了。反过来说，要法国中学生做中国式的史论，如论拿破仑之滑铁卢之败，奥斯曼帝国之崩溃，可能就要抓瞎。前几年北京的作文考题为“我有一双透明的翅膀”这样的抒情性题意，就使得英国一位学者感到难得无从下笔。

美国是一个实用主义的国家，既没有中国这样漫长的历史，也没有法国德国那样丰富的哲学传统，其高校入学考试的作文题，就既没有哲学化，也没有历史化。ACT（American College Testing），比较有代表性的题目是“人工智能机器的广泛应用对人性的影响是正面的还是负面的”。二者的评分标准都不约而同地强调分析（analyzing 或者 logical analysis）。SAT（Scholastic Aptitude Test）测试的是“学业能力倾向”。典型的做法是让考生阅读一篇文章，如：现代工业文明使得人们失去了黑夜，这不但对于人类的精神，而且对于动物的繁殖是有害的。俄罗斯高考作文命题的精神，同样是对高考生智性能力考核：2017— 2018 年的命题是 5 个大方向：1. 信念和变化；2. 漠不关心和感同身受（同情心）；3. 目标和方法；4. 勇敢和怯懦；5. 人和社会。这 5 个是范围，每一个范围包括一个书单，共有 30 本书。一般都是名著。从名著中选出一长段，或几个长段。要求 1. 发表意见，2. 提出问题，3. 展开问题，4. 作者的观点，5. 考生的观点，6. 两个论据，7. 总结。

各国的具体做法各有其民族文化和历史的特殊性，但是，旨在检测考生的思辨能力、分析能力，如美国人说明白了的“学业能力倾向”，是异曲同工的。

二

媒体炒作背离了世界性视野、历史的维度，很难对历提的作文考题做出比较到位的评价。我国近年作文题的思辨倾向，逐渐向二元对立方向发展，其实隐含着历史的必然性。其特点是，题目提供显性的和隐性的矛盾，推动考生作正面反面的分析。

从这一点来说，今年全国二卷完全沿袭了历史轨迹。

> “二战”期间，为了加强对战机的防护，英美军方调查了作战后幸存飞机上弹痕的分布，决定哪里弹痕多就加强哪里，然而统计学家沃德力排众议，指出更应该注意弹痕少的部位，因为这些部位受到重创的战机，很难有机会返航，而这部分数据被忽略了。事实证明，沃德是正确的。

这是典型的二元对立的素材，把相反的两个方面摆在考生面前，一是，弹痕多者，二是，弹痕少者。前者更应该加强防护，不言而喻，而实践证明是后者。矛盾的转化的条件是，那些着弹多者，往往很难返航。隐性的事实，导致了统计假象。这个题目意在让考生拓展思维，在表面看来无可争议的现象背后分析出潜在的矛盾和转化的条件来。事例是具体的、个别的，而题目考量的则是从个别拓展到普遍的规律。理性分析显然是主要的，想象性的抒情固然也不排除，但是，发挥不应该太多，以免造成喧宾夺主之感。这一点美国高考作文也有关照，主要论述旨在是对论点的支持和说服力，至于文字上，诉诸情感（appeals to emotion），目的是加强表达力（to add power to the ideas expressed）。

从表面上看，全国二卷的考题似乎与法国、美国乃至我国的科举试题，在内涵上南辕北辙，但是，从思维方式来看，却息息相通，都建立在对立统一的思维模式的基础之上。法国的“我有权做的一切是否是对的”蕴含的矛盾是权利与正确性的统一性中隐含着矛盾。“理性能使一切变为理性的吗？”潜在的矛盾是，理性在一定条件下可能转化为非理性的。美国的工业文明为人类把黑夜变为光明，表面看来应该是带来了幸福，但是，黑夜被消灭，也为人类和生物的生态带来了灾难。人工智能取代了繁重劳动，但是，也使得人与人之间的交往丧失了人情。所有这一切在思维方式上和中国科举试题：周唐外重内轻，秦魏外轻内重。诸葛亮无申商之心而用其术，王安石用申商之实而讳其名论。在对立而统一的思辨模式上是不约而同的。至于学生作文的“杨朱人生观论”中隐含的杨朱为我，拔一毛以利天下，不为；墨子兼爱，摩顶放踵以利天下，为之（参见《孟子》尽心篇），在矛盾对立统一，要求做具体分析上，和美国作文要求分析（analyzing 或者 logical analysis）的评分原则是息息相通的。

从这个意义上来看，上海卷在对立思维模式方面与法国、美国、中国古典命题可谓异曲同工。

生活中，人们不仅关注自身的需要，也时常渴望被他人需要，以体现自己的价值。这种“被需要”的心态普遍存在，对此你有怎样的认识？

上海卷的自主命题向来保持稳定的水准，不过，2018 年的命题，严格说来，比较简单，甚至可以说是粗糙了一点。这不是吹毛求疵，而是因为，我国的命题，主要是最好的命题，已经达到一个新的水准，带上了民族文化的新特点。我指的是，我国是一个诗教传统很深的国家，最独特的表现，就是一度在科举考试中加入了诗歌。这在西方任何国家是不可思议的。这种重视审美教育的传统对理性思维为主的高考作文命题长期带着某种抒情因子。在很长一个时期中，作文命题带着某种抒情的、感性的意味。但是，过分着重于抒情与理性是矛盾的。在基础教育改革中，这种抒情性因理性的强势崛起而逐步受到抑制，经过 20 年的曲折探索，新时代的命题，既没有停留在史论和策论的原点，也没有完全转向法国式的形而上的思维，其结果就构成了中国特有的以感性包装的理性思维的模式。和法国和美国的命题直接提供单纯的抽象的素材不同，我国的命题总是把议论建立在感性的基础上。有时还是还原到生活的原生态，不惜将纷繁的感性展示在考生面前，让考生经受从感性直接进行抽象的挑战。

今年全国卷 I 作文题，让许多人感觉到出乎意料。其原因在于，第一，与前几年直接给出的二元对立模式不同，没有直接提供，也没有间接暗示隐含的对立面。第二，这几年作文题的历史走向是抽象度越来越高的议论。题目所含对立面很集中，很容易概括出论点形成主题，有了主题，平时积累的名人名言，立马就可能各就各位，对号入座，做些说明，做些分析，不难敷衍成篇。这对许多考生来说，应该是驾轻就熟。而今年的作文题，似乎并不容易迅速构成立意。因为题目所提供的素材纷繁，并不是单纯的二元对立，而是罗列、枚举，并无内在的逻辑联系。面对这样的题目，许多长于抒情叙事的考生，可能一下子有点发蒙。因为，题目提供的素材可能是有历史来最为繁多的。汶川大地震；北京奥运会；“天宫一号”首次太空授课；公路“村村通”接近完成；“精准扶贫”开始推动；网民规模达 7.72 亿，互联网普及率超全球平均水平；2020 年全面建成小康社会，2035 年基本实现社会主义现代化。要从这么纷繁的素材中形成统一的、单纯的主题，难度是显而易见的。在如此纷纭的现象面前要概括出单纯的题旨来，是有相当难度的。不是抓住任何一点随意发挥一些正能量的话语，就能达到题目暗示的深度。第三，若仔细研究全部题干，好像凝聚点还是蛮鲜明的。首先，题目的焦点是，从 2000 年出生到 2018 年，“世纪宝宝”一代长大成人。所说的正是考场里所有 18 岁的考生。用一句套话说，这样的命题是很贴近考生生活的。其次，以书信形式作文，写给下一代 18 岁青年。文体已经规定。再次，主题实际上也已经有了宽松的规定：和祖国“一路同行、成长”，和“新时代一起追梦、圆梦”。关键词是“新时代”“追梦、圆梦”。抓住了这样的关键词，立意就不难了。适逢实现民族复兴的中国梦的“新时代”，世纪宝宝，18 岁的青春，机遇和机缘都是大好的，但是，如果光是满足于此，则可能一味抒情，流于表面，缺乏深度。最为关键的不是能否写出文章，而在于写得有竞争力。题目中的“使命和挑战”可以说是“题眼”。题目的亮点就在于不着痕迹地提示了二元对立，既是千载难逢的机遇，又历史的使命和挑战，这里就有许多可以深入思考的矛盾。新时代是美好的，责任又是重大的，幸运和严峻同在，这就需要理性的分析来弥补一味抒情的片面性。最后，在注意到理性分析的同时，题目还要求联想和思考，特别是想象（给 2035 年 18 岁的一代人阅读）。要写得有竞争力，出格的想象是不可或缺的。18 年后，物质文明的发达，国力强大，是不难想象的，如果要写得有竞争力，往精神面貌方面多加想象可能更好。应该注意的是，这里就自然而然地引出抒情、诗意，但是，不能太散漫，要集中在那时的 18 岁青年身上，不应该忘记的是，那时在场的考生已经是 36 岁的年纪了，对下一代人，如何回忆今天的考试，意味应该是很深长的。普希金诗曰：“那过去了的一切将成为亲切的怀恋”。而今日的一代，对于未来的一切，应该成为更加欣慰的期待。诗意和哲理在这里可以达到高度统一。

欲深刻理解全国Ⅰ卷的特点，孤立地看可能不够深入，对照其他各卷是必要的。全国Ⅲ卷，“时间就是金钱，效率就是生命——特区口号，深圳，1981；绿水青山就是金山银山——时评标题。浙江，2005；走好我们这一代人的长征路——新区标语，雄安，2017。”命意基本同于Ⅰ卷。但是，感性素材比较单调，而且缺乏全国Ⅰ卷那样的使命与挑战的凝聚的焦点，显得散漫。北京卷：“今天，众多 2000 年出生的同学走进高考考场。18 年过去了，祖国在不断发展，大家也成长为青年。请以‘新时代新青年——谈在祖国发展中成长’为题，写一篇议论文。”相比全国Ⅰ卷，命意几乎相同，但是，比较单纯，而且明确规定写议论文。但是其启发性、感性想象和形式方面显然不如全国Ⅰ卷远甚。命意雷同，水平不一，可以总结的是：一方面，时政关切度应该坚持，另一方面，关切不能生硬。这一卷把主题都明确规定了，对于启发考生主体思维和情感的活跃，应该是比较弱的，严格地说，似乎有某种向主题性命题倒退的倾向。回顾一下晚清最后一次殿试的命题，也只是给定相互矛盾的材料，并没有给定标准答案呀。

北京卷Ⅱ卷：“生态文明建设关乎中华民族的永续发展，优美生态环境是每一个中国人的期盼。请你展开想象，以‘绿水青山图’为题，写一篇记叙文，形象生动地展现出人与自然和谐相处的美好图景。”这一题的命意显然不在抽象议论，而在抒情。看来北京卷的命题者，对于高校选拔的理性思维准则还是有点动摇，有意为不善于思辨的学生留下发挥的余地。我想，这样的妥协，在日后应该日趋式微。

北京卷的小作文题（微写作）倒是很有创新性，让考生在《红楼梦》《呐喊》中选一人物加以评论，或者对《边城》《老人与海》以排比比喻句，抒写从中获得的教益。这在加强经典名著的阅读方面应该是切实有效的举措。

今年有点令人意外的是浙江卷：“浙江大地，历史上孕育过务实、知行合一、经世致用等思想，今天又形成了‘干在实处、灿烂走在前列、勇立潮头’的浙江精神。在与时俱进的浙江文化滋养下，代代浙江人书写了一个又一个浙江故事，创造了一个又一个浙江传奇。作为浙江学子，站在人生新起点，你有怎样的体验和思考？”这显然是既可议论，又可抒情，两方面的空间似乎都很广阔，但是，又好像又并非如此，因为论点已经给规定了：“知行合一”“经世致用”“干在实处”“勇立潮头”“与时俱进”等，但是，似乎没有内在的对立和统一，就显得有些纷纭，缺乏立意的聚焦点，考生要面面俱到，是不可能的，在短促的时限下，别无选择的就是取其一端，不顾其他。不完整切题的现象普遍存在，必然迫使阅卷人士不得不做出妥协。

对于考生来说，最为艰难的是江苏卷：“花解语，鸟自鸣。生活中处处有语言，不同的语言打开不同的世界，比如雕塑、基因等都是语言，还有有声的、无声的语言。语言丰富生活，演绎生命，传承文化。”题目的思路是很开阔的，素材是很丰富的，题旨的导向是“语言丰富生活，演绎生命，传承文化”，如何把花、鸟、雕塑、基因等统一起来成为“生命”的载体已经很难，至于还要“传承文化”，题旨所要求的概括力，可能超越了绝大多数考生（甚至阅卷群体的）的素养。同样要迫使阅卷组做出痛苦的妥协。

相比起来，天津卷就聪明得多：“生活中有不同的‘器’。器能盛纳万物，美的形制与好的内容相得益彰；器能助人成事，有利器方成匠心之作；有一种‘器’叫器量，兼容并包，彰显才识气度；有一种‘器’叫国之重器，肩负荣光，成就梦想……”这里提供的思维素材的丰富性可能不亚于江苏、浙江卷，但是，并不纷乱，因为有一个总括全体的焦点，那就是“器”，第一层次是，生活中的容器，是具体载体，与内容相对的，第二层次，把具体的器，抽象化为“气量”“气度”“国之重器”等，这就把物质的器提升为精神的器。当然，对于考生来说，能够系统抓住两个层次是不容易的，但是，如果不是责备求全，只要能抓住一个层次，也就能显示其潜在的思辨能量了。

具体分析和演讲文体
——评 2019 年高考作文题

一、立论·立人：以辩证唯物论为世界观的基础

2019 年高考全国一、二卷和各省绝大部分作文命题共同的特点是，第一，沿袭了主题开放性和导向性统一；第二，重在议论，不完全排斥抒情；第三，提供显性或隐性矛盾的素材，激发考生进行具体分析。对于依据论点选择与其一致的事例或名人名言为据者，是又一次严峻的挑战，全面分析和片面“论证”的区分度有效拉开。

全国一卷题旨是劳动创造价值，热爱劳动是中华民族的优秀传统。这属于核心价值观。有些抽象，幸而题目提供了一系列传统思想资源，如“民生在勤，勤则不匮”，“夙兴夜寐，洒扫庭内”。沿着这样的思路去写，发挥的余地可能还是不大。据报道，厦门和广东某些学校，在模拟性考试中，也有极其类似劳动价值的作文话题，但是停留于共识，未能提供矛盾，无从分析，故并未推出稍强人意之作。全国一卷的命题的特点，乃是把共识现实思想的矛盾作为命题的核心。反命题素材，有感性的，如时间不够，也有一定智性的，如科技进步、人工智能发达的前景，劳动苦而累，雇人代劳等。把对立面树立起来，有利于在分析中，有利于激发考生潜在的思绪，盘活记忆中相关储存，文章的意脉不难层层深入。这不仅是为文的技巧，而是自主立论。立论的基础而是立人。许多评题专家，不约而同地提到立德树人。但是，往往流于空泛，按辩证唯物主义，最起码的就是把一切事物从自然、社会到人的观念，都是矛盾统一体，一切矛盾在一定条件下不断在运动转化。这也是我国传统文化中《老子》的矛盾论和明代方以智的“合二而一”论的精神。人要有思想，有创

见，就要对矛盾进行分析。立人的关键在于具体分析中形成自己的思想。马克思主义的活的灵魂就是对具体矛盾的具体分析。这是我们的世界观，又是我们的方法论。立德树人也好，核心价值也好，并不是空洞的，而是具有哲学基础的。从高中到大学，正是青少年世界观形成期，我们的各门课程，固然各有其特点，但是，从根本上来说，上面千条线，下面一根针，聚焦在推动青少年确立世界观。作文立论，也就是从世界观上立人、立志。台湾易理玉老师深深理解此一命题在立国立人的意义，她说："一旦胸襟、器识未在少年时培养，日后必如土崩瓦解，国之精神长城因此崩坏。"（2019年6月8日评论）

除了继承，我们还把希望寄托在青少年的思想的创新、突破上，如果一味以现成的观念为标准，选择与之相一致的材料，进行所谓论证，只能重复现成的，而要落实创新和突破。除了对现成的观念进行具体分析，别无选择。

彻底的辩证法，是无所畏惧的，有了这样的自觉，才谈得上对一切事物，包括对作文命题中含着矛盾潜在量进行分析。可喜的是，近年来，作文命题，在这一点上达成的共识越来越广，甚至可以说，成了一种历史取向。

2019年，全国卷和一些省份的命题，在具体分析这一点上取得的一致更为明显，可以说成为主流。当然，个别省份可能对辩证分析，还不坚定，羞羞答答，和机械论、形而上学的片面性立论划不清界限，作为一种历史发展过程中的现象，应该是难以避免的，耐心等待是必要的。

就整体来说，虽然共同的取向是一致的，但是，在形态上风采各异。大致可以分为两类，第一类直接把矛盾放在考生面前，第二类，则把矛盾则是隐性的。

第一类以浙江卷为代表，在面对矛盾上，可能是最为勇敢的。

有一种观点认为：作家写作时心里要装着读者，多倾听读者的呼声。

另一种看法是：作家写作时应该坚持自己的想法，不为读者所左右。

命题者显然没有忽略，这样的矛盾是作家的，中学生可能有所隔膜，乃机智地将之比喻化："假如你是创造生活的'作家'，你的生活就成了一部'作品'，那么你将如何对待你的'读者'？"

而江苏卷，提供的矛盾，则不像这样单纯有序，话语比较丰富：

物各有性，水至淡，盐得味。水加水还是水，盐加盐还是盐。酸甜苦辣咸，五味调和，共存相生，百味纷呈。物如此，事犹是，人亦然。

表面上不完全是水淡，盐咸的二元对立，而是酸甜苦辣咸。如果拘泥于字眼上的百味纷呈，联想云蒸霞蔚，万途竞萌，则很难提炼出单纯的主题和一贯的文脉，要精确地联系到物、事，无从下笔。这时，对题目进行提炼，把题目单纯化，最有效的办法就是，用矛盾对立的方法，进行分类。盐、水性质之不变，酸甜苦辣咸之纷纭，似乎无法统一。如将“百味纷呈”作为矛盾的一方面，把“五味调和”“共存相生”作为矛盾的另一个方面，则纷纭的头绪就有了单纯的对立。有了矛盾就不难加以分析，论点就不难深化。这样的具体分析，不但有相当的抽象力，而且有相应的概括力，这样的思辨能力，正是创新思维的基础。

属于这一类的，还有北京卷。特点是把矛盾隐藏得很深的。

> “韧性”是指物体柔软坚实、不易折断的性质。中华文明历经风雨，绵延至今，体现出“韧”的精神。回顾漫长的中国历史，每逢关键时刻，这种文明的韧性体现得尤其明显。中华民族伟大复兴，更需要激发出这种文明的韧性。

题目是“文明的韧性”。如果拘泥于切合“韧性”题旨，按题目联系“历史变迁”“思想文化”“语言文字”“文学艺术”“社会生活”“中国人的品格”诸多方面，写成抒情文章，素材应该是不缺乏的，但是，题目要求的却是议论文。困难在于，第一，多元的素材，容易陷于现象无序罗列，缺乏内在逻辑；第二，容易平面铺开，一个论点到底，主题难以在层次上深化。要把文章写得深入一些，就要分析“韧性”隐含着矛盾：第一，“柔软坚实”，包含着对立；第二，前提是“不易折断”“历经风雨”，很显然，深层的内涵是在逆境中，在强大的压力下，不屈不挠，战胜逆境转向顺境。分析出潜在的矛盾，文章的立意就比一味做抒情式的颂歌要深邃。

第二类，可以天津卷为代表，提供了两种相反的观念，一是，方志敏针对 20 世纪 30 年代“江山破碎，国弊民穷”的悲惨现状，仍然相信，中国一定有个可赞美的光明前途。二是，陶行知、黄大年的慷慨爱国格言，以此矛盾的主要方面，作为正面导向，可以发挥的空间是很广大的。

有些命题的导向性，另具一番风貌。如全国一卷，命题的导向性是明确的：提倡“热爱劳动，从我做起”。但又不是过去那种强制性的主题性命题，而是在规定性之下，留下了自主立意的空间：“体现你的认识与思考”，“提出希望与建议”。这里有命题者的良苦用心，在核心价值统一之下，仍然留下广阔的自由发挥的空间。为了更切合实际，命题将对象限定为本校同学。这就可能唤醒许多特殊的感性的生活素材。而“认识与思考”“希望与建议”并不要求有一般议论文的严格的雄辩性，但是，切不可忽略，关键是自己的，而不是别人的，只有与他人不同的，才有特点，文章才有竞争力。

二、最大的亮点：提出演讲文体

2019 年全国一卷和二卷的最大亮点是文体上要求：演讲稿。这个亮点太亮了，可以说，历史性的巨大突破。

传统的科举考试，乃至百年的作文命题，都是做文章，从来没有演讲稿的文体要求。在潜意识中，吾人都以为写文章和演讲是一回事。然而，语文课程标准是阅读、作文和口头交际的三位一体。作为口头交际的演讲和作文是不同的组成部分，但是在教学实践中，将二者混为一谈则是常态。多来年，高考并未把口头交际作为考核的内容，故演讲就被散文淹没了。实际上，演讲和作文在规律上，有重大的区别。我们的语文教育家、语言学者，对这样的区别是无视的，百年以来，积重难返，造成了国民素质在这方面的薄弱。我国学者、企业家在国内外现场交流时，往往离不开念讲稿。两眼盯着稿子，而眼睛是灵魂的窗子，现场交流的窗子就关闭了，听者难免昏昏欲睡。

2019 年，厦门市质检曾经有和全国卷相类似的命题：从 20 世纪五六十年代大庆油田，到 21 世纪的马云说到“一个时代有一个时代的劳动者，一个时代有一个时代的劳动精神”，要求写篇“演讲稿”，题目和文体要求都很相近。可惜的是，并没有意识到演讲稿与抒情散文的根本区别，以为开头有“亲爱的同学们”，最后有“谢谢大家”，就算是演讲稿了，把散文当成演讲稿的倾向并未引起警惕。

演讲与散文最大的不同，乃是其现场双向交流和互动，演讲者与听众面对面，不像文章作者与读者互不相见，读者的情绪、反应并不影响作者的情绪，而在会场上，演讲者不单纯是发出信息，同时又在接受反馈，现场的消极反应立即影响演讲者的信心、才智的发挥。在现场，听众与听众也处在交流之中，不仅是语言，而且有听众的笑声和嘘声，掌声和漠不关心的神色都可能决定演讲的成败。

须知听众在进入现场的时候，各有自己烦恼的焦虑，各有各的秘密的快乐，这些心情远比你的演讲题目对他们的命运重要。演讲者必须在最短时间内让他们把纷纭的情绪放在一边，让 90% 以上的人把全部注意力集中到演讲题目上来。这一点必须在最短时限之内做到。否则，哪怕是 10% 的人漠不关心，交头接耳，就会影响身边的 10% 的人，如对之放任自流，这 20% 的人东倒西歪的姿态，影响扩散开来，发出交头接耳声音，这对演讲的情绪会造成打击。

演讲的开场白很重要，其功能就是缩短演讲者与听众的心理距离，让所有的人，在最短时间，对你的题目，甚至对你这个人产生兴趣。有一位学者受邀到一所重点大学去讲《三国演义》中的诸葛亮。事先有关方面忠告，这所大学的学生自我感觉高傲，不管你老几，讲不好，就可能公然退席，完全不给你留什么面子。最坏的结果是，把你轰下台。这在艺人，叫作砸场子。这位学者当然不想丢面子，一上来，就来了一个开场白。

非常开心，来了这么多同学。说明对诸葛亮感兴趣。当然也包含了另外一层意义，对鄙人感兴趣！（笑声、掌声）我有自知之明，你们主要还是对诸葛亮感兴趣。（笑声）当然，对我感兴趣也是令人鼓舞的。（笑声）诸葛亮死的时候才 54 岁，我今年比他快大到了 20 岁了。（掌声）鄙人今年 73 岁！刚才在休息室，你们两个女同学，非常美丽的，非常认真地，先后问我，说："老师，你是坐着讲啊，还是站着讲？"我觉得这个题目非常难回答。（笑声）后来我随便说："你给我准备个座位，我想坐就坐，想站就站。"为什么呢？我眼睛一斜，走廊里站了那么多人。如果他们站着我坐着，有点于心不忍。我是个人道主义者啊。（笑声）但是后来又想，还是要坐着。（笑声）因为什么呢？诸葛亮的标准形象，就是我这个样子！（笑声、掌声）不过还差一把鹅毛扇。（笑声）看来你们也同意我坐下！好吧，有点仙风道骨了吧。（掌声）

这当然完全是开玩笑，用艺人的述语来说，包含着一连串的包袱。第一个是自我调侃，听众来，并不是对自己有兴趣，第二个，反过来，是自我褒扬，对自己有兴趣，也挺值得。第三个包袱是，年纪大了坐着讲理所当然，但对不起后排站着的同学，上纲到人道主义，大词小用，实际上自我美化，第四包袱是坐着讲更像诸葛亮，这完全是虚幻的，但是，笑声的掌声说明与听众在情绪上达到了水乳交融，心理距离完全消失。总体来说上述方法均属于自我调侃。

以自我调侃与听众打成一片，并不仅仅是开头的技巧，而且是演讲的规律。鲁迅在演讲中，常用自我调侃的办法来缩短心理距离。在演说《读书杂谈》时，作为读书人而声名显赫的大师，把读书比喻为赌博性质的打牌：读书成为嗜好，该如打牌，天天打，夜夜打，被公安局捉去了，放出来，还是打。接下来，鲁迅将之夸大到荒谬的程度，就构成了幽默：

但听得爱赌的人说，它妙在一张一张摸起来，永远变化无穷。我想，凡嗜好的读书，能够手不释卷的原因也就是这样。在每一页每一页里，都得着深厚的趣味。

把赌博和读书的境界、趣味之间的区别，完全撇开，绝对地强调其中的相同，这是显而易见的荒谬，自我调侃的技巧就发展为不伦不类之比，构成不和谐，在逻辑上不统一，也就是西方幽默学中的不一致（incongruity）。但是，结合着现场的氛围，可这样的讲话，强化了与听众心灵互动。毛泽东在《反对党史八股》中说，"党八股的第六条罪状是：不负责任，到处害人。""一方面是由于幼稚而来，另一方面也是由于责任心不足而来的。拿洗脸作比方，我们每天都要洗脸，许多人并且不止洗一次，洗完之后还要拿镜子照一照，要调查研究一番，（大笑）生怕有什么不妥当的地方。”这是明显以大词小用的不一致，不和谐构成幽默感。

当然，演讲的目的并不完全停留在与听众打成一片上，打成一片的目的是提高听众的思想提供情绪上的基础。有了这个基础，演讲者的智慧、深邃的思想就不但容易被接受，而且被欣赏。毛泽东在同篇文章中说：

许多人常常以为自己写的讲的人家都看得很懂，听得很懂，其实完全不是那么一回事，因为他写的和讲的是党八股，人家哪里会懂呢？“对牛弹琴”这句话，含有讥笑对象的意思。如果我们除去这个意思，放进尊重对象的意思去，那就只剩下讥笑弹琴者这个意思了。为什么不看对象乱弹一顿呢？

如果说幽默感带来的谐趣，像这样的把原本的共识轻而易举地转化为相反的意思，这对听众的不但有现场感知的冲击性，而且有思想的启发性。从根本上来说，演讲的最高目的是传播和说服，除了谐趣更重要的是应该是智趣。1930 年 3 月，鲁迅在左翼作家联盟成立大会上的演说中（题目是《对于左翼作家联盟的意见》）这样说：

我以为在现在，“左翼”作家是很容易成为“右翼”作家的。为什么呢？第一，倘若不和实际的社会斗争接触，单关在玻璃窗内做文章，研究问题，那是无论怎样的激烈，“左”，都是容易办到的；然而一碰到实际，便即刻要撞碎了。关在房子里，最容易高谈彻底的主义，然而也最容易“右倾”……第二，倘不明白革命的实际情形，也容易变成……“右翼”……（革命）决不如诗人所想象的那般浪漫……所以对于革命抱着罗曼蒂克的幻想的人，一和革命接近，一到革命进行，便容易失望。听说俄国的诗人叶遂宁，当初也非常欢迎十月革命，当时他叫道，“万岁，天上和地上的革命！”又说“我是一个布尔塞维克了！”然而一到革命后，实际上的情形，完全不是他所想象的那么一回事，终于失望，颓废。叶遂宁后来是自杀了的。（原载《二心集》）

这样学说的精彩在于演绎从“左”到右，矛盾在一定条件下转化为反面，顺理成章，如此深邃的思想，是有某种震慑听众的效果的。这种理性的逻辑，与幽默的谐趣是不一样，属于智趣。幽默是为了缩短心理距离，是俯就，而这样深邃的思想，给那些满怀着浪漫的不切实际的文学青年兜头一盆冷水，则是提升了心理高度。这就是瞿秋白所说的“罗曼蒂克的革命家的诤友”的忠告，只有自己人才会有这样的严峻的亲切。

思想和感情并不仅仅是对立，而且也具有内在的统一性，有时，可以达到浑然一体的程度，特别是在一些鼓动性的语境中。在一次公安部门的演讲会上，一个公安战士讲到他在执行公务过程中，被歹徒打瞎了一只眼睛，歹徒弹冠相庆说：“这下子他成了‘独眼龙’！”他伤愈之后又重返第一线工作。讲到这里，他拍了一下桌子，大声说：“我‘独眼龙’又回来了！”会场里立即卷起雷鸣的掌声。

这就不但思想的力量，而且是人格上，情绪上率性的力量。十几年前，我替一个模范公安干警修改演讲稿。他是一个颇有英雄气概的汉子，在讲到自己对歹徒有一股情不自禁拼命精神，最初不被人们理解，有些人叫他“郭疯子”，我就替他加上了几句：“干我们这一行，就得有一股拼命精神，有人叫我‘郭疯子’，我想，和害人精斗争，没有股疯劲哪行！案情一发，就横下一条心，老子今天就跟你疯上了！”对我的修改，这位英雄，十分赞成，他说，你这么改，我才觉得来劲，要不然，总是讲不出心里的那种辣乎乎的情绪来。

我对他说，其实这种话，就在你心里，只是你一想到上台演讲，就有一种看不见的力量，驱使着你不讲自己心里的话，而是让那些美丽的现成的套话脱口而出，这就不但把本来很生动的话语丢掉了，而且把你本来很生动的个性歪曲了。一旦你歪曲了自己，听众和你之间的情绪就产生了一堵透明的玻璃墙，你和听众之间的交流的渠道就不可能畅通了。

演讲之妙，在缩短心理距离与拉开提思想高度之间的自由转换。讲者在听者的理解和鼓舞下，选择词语，生成观念，听者和讲者场上场下，心领神会，一起享受这个过程，演讲者哪怕是一举手，一扬眉，甚至一个口误，都会引发笑声和掌声。这就可谓达于妙境了。通向这种境界的途径和规律，不要说我们的理论家没有掌握，就是在多如牛毛的美国演讲术中，也几乎是空白。

就以我们的国情而言，当前最普遍的误解乃是以为抒情是演讲唯一的法门。其实，抒情固然是不可或缺的，但是，要用得适当，不加控制就变成滥情。曾经有一种语文课本，选了一篇《毕业晚会上的即兴演讲》，下面是其中的一段：

> 三年的时光，匆匆地流逝了，相聚不知珍惜，别离才显情重。此刻离别的晚会为我们而开。再回首，张张熟悉的面孔像朵朵彩云一一掠过，多姿多彩的生活如童话般的梦境，在你、在我心头重播。可这一切，都将如轻烟一缕，缓缓地飘向白云生处。

这么多书面化甚至拗口的形容词，还有对称的句法，绝对不是现场即兴的。这么丰富、华彩的形容词，这么强烈的诗化语言，这么明显的刻意求工，毫无心灵瞬时生成过程，是不是有一点装腔作势的感觉？说是严重一些，就是有点滥情。虽然书面语言有严密的好处，但是也有其局限：一来，由于日常使用率低，大脑皮层的反应不如口语那么快，很难在现场产生瞬时沟通的效应；二来，它不如口语的响亮干脆，形容词太密，造成听众与演讲者之间交流的阻隔，互动和沟通根本谈不上。口语词汇的干脆、鲜明性。

演讲体的特殊规律至今还没有为学者作为理论问题提出，但是，在实践中大体不难自发做到的乃是词语的口语化。如“他们失败了”，在散文中，这是很正常的，而在演讲到情绪激昂的时候，就可能不够味，如果用“他们完蛋了”就比较有效果。一般文章说“把他杀了”，在散文文中，也就可以了，在演讲时，说“把它宰了”，就更能耸动听众的情绪。死亡，在书面作文时可以说过世、亡故，但是，在演讲时，就可能不够劲，如果说，翘辫子和上西天，就有不同的意味。这种意见应该反对，这是散文语言，如果改成这种说法应该粉碎，就比较容易调动听众的感情。

演讲是一门独立的学问。总起来说，第一，演讲的现场性；第二，与听众的互动生成性；第三，具体分析的深邃、智性的张扬为上；第四，适当的鼓动、煽动、抒情；第五，故作大言、大词小用的幽默感等；第六，演讲词汇，贵在口语化，就句法而言，则以短句，干脆利落为上。这一切，都是题中之义。

在美国中学就有演讲课程（public speaking），在大学有演讲学，有演讲系，有演讲博士、演讲教授。而我们在这个学科上，还是一片空白。一些权威语言学家，在演讲理论和实践上是比较落伍的。他们往往重复一些西方的语境理论，实际上离开了文体感，就不能不是从概念到概念空转。面对这种现状，权威教育家不是负起历史使命，而是提出“把一切交给学生”。从理论上说，把“一切”交给学生，就是绝对化的，片面的，明显违反辩证法对立统一的全面性的，从实践来看，把“一切”交给学生的结果是“一切”学生写不出演讲稿来。这个课题在目前不但是对学生的挑战，而且是对老师的挑战，在这演讲体在人际、国际交流中，需要越来越显得迫切的时候，最为严峻的是对权威教育家对演讲体的迫在眉睫的漠然态度的挑战。我想，一个负责任的教育理论家，最佳的选择，不是把一切推给学生，而是留下相当的精神，自觉地负起历史使命，填补知识结构的空白。

从这个意义上说，2019 年全国高考作文卷空前地提出演讲文体，实在是为我们语文教学敲响了一声迟到的醒世之钟。

用正反合的辩证思维，盘活内心储存

——评 2020 年高考作文题

一

纵观 2020 年高考作文命题，其封闭性和开放性，尤其是核心价值观念的导向性问题基本已经解决了。总体来说，显示出四大亮点：第一，传统优秀文化精华含量自觉性提高，最突出的是全国Ⅰ卷，用春秋时期管鲍之交的故事，全国Ⅱ卷用墨子的名言：“视人之国，若视其国；视人之家，若视其家；视人之身，若视其身。”第二，放眼最新科技前沿辉煌发展，如以北斗卫星完成全面布局为题。第三，直面世界性抗击新冠疫情中的中国正能量，如全国新高考Ⅰ卷。第四，把论题放在矛盾对立中展开。特别明确的是全国Ⅲ卷，用自己的眼睛看客观世界，看他人，却不能完整地看自己的矛盾。这涉及辩证法，从思想方法上，自然、社会、人的观念，都是对立面的统一，都不是静止的，而是在不断发展之中，其动力就是其内在矛盾揭示出来。在对立的统一中，做具体分析，是马克思主义活的灵魂。从根本上来说，这涉及青年的世界观和方法论的问题，命题在这方面日益自觉。几乎所有的省市命题都表现了在对立面中进行具体分析的趋向。如北京卷：北斗卫星导航系统 55 颗卫星总体功能和每一颗卫星的特殊功用。天津卷是“中国面孔”：伟大诗人杜甫、挽救数百万人生命的屠呦呦和普通快递小哥的统一，关键在局部与整体、伟大与平凡的关系。遗憾的是，北京卷的命题一方面提供了整体与个体之间的矛盾，另一方面又有“论点明确，论据充实，论证合理”的说明，仍然不自觉地受到先有论点，后找论据的不科学思维模式的束缚。

值得注意的是，全国卷的每一卷都提出了具体的文体要求：发言稿、演讲稿、书信。命意很明显，把书面交流和口头交流结合起来，作为考查的组成部分。相比起来，各省市的命题似乎不约而同地忽略了语文课程标准中，文本、写作、口头交流三位一体。上面千条线，底下一根针，考生的素质最集中、最雄辩的表现就是作文和口头交流。

按目前全国各省市普遍达到的水平，来看上海卷：

世上许多重要的转折是在意想不到时发生的，这是否意味着人对事物发展进程无能为力？

核心问题是“转折”，用哲学的话语来说，就是对立面的转化。从这一点来说，上海卷与全国命题的总体走向是一致的。但是，如果允许我苛求的话，比之全国卷似乎比较单薄，开放性脱离了与传统文化当代性结合的导向。比之前些年上海卷屡屡优异的表现，2020 年不能不给人有些倒退的感觉。至于一向水准起伏不定的江苏卷，2020 年的命题，则可议之处就更多。首先题目本身似乎就带着片面性。

同声相应，同气相求。人们总是关注自己喜爱的人和事，久而久之，就会被同类信息所环绕、所塑造。智能互联网时代，这种环绕更加紧密，这种塑造更加可感。你未来的样子，也许就开始于当下一次从心所欲的浏览，一串惺惺相惜的点赞，一回情不自禁的分享，一场突如其来的感动。

命题第一部分是人们总是被同类信息所环绕（更准确地说，应该是包围），所塑造，有了互联网怎么样呢？并不是为异类信息冲击打破包围，看到事物的相反方面，甚至更多、更复杂的方面，而是对同类信息更加亲切。这样命题的缺陷，一是不无片面，互联网上信息是多元的，比之同类信息更为纷繁的是异类信息；二是一味偏执于同类信息，实际上是把同类信息的包围作为主题强加给考生。这是不是又回到封闭性的老路上呢？幸而这样的命题在全国是很少的，但是这是很值得警惕的。

二

每年高考作文命题一出，当天就成为报刊炒作热点，一些学人、专家、明星，纷纷发表种种评论。其中深思熟虑之见，对于改进命题之功不可低估。但是，一些没有系统研究的学者、文化明星浮光掠影的感想、大而化之的赞扬、老生常谈、套话、空话，实非罕见。究其原因，评论的目的仅仅为命题之优劣，其实，这并不全面，不可回避的问题是，改进命题又为了什么呢？当然是为了让考生把十几年积累的素质充分发挥出来。但对于应届考生来说，这已经是马后炮了。可高考是教学的指挥棒，更重要的是，对未来的考生，对一线老师的导向。

对于考生来说，最迫切的任务，在于面对别无选择的题目如何在 30 分钟左右的时间，把十几年的思想、智慧、学术积累聚焦在 800 字的文章中。

2020 年全国Ⅰ卷作文题，被多数省份采用，不是偶然的。其导向性中隐含着传统文化的潜在量，具有科举考试的“史论”（分析历史、总结历史经验）的特点，非常巧合的是，与清代道光癸卯年（1843）举人试题极其相似。当年的考题是这样的：

子曰：桓公九合诸侯，不以兵车，管仲之力也。

这当然是巧合，但也足以说明，我们的命题，已经摆脱了美国托福命题的模式，正在吸取传统文化的精粹，同时具有向当代科技成就的高度辐射力。正是因为这样，很值得重点分析。

管仲和鲍叔本是朋友，分别为公子纠与公子小白争夺君位，成为敌人。管仲阻击小白，射中其衣带钩，小白装死逃脱。小白最后胜利即位为君。管仲成为失败者，鲍叔不但没有为难管仲，反而推荐管仲，力主欲成霸业，非管仲莫属。后来成为齐桓公的小白重用管仲，鲍叔甘居其下。

题目的深度内涵在于：第一，这里有着传统文化的核心观念——国家大业高于个人名利；第二，除了其他的要素以外，人才的竞争决定成败；第三，这不仅是古代的，也是当代国际国内竞争的规律。

题目要求从齐桓公、管仲、鲍叔三人中，选择其一提出自己的看法。

当然，最容易立意的就是从鲍叔方面出发。确立励志性的主题，着重赞美其道德品质的高贵：为了国家大业，没有为难失败的敌手；推崇其才能在自己之上；保举其掌握大权，自己甘居下位。要完成这样的主题，作抒情式的赞美，引用一两句名人名言，敷衍成篇，并不困难，但是，不会太出色。更高的追求乃是按照这个主题盘活自己十多年来的知识库存。首先就是梳理出同类的故事，以丰富自己主题，使之有血有肉。例如，王安石和苏东坡，两人在政见上是对立的，一个是坚决的改革派，一个反对鲁莽改革。但是，两人从人格上仍然互相尊重，保持友好关系。当然王安石没有鲍叔那样的博大胸怀，当皇帝要启用苏东坡的时候，王安石是阻挠的。有了诸如此类的事例以后，再用抒情笔调、名人的格言、诗化的语言，把主题在结尾处升华。这样的文章，就有一定的竞争力。

为什么只能说有“一定的”竞争力，而不说有很强的竞争力？因为这还不算很深刻。高考是一种竞争机制，参加考试的最高目的，不是及格，而是要出格，故为文不能满足于一般的论据符合论点，自圆其说，单纯根据论点寻找与之一致的论据，这样的线性思路，不可能很深刻，要深刻就要进一步提出问题，揭示矛盾。为什么像鲍叔这样无私的人数千年来，极其稀罕，甚至连王安石都不能及呢？

因为人才竞争，目的是个人的胜出，这是人性，有如体育竞技，旨在超越对手，对手失败证明自己的优越。在获得胜利以后，却主动承认己不如人，说明竞争目的不是个人的胜出，而是国之大业。个人的才智高低，与国家大业相比，微不足道。在思想的高度上，在品德上，极其高贵的人才能达到这种境地。而一般人，哪怕是很有才智的人，是很难达到这样的精神高度的。

写文章光讲道理是不够的，要使文章有血肉，正反相对，深邃雄辩，还需要盘活与鲍叔相反的事例。比较现成的就是孙膑和庞涓的故事。二人本是同学。庞涓出仕魏国，担任魏惠王的将军，感到才能不如孙膑，捏造罪名将孙膑处以髌刑和黥刑，非常凶残地挖掉了孙膑的髌骨，还在他脸上刺字并涂墨。但是，后来孙膑的才智，还是被齐国的田忌发现了，而且受到重用，留下了田忌赛马的典故。在赛马中，田忌的马上、中、下三等都不如对手。孙膑教他以下等马对对手的上等马，以上等马对对手的中等马，以中等马对对手的下等马。这样下等马虽然输了，但是上等马和中等马肯定赢。后来齐威王敬之以师礼。

从鲍叔立论，作诗性的歌颂，顺向思维，可能是占大多数的。但是，竞争就比较激烈，取胜的难度比较大。要胜人一筹，就要别出心裁，从齐桓公的角度立论，这样，至少也会令整日阅同样论点的教师眼前一亮，精神一振。

作为国君，对于原本是对手，差一点要了他老命的人才，如何处置？齐桓公居然是放手使用。没有这样的魄力，他就不可能九合诸侯，一匡天下，成为春秋时代最名副其实的霸主。要说明这种唯才是用的道理，光有议论可能是单薄的。最好还得有历史事实，最切实的办法是盘活自己与之相关的知识库存。例如，唐太宗和魏征的关系，魏征本来是李世民的对手李建成的部下，多次建议李建成杀了李世民。等到李世民胜利了，魏征成了阶下囚。李世民问魏征，为什么要挑拨我们兄弟之间的关系？魏征很坦然地回答，如果他听了我的话，这时坐在这里的就不是你了。李世民看出魏征有远见，乃放手大胆地使用他，甚至忍受他当面顶撞，有时还收回成命。就是这样，造就了中国历史上最辉煌的贞观之治，唐太宗成为一代明君，魏征成为贤臣的楷模。

也许有些学生甚至老师，觉得这样广泛的资源，对于考生来说，难度太大了，事实上，魏征的故事就在《谏太宗十思疏》的相关背景资料中。如果说，这样的资源有些老师在课堂上忽略了，那在其他课文中，则有更为丰富的论据。高中语文课本中，李斯的《谏逐客书》用敌国人才的故事不是个别的，而是成系统的。李斯的智慧在于不从抽象的道理出发，而是从事实出发，而这种事实，是权威的，不但是秦王认可的，而且秦国贵族反对派也是无法反对的。

昔缪公求士，西取由余于戎，东得百里奚于宛，迎蹇叔于宋，来丕豹、公孙支于晋。此五子者，不产于秦，而缪公用之，并国二十，遂霸西戎。

用了5个“不产于秦”的外邦人，却能“并国二十，遂霸西戎”，使本来僻居一隅的，连诸侯都称不上的秦国，拓展了疆域，称霸西部中国。

接下来，举秦孝公重用了卫国人商鞅变法，国强民富。军事上战胜魏国，开疆拓土；秦惠文王用魏国人张仪连横之计，打破了六国合纵之统一战线，黄河以西膏腴之地尽入囊中，秦昭王用魏国人范雎，废除了世袭权贵，强化了王权，杜绝了贵族特权，最后“蚕食诸侯”统一了中国，结束了数百年的血腥战乱。

这样丰富的、权威的、系统的史实，在课堂上应该是反复讨论过的，为什么到决定命运的关键的半小时却抛到九霄云外了？原因很简单，就是没有盘活心灵库存的自觉，心思被转移到一些若即若离的名人名言上去了。而这些资源沉淀在心灵的底层，没有被调动，是沉睡着的，对于为文来说，可以说是死的，只有把它用到文章中来，它才是活的，这就叫作“盘活”。

“盘活”并不限于此一例，更为通俗的故事是，韩信本为项羽部下，不为所用，为刘邦所用，结果打败了项羽。

“盘活”不限于课本，课外阅读，网络信息，日常言谈，口耳相传的，津津乐道的，都有潜在的相关性。例如：任正非在华为创业早期，力排众议，高薪聘请了美国人当高级管理；美国人收罗纳粹科学家俘虏，用以研究尖端军事技术；拿破仑没有接受美国人富尔顿发明的轮船装备海军，导致海战输给英国；罗斯福接受了德国人爱因斯坦的建议制造了原子弹，迫使日本投降。诸如此类的材料，也许只是如温儒敏先生所说的“连滚带爬”地读过，也许是来自网络上的碎片文章，作为知识，是沉睡着的，是没有生命的、死的，只有被调动，被组织到自己的文章中，才会活动起来，才有生命，这样的生命是考生在写作时赋予它的。

“盘活”就是在写作的瞬间，把死材料变成活的、自己的思想。有了这样盘活的自觉，才能如陆机《文赋》所说：“观古今于须臾，抚四海于一瞬，然后选义按部，考辞就班。”只有这样，文章才能表现我们新一代学子立足现实，仰望星空，以充分的民族文化自信，肩负起中华复兴的伟大历史使命。这样的精神气魄，就不是按照现成的论点，不加反思，一味为之寻找论据，不知不觉，精神为之束缚的文章可比的了。

问题在于，为什么在大多数的考生笔下，如此丰富的精神库存好像不存在呢？

这里有个“盘活”的规律问题。

因为资源的储存是无序的，存在于记忆的深层，要唤醒，就要有一个索引，而辩证法，对立统一的方法论，就是索引。

关键就在于两点论：第一点是正面，选择与论题一致的素材，大刀阔斧地省略与之不相干的；第二点是反面，选择与论题相反的素材。从正反两个方面，“合”就是将论点作层次性的深化。

从管仲的角度立论也一样，既然你放手使用，我就大胆作为，不但有成功的政治军事实践，而且留下了自己系统的治国理论《管子》。清代福建考生就举了相反的例子，子路怀疑管仲“失节”，考生余潜士引用孔子的话作了批判：

由责管仲之失节，由何弗思管仲之功乎！君子之思救时也。

非常有意思的是，八股文也是限800字，这位考到60岁的考生，也许就凭着正反开合，终于中了举。这一点，很值得我们一些执迷于先有论点，再找与论点一致的材料就算是论证的老师深思。更值得深思的是，我们引进美国托福模式的考题已经近40年了，有几个专家研究过八股文，分析过其中的缺失和优长呢？有几个对托福商业性、缺乏文化含量的模式有过批判性的思考呢？

偶然相似的命题，给我们的启示却是必然的，当然，要在未来的实践中落实，可能还要一段时间。

全国性命题中，有一个要求，可能被忽略。那就是要求写讨论会的发言稿。这里有两点不可忽略。讨论会发言，如果所说与他人一样，则完全白费。其实，既然是讨论，就要有评论的对象，要设想可能出现的不同见解，发言稿要有针对性，最好要有点锋芒。这时，有些口语，有些率性的语言，就更好，一般四平八稳的话语，是没有现场感的。这个问题，要引起普遍重视，我们可能还要有更大的耐心等待。

马克思主义活的灵魂：具体问题具体分析
——2021 年高考作文题的启示

一、命题的共同原则：对立统一

统观 2021 年高考作文题，可谓风貌各异，众彩纷呈。其中，全国卷的时代精神十分明显，全国甲卷，历数党史百年历程，从节日如“五四”“七一”“八一”“十一”，到歌曲如《义勇军进行曲》《没有共产党就没有新中国》，到经典作品《为人民服务》《沁园春·雪》《荷花淀》《红岩》，再到革命先烈如李大钊、夏明翰、方志敏、杨靖宇，以及我们学习的榜样如雷锋、焦裕禄、钱学森、黄大年等，表面上纷纭繁复，似无头绪，但是，命题聚焦“可为与有为”，命意显然是将单纯的主题寓于丰富的感性材料之中。

全国乙卷是“理想的追求”与“实现理想”。北京卷是“生不逢时”“生逢其时”。上海卷的精神基本一致，只是稍稍深邃，提出矛盾转化的条件：事物的价值的认识和不被认识，时间是不是唯一的条件？这一问，思想的自由的空间就更大。浙江卷就更精致，提出问题：有人把得与失看成终点，有人把得与失看成起点，有人把得与失看成过程。这看来并不是二元对立，而是三元。其实，只要归纳一下，还是二元。把得失看成起点和终点都是绝对化的，只有看成永不中断的过程才可能是全面的。因为真理不是一劳永逸的，而是永不停息的历史过程。

全国新高考Ⅱ卷比较别致，是“人”字的书法描红，由于书法比较专业，其中的“藏而不露”“不偏不倚”“缓缓出头”等可能比较含蓄，其实归纳起来，从“藏而不露”到“缓缓出头”还是对立的转化，不过当中有一个平衡性的“不偏不倚”。但是，更深刻的是，题目是“人”但又是“描红”，“缓缓出头”的人和描红的“人”是矛盾的。

2021年高考作文题虽然异彩纷呈，但是在根本思想方法上高度一致。不管是全国卷还是各省市独立命题，提供的论题都聚焦于对立统一的素材上。除个别例外（如天津卷，下文另述），几乎所有的命意都集中在对立统一和转化上。

全国甲卷将百年纷繁的现象归结为“可为与有为”，从哲学上来说，是可能性转化为现实性，从人生观来说，是理性前景、光明人人皆有可为，而在实践过程，有为与无为，在历史的大浪淘沙中，有为的可能性，在不同条件下，分化为无所作为，甚至成为历史的罪人。这道题目可能提供的意念太丰富了，一般中学生，难以在半个小时内，抓住要领，发挥出正常水准。

比较多的省份选择了全国新高考Ⅰ卷：素材取1917年毛泽东在《新青年》发表的《体育之研究》一文。这道题目，可以说是2021年乃至当代作文命题的典型。此文专论体育，于非专于体育者不适，命题乃取“体育之效”一节：

> 人的身体会天天变化。目不明可以明，耳不聪可以聪。生而强者如果滥用其强，即使是至强者，最终也许会转为至弱；而弱者如果勤自锻炼，增益其所不能，久之也会变而为强。

表面上说的是体育，属生理范畴，但其内涵乃是强弱矛盾的转化。“目不明可以明，耳不聪可以聪”，隐含的哲理乃是弱可以转化为强。这就超越了生理的外延，而成为普遍的哲理。从正面说，矛盾可以由弱转强。从反面说，“生而强者如果滥用其强，即使是至强者，最终也许会转为至弱”，其深度在于，转化不是无条件的，而是有条件的，滥用强项，必然走向反面，变成弱者。

确立了这样的辩证转化，接下来的励志性论述就顺理成章了：

> 因此，“生而强者不必自喜也，生而弱者不必自悲也。吾生而弱乎，或者天之诱我以至于强，未可知也”。

在五四时期，中国处于民族危亡之时，列强视“我”为东亚病夫，我们的前驱也着力于文化自我批判，国民劣根性之说遍于国中。这时，提出列强可能转化为弱者，我们有转化为强者之可能，“吾生而弱乎，或者天之诱我以至于强”，如此高瞻远瞩的气度，不但有历史价值，而且在今天，有坚定民族自尊自信的现实意义。

二、对按照论点选择论据模式的挑战

2021年高考作文题如此普遍集中于对立统一的哲学性，对中学语文教学乃至大学写作教学的基本理论产生了某种挑战。

普遍流行的议论文写作理论就是按照论点，选择与之一致的材料进行论证。选择意味着排除，排除了与论点不一致的材料，就片面了，怎么谈得上论证？举例的功能最多只能是对抽象的论点作感性的、具体的“说明”。把说明当作论证，是我们在理论上僵化的顽症。其流毒乃是诱使学子视这种片面性为天经地义。而 2021 年高考作文题的论点，不是固定的一点论，而是两点论（如强项和弱项互相转化），论点是不断向正反两面转化的。这里要求的是对矛盾进行“分析”，而不是冒充论证的“说明”。即便是证明，也和分析不同。最好的“证明”只能停留在已知论点的正确性上，而具体分析的论点则是在运动、转化、发展中不断衍生的。考生若是把立意停留在一开始就固定的论点上，组织与之一致的论据，从思维来说，是线性的，能做到自圆其说就不错了，很难全面、深刻，没有太大的竞争力。

三、把自己心灵的储存盘活

严重的问题在于，这种线性“论证”的理论流毒甚广，竟然导致广大教师把广泛引用名人名言、名人逸事当作论证的法宝，考前为考生提供大量中外不同历史时期、出自不同身份、针对不同问题所发的语录。但是，他们几乎没有意识到，所有名人名言、名人逸事，只有与具体的历史语境紧密联系才是活生生的。而考生为文时，所处语境天差地别，变换了具体语境的名人名言、名人逸事，往往是生硬的，游离于自己的主题文脉之外，甚至格格不入，不能成为文章的有机成分，是没有生命的。即使貌似深刻、华丽，充其量也只是没有生命的杂碎，甚至是第六根指头。要让它活，就要将之融会到自己的主题和文脉逻辑中，这就要有一番脱胎换骨的功夫，才能让其成为自己文章的血肉和灵魂。

在我看来，与其依赖那些自己缺乏全面理解的名人名言，不如把自己心灵的库存盘活。在语文课、历史课、政治课上，我们精读了那么多的经典课文，多少精彩的资源在内心，津津乐道，耳熟能详；在写作文时却忘得一干二净，生吞活剥那些不知来历的名人名言、名人逸事，不求诸己，而求诸人，不求诸近，而求诸远，不求诸易，而求诸难，这看来有点傻。

滔滔者天下皆是，实有心理学上的原因。从常识来说，调动自己的记忆理应最易。实际上，耳熟能详的格言故事，由于过分熟悉，失去新鲜感，甚至失去感觉，在思维活动中等于零，而一些花里胡哨的格言故事，由于其堂皇的外部形态，占据新鲜的心理优势，熟悉的心灵宝藏乃被窒息、被压倒。比如，“失败乃成功之母”，这是老掉牙的谚语了，它本来是别人的，但用它来作弱者转化为强者的哲学观念，它就有点活气了。有了这样的化腐朽为神奇的刺激，内心储存就可能盘活，资源就可能源源不断。毛泽东通俗地讲过，好事可以转化为坏事，坏事也可以转化为好事，在这里可能成为理论上权威的支撑。荀子的“青出于蓝而胜于蓝”，具体的感性材料，以矛盾转化的规律阐释，概括为抽象的弱势转化为强势理据，这就不但从感性上升为理性，而且让荀子的格言获得活跃的生命，这生命是你的文章所赋予的。

“学而不思则罔，思而不学则殆”，高中生应该是耳熟能详的，但是，和毛泽东的弱者和强者观念的转化联系起来，从中看到，思和学作为互相存在的条件，不能分割。离开了任何一方，即失去条件，两败俱伤，就不仅是思和学的问题，而且是超越思和学的外延的哲理。

四、矛盾转化的条件

对立面是可以转化的，但不是无条件的，而是有了条件才能转化，温故而知新，故之所以转化为新，就是因为温习，故《论语》第一句就是“学而时习之”。条件不足，操之过急，就不能转化。孔夫子说，“欲速则不达”，“过犹不及”。孟子有“揠苗助长”、庄子有“邯郸学步”的故事，失败的原因皆在于没有条件，或者条件不足。用旧的材料说明新的道理，文章就活了。思路一打开，材料就会纷至沓来。“水则载舟，水则覆舟”（《荀子·哀公》引用孔子语），一旦和毛泽东的“生而强者如果滥用其强，即使是至强者，最终也许会转为至弱”联系起来，常识性的比喻，就成了思想的亮点。

光是引用些片段的名言语录，还是小儿科的。如果把课文中的当代理论调动起来，文章就会更深邃。在《反对党八股》中，毛泽东这样分析五四运动：反对“老八股、老教条”，具有“极大的功绩”；后来产生洋八股或党八股，成为“五四运动本来性质的反动”。更深邃的是，文章揭示了转化的条件不在外部，而在内部，五四运动本身的缺点是：“对于现状，对于历史，对于外国事物，没有历史唯物主义的批判精神，所谓坏就是绝对的坏，一切皆坏；所谓好就是绝对的好，一切皆好。”[①]这种绝对化就是片面性，走向反面是必然的。

分析的深刻，不仅在于逻辑的、共时的，而且在于历史的阶段性。以史为论，而这本是我国科举考试中合理的内核，可惜我们未能有意识地汲取。相反，拘于一种莫名其妙的理论，谓之为“贴近生活”。虽然这对于防止小学生或者初中生胡编乱造，不无积极意义，但是其意义是有限的，因为它同时也有碍于学生的想象。初中以后，有那么多的古典诗词和小说，本来是现成的资源，但是，要贴近生活，时间和空间上距离遥远的、充满传统智慧的精华就被排除了。

① 《毛泽东选集》(第一卷)，人民出版社 1991 年版，第 332 页。

五、“论之为体，所以辨正然否”

如果把史论视为理所当然，那么语文课本中的许多经典都可以凝聚到作文中来，例如苏洵的《六国论》，就是把六国之灭亡放在战与不战这一对立面进行分析。一开头提出的论点就是对世俗之见作翻案。在一般印象中，春秋战国战乱数百年，秦国胜于战，六国败于战，然而苏洵干脆地向常识挑战：六国不是败于战，而是败于不战。这个头开得很警策。如果按论点、论据、论证三要素理论，接着就会从理论上、事实上选择与之一致的材料进行论证。但是，苏洵说：“或曰：六国互丧，率赂秦耶？”这是主动给自己树立对立面。六国先后灭亡，各有其不同的过程，也有并没有割地偏安的，这是历史事实。苏洵的大气就在于，文章一开头就把正面和反面的观点鲜明地对立起来，矛盾直接而尖锐。这就是刘勰所说的“辨正然否”。不但要自圆其说，而且要“他圆其说”。文章的反驳也很干脆。“曰：不赂者以赂者丧。盖失强援，不能独完。故曰：弊在赂秦也。”文以气为主，苏洵很有气势，先承认对方有否定自己论点的论据，紧接着把否定性转化为肯定性，从不利于自己的事实中分析出对自己有利而对论敌不利的结论。不割地求全者之所以亡国，原因在于各国割地，越来越弱，秦国越来越强，遂致力量悬殊，战者失去强大的后援，故不能孤独保存。

我们传统的论证权威理论《文心雕龙》中明确：“论之为体，所以辨正然否。穷于有数，究于无形，迹坚求通，钩深取极；乃百虑之筌蹄，万事之权衡也。故其义贵圆通，辞忌枝碎；必使心与理合，弥缝莫见其隙；辞共心密，敌人不知所乘。”①

很可惜，我们中学甚至大学的写作教材上的议论文的理论不但对辩证法，而且对一千多年前的议论文经典论述都视而不见。值得庆幸的是，虽然在理论上缺乏自觉，但是近年来高考作文命题越来越明显地倾向于对立统一的辩证法。

六、“提出问题也要用分析”

缺乏自觉，发展就注定不平衡，难免出现2021年天津卷作文题这样的怪胎：

如果说时间是一条单行道，那么纪念日就是道路两侧最醒目的路标，它告诉我们怎样从昨天走到了今天。时间永不停步，纪念日不会消失。记住它，可以让日历上简单的数字成为岁月厚重的注脚，而它也不断提醒着我们带着初心奔向前方。

---

① 王利器：《文心雕龙校证》，上海古籍出版社1980年版，第127页。.

题目中出现了三重关键概念：第一，时间、单行道、昨天到今天、永不停步；第二，纪念日、路标、注脚；第三，初心、前方。出现了多重逻辑的断裂：1.“时间”是宇宙自然永恒运动的载体，在人类之前和以后都存在着，而“纪念日”含有人类社会生活的特殊内涵。二者在概念上不是并列的，而是从属的。“时间”在命题者心目中似乎是“历史”。2. 就是“历史”，也不能与“纪念日”并列。因为“纪念日”可能是民俗性的（如清明）、宗教性的（开斋节、复活节、盂兰盆节），可能是政治性的（如国庆节）。这样说来，命题者心目中的时间更可能是“革命历史”。3. 最后出现的“初心”概念更模糊。此语典出《华严经》：“不忘初心，方得始终，若忘初心，幻湮迷灭。不拒本心，是谓自在。”近几年借用作政治性话语，内涵为共产党人理想，其外延不能涵盖佛家和共产党人出现以前的时间，因此，作为其从属的“纪念日”，也不能包含千年来民俗性和宗教性的“纪念日”。此等“纪念日”不可能“提醒”共产党人的“初心”。如果这一切没有大问题，则其他关键词“单行道”（不可逆）与“时间永不停步”“不断”重复，“路标”也不仅仅是政治纪念日，其内涵太混乱。

题目内涵如此混乱，原因可能很多。究其关键，在于没有意识到命题只是提出问题，提出问题不能茫无头绪。毛泽东的《反对党八股》中明明白白地说，提出问题也要用分析：“不然，对着模糊杂乱的一大堆事物的现象，你就不能知道问题即矛盾的所在。”①

这样陷入模糊杂乱的概念之中的低级错误，就是不懂得提出问题也要具体分析。幸而，这样的现象只是个别的，也许带着很大的偶然性，并不妨碍 2021 年高考作文题辩证逻辑上空前的、一致性呈现的历史性的走向。

七、马克思主义活的灵魂：具体问题具体分析

回想基础教育高考作文命题改革初期，我们不过是要求其开放性，反对封闭性、强制性命题，特别是以主题代替命题。于是“假如记忆可以移植”这样的开放性题目得到了广泛的称赞，可以说是打开了局面。这个问题解决了以后，第二阶段的开放性中的导向性、价值观念的隐性提示问题也很快解决了。进入第三阶段，高考作文命题逐渐由侧重贴近学生直接经验的抒情散文向理性的议论文转化。第四阶段任务比较艰巨。许多权威专家、特级教师并没有意识到，在理论上，情感审美与理性逻辑是矛盾的。用最简单的话来说：情感逻辑是绝对化的、片面性的（如“情人眼里出西施”），而理性是反绝对化、反片面性的，

---

① 《毛泽东选集》（第三卷），人民出版社 1991 年版，第 839 页。

旨在全面，全面就是多面、无限面，至少是正反两面，对立而统一、转化。这就是辩证思维最基本的原则。这是我们世界观和方法论的基础。统编语文教材已经选入了毛泽东的《人的正确思想是从哪里来的》《改造我们的学习》《反对党八股》，贯串其中的思想方法和世界观乃是把世界看成在内在矛盾中不断发展的。不论是自然、社会，还是人的主观思想，都是在内部、在矛盾中不断转化的。故我们的方法论，“马克思主义的最本质的东西，马克思主义的活的灵魂，就在于具体地分析具体的情况”[①]。这是毛泽东写在《矛盾论》里的。2021 年全国高考作文题中，这面活的灵魂的大旗正在冉冉升起，这实在令人鼓舞。

① 《毛泽东选集》（第一卷），人民出版社 1991 年版，第 312 页。

议论文为主导的历史走向和严峻的挑战

——评 2022 年高考作文命题

一、从抒情性到议论性的新走向

纵览 2022 年高考语文全国卷和全国新高考卷，还有其他省市自主命题的作文题，深深感到中国高考作文命题历史性的新特点，内容是传统文化的现代化，形式则是议论文成为主流。这显示从世纪之交开始的命题改革在原则上进入了一个新的阶段。最初是从强制性主题性命题向开放性、自主性突破，考查学生自立主题的能力，最著名的就是“假如记忆可以移植”，以其开放自由立意引起极大的轰动。接着福建省以鲁迅、曹操、苏东坡、薛宝钗等十个经典作品和历史人物名字为题，文化的开放性就更为深化。但是，它也带来了问题——开放性过大，缺乏导向性。例如，福建考生多数选择了鲁迅来写，但是有一千张左右基本是白卷。问题之所以如此严重，跟当时“贴近生活”的作文教学理论有关，要贴近伟大的鲁迅，多数考生实在不得其门而入。正是这样的矛盾推进着命题改革进入第二阶段，开放性与导向性的统一在实践中逐渐明确，一方面是导向精神正能量，另一方面是联系学生的生活经验。在起初几年的实践中，开放性往往局限于青少年的直接经验，基本上属于感性范畴，在相当长一个时期，抒情散文占据了主流。但是，耽于抒情难免有碍思想的深化。抒情和理性在逻辑上存在着矛盾，抒情可以片面、极端（如“情人眼里出西施”“月是故乡明”“天下谁人不识君”“天长地久有时尽，此恨绵绵无绝期”），而理性则要求全面。青少年正处于世界观形成、感性向理性提升的时期。偏于情感的命题，不利于情感和理性的全面协调发展。最明显的后果是高中生大都不善于写议论文。据温儒敏先生调查，考入北大中文系的拔尖学子，会写议论文者凤毛麟角。而大学除了艺术、表演等学科以外，基本是以理论教育为纲的。

现状和习惯往往束缚命题者和一线教师的想象力。一旦出现某种智性的命题，就遭到普遍质疑。如某年以韩非子的“智子疑邻”为题，墙壁倒塌，亲者所言与非亲者所言相同：不修葺必有盗，屋主对于亲者与非亲者态度截然相反。武汉某著名特级教师质疑说，这是脱离学生生活实际。时光荏苒，不过十年的工夫，如今高考命题的议论文走向逐渐成为历史的潮流，超越直接经验的理性思辨已经昭示着新的历史阶段的到来。

命题从抒情向议论的嬗变，适应着青少年心理从感性上升到智性，从直接经验上升到与间接经验结合的规律。对智性、理性命题的怀疑和保留原因在于脱离了教学实际。语文课文中，不论是中国古典文学经典，还是外国文学杰作，都超越了学生的直接经验。至于物理、化学、数学、道德与法治，其基础就是超越感性的抽象的思维。停留在感性上，必然缺乏概括、分析、统合的能力。而这一切正是高中生世界观形成的前提。

二、高难度和接地气

2022 年的作文命题与往年最明显的不同乃是传统文化的含量特别丰厚。许多素材取自传统文化经典，多为文化性议论，一般的抒情基本无用武之地。独立形成观点（主题）的前提乃是对具体材料进行具体分析。

不管是全国卷还是后来的上海卷，都是以议论文为指向的。最明显的是上海卷：“小时候人们喜欢发问，长大后往往看重结论。对此，有人感到担忧，有人觉得正常，你有怎样的思考？请写一篇文章，谈谈你的认识。”要求考生谈谈自己的“思考”。题目的要求是“思考”，就是要议论，抽象思考的空间很大。即使有些考生善于抒情，不管有多少清词丽句，也只能在逻辑思维的文脉之中起辅助作用。这对于考生的思维、逻辑、语言驾驭能力，和未来的发展潜能的测试来说，是有相当的深度的。因为二者并非正误分明，甚至给人一种似是而非的感觉：小时不一定善于发问，长大也不一定看重结论。两个关键判断都不太全面，因而，具体分析的空间很大。没有一定的抽象议论和逻辑驾驭能力，在这样的命题面前是很难确立自己独特的主题的。从触发思维，构成主题的意义上来说，这个题目的难度是很大的。即使有了独立的见解，仅仅线性地自圆其说，也难免片面单薄，最有竞争力的文章，应该是那些逻辑上照顾到与自己独立的观念相反的方面。

全国甲卷题目取材自《红楼梦》中为大观园一亭子题名的情节。有清客据欧阳修《醉翁亭记》“有亭翼然”，取名“翼然”；贾政以为当从“泻出于两峰之间”中拈出“泻”字，附和者演化为“泻玉”；贾宝玉则以为“沁芳”更为新雅。

题目蕴含的传统诗文的内涵很深，对于考生来说，要求是太高了。怪不得网上有人留言：做这个题目，“曹雪芹都要去复读”。不必讳言，其题旨太深了。第一，这在《红楼梦》中并非主要情节，为文却要相当熟悉，对贾宝玉的女性品位高于男性的观念有所理解，才可能洞察为什么他以为“沁芳”高于“翼然”。第二，要对古典诗文有足够的修养，否则，对于“翼然”“泻玉”“沁芳”之别，几乎无话可说。第三，对于中国园林建筑多少有点修养。第四，对曹雪芹的春秋笔法多少有点体悟，才能看出其对贾政含而不露的讽喻。

中国园林亭台具有特殊的民族性格：第一，依山傍水，不求高度，但是飞檐腾空；第二,四柱并列，没有墙壁，视觉不受障碍，人与缩微山水一体，坐享八面来风。而贾政的“泻”根本就不通。亭为主，水为宾，故有名亭：醉翁亭、丰乐亭、沧浪亭、劳劳亭、风波亭、拜月亭，皆落实于“亭”。而贾政的“泻”则为水之性质，反宾为主。虽然勉强让“泻”和“亭”联系起来，但是亭可望水，不能泻水。清客们讨好贾政，加上“玉”字，名“泻玉亭”，玉为固体，仍然不伦不类。

光是解题，就需要相当深广的传统文化修养，对于一般考生来说，实在无异于李白笔下之蜀道。当然，一千万考生中，不乏对中国园林建筑有所涉猎的高才生，自然不难构思谋篇，布局、遣词、造句，得心应手，游刃有余。

想象命题者的苦心，一是提倡传统文化修养的广博，二是提高区分度。传统文化修养较深厚的高手当出其类而拔其萃，有利于杰出人才的选拔。但是，对于一般学子来说，不管老师考前提供了多少名人名言、生动故事，都可能牛头不对马嘴。

至于全国乙卷作文题，提供了北京夏季和冬季奥运会的诸多辉煌素材，突出正能量的取向不言而喻：“显示了中国体育发展的新高度，展示了中国综合国力的跨越式发展。”所列的提纲分别为“比赛成绩”“群众体育”“科技亮点”“交通支持”“国家经济”，题旨的主旋律很清晰，难度并不太大，但是，素材太丰富、太复杂，并列而非统贯，要在短短的30分钟里，把并列的素材加以提炼，聚焦主题，形成文脉，贯串首尾，除非文思特别敏捷的高才生，一般考生只能片面发挥。这样复杂的题材，语言如此纷纭，为历年所未见，是不是与增加考卷的字数，强化阅读速度的指导思想有关？这是值得探讨的。

最接地气而具有相当难度的，当数全国新高考Ⅰ卷。题目是围棋的“本手、妙手、俗手”，这是非常特殊的专业术语。初看这“三手”，多数学子免不了“懵圈”。有几个中学生对围棋有相当的体验和修养？但是，稍稍沉静下来，就不难看出，这只是表面现象。命题者显然回避直接主题性命题，避免开放性不够之嫌。当然，对围棋有所涉猎的考生可以直接上手，展开一番内行的议论，但是，题目面向广大外行考生，故作相当细致的阐释：“‘本手’是指合乎棋理的正规下法；‘妙手’是指出人意料的精妙下法；‘俗手’是指貌似合理，而从全局看通常会受损的下法。”

有了这样突破表面现象的解说，专业术语的神秘性就淡化了，专业术语变成了一般性的话语，大大地接了地气。接下来还有更为详尽的解释：“对于初学者而言，应该从本手开始，本手的功夫扎实了，棋力才会提高。一些初学者热衷于追求妙手，而忽视更为常用的本手。本手是基础，妙手是创造。一般来说，对本手理解深刻，才可能出现妙手；否则，难免下出俗手，水平也不易提升。”

如此详尽的解说，一些专业水平较高的学子可能感到多余，但是，不可忽略的是，这是把问题提高到理性、哲理的高度。关键之一，把围棋的“三手”，转化为“本手”“妙手”“俗手”之间矛盾转化的动态关系。关键之二，以“本手”为核心，“妙手”和“俗手”处在对立统一之中。在一定条件下，“本手”可以转化为“妙手”，也可能转化为“俗手”，转化为“妙手”的条件，就是“本手的功夫扎实”“对本手理解深刻”。相反，如果“热衷于追求妙手，而忽视更为常用的本手”，“从全局看通常会受损”，则难免陷于“俗手”。

三、使命和学养的矛盾

2022 年北京卷也许出于更加平和、中正的考虑，大作文是以古人“学不可以已”为题，但是，前面加了 150 字的微写作（10 分）——围绕“阅读带来审美愉悦”这一宗旨为启事写一段话、写出设计一个核酸检测点两米间隔线的理由、以“像一道闪电”为题目写一段抒情文字或一首小诗。这样的设置，特别是相对一般命题回避诗歌的做法，其创意显然是避免过分偏于理性思维，提倡说理与抒情的全面发展，但是，矛盾的主要方面，还是大作文的说理。有意识地避免从一个极端走向另一个极端，抓住主要矛盾的主要方面，这一命题从思想方法来说，在诸多命题中，表现出难得的清醒。

2022 年北京卷大作文的说理性质的命题，从传统文化经典出发，然而，对经典的理解和处理却留下了很大的遗憾：

> 古人说，“学不可以已”，重视学习是中华民族的优良传统。在当代中国，人们对学习的理解与古人有相同之处，也有不一样的地方。
>
> 请以“学习今说”为题目，写一篇议论文。可以从学习的目的、价值、内容、方法、途径、评价标准等方面，任选角度谈你的思考。

“学不可以已”，出于荀子《劝学》篇，原来接下去是：

> 青，取之于蓝，而青于蓝；冰，水为之，而寒于水。木直中绳，輮以为轮，其曲中规。虽有槁暴，不复挺者，輮使之然也。故木受绳则直，金就砺则利，君子博学而日参

省乎己，则知明而行无过矣。

也许命题者感到，青出于蓝而青于蓝，早已脍炙人口，考生可能堆砌流行的套话，讲些正确的废话，故有意将荀子之名隐去，改为“古人说”，回避俗套，却带来了很大的问题。

命题者似乎并未理解荀子的深邃思想，简单化地回避了荀子至今众说纷纭的性恶论，把“学不可以已”独立出来，把问题指向古今学习的“目的、价值、内容、方法、途径、评价标准等方面”。命题者显然旨在体谅考生，降低难度，但是，事与愿违，这样反而增加了难度。北京一位中学语文教研员说，看到这样的题目，“一头雾水”。问题出在哪里？

题目明确指出古人与今人学习有相同之处，也有不同之处。在此基础上谈“学习今说”，这就要把古人学习和今人学习的同与不同先弄清楚，才有可能在“目的、价值、内容、方法、途径、评价标准”上做文章。

题目要求的学问太大了，涉及中国思想史上的一对矛盾对立的基本范畴。荀子主张人性恶，人当为学，改恶从善。为学之道：第一，要“博学”；第二，青出于蓝而青于蓝，为学当超越所学；第三，如何超越？博学；第四，博学还不够：君子博学而日参省乎己，则知明而行无过矣。博学要联系自己，每天都要反省自己，只有这样，提高自己的智慧、道德、品位，才能青出于蓝而青于蓝。但是这还只是限于内心的修养，更深刻的是：“知明而行无过”，内在智慧、品位提高，外在的行为才不会犯错误。这里提出了“知”与“行”的关系，这是中国哲学史上争讼不已的对立统一的基本范畴。《中庸》曰：“博学之，审问之，慎思之，明辨之，笃行之。”博学，只是出发点，最高的目标是笃行。中国传统把“学”和“行”作为基本的对立统一关系来思考。对立面之中，何为主导，争讼千年。《尚书·说命中》曰：“非知之艰，行之惟艰。”孙中山则相反，说“行之非艰，知之惟艰”。其间还有王阳明的“知行合一”论：“知者行之始，行者知之成。”（《传习录》）故有“破山中贼易，破心中贼难”（《与杨仕德薛尚谦书》）之说。中国传统文化的深刻性就在并不孤立强调学的无限性，而是把学和行或者知和行在矛盾中统一起来。这几乎成了文化精英的常识，陆游就有诗云：“纸上得来终觉浅，绝知此事要躬行。”（《冬夜读书示子聿》）

把上千年古今学习的同与不同作为高考作文题，暴露了命题者对中国思想史缺乏储备，将“行”与“学”的有机联系切断，孤立地讲“学”（不可以已），这样一来，“学”的内涵既脱离了内心的反思，又脱离了外部的行为，就不能不是片面的、绝对化的、庸俗的。

命题者对经典如此粗心大意不是偶然的，根源在于对辩证思维缺乏应有的自觉。这样跛足的题目，就是拿给命题者去做，也恐怕是摸不到丈二金刚的脑袋的。

但是，高考作文并不是学术文章，并不要求考生以专业学者的眼光视通万里，思接千载。应试之道在于，不管多大的题目，均可取其一点加以比较分析，并不难顺理成章。命题如能为考生提供某一聚焦之点，大题可以小做。但是命题恰恰把本来现成的进入小题的焦点省略了。

荀子的原文，最后的结语是“君子博学而日参省乎己，则知明而行无过矣”，很明显包含着两个思维的激发点。一个是“日参省乎己”，也就是联系内心，如《论语》所说“三省吾身”，提高修养；一个是“行无过矣”，联系外在行为不致犯过错。如果提示这两个方面的任何一个方面，就不会连教研员都一头雾水了。

四、是具体分析还是举例论证

更大的问题在命题的要求：“论点明确，论据充实，论证合理。”不言而喻，命题者的理念是，先确立论点，然后选择与论点相符合的论据，就是论证。这还是把议论文三要素奉为圭臬。其实，三要素的观念既不符合自然科学论证规律，也不符合哲学辩证法。显而易见，选择符合论点的论据，就意味着排除，排除了与论点不一致的论据，论点还会全面吗？ 科学发展学理论有著名的论题“一切天鹅都是白的”，若单纯举例，古人、今人所见天鹅皆为白色，论据可谓“充实”，但是就能证明一切天鹅皆白吗？ 不能。只要发现一只天鹅为黑色，此论点即不能成立。相反，并非一切天鹅皆是白色，绝对正确。故科学理论家波普尔有证伪高于举例证明之说。当然，举例是不可废弃的，但其功能并不是证明，一般只能起说明作用。若要有所发明，有所创造，则必须证明与证伪统一，说得通俗一点，也就是寻找“黑天鹅”，以求深化论点，文脉作层次衍生。

其实，要把文章做得有竞争力，也不是不可能，只要具体分析“不可以已”。

就辩证法的宇宙观而言，自然、社会、思想，皆非单纯统一体，而是包含着自身的对立面，自然、社会、思想发展的动力，在于内在矛盾，外部只是转化的条件。毛泽东在《矛盾论》中说，温度可以使鸡蛋变成小鸡，不能使石头变成小鸡。“学不可以已”不是绝对的，而是和“学可以已”在矛盾中统一的。学到一定程度，就相对“可以已”了，例如，课程结束，学生毕业。在美国大学毕业叫作“commencement”，这是个非常正规的文雅词语，是“开始”的意思。意思是说：一方面，学业结束；另一方面，开始投入工作。工作表面上并不是学习，但从另一种意义上来说，学以致用，也是一种学习。黑格尔说：对学游泳者，教练不管讲得多明白，游泳者还是要喝水，只有在喝水的过程中才能学好游泳。(《小逻辑》) 毛泽东说：“读书是学习，使用也是学习，而且是更重要的学习。从战争中学习战争——这是我们的主要方法。”(《中国革命战争的战略问题》) 从这个意义上说，这是学习和实践的统一。实践是历史性的，是无限的，而学习是相对有限的，是有限和无限的统一，是“不可以已”和“可以已”的统一。前人实践的经典，成为学习的书本，但是“尽信书，则不如无书”(《孟子·尽心下》)。这里的“书”本特指《尚书》，后泛指一般的书籍。而实践则是检验和批判所学，发展出新学说。这就是学和行、读书和实践作螺旋式上升中的统一。故毛泽东的《实践论》的副题乃是“论认识和实践的关系—— 知和行的关系”。高中语文课本选入了毛泽东的《人的正确思想是从哪里来的？》，就根本而言，知识、学问、思想，不是从天上掉下来的（客观唯心论）、脑袋里固有的（主观唯心论），而是从实践中，也就是从“用”中得来的。

这是认识论、世界观和辩证法的方法论问题。对古典文论的知与行、现代哲学的理论与实践之间的辩证关系学养的缺失，并不是2022年北京卷作文题的局限，而是整个教育学界的局限；明确了这一点，教育界形而上学、洋教条猖獗不已，就不足为怪了。

新的历史阶段已经开始，严峻的矛盾摆在我们面前，提高传统文化学养，确立世界观和方法论，关乎国运前途，吾辈任重道远，当自强不息，博学而不迷信，在行有过中提升为行无过，承担起开一代文风的崇高的历史使命。

具体分析要有血有肉：跨学科重在盘活
——评 2023 年高考作文命题

一、议论文导向：把握时代精神，落实树德立人的根本任务

每年高考作文题出来，种种报刊都在第一时间作为热点，采访一些人士发表高见。有时甚至借助某些明星，讲一些空话。近年较好，选择对象集中在业内人士之中。由于抢新闻，诸多人士，缺乏系统研究，浮光掠影，大而化之者不在少数。例如一位专家说，今年命题“淘汰了‘硬指令型’的主题式写作”“写作空间大可切入角度多的材料作文”，这其实是老皇历了。从 21 世纪初的“假如记忆可以移植”到 2004 年的以 10 个历史和文学作品中的人物（鲁迅、曹操、苏东坡、圣地亚哥、冬妮亚等）为题，主题的开放性早就成为共识。进入第二阶段，调整了开放性的绝对化，乃有开放性和导向性的统一的指导思想。经过十几年的实践，这一点也几乎成为共同的取向。但是，有位专家指出如今的命题“不再以宏大叙事内容为主”这就有点离谱了。目前已经进入第三阶段。从一味强调贴近生活，结合学生直接经验的抒情，进入了思辨性、议论性为主的新境界。议论是概括的、抽象的、演绎的、具体分析的，只有超越学生生活的直接经验，才能对现实，对历史，对科学、人文诸多现象进行评论。

2023 年新课标 I 卷的题目的核心是“故事的力量”。仅仅以考生个人的故事为核心，其思维的空间和质量就有很大的局限性。立论的视野应该是十多年来课内课外所接受的一切故事，对所选择的故事的“力量”（功能）进行阐释。在此情况下，还拘执于考生“日常生活更密切”，“不再以宏大叙事为主”，就有点背离命题的历史走向了。另外一位专家指出今

年命题“议论性更强”，应该是比较到位的。

2023年，全国性作文题共4套，北京、天津、上海自主命制3套。国家考试中心的公示说，其核心乃是“把握时代精神，落实立德树人根本任务，加强关键能力考查”。焦点在于“把握时代精神”，这不是宏大叙事为主题吗？近年高考作文题目往往提供对立的两个方面的关键词，属于通常所说的两点论。和美国托福考试，两点之间取一点，哪怕是片面的，只要有符合论点的论据支持就可获得高分。我们则是力求全面。不但是论点而且是论据，都要做具体分析，具体问题具体分析，这是我们世界观和方法论基础，不但是立论，正是考试中心公示所说“落实立德树人根本任务”所在。此等题目，最高境界当为贯通古今，纵论天下。这与我国千年以来的科举考试的史论、策论有一脉相承之处。事实上，近年考生的试卷来看，早已突破了“日常生活”的直接经验、理性思维，优秀之作比比皆是。

2022年全国新高考Ⅰ卷的题目以围棋的“本手”“俗手”“妙手”为题干。在对立面“本手”和“妙手”两点之间设置了一个“俗手”，两点论变成了三点，似乎与“本手”“妙手”没有明确的关系。

就我所看到的作文而言，就是最不善于议论的文章，也大致会突破直接经验，说明基本知识要学好，要扎实，才能有所创造。有个考生还举了门捷列夫发明元素周期表的例子：门捷列夫在研究元素间的关联和规律，由于过度疲劳而沉沉入睡。在睡梦中，突然清晰地看见元素按周期排列，他随即清醒过来，顺手记下元素周期表。这样的宏大叙事应该是文章的亮点，恰恰是违背与考生“日常生活更密切”的观念的。而四川一位得到名师段增勇先生激赏的考生这样展开分析：

> “本手”乃基础，合乎棋理，顺应规律……当将规律参透之后，一切熟稔之后，便能融通。不只棋我合一，更是我所从之事皆同我为一体之境界。就像杨振宁先生致力于钻研“最厚的地方”，只有他次次不懈地积累钻研，通晓物理研究之规律，才实现了基础之上的创新。“风起于青之末，浪成于微澜之间”，有一股打好基础、贯通规律的“拙”劲儿，“巧妙”才激发。

这位考生超越了直接经验的具象抒情，完全以概括的、抽象的话语，以辩证法的对立统一转化，把杨振宁的故事，和宋玉的《风赋》结合起来，还暗用了庄子的万物与我为一的典故，文章的境界才显得开阔。接下去，思想境界就更宏大了：

> 无论是樊锦诗在“躺下来是敦煌，醒来还是敦煌”的大漠里坚守着让每一处古迹“容颜永驻”，还是叶嘉莹从青春年少到鲐背之年追寻着“为不懂诗的人开一扇窗”的梦想，抑或是代代航天人将国人的飞天梦变成现实，每一个愿望的实现，每一次共赢，都源于他们守好一学问之基础，深谙一领域之规律，发掘出了创新的潜力，最终成就

了精妙绝伦。而唯有代代青年落实好“本手”的积淀，“微澜”的灵活相合，才能成就时代向前的巨浪，国家创新之局的成功。

一连用了樊锦诗、叶嘉莹，还有一代代航天人的故事，阐明了本手的“微澜”积淀，厚积薄发，避免遭受“本手”的束缚，退化为“俗手”而臻于“妙手”，从而推动着“时代向前的巨浪，国家创新之局”。正是因为思路纵贯古今，在理性上把“本手”“俗手”和“妙手”的矛盾、转化的辩证逻辑系统，构成了流畅的文脉，笔锋带着感情，语言颇有文采，充分显示了新时代青年宏大思想风貌。

看来，某些专家的思想大大落后于形势。对于“宏大叙事”的成见，导致他们对最优秀的考生神思飞越古今中外，横跨文理学科，议论风生，激扬文字视而不见。

相比起来，北京的连中国老师别具慧眼，明确指出：近年命题的变化在于“时代之思”“进行思辨性思考”“关乎时代的思辨力的考查”。这话说到了点子上，可以进一步补充的是，所谓思辨性思考，不是停留在形式逻辑的同一律，而是更高的辩证逻辑，自然、社会、思想都自在矛盾、统一之中，在一定条件下向相反方面转化。这是我们立国立人之本的世界观和方法论。

二、具体分析的命原则性和灵活性

具体分析的命题思路逐渐成了自觉导向，但是，并不僵化，而是有弹性，不给套题者以可乘之机。故每年都有微妙的变化。

去年的本手、俗手、妙手，是把对立转化的观点直接放在题面上，而今年的更新则很微妙，不善痕迹。全国卷的命题是这样的：

人们因技术发展得以更好地掌控时间，但也有人因此成了时间的仆人。

矛盾并不像以往那样直接呈示两个方面，只是提供了一个方面“时间的仆人”，而另一方面“时间的主人”则隐藏着在技术的发展使人能够“更好地掌控时间”的背后。要找到文章的切入点，就要把“掌控时间”，引申为“主动驾驭时间”再延伸为“时间的主人”。有了“主人”和“仆人”的矛盾，又有了题目所提供的技术的发展这样的条件，“仆人”向“主人”转化，文脉就不难打通了。全国新课标乙卷：

吹灭别人的灯，并不会让自己更加光明；阻挡别人的路，也不会让自己行得更远。

模式是同样的，矛盾的一方面“光明”“行得更远”已经直接提供了，矛盾的另一方面不言而喻是“黑暗”和“行得更近”，却隐藏着。下面直接把转化的结果明确提出“一花独放不是春，百花齐放春满园”。题旨的导向很明确，不是让别人“黑暗”显示自己的光明，更用形象的话语说，“世界上只有一种花朵，就算这种花朵再美，那也是单调的”，题旨乃是从积极方面，自己和他人共同光明。特别明显的是，没有用抽象的理性议论，而是用了诗意的形象语言“百花齐放春满园”来表达人类命运的共同体的理想。

天津卷的题目引用了周恩来年轻时写的一副对联“与有肝胆人共事，从无字句处读书”，为文的关键仍在从“无字”的“有肝胆之人”的概括出事实上是，读人一如读书。读书是“有字”的，而读人则是“无字”的。

综上所述，今年命题，都是矛盾的对立的转化，但是，第一，对立的一方面是隐性的，把对立面分析出来，这是对考生的考验。第二，转化的结果，其主要方面乃是正能量的。本来矛盾转化的在一定条件下，可能向负面转化，但是，今年的明确指向向正面转化。这可以说今年命题的一大特点。

令人耳目一新的是在北京卷，在微作文中居然提出“以‘心跳得那么快’为开头，写一首小诗或一段抒情文字”。这是很勇敢的，高考是为大学选拔人才，强调理性思维是世界性的大势所趋，但是未免走向另一极端。不约而同地声明不得写诗歌，北京卷这样做不但勇敢，而且具有深刻的理念。人如果仅仅有理性，那最理想的就是机器人，人之所以为人，还因为人是有感情的。理性与情感的统一，才是全面发展的人。这一点也可以说是在全世界独一无二的。对于这一点，连中国老师提高到原则上说：“在近一段时间内，基于时代之思，努力为社会发展营造良好的人文基础与社会环境，可能是语文教育未来发展的趋势。”①

比北京卷更加勇敢的则是上海卷，把作文分值提高到 70 分。这对语文高考有很重要启示性。本来考生的语文素养，最集中的表现乃在作文。而当下由于受制于阅读者的水平得不到社会的信任，乃有占到考卷 60% 以上的阅读题，这些阅读题又是以所谓多向选择，其弊端甚至谬误，司空见惯，近年来固然有所改进，但是并没有根本性的改变。这是造成高分低能，低分高能的重要原因。上海题的新颖还在于其空前的开放性——“一个人乐意去探索陌生世界，仅仅是因为好奇心吗？”这个命题开放度很大，好奇心当然不是全部理由，考生自由发挥的余地很大。但是，要论证，要分析好奇心与非好奇的探索，是以严格的事实为基础的。这就要求考生在自然科学、人文科学、历史等多方面有所积累。

三、从正反两个方面分析谚语格言

这种积累，在新高考Ⅰ卷中，就显得特别关键了。

① 《中华读书报》，2023 年 6 月 12 日。

好的故事，可以帮我们更好地表达和沟通，可以触动心灵、启迪智慧；好的故事，可以改变一个人的命运，可以展现一个民族的形象……故事是有力量的。

题旨的开放性是空前。首先是，没有以往那种明确的议论性导向，其次是没有常见的感性材料，而是极其概括的“好的故事”。我想不少省份之所以选择这个题目，应该是有所针对的。那就是高考前夕，老师们和有关刊物都不约而同地为考生提供了大量的名人名言，五花八门的格言堆砌，成为多年来应试的套路。问题在于，所有这些格言、名言，都是名人针对特定语境、情境而发的。从某种意义上说，拿到成百上千年后的语境中来，不加分析地生搬硬套，它是死的。因为它失去了当时、当地特定文化气候，也失去了新陈代谢的气息。

耳熟能详的谚语格言往往以超越常识而显得机智，甚至深刻，然而这种深刻往往是现场的片面性，这是不可避免的。本来，把复杂的事物用一句概括，难免不周全。如“出淤泥而不染”，以其崇高的诗意而动人，但是诗意因为情感强烈，就必然超越理性，注定是片面的。最雄辩的证明是，与之相对，存在着“近墨者黑，近朱者赤”，也是人们耳熟能详的。谚语、格言的智慧和局限并在，这是我们在教学中忽略了的。

失败乃成功之母，有道理，失败非成功之母，成功乃失败之母，也是有道理的，本来为文的任务，乃是将这些权威的话语中隐含着的片面性揭示出来，究其原因，将其激活：从污秽环境中成长清白的身心，从逆境转化到顺境，是要有一定的条件的，光有主观的努力，不讲客观条件，从思维来说，不全面，钻牛角尖，从实践来说，乃是盲动蛮干。对于个人来说，后果可能是头破血流，对于革命来说，是盲动，左倾。近年来不在少数的考生，盲目地一篇 700 字的小文章中，引用好几条如此这般的格言、隽语，殊不知为文的任务乃是将不同时代不同侧重点的话语至少要按形式逻辑的同一律原则作出梳理，这有相当难度，而要辩证逻辑按其对其矛盾、对立、统一、在一定条件下转化，则更需要更深的功夫，要克服更大的难度。

这并不是故意为难考生，而是考生的宿命。因为高考不是会考，而是一场严峻的竞赛，其性质乃是竞争力的比拼。如果只是及格，就是等于白考，只有胜出一筹，才不负十载以上的寒窗苦读。

四、盘活内心储备，贵在盘而活之

以上所述，从逻辑上说，乃是简单枚举，事例是无限的，枚举是不可能全面。不得以而求其次，以“好的故事”为例做细胞形态，或者通俗地说做解剖麻雀的分析。

“好的故事”，表面看来，难度不太大，开放性极强，但是，隐含着的难度是很大的。题目中含着两个关键词，“好”和“故事”。

首先，是故事。这是具体的、感性的，对于 18 岁的考生来说，故事储备应该是不在少数。但事在仓促之间，可能一时大脑停电，最简单的办法，就是从语文考卷中寻找现成的故事，其实，就在同一张考卷中，前面的阅读题中，就有韩非的故事，还有司马迁的发愤著史记的故事，完全是可以利用的。

另一个关键词是“好的”。这似乎也不难。但是，要害是不是一般的好，而是好到“帮我们更好地表达和沟通，可以触动心灵、启迪智慧”，这对故事的要求就高一些了。前面说到出淤泥而不染，和近朱者赤，近墨者黑的矛盾，倒是挺深刻，但是，没有故事，汉光武对他打了胜仗的将领说有志者事竟成，和杜甫的“出师未捷身先死，长使英雄泪满襟”倒是有故事的，但是，要说出从中得到什么样的智慧的启迪，手头却没有现成的格言，这就是对才智的考验，能不能从具体的事件中，从感性的故事中，进行第一手的抽象，不依赖现成的格言或者谚语，形成自己的观念，甚至对现成的观念做翻案文章，这个考验是真正素质的考验，或者叫作才气!

这就需要分析，从严格的意义上说，不管什么样的格言、警句，一旦脱离了特定的语境，难免显得不够周全，就是那些流传千古的名言，甚至成为共识的谚语，很难不带有某种片面性。比如，有志者事竟成，这是汉光武称赞他属下的耿弇将军的即兴之言，孤立起来，就很不全面，要把这样的谚语盘活，并不太难，只要联想到如杜甫的悼念诸葛亮的“出师未捷身先死，长使英雄泪满襟”。这并不是孤立的现象，最终走向末的英雄比比皆是。盘活的关键还在于，如能对诸葛亮的失败种种因素，仅举出一端，文章就比较有深度。如果对光武部下性耿的将军不太了解，至少对诸葛亮的鞠躬尽瘁死而后已，有所分析，才能活起来。这就要把诸葛亮的《隆中对》《出师表》《后出师表》，甚至《三国演义》的一些内容调动起来。用我前几年说过的话来说，就是按主题的导向把内心的储备盘活。上述素材几乎所有考生都具备的，但是，在那决定性的短暂时间里，能不能有盘活的自觉，而且是瞬间的盘活，就是第一关键了。

第二关键乃是不是一般的盘，而是盘而活之。活就活在，把有志竟成的英雄和有志不成的英雄联系起来，分析出原因来。赋予那过去的话语以自己的生命，点石成金，这才是真正的盘而活之。

考题下面还有更值得注意的提示：“好的故事，可以改变一个人的命运，可以展现一个民族的形象……故事是有力量的。”这里有题目的第三个关键词：“力量”。这个“力量”就是一开头“好的故事”的“好”的最佳注释，也是命题的题眼所在。

文章要做到“好”字上，做到好的“力量”上，才有竞争力，这就要写出什么样的故事改变了什么的人命运，展现民族的形象。

这看来很宏大，难度似乎更大。对于一些考生来说，可能茫无头绪。这时，还有一个办法，那就是突破语文考试的这样的潜在的思维定式，把盘活的视野放大到一切学科中去，用我的话来说，做跨学科的盘活。不管它是数理化的还是文史地的，不管它是中国的，还是外国的，只要是因为故事而有所改变的，就是“好”的。只要有了这样的自觉，一切沉睡在意识深处的故事，就会活起来，甚至可以说纷至沓来。

自然科学界这样的事例多如牛毛。阿基米德偶然从浴盆中溢出的水测出金皇冠的重量，确定皇冠含金量，从而发现了排水量（体积）和重量的关系。这是物理课上起码的常识。

英国的瓦特见水壶因蒸气冲击而跳动，从中得到灵感，水的汽化产生动力，蒸汽机的发明，改良了纺织机，推动了英国的工业革命。这是物理课本和历史课本上都有的。

爱因斯坦的广义相对论批判牛顿光的直线运行，得出的水星近日点处，光线有精确到多少度的弯曲。物理学界对此争议甚大，广义相对论得不到承认。他不能被授予诺贝尔奖。爱因斯坦声言，如果他的数学推演的数据，与实际测量不符，就放弃。后来爱因斯坦派了两个探测队，一个到南美，一个到南非。南美那支因为天空阴霾，无果，而南非那支队伍的勘测所得和爱因斯坦的预言相差无几。广义相对论乃得全世界认可。

钱学森 20 世纪 50 年代被美国软禁，我们拿不出直接的证据，直到他的亲笔信转展传到欧洲，转到我们手中，又加上我们手中有在朝鲜的美国战俘，用来交换，改变了我国的航天技术的命运。

至于在中国历史上这样的例子更是数不胜数。司马迁本身因为受了腐刑，发愤著《史记》。在《报任安书》中他还有更为广泛的总结：

> 仲尼厄而作《春秋》；屈原放逐，乃赋《离骚》；左丘失明，厥有《国语》；孙子膑脚，《兵法》修列；不韦迁蜀，世传《吕览》；韩非囚秦，《说难》《孤愤》。

这语文课本中千年以前的名言故事，一旦用被盘活，就获得了新的生命，化为眼前的“力量”了。

五、从贴近初始的理念到突破、提升、创新的理性境界

综上所述，对于考生来说，盘活，是盘而活之，因而，第一，是跨学科的盘活存量问

题。第二，是储存的质量问题。第三，盘活不是同类谚语格言和故事的叠加，而是在相反的、矛盾的话语故事之间发现联系。第四，在联系起来以后，进入具体分析出转化的条件，综合出自己的观念。

在记叙抒情中类文章中，盘活是贴近自我，激活被日常习惯所淹没的体验，包括沉睡的潜意识。同时也是提炼、净化、提高自我的过程。而作为理性的议论文，仅仅是对前人话语罗列，数量再多也是盘而不活。写作的最佳境界，并不是现成观点文从字顺的表达，而是在写作过程提纯、超越自我。写作就是克服盘而不活的难度。问题在于，在诸多名言和故事涌现之时，要设身处地重新体悟，既为之激动，也从中看到局限，彻底分析综合，推演出新的观点。在这个突破的过程中，一些出乎意料的才智，自天而降的灵感，深邃的理念，清词丽句，会猝然涌现，甚至纷至沓来。在这个意义上，议论文也是从贴近自我，盘点自我初始理念，到提高自我理性，创造新的自我的过程。

树德立人的根本任务，就是这样落实的。

从开放性到创新性
——评 2024 年高考作文题

一

纵观 2024 年全国高考作文题，不禁眼前一亮。隐隐感到，这是高考作文命题的一个新进展。回顾基础教育改革以来，高考作文命题，从主题的强制性封闭到立意的开放性，继而是开放性和价值导向性逐步趋向统一。在文体方面，则是从片面强调贴近生活（直接经验），以记叙抒情文为主，逐渐按高等学校选优的原则，向议论文为主过渡。而议论文则以“思接千载，视通万里”的间接经验的抽象思辨为根本。命题则是提出问题，或隐或显地包含着对立面。陈旧的先有论点，后举事例、语录（名人名言）的“议论文三要素”在实践中，转化为分析综合正反两面，独立思辨，形成富有个性的主题。

今年的大部分的命题，至少在题面上并不直接提供对立面。不少命题，就问题的性质而言是没有结论的。“并不要求考生就问题本身回答‘是’与‘否’，而重在考生的‘联想和思考’上。”不仅要求独立命意，而且要有思想上的突破与创新。这一点新课标二卷可谓点题之作：

> 长久以来，人们只能看到月球固定朝向地球的一面，“嫦娥四号”探月任务揭开了月背的神秘面纱；随着“天问一号”飞离地球，航天人的目光又投向遥远的深空……
>
> 正如人类的太空之旅，我们每个人也都在不断抵达未知之境。

关键词语是“不断抵达未知之境”，这就意味着以探索精神为贵。新课标Ⅰ卷的题目，更是如此：

随着互联网的普及、人工智能的应用，越来越多的问题能很快得到答案。那么，我们的问题是否会越来越少？

这是到目前为止，全世界还没有答案的问题，其高度乃是突破人类的已知，向未知的领域进军。这就不限于独立的个性，而是需要一定的创新性。

上海卷则具体地集中到一个“认可度”的概念上：

生活中，人们常用认可度判别事物，区分高下。请写一篇文章，谈谈你对“认可度”的认识和思考。

与之异曲同工的是天津卷：

在缤纷的世界中，无论是个人、群体还是国家，都会面对别人对我们的定义。我们要认真对待“被定义”，明辨是非，去芜存真，为自己的提升助力；也要勇于通过“自定义”来塑造自我，彰显风华，用自己的方式前进。

这两个题目的开放度是很大的，但是开放度与立论的难度成正比。而难度就是区分度，而区分度恰恰是高校择优的必要。“认可度”“被定义”内涵和外延都没有规定，概念相当模糊，没有现成的答案，考验就在对“认可度”“被定义”概念的探索。最起码的办法乃是将之做分类，如道德、学业、家庭、学校、单位的“认可度”“被定义”等，明确了内涵或者外延，立意才能明确，文脉才能有序展开。

从命题的历史来说，这样的命题，是不是意味着进入了一个新的阶段？

命题评论是不是也要相应地有所进展呢？

这是我们这些评题者不能不有所反思的。

但是，6 月 7 日下午，高考作文命题公一公布，种种媒体蜂拥而上，专家、明星议论纷纭，因循着多年的套路，抢时间，炒热点，热闹一番，似乎就成过眼烟云了。从来没有思考过，对于考生来说，不管题目是好是差，都别无选择。摆在眼前的任务是，不负自己 12 年的寒窗苦读和父母师长的期望，把自己的积累，尽力超常发挥。所有命题的评论对于他们来说，都是马后炮。

但是，为什么命题评论还是年年不断呢？我想，对于中学语文教学，高考作文命题具有指挥棒的作用，对于下一届应考学生来说，则是一场货真价实的预演。

但是对于聪明的中学教师来说，这不仅仅是预演，而且应该进入预赛。

福建省语文学会就意识到了这一点，用同样的题目，让全省上千名高二学生在网上，一小时之内写作，还进行了像模像样的评奖。这样的活动已经进行了十多年。

从这个意义上说，评题除了对命题者有参考价值以外，重中之重，乃是指导考生如何把作文做得更好，质量更高。

在这方面，比较严肃的刊物已经走在前面。例如上海的《语文学习》就并不在6月初赶着热炒作文命题，而是到了8月份，才出高考命题作文的专号，对每一个题目都有特级教师的评论，每则评论都附有当年优秀作文两篇。这样做已经连续多年了，可惜至今没有引起有关方面的总结。

从理论上来说，这已经把高考作文评论提高到哲学的高度，那就是，命题的优劣最后并不由评论，而是由学生的考试实践来检验。马克思在《关于费尔巴哈的提纲》中说：

> 人的思想是否具有客观的真理性，这并不是一个理论问题，而是一个实践问题。人应该在实践中证明自己思维的真理性，即自己思维的现实性和力量，亦即思维的此岸性。关于离开实践的思维是否现实的争论，是一个纯粹的经院哲学的问题。①

毛泽东在《实践论》中说：马克思主义"之所以称为真理"，不但在于"科学地构成这些学说的时候，而且在于为尔后革命的阶级斗争和民族斗争的实践所证实的时候"。②

实践真理论是我们的立国之本，也是教育立人之本。这一原则，在评论作文题时，几乎完全忽略了。就是高级研究机构也满足于从概念到概念的演绎，加上一些西方理论和方法，就算是完成学术研究的任务了，完全不做最起码的调查，导致多年来评课水平停滞不前。

令人鼓舞的是，实践走在了理论的前面。

重视考生实践的还有一本叫作《意林：高考高分作文与名师技法详解》（上海文艺出版社）的书。书名看来有点"土"，颇有商业操作之嫌。但是，它的重实践，重操作，却是超前的。它不满足于对每一种命题有所评论，而是对每一命题，都有一个实践性的系统化操作：

首先是：1."阅卷者说"；2."高分路标"；3."名师金手指"；4."等级评分标准"。

其次是"标杆文深度解析"，主要是考场最优作文，每段都附有评点。

再次是"高分一类文"，五六篇。篇后有"亮点借鉴"点评。

更精彩的是"名师亲笔示范"，教师亲自下水写作。这堪称一大发明。而且并不回避，有些学生拔尖之作，超过了个别教师。

最精彩的是"名师作文升格"。教师不但自己下水写作，而且将"失误文"逐段点评。最后还有"失误总评"。正面反面，相得益彰。

虽然，所评并不一定十分准确，但是其中真知灼见，细致入微，警策之语，比比皆是。

面对这一切，我们这些高考作文评论家，不能不感到震撼，感到惭愧，感到鼓舞，感到挑战。同时，不能不意识评论高考作文题，不能为评题而评题，把如何就题为文的实践放在首要地位。

---

① 《马克思恩格斯全集》（第三卷），人民出版社1956年版，第3—4页。

② 《毛泽东选集》（第一卷），人民出版社1991年版，第292—293页。

二

当然，为文的出发点不能不是对题目的精准把握。

用我的说法，乃是对其中显性的和隐性的关键词分析。

今年全国一卷的命题，提出的“问题”看来是很简单的：

每个人都要学习与他人相处。有时，我们为避免冲突而不愿表达自己的想法。其实，坦诚交流才有可能迎来真正的相遇。这引发了你怎样的联想和思考？

“坦诚交流”的重要性，是已知的，可以说属于常识。但是科学乃是对常识的反思和批判，唯有如此，才能从“已知”“抵达未知之境”。这样的要求很有我们时代特色。

表面上看“其实，坦诚交流才有可能迎来真正的相遇”，似乎已经有了正确答案，主题已经是现成的了。但是，第一，这个答案是开放度是很大的，重点并不在完全接受它，而是“引发了你怎样的联想和思考”。第二，题目中隐藏着思考的空间更大：“坦诚交流才有可能迎来真正的相遇”，关键是“可能”，“可能”包含着“不可能”。你的“思考”当然可以认同这种“可能”。但是如果把主题停留在“可能”上，则可能是在平面滑行，无从深化。须知考试是一场严峻的选拔，考场就是赛场，如果没有自己独特的立意和文脉，那就没有竞争力。文脉就是如何将“可能”转化为“现实”。人与人相处发生“冲突”，除了以诚相待，坦言相告，还要有什么样的条件，才能“迎来真正的相遇”，你独立思考的结果就是你文章的主题，文脉有多大的深度和广度，文章就多大的竞争力。第三，既然“可能”就意味着“不一定可能”，文脉就是如何将“不一定可能”变为“可能”。人与人之间的冲突／矛盾的转化为统一，弄清是非曲直，从根本上说来，要由实践来证明，但是实践过程太长了，代价太大了。所以人还是要“坦诚交流”。但是，在短时期内，同样一件事，你有你的看法，他有他的话语，大家都是坦诚的，没有共同语言。急于坦诚直言，引发争论，破坏了情绪，引发了顶牛，效果适得其反。第四，就是坦然的话语对方是可能接受的，也要看时间、语境、条件。在时机不成熟，语境不相宜，坦诚直言，往往是事与愿违。不管是友情、亲情、爱情，同样是坦诚的真话，在不适当的时间、语境、条件，下心直口快地说出来，反而坏事。

要有竞争力，仅仅靠中学生的直接经验是远远不够的。除了思辨的深度以外，思想资源上要最大限度地盘活。这在性质上是拓展思维广度。

例如引用经典著作中的故事，使其从性质上服从主题。

正面的，如《三国志》中“隆中对”，诸葛亮不同意刘备执着于中原，与曹操对抗，也不要想去与孙权争夺江东，而是与孙权结盟，向薄弱点四川发展，建立自己的根据地。孔明讲了一大篇，说得坦诚，刘备接受得坦承，只说了一个字：“善”。

反面的，如小说《三国演义》中，写刘备“三顾茅庐”，孔明高卧，张飞坦诚，要弄根绳子把孔明捆来，甚至到后门去放一把火逼他出来。如果真这样做了，肯定就坏了刘备的大事。这时，坦诚的张飞，就不如同样心怀不满的关公的沉默。《三国演义》这样写张飞不是赞扬，而是反讽。《水浒传》中的李逵草率地听信了谣言，以为宋江做了坏事，便砍倒杏黄旗，大闹忠义堂。最后李逵才明白是认错了事。这样的事例在经典小说中比比皆是。

如果把人际关系推广到企业竞争，则商业机密不可泄漏，在外交谈判中，无条件的“坦诚”危害国家。至于军事上则是如曹操所言，虚则实之，实则虚之。

三

许多省份选择了新课标Ⅰ卷：“随着互联网的普及、人工智能的应用，越来越多的问题能很快得到答案。那么，我们的问题是否会越来越少？”前文已经说过，这是全世界还没有答案的问题，需要一定的创新性。

当然，命笔之前，要分析一下此题的特点所在。此题和去年“好故事”相比，同样很有时代感，充满正能量，不过“故事”的起点在过去，落实于和后来的“力量”，而人工智能是着眼于当下和未来。从思想方法上来说，是一脉相承的，问题不在更“多”或者是更“少”，而在引发你怎样的“联想和思考”，也就是你独特的观念，也就是与众不同的，有竞争力的立意。

这是一个真正的思维领域广博而又深邃的问题，平时对社会、人类、时代、科技的发展漠不关心，一味局限于课本之内，汲汲于应试的同学将面临思想资源贫乏的困境。

高考作文，表面上属于语文，其实，语文素养乃是综合性的。所谓上面千条线，下面一根针。所有的课程的知识储备灵活运用到这里，都会发光。

不可忽略的是，议论的抽象性最好应该和语文的可感性结合起来。

对“越来越多的问题得到解决”这个抽象的判断，要尽可能做简明的概括，抽象的概括最好与贴近生活的感性语言相结合。例如，我们应该庆幸生活在这个伟大的时代，沐浴着科技之光华，比之牛顿、爱因斯坦生活得更精彩。即使考不上北大，也可以视通千里，享受到著名教授的课程，还可能得到适合自己的特点个性化的资源和建议。就是坐在椅子上，比瘫痪的霍金要惬意，哪怕是一步不迈，通过网购，就能购买到品尝到新疆的石榴、印尼的椰子。比起这些伟大的科学家，我们的生命的质量不但更高，而且更长，富可敌国的乔布斯如果活到今天，可能更早检查出潜在的癌症，不至于50多岁就死亡。我们甚至可以牛刀小试，不费太大的力气，在电脑键盘上敲出追随杜甫风格的七言律诗。也许就在我们走出考场之后更多的惊喜还在等待着我们。

在做这样的概括时，心里要有数，这并不是仅仅为了罗列现象，甚至也不需要特别的系统化。而是要把矛盾的这一面强化，从而引出矛盾的另一面。

因而伴随着幸运的，也可能有突如其来的噩运，如李白“月下独酌”中的自己身体的影子一样在追随着自己。也许当你接到北大的录取通知时，你在证券公司、在银行工作的父亲却失业了。也许，当你意外地获得一个独家的信息，分享给自己的朋友圈后，却被告知，这完全是虚假的谣言，很可能你因此而触犯某种法律。更严重的是，人工智能强大到不但能战胜国际象棋的世界冠军，而且操控在外太空巡游导弹，还带着核子武器，在目前情况下，还不能排除被战争狂人引发世界核战，整个地球就很难避免被毁灭的危机。这一切并不是危言耸听，当下全世界的有识者正在焦急地呼吁着对人工智能制定法律，但是，可悲的是，人类的理性还没有达到理想的高度，各有关方面还在不停地博弈。

这是矛盾的另一面，不需要很全面，但是作为对立面也要强化。

强化矛盾的目的乃是为了提出问题，只有问题提得尖锐，才能深化分析。

对这样的难题，大家都还处在一筹莫展的阶段，全世界都还没有共识，可以说，这是个没有标准答案的问题，要一个十七八岁的青年做出广泛被认可的答案，是绝对不可能的，好在题目并不要求论点绝对地正确，只要引发出自己的“联想和思考”。要害在是不是有独立思考的能力和勇气，在文章中，要言之成理，在逻辑上一贯，层层深化。

没有标准答案的问题，强化了考卷质量的区分度，这是高考竞争性、选拔性、淘汰性所决定的。

从理论上说，互联网与人工智能，获得“超人”的能量，每一个问题的解决，都会迎来新的问题，新的“危机”。解决老问题是迎接新问题的前奏。这个过程是无限的。从这个意义上说，解决的问题永远少于有待解决的问题。科学家有一种说法，到目前为止，人类所获得的知识的总和，只占全部应该达到的总量的5%左右。从这个意义上说，人类面临着“危机”，但是，“危”与“机”共存，意识到“危”就是发现问题的洞察力到达新的高度，发现问题则是解决问题的台阶。人工智能在处理数据、模拟预测提供了更高的操作平台。这个平台，归根到底是人所创造的，人既然能创造某种“超人”的智商，而这“超人”所超的是发明者原本的“人”，而获得“超人”平台以后，“人”将获得“超超人”的智商。

问题提到这个份上，就要回到题目的关键词是，问题的“多”与“少”上。

新的问题越来越多，越来越严峻，人的智商也越来越会超越性递增。

要做起码的论证，最方便的是把物理学知识盘活起来，作历史的回顾，例如，在16世纪哥白尼以前，全世界都以为人类生活在宇宙的中心。在中国古代，屈原曾经提出过疑问，“九天之际，安放安属？”杞人忧天，是被嘲笑的，而到了牛顿才回答了这个问题，由于万有引力，星球相互吸引并与其质量成正比，与距离成反比。在发现人类不在宇宙中心以后，不是问题越来越少，而是新发现的问题越来越多，而人类的探索成果也越来越多。在太阳系、银河系、织女系等，宇宙越来越浩瀚无边，不可知的边际越来越大。但是，历史证明，人类的科学技术也同步进展，现代科技不但可以到达月球，而且可以到达火星。问题与发展是一个正比例递增的过程。在这个知识迭代加速的时代，真正的智慧不在于拥有所有答案，而在于不断提出更进一步的问题。

如果以上纯粹理论的演绎和历史的许多同学不可能一下子做到，那么还有一个选择。

那就是把最近非常走红的小说和电影《流浪地球》的故事盘活。

在小说中，科学家发现太阳即将膨胀爆炸，地球将面临毁灭。为了人类能够继续存活，便在地球表面建造了1200万台行星发动机，带着地球逃离太阳系寻找新家园，人们被安排在地下生活，并严禁外出，因为地表不再适合人类生存。地球在逃离过程中，由于木星引力过大，地球即将撞向木星。

主角刘启和他的父亲刘培强面临生死抉择。

刘培强为了拯救地球和保护儿子，驾驶空间站带着燃料撞向木星，成功引爆，帮助地球摆脱了木星的引力，拯救了地球。

这种为了人类、为了亲情而不惜壮烈牺牲的精神，是人工智能所不具备的。这种伟大的精神，在我们传统文化中有孟子的“舍生取义”，文天祥拒绝投降后留下的诗句“人生自古谁无死，留取丹心照汗青”。我们中国人的传统就是永远怀着敬畏之心，以纷至沓来的问题为舟，如李白所说的那样“长风破浪会有时，直挂云帆济沧海”。即使不幸不能以智取胜，也定能以“义”取胜，传统的舍生取义成为星球上永恒不灭的北极光。

做这样的题目，小而言之，论友情、亲情、爱情，也不能一味局限于贴近中学生生活，要把思维领域打开，如作家、科学家的传记，把数理化、文史地的知识调动起来；大而言之，国家大事、世界政治、新闻逸事，统统调动起来，俱是源头活水。

我国的科举考试，有史论、策论，这个传统应该发扬。

即使身处一隅，也能“观古今于须臾，抚四海于一瞬”，壮志凌云，包罗万象。辩证方法灵活，思维资源丰富，灵感火花、妙语金句猝然而至，多年的积累得以超常发挥。具备了这样充沛的创新精神，才能无愧于新时期大学生的称号。

第二辑　叙事与抒情

贴近生活、贴近自我、超越自我[①]

作文教学严重滞后由来已久。早在20世纪30年代就发现了这个问题，中学生的作文水平很差，连蒋介石都有过批示，要提高作文水平，但是收效甚微。从20世纪50年代直到今天，问题仍然没有解决。作文教学有问题，这么多年了，为什么一直没有解决？因为问题提得不到位。什么叫到位？把问题的根源提出来。长期解决不了，那根源肯定是非常深刻的，往往是在最权威、最不可怀疑的地方出了问题。

语文课程标准最初的、内部的版本中对作文的表述，最关键的一条是：贴近生活。这个说法，因袭了基础教育改革前的老套。

这种理论隐含着一个预设，文章是生活的反映，生活的真，是衡量文章水平唯一的标准。为什么写不好作文呢？因为胡编乱造、虚假，脱离了生活的真实。这个说法和语文课程标准的基本原则背道而驰。语文课程标准的根本精神是强调学生的主体性，鼓励学生对一篇课文做出多元解读，不管主体还是客体，都不涉及真与假的对立，不存在一元化的非真即假。客体是真的，主体也是真的，你的主体是真的，我的主体和你不同，也是真的。解读的真谛在于主体的自由，只要贴近主体，都是有价值的，不但不存在真假，甚至在极端的解构主义那里，没有深浅的问题，标准的、一元化的、权威的真，正是颠覆的对象，这颇有后现代无中心、无深度的特点，甚得当代西方文论读者中心论的神髓：不是主体贴近文本，而是文本贴近主体。因而，提高主体自信是关键，但是到作文的时候却强调：不是贴近主体（自我），因为自我不可靠，而要贴近客体（生活），这就不是主体的自信，而是主体的自卑。为什么要贴近生活呢？因为生活是一种客观存在，有固定、统一的真实，是不以主体意志为转移的。这里就蕴含着深刻的自相矛盾：阅读，要以学生的主体的意识驾驭文本，让统一的文本贴近各不相同的自我；而写作，却强调各不相同的学生主体，去

① 据在上海写作峰会上的演说记录整理。

贴近、服从生活。多元的主体在生活一元化的真实面前，只能是虚假的。千差万别的主体和统一的生活真实，无法重合，无法贴近。唯一的选择，就是把主体（情感、想象、理念）加以剪裁、扭曲，服从一元化的生活。

矛盾的根源是两种哲学原则的冲突：要把写作的一元反映论贯彻到底，阅读也应该是一元化的，多元解读，应该有真有假；要把阅读主体性哲学贯彻到写作中去，则不存在客观真假问题。把生活当作文本来解读，多元解读，则无疑应该让生活服从多元主体，让生活在多元主体的作用下分化。

哲学上的悖论，就是中国作文教学困境的根源。

表面上这是二元哲学，实际上，体系性的主体哲学是以一种新潮的姿态贯彻始终，其写作指导思想却并不新潮，而是很陈旧的。表面上看，这种观念在哲学上处于从属地位，在教学上带有一定的操作性，可恰恰这种操作性，是经不起实践检验的。作为一种学说，作文是生活的真实反映，是很片面、很粗疏的，也很落伍。从美学来说，早在 20 世纪 50 年代末，朱光潜先生就提出美是客观与主观的统一。其实，作文不仅是生活的反映，同时也是心灵的创造、情感的升华、智慧的结晶；作为文章，还是对语感和文体的把握和驾驭。只有心灵活跃、灵动起来，才可能进入为文的境界。把人当成一面镜子，早就被当代心理学所证伪。人是一个主体，对客观信息既并不像机械唯物主义，也不像美国行为主义者所设想的那样，对一切信息照单全收，而是按照心灵本身的结构，皮亚杰所说的格局去过滤、去同化（皮亚杰所说的 scheme）。什么叫作同化？就是主体化、精神化。也就是感动了主体，撼动了心灵，改变了主体的某些感觉，使得某些情感、某些观念成为主体灵魂的一部分，或者像贝塔朗菲所说的那样，羊把草消化为羊的躯体和器官。

而我们一些作文教学却反其道而行之，要贴近生活，怎么贴法呢？去观察生活。实际上，讲观察生活的时候，连心理学上观察的起码规律都没有顾及，把观察混同于观看。观察是一种注意，属于有意注意，有意注意是有目的的，在复杂的对象面前，选择有限的关注点。没有选择，只是一般的观看，写出来充其量就是流水账，谈不上心灵的升华和创造。空谈贴近生活，从写作学来说，是外行的，是徒劳的。孩子们天天在生活里面，在学校、家庭，跟同学老师、跟社会生活发生关系，生活在潜移默化着他们，使他们发生改变，在生活中成长，已经是很贴近了，还要怎么个贴近法？这是因为，在有些人看来，孩子们的生活不是生活。在他们的感觉中，生活有一种本质的真，是伟大的、光辉的，孩子们的日常生活太渺小了。如今的孩子们面临着考试的折腾，经受着竞争的折磨，他们的灵魂在潜移默化中成长，对生活的感知在日新月异地变化，生活不是已经在精神化了吗？为什么我们的“老爷们”视而不见呢？究竟是谁脱离了生活现实呢？

理论是枯燥的，我举一个最简单的事例：2004 年福建高考出了一道作文题，列了 10 个历史名人和文学作品的形象。那一年的考生，75% 以上乃至于 80% 选择了鲁迅，但是在这些选择鲁迅的考生里面，有1000多份作文考卷上面只有两个字：鲁迅。除了这两个字以外，就是一张白卷。这是为什么呢？因为按照我们的权威理论，为文要贴近生活，做这个题目，就要去贴近鲁迅。鲁迅是伟大的思想家，伟大的文学家，是五四新文化运动的旗手；鲁迅的骨头是最硬的，有半殖民地半封建社会最可贵的性格。贴不近鲁迅，无法在想象中把伟大变成自己的感觉，把骨头硬变成自己的体悟，写不出来，70 分就这样白白丢了，十载寒窗毁了。有人就悲叹了，发牢骚了，说毁在了鲁迅手里。学生中流传着这样的话：一怕文言文，二怕作文，三怕周树人。

其实，鲁迅是冤枉的。

有一个考生很讨巧，他不贴近鲁迅，反而让鲁迅贴近他。他列了个副标题——鲁迅伴我成长。这位考生说他不喜欢鲁迅，鲁迅离他好远。鲁迅的好多作品他看不懂，硬着头皮读起来，感觉到有些迷迷糊糊；鲁迅的文章又特别多，心里是有些讨厌鲁迅的。但是后来读到了鲁迅写童年时代的文章，就觉得鲁迅这个老头子小时候还是很调皮的，很有人情味的，蛮可爱的，他有很多心理经历和“我”是共同的。所以呢，就逐渐地感觉鲁迅不是那么可怕，不是那么遥远，不一定什么事情都是那么伟大的，他对不称职的保姆长妈妈倒是挺宽容的，哪怕有一点好处，他都能由衷地赞美。在不断阅读鲁迅的过程中，理解的范围逐渐扩大了；在和鲁迅沟通的过程当中，他也长大了。于是，鲁迅和他的距离就不那么遥远了。这篇文章后来得了挺高的分数。

为什么呢？这里有另外一种作文的指导思想。不是你去贴近生活，而是让生活贴近你，让鲁迅来贴近你的理解和感知。我刚才说，生活不是一般的经历，而潜移默化了你的精神的记忆。这是一种内在的精神体悟，是心灵智慧的闪光。

我在参与制定语文课程标准的过程中，和我的两个学生（都是教授）吵了，甚至拍桌子了。原来只有“贴近生活”，拍桌子以后，他们加了些“要有自己的感悟”这类标准，但仍然是羞羞答答、主次颠倒的。所以说，对孩子，甚至于对作家来说，笼统地讲贴近生活是外行的，对学生来说是害人的，会叫人得零分的。生活并不是下过统一定义的，例如鲁迅是伟大的等，生活是你个人的精神经历，是你私有的。鲁迅是你的鲁迅，你的孔夫子、曹操、薛宝钗是与众不同的，而不是公有的。如果要有标准，很简单，它必须是撼动过你的，引起你心灵痛苦、欢乐，逗起你的梦想，引发你的思索，改变过你原来的感知，和你的思绪发生过奇妙关系的，哪怕是一刹那的突发奇想也是深刻的，能够孕育神来之笔的。如果不是这样，你从报纸上看到印度那边在搞恐怖爆炸，伊拉克人肉炸弹，血肉横飞，这不是生活吗？不，这是人家的，不是我的。从作文来说，不曾撼动过自己心灵的事情，不能说是我的生活，这样的生活是无法也无须贴近的。

因而，问题的关键不是贴近生活，而是贴近自我，贴近有年龄特点的自我，有秘密的苦恼和自豪的自我。让鲁迅贴近我，贴近我这个中学生，贴近我这个水平不高的，曾经被鲁迅的作品折磨过的人。只有这样，才不会怕周树人，也不会怕作文。关键是心灵的活跃，哪怕看来是渺小的一闪念，不一定是那么伟大的、辉煌的、令人崇拜的念头，哪怕我现在演讲，飞进了一只蜻蜓，在我头上转了又转，这是生活吗？按照权威理论，这不是生活，但是如果你心灵贴近了，你是个高三的学生，就不一定。

我看到一篇作文，是福州一中一个高三学生写的。教室里，飞来一只蜻蜓，他就写成了一篇非常漂亮的文章。他说在这个教室，全省重点中学物理班，全部都是尖子生，将来都是清华北大的高才生。老师在那里讲得天花乱坠，学生听得如痴如醉，这个时候溜来一只蜻蜓，居然在老师头上转了一转，从容不迫地继续转下去。他突发奇想：蜻蜓啊蜻蜓，你好了不起，好大的胆子啊，你这么轻松就混进我们这个尖子班了！我们都是百里挑一的，都是全省的骄傲，将来都是全国重点大学的尖子生，也许几年几十年以后，是诺贝尔奖获得者的候补者。我们的老师是权威老师，为了听到他的课，我们的父母从幼儿园开始就为我们能够进入这个教室而努力着，你居然就自由自在地跑进来了。你真是太狂妄了！但是，我还是很羡慕你，你好自由哦！我如果能像你那样自由地到野外去乱飞一气，呼吸一下新鲜空气，这样的人生好精彩，哪怕不获得诺贝尔奖也行啊。

贴近了自己，不是生活的反而变成了生活。反过来，不贴近自己，不贴近自己的痛苦和梦想，就是读伟大的鲁迅，读了多少年，也还是没有生活，没有话说。我们当前的作文教学不行，有许多许多的原因。阅读量不够，其他课程也紧，高考制度僵化，题目出得乱七八糟，把一代一代青年的青春耗费在无聊的题海上，误人子弟，贻误苍生。原因有很多，但是关键的还是指导思想。被奉为经典的，进入了语文课程标准有行政强制效益的，神圣不可侵犯的指导思想的大前提，从根本上是错误的。

这不但害了学生，更要命的是害了老师，把这个东西奉为金科玉律。开始的时候他可能有所怀疑，有些问题意识，教了 20 年以后，问题意识被磨平了，被这样的观念搞笨了。大学毕业的时候，跟那些在高校工作的同学差不多在同一起跑线上；20 年后，在高校工作的长期有科研的压力，有问题意识，研究能力与时俱进，而大部分中学老师就在根本上落伍了。如果还是带着这种笨思想去工作，学生本来很聪明，却被你用“贴近生活”，把他的灵气贴死了。

所以说，任何一个时期，任何一个状况下，作文要写好，写得有灵气，就要贴近自我，贴近他的年龄、生长环境的特点，贴近他的七情六欲。

我曾经看过一套北京市重点中学的优秀作文选，其中有两本全都是游记，文章很通顺，也有文采，但一篇篇翻下去，像是一个人写的。所到之处，都是祖国的壮丽河山，引一些诗句，都是赞美不已。从某种意义上说，这些文章都中规中矩，在中学生里面算是好的，但是这样的文章是不会有出息的，因为没有真正的主体性。为什么呢？因为它贴近的都是现成话、老一套，都是无比美好、无限欢乐。这么多的中学生，看了这么多的景点，感觉居然都是一个类型的，没有多大个性差异。这不是我们教育的悲哀吗？但是后来我看到一篇作文，一下就让我记住了，十多年了，还不会忘记。作者是福建的中学生，当时上初三，因为她考试成绩不错，她妈妈奖励她去杭州旅游。玩了两天，她妈妈问，感觉如何？她说没有感觉，就是跟着你“瞎闯”。她觉得西湖景点太多，文人太多，典故太多，没来之前就知道了。后来，到了六和塔，登上去一看，哦，这就是平原呐，江南的平原竟是这样的。原来她是福建山区来的，第一次看见这么大的平原。那个河流，是钱塘江吗？怎么不像河流啊！平到什么程度？看上去不知道是往东流还是往西流。哦，这就是平原上的河，平得这样没法叫人相信。这个地方没有山，路这么好走，人们活得太容易了，只要插一个桃枝下去，第二年就有桃子吃，所以，只能出些文人和美女，出不了关西大汉。后来，她就回去了，当火车进入福建，又是高山隧道，真是“山从人面起，云傍马头生”啊。这个时候她突然感觉到，哦，那个江南还是蛮精彩的，和福建真是不一样啊。为什么我在江南看的时候，不觉得好玩，离开了才觉得好玩呢？

就这篇文章，撼动了我。这叫贴近了自我，贴近了她长期习惯于看山景的心灵，冲击了她的记忆，让她的观感发生了转变。对中学生写作来说，贴近自我，就是贴近自我的年龄，调动自我的心理储存。如此，任何生活小事都可以入文。

为什么怕作文呢？因为自我没有苏醒。自我的记忆是多年的积压，是无比丰富的矿藏，但是绝大部分是沉睡着的，因而需要撼动，或者说需要盘活，不盘活，那还是死的。只有盘活了，深层的自我苏醒了，哪怕是鸡毛蒜皮，也会引发奇思妙想。写作教学，第一要唤醒自我。什么叫作自我？就是自己与别人的不同感觉、思绪。这个自我，平时是沉睡的，自己都不知道，没有感觉的。

把这个沉睡的自我唤醒，叫作“找到自我”。为什么自我还要找寻呢？自己还感觉不到自己吗？这里有一点学问。流行的说法是，写作要有真情实感，这可能是良好的愿望，但是，真情实感往往是被权威的感觉压抑着的，需要突破的就是这层压抑。权威的、流行的想法、看法、说法，别人的感觉，明明不是自己的，但有种种现成的套话，因为现成，就好像是自己的，而自己真正的感觉，因为没有原创的话语，还没有产生就被窒息了。要找到自己，做起来要有自觉，也可以说，挺有难度的：第一，难在要从别人的套话中解放出来；第二，难在要有一定程度的自由想象。作文是一种回忆，回忆不是全盘照搬，不能仅凭原生的感觉。《文心雕龙》说，原生的感兴是“云蒸霞蔚”“万涂竞萌”的。对纷纭的生活记忆，是不能傻乎乎地、没头没脑地贴近的，因为其中有序的和无序的，深刻的和肤浅的，混乱的和清晰的，满当当的和空白的，是纠缠在一起的。这时需要拉开一点距离，在想象中调动整个生命的经验和智慧，大力排除驱遣，形成凝聚的焦点，也就是司空图在《二十四诗品》中所说的“万取一收”，这才能进入为文的起点和意脉。这是一个孕育的过程，是一种深度自我和现场信息搏斗的过程。其间不仅有意识的作用，还有无意识的作用。情感和智慧的生长是潜移默化的，往往并不在意识领域，而是在潜意识领域，因而是没有感觉的。而为文则要使之进入意识，从自发到自觉，在黑暗中探索，还要按照文体的特点，从朦胧中浮现，这一切都是在想象的境界进行的。想象境界是假定的，不是真的，是超越生活的。越是虚实相生，越有生动的情趣。

也许以上所举的例子对于一些迷信贴近生活的人来说，说服力还不够。这里举个经典的例子，即萧红被收入语文课本的《祖父的园子》。这篇文章之所以成为经典，是因为它贴近了祖父的园子，还是贴近了童年萧红的自我呢？我们来看文中最为精彩的一段：

> 太阳在园子里是特别大的，天空是特别高的。……
>
> 花开了，就像睡醒了似的。鸟飞了，就像在天上逛似的。虫子叫了，就像在说话似的。一切都活了，要做什么，就做什么。要怎么样，就怎么样，都是自由的。倭瓜愿意爬上架就爬上架，愿意爬上房就爬上房。黄瓜愿意开一朵花，就开一朵花，愿意结一个瓜，就结一个瓜。若都不愿意，就是一个瓜也不结，一朵花也不开，也没有人问它。玉米愿意长多高就长多高，它若愿意长上天去，也没有人管。蝴蝶随意地飞，一会儿从墙头上飞来一对黄蝴蝶，一会儿又从墙头上飞走一只白蝴蝶。它们是从谁家来的，又要飞到谁家去？太阳也不知道。
>
> 天空蓝悠悠的，又高又远。
>
> 白云来了，一大团一大团的，从祖父的头上飘过，好像要压到祖父的草帽了。
>
> 我玩累了，就在房子底下找个阴凉的地方睡着了。不用枕头，不用席子，把草帽遮在脸上就睡了。

园子里的花不可能是睡醒的，虫子是不可能说话的，萧红这样说话不是违反了生活的真实吗？但是，违反了生活的真实，却是很生动的。为什么？因为它贴近了儿童的心灵。不但是表面上贴近儿童的心灵，而且贴近了儿童的幻想，儿童才有的想象：“一切都活了。”难道在萧红来到之前，这一切都是死的吗？只是在萧红孩子气的想象中，因为祖父对她的宠爱，给她自由，她才在想象中感到一切都活了。想象不是客观的真实，而是心灵的真实。倭瓜、黄瓜、玉米、蝴蝶本来都是没有意志的，而在萧红眼里，都变成有意志了，“要做什么，就做什么。要怎么样，就怎么样，都是自由的”。这里贴近的其实并不是倭瓜、黄瓜、玉米和蝴蝶的自由，而是萧红自己的自由。其特点乃是不管做什么，“也没人管”。这个“没人管”，乃是萧红自己在园子里捣乱而祖父宽容的特征。不过萧红没有直接说自己没人管，而是说倭瓜、黄瓜、玉米、蝴蝶“没人管”，这就使得这一切都带上了儿童的想象，因而显得天真烂漫起来。这种天真烂漫的自由写到后来落实到萧红自己的行为上来，居然是玩累了，“找个阴凉的地方睡着了。不用枕头，不用席子，把草帽遮在脸上就睡了”。这不但贴近了萧红的淘气，而且也贴近了萧红祖父对她的溺爱。

在西方国家、在日本，都是非常讲究贴近儿童的自我的。这里介绍一篇日本小学生的文章《我和爸爸的便当盒》，这篇文章获得朝日学生新闻社第四届作文比赛最优秀奖，作者是日本广岛市立中岛小学校一年级学生山悠贵德。

爸爸因病去世三年之后，我成了一名小学一年级学生。

有件事要向爸爸汇报一下，我想，爸爸也一定知道了：我借用了您的便当盒。一想起昨天的事情，我的心还在怦怦直跳。我的筷子碰到便当盒的时候，发出了很好听的声音。昨天的便当，十分特别，虽然当时才上午十点，可我脑子里想着的全是便当。之所以说昨天的便当盒很特别，那是因为第一次使用了爸爸的便当盒。爸爸去世后，我非常寂寞、非常难过。

爸爸在“天妇罗屋”工作，他油炸的天妇罗，是世界上最好吃的。每次我去吃的时候，爸爸总是悄悄地为我炸许多我最最喜欢的“海老天妇罗”。那种时候，我不由得感觉到自己很特别，因此十分开心。那以后我每天吃得多多的，还努力练习空手道，以至于一直使用的便当盒变得不够用了。

“我想要个大点的便当盒！”那天我这么一说，妈妈便从橱柜的里边将爸爸上班时常常使用的便当盒拿出来给了我。“对你来说，会不会太大了些呢？”妈妈说。但是还是让我用上了爸爸的便当盒。

然后，就是从早上开始等了又等的吃便当的时间。我将便当全部吃得光光的。吃完之后觉得自己就像爸爸一样，变得又坚强又温和，变得很想见到爸爸。到现在回想起这么高兴又好吃的特别的便当，心里还怦怦地跳个不停。如果能够向神许愿的话，我想要能再一次和爸爸、妈妈、妹妹一起生活。不过爸爸一直在天空中守护着我们。

虽然爸爸不在会很寂寞，但我是家里唯一的男孩子，我会代替爸爸保护好妈妈和妹妹，我会用爸爸的便当盒好好地吃饭，成为更加坚强的、温和的男孩子。

爸爸，谢谢你借给我的便当盒！

用了父亲的便当盒，向往自己变得和爸爸一样又坚强又温和，向神许愿，作为家里唯一的男孩子，会代替爸爸保护好妈妈和妹妹。应该说，文章贴近孩子的心灵，有男孩子的责任感，又有富于宗教特色的想象，可以说是挺动人的。非常巧合的是，我们中国也有一个丧父的男孩子，表现了保护母亲的“理想”。这篇文章登载在《中国教育报》上，说的是一个干部回乡探亲，顺道到小学老师家拜访，看到桌子上一篇三年级学生的作文，题目是“我的理想”：

老爸没有走的时候，希望我当个科学家。老爸走了以后，老妈希望我当个公安。我不想当科学家，也不想当公安，我的理想是当一条狗，因为，我和老妈都怕鬼。听说，狗是不怕鬼的。如果我成了狗，我们就不用怕鬼了。

这位干部看到作文上打了一个叉，可能是老师觉得这篇作文太脱离现实了。然而，这是一篇多么动人的作文啊！如此深入地贴近了自我，贴近了心灵深处对母亲的爱，表现又那样真切深邃，全凭虚实相生，通过贴近自我，进而贴近了生活环境。之所以能这样，还因为超越了生活，进入了想象的境界。要做到贴近自我，想象力很关键。一味贴近生活，不敢超越生活，没有想象力，只能是生活面前的爬虫。

这篇作文比之日本那位小学生的作文，显然想象更奇特。日本那个孩子的想象是宗教式的信念，是公众共享的，而我们中国这一篇则是孩子独创的，独一无二的，但是，在人家那里作文得了最优秀奖，而在我们这里却得了一个叉。

这位老师主观上当然是很尽职的，可能认为这个学生有点迷信，应该批评吧，但是，他却不懂得所谓“科学”观念和儿童的想象是两种不同的价值系统。对于美丽的儿童想象，用科学去否定，实际上是在扼杀儿童的天性。

我们许多老师口口声声说尊重生活，却对生活中最活泼的儿童不够尊重，原因倒不在于他们不把儿童当作人，而在于他们常常不把儿童当作特殊的人，不理解他们奇特想象的价值，不珍惜他们与成人思维不尽相同的逻辑。出于某种狭隘的成人观念，包括道德观念，常常就辛辛苦苦地把儿童的天性窒息了。

我看到一篇美国小学生的作文，写她对自己最好的朋友妒忌不已的故事。作者是一位华裔小女孩凯特（真名戴晶晶），和一位美国小女孩要好到承认“萨拉比我要漂亮得多，我的这个想法是很认真的”。但是，有一次她发现萨拉在校车上“并没有在她的旁边为我留下座位，而是坐在另一个女孩旁边，并且和她说笑聊天。我很不自在，就像是有人用拳头猛击我的肚子”，“我的内心却呼喊着‘报复！’”。当她和朋友在走廊再次相遇，“萨拉像往常一样平静地来到走廊。突然，我再也无法忍受了。愤怒之声在我耳边回响。我大声喊道：‘萨拉，伊丽莎白·克莱尔！你为什么要这么对待我？你为什么用莉斯来取代我！想一想，我曾经真的愿意成为你的朋友！我现在究竟应该想些什么呢？从今以后，我再也不会去相信你的那种可爱的表演了！’于是我把门一摔，就走了”。后来，她们之间的误会解除了。我想，这样坦然地贴近自己的妒忌心，这样公然地发泄，在中国孩子中很少有这样的勇气，至于把它写到作文里去，也很难得到老师的称道。可是就这样的一个学生，却在后来为美国专门招收杰出学生的“天才学校”所录取。我不是说她的这篇作文完美无缺，而是想说，美国式的贴近个性的开放空气无疑使得她的“天才”得到自由的生长。我也不是说，我们的孩子中没有这样才华横溢的苗子，而是想说，贴近生活之类的教条在无声无息中不知扼杀了多少并不亚于美国、日本学生的“天才”。有一个原来在福州，后来到北京念初中的孩子叫典典，她的一篇作文就叫《我》：

我常常觉得有许多个“我”，最极端的例子就是我平时疯疯癫癫的，爱恶作剧，完全没有女孩子的样子。可是写作时又沉静下来，多愁善感，悲天悯人。我在学校里可说是十分随和，总“不要脸”地傻笑着，很少生气；在家里却是个火药罐子，总一脸不高兴，也许是“叛逆期”？真是我自己也不明白了。而且对某些人，我一见就想欺负，某些人却想保护，在某些人面前又总是满脸幼稚，想依赖别人似的，可我最不喜欢依赖人。还讨厌哭，却又随时会在妈妈面前掉泪。有时一脸阴沉，有时一脸傻笑。啊！我的身体里一定有许多个“我”吧！

这篇文章肯定是很独特、很精彩，却和“贴近生活”似乎挂不上钩。它根本上就没有写什么生活，写的全部是自己对自己的感受。这种感受很深刻，深刻地贴近了自我。一般人的感觉中，从来只有一个我。“许多个我”，好像有点离谱，但是，“许多个我”，又是那样精彩，那样深邃。深邃在于，它揭示了人的一个被忽略了的特点，那就是人是很丰富的，很不简单的。这个孩子的才华就表现在，她发现了“许多个我”。一般简单的语言，如“多愁善感”“悲天悯人”，并不能全面表现她的另一面，如“爱恶作剧”“‘不要脸’地傻笑”，道出了人的个性是丰富多彩的。在一般的文章中，人们对此虽然有所感受，但是往往略而不计，而这个孩子却紧紧抓住。这不仅是对自我的发现，而且是对语言的活用。所谓“许多个我”，并不是真的“我”分成好多个，而是说“我”有许多不太相同的方面。这许多方面，本来是属于同一个人，但是，这个孩子却夸张地把不同方面的“多”变成“许多个我”，至少在语言上相当警策。

乍看这是小孩子的调皮，其实这里有着真正深邃的作文之道。朱自清先生在《荷塘月色》中，就有两个自我：一个是平常的自我，那是一个爱热闹，也爱冷静，爱群居，也爱独处的我；另一个就是这篇文章里面突出的“超出了平常”的自我。其特点乃是享受着“独处的妙处”，白天里一定要做的事，一定要说的话，都可以不管，一个人踱着便觉是个

“自由的人”，“什么都可以想，什么都可以不想”。对于树上的蝉声和水里的蛙声，“热闹是它们的”，而“我”的心里很是宁静，在自由地想象南朝梁元帝《采莲赋》中“妖童媛女，荡舟心许”的调情场面。还特地说明“那是一个热闹的季节，也是一个风流的季节”“可惜我们现在早已无福消受了”。

当然，贴近自我，并不是作文的万应灵方。贴近自我，也有局限。自我并不那样简单。文章并不是自我的照抄，文如其人，这个道理并不全面。人的心灵结构是多层次的，在我看来，至少有三个层次：低层次的，自发的自我；较高层次的，经过理性调整的自我；更高层次的，按照文体规范书面化了的自我。光是自发的自我，很可能是文明的倒退。有一篇小学生的作文，据网上说是惊动了教育部的：

> 今天，老师带领我们到烈士纪念馆参观，我很受感动。那些革命烈士，为了革命，不怕严刑拷打，不怕枪林弹雨，为了穷人的解放，献出了自己宝贵的生命。我要向他们学习，做革命的接班人，长大为人民服务。
>
> 我热爱那些为了穷人打天下的烈士，我痛恨那些资本家反动派。听爷爷说，刚解放那会儿，日子虽然苦，但那时当官的一心为老百姓，不像现在，到处是贪污犯。我对爷爷说，我长大了就专门抓贪官，给他们灌辣椒水，上老虎凳，叫他们把贪污的钱交出来，分给穷人。我们家也是穷人，爸爸妈妈都下岗了。爸爸每天去蹬三轮车，还经常被城管赶来赶去。有一次被城管没收了车，爸爸整整哭了一夜。我劝爸爸说，等我长大了，就号召我们班同学专门打城管，吊在树上打，拿皮带抽，看他们还敢猖狂不！妈妈对我最好了，她身体不好，没钱治病，却什么好吃的都留给我。我让她吃，她总是说不饿。
>
> 我小时候最喜欢在姥姥家玩，那里有一个小院子，虽然很破旧，但邻里关系很好，那些爷爷奶奶都喜欢我，说我又调皮又聪明，长大能当一个将军。院子里有一棵枣树，每到秋天，我就上去摘枣吃。可是，前年，那里拆迁，房子全推倒了，姥爷姥姥还有其他的爷爷奶奶，很多买不起郊区的大房子，只好租一间小房子住。那里盖起了高楼，成了繁华的商场，挣了很多钱。我不明白，为什么姥姥要住小房子，他们却能挣大钱？我不喜欢那个高楼，我心里对姥姥说，我长大了，要学本·拉登，开个飞机把他撞翻，重新给您盖个四合院，栽上枣树、石榴树。
>
> 老师经常教育我们要好好学习，我一定听老师的话，把学习搞好，长大当一个发明家。我要发明一种武器，能认出好人坏人，发射的子弹能一直追着坏人打，把他们的屁股打个洞。
>
> 我喜欢枪，我最喜欢的枪是AK47。我长大了，就用这种枪去打敌人，我一定不怕

牺牲，我一定能胜利的，那些烈士就是我的榜样。

这就是自发性的典型了，贪官是应该遭到惩办的，眼下无权无势的小百姓拿他们无可奈何，这也是事实，但因此就立志以最野蛮、最不人道的手段对待，而不是依靠法律，就难保不造成文明向野蛮甚至法西斯的倒退。

人的自发性，不加约束，是很可怕的。按照弗洛伊德的说法，“本我”是要经过“超我”监督的，用“超我”来约束“本我”是人区别于动物的优越性。余光中先生说过，文章中的“我”，并不是“本我”，而是愿望之“我”。当然，这种超越只有在想象领域中才能实现，因而，只有在想象中，真正地“贴近自我”，才能深化自我、超越自我、创造自我、提高自我。《背影》就是超越自我的成功范例。朱自清为文的过程，就是自我升华的过程。文中有几句说到他父亲的话，是一代又一代的读者所忽略了的：

他少年出外谋生，独力支持，做了许多大事。哪知老境却如此颓唐！他触目伤怀，自然情不能自已。情郁于中，自然要发之于外；家庭琐屑便往往触他之怒。他待我渐渐不同往日。但最近两年的不见，他终于忘却我的不好，只是惦记着我，惦记着我的儿子。

这里是故意含糊其词，隐去了朱自清和父亲的冲突。父亲已经有了一房姨太太（朱自清的母亲是大太太），在朱自清上北大那一年（1917 年），他在徐州任上又娶了几房姨太太。原来的姨太太前往徐州大闹，导致朱父被免职从此失业。朱自清乃于 1920 年提前从北大毕业，先是到杭州教书，每月薪金 7 元大洋，寄一半回家，父亲不满意。为了节省费用，朱自清回到家乡扬州教书，校长是父亲的朋友，父亲就通知校方：儿子的薪金直接送我处。朱自清又生了好几个孩子，经济上的矛盾，弄得父子两个很不愉快。后来朱自清跑到浙江、上海一带去教了几年书，直到 1925 年被清华聘请。他按月往家寄钱，但是父亲没有回信，关系一度很是紧张。可以想象，父亲娶姨太太，母亲一度跟着朱自清到外地生活。“家庭琐屑便往往触他之怒”“他待我渐渐不同往日”，都表明朱自清对父亲的不满，但这篇文章中，他消解了对父亲的不满，歌颂了父亲的爱。所以有人认为，这是一篇儿子对父亲的“忏悔”。这种忏悔，当然是贴近自我的，但同时又是自我的超越和升华。写作就是自我的创造，我想这一点本是常识，可是简单的、粗糙的贴近生活论，却把这个道理遮蔽了。

虽然从文学理论上来说，这种粗糙的贴近生活论早已“破产”，但是在中学写作教学中，却依然神气活现。2012 年温州市举行教学培训，有所谓的写作专家讲座的题目仍然是“贴着生活写”。而在文本解读上，则更是如此。王荣生教授告诉我，他听一个公开课，上的是《背影》，讲到最后，老师问全文何处最为生动，学生异口同声地回答，父亲爬月台那一段最生动。老师又问为什么，师生反复讨论的结果是作者“善于观察”，并布置观察作业，以之为文。

这是典型的机械唯物论的流毒。

可是我们语文课程标准的哲学基础是主体论（严格地说是主体间论）。主体不是被动的反映，而是以主体的价值选择对象的局部特点，同化之。欲知其奥秘不在于文本写了什么，而在于没有写什么，也就是主体排斥了什么。同样是朱自清的作品《荷塘月色》，写了清华园一角宁静的境界，但是这并不是全部，作者明明告诉读者此处还有喧闹的一面："这时候最热闹的，要数树上的蝉声与水里的蛙声；但热闹是它们的，我什么也没有。"主体性就表现在对不符合其情感的外部信息有充耳不闻的自由，这也正是文章立意的精彩所在。问题不在于观察，而在于主体以什么样的价值观念去观察。起决定作用的，不是对象，而是主观心态。眼下海峡两岸暨香港澳门的语文课本中均有郦道元的《三峡》和范仲淹的《岳阳楼记》，在迷信观察论者想来，如此雄文，一定是亲临观察的结果了，其实恰恰相反，两个人为文时，都没有去到现场。郦道元当时在北朝为官，不可能去南朝的辖地。亲临三峡的是他的前辈袁山松。此人出发之前，有亲自到过三峡现场的人士"临惧相戒"，即告诫他去了很可怕。可是他去了却流连忘返，觉得山水有灵，在那里等待他来欣赏上千年了。而范仲淹在接到他朋友滕子京的稿约时，正在陕西前线，不可能为了写一篇文章擅离职守，跑到湖南去。过了一年，因为下放到邓州，有些闲暇，才命笔为文。也没有可能丢下公务去观察为文，但是，他们的文章成就的秘诀都不在观察，而在心灵的自由，主要是审美价值观念的优势。一些论者的夸夸其谈，往往是由于这方面知识的欠缺。前几年北京语言大学某副教授突发奇想，曰：《背影》应该从中学语文课本中取消，原因是朱自清的父亲"违反交通规则"。作者把话说得很绝，说违反交通规则就是违法等。我后来回答他说，问题在于，你用什么样的眼睛去观察。如果你是交通警察，那观察的结果当然是违反交通规则，而这里观察的主体却不是警察，而是一个对父亲无微不至的关怀一度不领情的儿子内心的情感变动。他面对父亲勉为其难地攀爬月台，突然感到愧怍而流下了眼泪。他爱得惭愧，爱得沉重。我还怕这位副教授不认同我，乃引用朱光潜先生《我们对于一棵古松的三种态度——科学的、实用的、美感的》中的一段话：

> 假如你是木材商，我是一位植物学家，另外一位朋友是画家，三人同时来看这棵古松。我们三人可以说同时都"知觉"到这一棵树，可是三人所"知觉"到的却是三种不同的东西，你脱离不了你木材商的心习，你所知觉到的只是一棵做某事用值几多钱的木料。我也脱离不了我的植物学家的心习，我所知觉到的只是一棵叶为针状、果为球状、四季常青的显花植物。我们的朋友是位画家，什么事物都不管，只管审美，他所知觉到的只是一棵苍翠、劲拔的古树。我们三人的反应也不一致。你心里盘算它

是宜于架屋或者制器，思量怎么去买它，砍它，运它。我把它归到某类某科里去，注意它和其他松树的异点，思量它何以活得这样老。我们的朋友却不这样东想西想，他只在聚精会神地观赏它的苍翠的颜色，它的盘曲如龙蛇的线纹以及它的昂然高举，不受屈挠的气概。[①]

朱光潜先生说得明白，同样是观察，不同的价值观念有不同的结果。而为文者，特别是为带抒情性质的散文者，则不能取木材商和植物学家的态度，因为二者都是理性的、无情的，唯一可取的乃是画家的态度，其特点乃是情感的，而且是带着虚拟的、想象的性质。写作教学中，机械唯物论之所以仍然成为流毒，其原因乃是对于主体选择和想象的抹杀。

总之，写作是主体自我精神和客体信息，在书面形式的制约下互相错位、互相吸收、互相排斥、互相结构的过程，在主体、客体和形式的三维结构中，主体是最活跃的主导因素，用胡风的话来说就是发扬“主观战斗精神”“主观拥抱客观”，征服、同化、改造客观信息，主体情感智慧向书面形式生成、升华。这对自我则是一个创新的过程。这个过程以动态的更新为特点，如果在记叙类文体中还不太明显，在议论类文体中，这个对自我的理性驾驭、更新的动态就更明显了。

① 朱光潜：《朱光潜美学文集》第1卷，上海文艺出版社1982年版，第448页。

从王立根《作文智慧》谈保护童趣

我和王立根本来并不很熟，但在福州教育界，我常听到他的大名。如果不是一次偶然的机遇，我对他的认识，可能也就仅限于耳闻而已。大约是 1995 年，他和林可夫先生一起编一本《全国重点中学学生优秀作文精选》。这个选本，我早有所闻，并没有认真留意，但是后来林可夫先生的病情严重了，不能胜任主编的职责，为这一本书写序，更不可能。不知为什么，王立根先生找到了我。我起初觉得，自己对中学语文教学没有什么研究，可能有负他的厚望，但是经不住他，还有出版社的林承璋编辑的一再怂恿，唤醒了我对中学语文教学的某些感受，特别是对语文高考客观题标准化的一肚子恼火。在序言中，我非常直率地说，客观化的选择题是受了美国托福考试模式的影响，而这并不是美国的国家行为，而是美国一家公司的商业行为，客观化和标准化试题，并不是真正有利于考生水准的检测，而是有便于机械化的评分，有利于营利，英国和德国的语文考试就没有采用这种方法。事实上，一个学生的综合素质，最集中的表现应该是作文。在高考指挥棒的驱使下，我国中学语文教学，不把最大力气用在作文上，而在选择题海中操练，这是缘木求鱼。

我是一个非常崇尚坦荡的人，我想，既然你们相信我，让我写序，我就要说几句真话，但是稿子寄出去以后，我却有点忧虑起来。我害怕我对中学语文教学的尖锐批评可能引起王先生的误解。没有想到，他完全赞同，情绪十分热烈。这对我是一大鼓舞，从此我们就有了共同语言，交往也就多了起来。从他那里，我听到他一系列对于中学语文教学弊端的批评。他的第一手资料，对我确立自己的语文教学观是十分宝贵的，至少坚定了我的基本信念。三年以后，我就写出了那篇《炮轰全国统一高考体制》。这一下，我就从旁观者卷入了基础教育改革的漩涡之中，除了参与论战以外，还正儿八经地主编起《初中语文实验教材》来。其艰难的程度，绝对超越了原初的想象，光是立项就花了两年的工夫，编写又花了一两年。在这过程中，我聘请他当了我们教材的编委。

我们不但有了共同语言，而且分享了忧患和欢欣。说到我们一起经历的重重艰险，我想起了一句北方话：一根绳子上的两只蚂蚱。

摆在我眼前的这本《作文智慧》，是他多年作文教学思想的结晶，许多内容，我是非常赞同的。

我特别欣赏他始终把语文教学的重心放在作文上，这本来是天经地义的事。1955 年我考大学，除了一道古文翻译和标点，就是一篇作文，作文分值占 75%—80%。这样的语文考试，考的就是过硬功夫，不存在任何高分低能的可能。作文既无法复习，又无法速成，这是一种真正的素养，就像水里养鱼，不可能立竿见影。中学语文教学不管有多少花样，最后都要落实到作文上（还有口头交际，亦即口头作文），才有切实的效果。离开了作文，形成观念、构思立意、驾驭素材、具体分析、去粗取精、逻辑贯通、删除枝蔓、语词活用，不管多少知识都是空的。但是，由于从 20 世纪 80 年代盲目引进了托福式的刁钻古怪的选择题，以其霸权统治着语文教学，重视作文的优良传统被淡忘了。洋教条横行，造成了语文教学的严重灾难。

要改变这种状况，需要一代中学语文教师的努力。

王立根先生的这本书，就是他长期努力的一个不完全的记录。许多语文教师之所以不重视最应该受到重视的作文，除了受到高考客观题的震慑以外，还因为作文和知识传授不一样。知识传授可以用大工业的方式，一个老师就能应付数十个学生，而作文教学只有用手工业的方式，所谓一把钥匙开一把锁的方式最为有效。

正是因为这样，我们在王先生的这本书中看不到吓人的、系统的、宏观的、在概念上兜圈子的烦琐理论，没有复杂的“作文原理”之类。改革开放以来，大学里的写作教学也证明：宏观的理论，不管多么系统，也还没有达到实用的水准，对于提高写作质量往往不如精彩的个案分析和鉴赏。

王立根先生善于从具体个案的分析中作触类旁通的点拨，这种点拨正是从感性上升到智性的桥梁。

我想有耐心把这本书翻阅一遍的读者，一定不会忘记其中的《拒绝假面，坦诚为文》，这是一篇写母亲的文章。在看到这篇文章之前，读者的心目中一定积累起不少有关母亲的形象。事实上，我们从小写作文，在很大程度上，并不一定就是按照记忆中母亲的模样来临摹的，我们笔下的母亲的样子，往往是我们脑海里印象最深的经典形象的蹩脚的翻版。没有人反对过要反映真实，但是一到写作，笔就不听话了。孩子心目中活生生的感知，就让位于那些大家早已熟悉了的模式。只有特别有灵气的学生，才有足够的心理能量、足够的语言，把心灵的真实顺利地表达出来。这样的孩子虽然罕见，但是总会冒出来的，因而，对于作文教师来说，他的基本功就是善于发现。从一大堆废话、套话中发现充满生气的文章，这不但需要耐心，而且需要慧眼。发现本身就是一种水准的表现。王立根发现，在这个孩子的眼中，妈妈居然是娇滴滴的：

她真的可爱，天真得像个孩子，我拿她无可奈何，哭笑不得。

哎，拜托你，快快成长起来吧，亲爱的妈妈！

当然，光是发现还不能真正完成一个语文教师的任务，更高的层次是对其加以点拨。对于这样的作文，王立根评点说：

在都市里，我们不是经常会遇见这种少妇的形象吗？只不过从来没有一个女儿对她的妈妈这样写过。小作者确实很真诚地诉说自己藏在心头的故事，因而读后感到新奇、真实、感人。

这就是说，在生活中经常遇到并不需要什么水平，而敢于、善于把它写到作文里，则是需要水平的。

为了学习语文，我们不得不大量阅读经典，不阅读，可能对许多生动的东西视而不见。阅读经典，使我们大开眼界，看到了平时忽略过去的东西竟是如此精彩。大量阅读经典的目的是为了让我们自己更好地讲话作文，如果忘记了这一点，就可能陷入自我蒙蔽。其结果，不是让自己看到更多的东西，写出更多自己的体验，而是重复大师名家的，用自己的嘴唱别人的歌。例如，关于母爱，我们读过不少冰心的文章，写起自己的母亲来，就会鬼使神差地带上冰心式的情调，哪怕是自己的母亲和冰心的母亲天差地别，也会尽可能往冰心那里靠。不照经典文学作品中那个样子写，就有点心虚。其实，冰心的母亲是冰心的母亲，而我的母亲是和冰心的母亲不同的，如果我写出来的母亲和冰心的母亲一样的，那就不是我的成功，而是我的失败。反过来说，如果我写出的东西是冰心想不到的，笔下没有出现过的，那就不但是我的成功，而且也是我阅读冰心的成功。前面所说的那个同学笔下娇滴滴的少妇妈妈，是冰心也写不出来的，因而是别开生面的。

王立根先生提供的个案分析是多种多样的，如《一篇好作文是如何诞生的》，他指出作者最可贵之处，就是写出了自己心灵的真正体验，这种体验，是别人写不出来的。这种观念我是非常认同的。为了一篇《台湾凤尾蝶》，小作者又是查资料，又是跑图书馆，又是几十次出外捕捉，一次次探险都有日记为证。文章不过是把其中多达十一次的曲折，丝丝入扣地表现了一番，就获得了福州市作文一等奖。亲身的体验是私有的，是别人哪怕是大作家都没有的，写到文章里，肯定是亮点。当然作者也并不是一下子就达到这个水准的，原来他也盲目崇拜一些现成的美丽词语。吸取了教训以后，他逐步找到了贴近自己心灵经历的写作方式。只有这样，所谓讲真话，所谓表现个性，才有着落。

贴近自己，这本来是中学生作文最起码的道理，但是我们的理论家和一些老师却把它弄颠倒了。一听说贴近自我，就害怕了。贴近生活，那就顺耳多了，安全多了。贴近生活，好像并没有多大错误，但是，也不尽正确。在理论上讲贴近生活，是站在整个社会的角度上来说的，是站在成年人的立场上说的。实际上潜台词是：贴近大人的生活，而大人的生活，孩子是无法贴近的，能够给他们以“贴近”的感觉的，其实是大人现成的观念。这是干巴巴的教条，这种教条之所以荒谬，在于它忘记了孩子的年龄特征，空洞地强调贴近生活，从理论上来说，也是站不住脚的。生活是和人的情感分不开的，不同年龄的心理会给同样的生活输入不同的基因。忘记了这一点，就可能漠视甚至敌视孩子的童心，一看到孩子气的幻想和成人的观念不同，就野蛮地大肆挞伐。

悲剧就在于，一面在口头上反复强调童心，一面天天在扼杀童心的人却还自以为得计。

有一个小学生写了一篇《过了一把做班长的瘾》，说的是班主任别出心裁，让每一个同学轮值做一天班长。轮到他当班长了，他很兴奋，一大早就来到教室比比画画，学着班长的样子操练了一番。这一天下来，他感到很开心。这本是童心的表现，可是老师却在文章上批评说：缺乏童心，且用词不当。瘾，是和不良习惯联系在一起的，如酒瘾、烟瘾之类，当班长是为同学服务，是提高自己的本领，要好好查查字典才能准确应用……这位老师错得很厉害，不但心理上不懂得什么叫作童心，而且在语言上也不懂得字典上的词义和具体语境中的词义的重大区别。字典上的词义，到了具体的语境里是要发生变化的，字典里的词义是有限的，到了文章和口头上，在特殊的人物关系中，带上种种感情色彩，其变化（用学术语言来说，就是“所指”）是无限的。这个孩子用“过瘾”，恰当地表现了他孩子气的感情。老师一方面把人家最有童心的词语加以批评，另一方面又向人家要童心，这是基础教育长期脱离文学和语言学理论的后果。许多有事业心的老师，由于知识结构陈旧，在辛辛苦苦地做着不但无用而且有害的工作。

王立根先生在这方面不愧为名师，他十分强调贴近孩子的心灵，十分尊重青少年的特殊感觉、知觉、想象乃至幻想，以及他们的语言。在《构筑思路和个人魅力》中，他以一种近乎职业的敏感抓住了发人沉思的现象：“我的学生吴丹曾经和她的一位同学聊天，这位同学从小失去了母亲，她异想天开地说，世上什么东西都能像植物那样就好了，种瓜得瓜，种豆得豆，我从小没了妈妈，能把妈妈的基因种到地里，长出了便是妈妈，我该多么幸福啊！这句话给她触动很大，当晚她就构思了一篇作文。”这篇作文里写到孩子由于想念妈妈，把妈妈的照片种到地里。王先生在分析这篇文章的时候说：

> “种妈妈”本是不合生活逻辑的事，但是发生在四岁小菊的身上，却有一种童真、童趣，还有一种催人泪下的心灵震撼力。这种非常个性化的素材给人一种前所未有的

新鲜感。

怎样才能保护学生的童心和童趣呢？王立根在这里说得很明白，不要轻易地因生活的（大人的）逻辑不是这样的，而去否定人家，人家要贴近的不是大人的生活逻辑，而是孩子的童心。正是因为和大人不一样，才是孩子的逻辑，才能贴近孩子的心灵、孩子的自我。我想，有志于提高自己作文水准的同学，甚至有志于提高作文教学水准的老师，看了这些生动的材料，都不能不有所触动。这种触动正标志着一种有效的积累。

当然王立根先生并没有把自己的思考局限于孩子的经验层次，光是贴近孩子的经验，完全离开成人的语言、成人的文化创造，可能是作茧自缚。正是考虑到这一点，王立根先生在《作文智慧》这本书中提供了一系列和当代作家、教授的对话。从这里上升到另外一个层次，一种更高的境界。著名作家和知名教授，以他们的经验和创作实践向青少年现身说法。这个境界里的东西比之中学生自己的体会当然要深刻得多，也丰富得多了。作家兼教授曹文轩提供的许多生动的材料，特别值得一提。他不但是一个普通的作家，而且是和青少年有密切联系的儿童文学作家，他还在北大中文系当过写作教师，专门探究过写作教学。他特地为中学生写作的几篇“作文”，对于中学生来说虽然是比较深了一点，但是作为一种远景，同学们可以从中享受到登高望远的襟怀。我觉得最令人难忘的可能是他的一篇即兴作文。人家给他出了一个题目：《咬牙切齿》。他考虑 3 分钟，说出了一个类似现代派小说的精彩构思。这个构思是很深邃的。本来，我想在这里分析一下，但是考虑到我写这篇文章的目的就是为了引起大家阅读本书的兴趣，如果我说得太多，影响了阅读的兴趣，就有违我的初衷了。正是因为这样，我不得不卖个关子，相信大家不难从王立根的《作文智慧》中查到这篇对话。

从俞发亮《读写一体化学习》谈“寻找自我”

这本书的打印稿放在我的书案前已经几个月了。写序的事情一直拖了下来，倒不是我忙得那么厉害，抽不出写上两千字的时间，而是因为，我没有时间仔细、系统地阅读。初拿到的时候，我随意翻阅了几页，就觉得，这是一本很有味道的书，应该系统地读一读，其中一些作文教学方式是值得注意的。

现在终于把它读完了，实实在在地说，的确不同一般。

一般谈写作的书，无非是两种思路。一种是，一些大学写作老师写的，大都以理论为纲，但就我所涉猎的而言，真正理论基础坚实深厚，在教学上有指导价值的并不多。这也就是大学写作教学至今没有明显进展的原因之一。另一种是，比较注重教学实践的，尤其是中学生的作文教学实践，作者大都是颇有成绩的中学语文教师，他们比较敏锐，善于对经验材料做第一手概括。这方面，有一些比较可喜的成绩，我介绍过特级教师王立根的《作文智慧》就是其中之一。这类著作，从表面上看，并不追求宏观的理论纲领，当然有一定的理论支持，但是他们把功夫用在实效上。这种著作，在有些偏爱理论的大学写作教师们看来，可能是“小儿科”，可悲的是，他们那些“大儿科”的写作理论，又被文艺理论学科的教授们视为“小儿科”。当然，这种学科歧视是妄自尊大，我自己的《文学创作论》就是从写作的“小儿科”里发家的。

写作作为一个学科，正在经历从草创到成熟的过程，至今还没有达到成熟的阶段。这个过程，需要两个方面的学术支持，一个是中国古典的和西方的文学、哲学理论，这方面难度很大，因为学问太大，领域太广，但毕竟是可以从书面资源中获取的，只要勤奋，持之以恒，总归会有所进展的。第二个方面的资源，应该来自写作教学经验的升华。这方面的著作，可能的局限是视野不够开阔，因为相对于理论的普遍性而言，经验有不可避免的狭隘性，但是对经验进行理论升华，却需要比较强的直接概括能力。这种能力，说得夸张一点，就是原创性，这并不是每一个有学问的教授都具备的。

对于中学写作教学来说，目前，这两个方面都有所不足。尤其是面临高中语文素质教育的大幅度迅猛推广，中学语文老师在理论上落伍的现象就很令人忧虑，至今仍然在机械唯物论、狭隘功利论、形而上学的直线思维中不能解脱的比比皆是。这一点，在《读写一体化学习》一书的附录中，一些老师发表的荒谬意见，令人触目惊心。要解决这个问题，当然需要许多理论的启蒙和普及，但是从理论到理论学院化的做法，对于现状来说，可能是远水救不了近火，也缺乏可操作性。最好的办法，就是把理论融入经验，在经验材料中概括提炼。我在为王立根老师的《作文智慧》写序的过程中，深深受到启发。我觉得不管多么深刻的理论，对于中学语文教学来说，都要融入个案。在中学作文课堂上，可以没有正面的理论系统，却不可以没有深入的个案分析。王立根的成功就在于，他个案资源的积累和细致的具体分析。

当然，王立根的经验，不可照搬，一味照搬，停留在个案上，只能是手工业方式，缺乏普遍的指导意义。

俞发亮的这本《读写一体化学习》就是在王立根的基础上，有所发展。这本书的显著特点是，它不是像王立根的那样，一把钥匙开一把锁，一个文本一个文本地研究，而是把阅读和写作结合起来，把阅读文本一组一组地展开，每一组都有一个理念统领着。从表面看来不过是玩了一个小小的花样，实质上却是大大的开拓。

这里的每一组文章，都有相同或者相近的母题，文章的内涵和想象途径各异，其中充满了矛盾和差异。多元的、纷纭的想象，共同的母题，具有现成的可比性，对读者的思维冲击力就比较强大。把读者（中学生和老师）置于一个思维冲击场中，打破其原本处于静态的思维定式；文章提供的思维空间又有足够的弹性，读者被激活的想象，有充分的自由，得出富于个性的立意。

这很明显是出于一种素质教育的理念，其好处不仅仅是遵循了素质教育的理论，而且是为素质教育在作文教学中找到了一种可操作的方法。那就是现成的可比性中，冲击读者流行的、现成的套话，在多样的可能性中，寻找自己的个性。

这就产生了一个问题，个性、自我明明存在于自己身上，还要寻找吗？

这里面就有深刻的理论了。

个性、自我固然是天然地存在着，但是，又是被现成话、套话遮蔽住了的，处于沉睡状态。没有一定的方法，自我是不可能觉醒的。在现成的可比性中，在多样性的冲击下，激活沉睡的自我，这是一种可操作的方法。在作文教学中，有许多深邃的观念，但是绝大多数落空了，原因很复杂，其中最主要的一条是：缺乏可操作的方法。

操作方法作为方法是抽象的，只有在具体的案例中才能获得生命。值得庆幸的是，俞发亮在长期的教学和研究实践中，积累了大量典型的、具有现成可比性的材料。在这一点上，俞发亮显示出了他的专业性。这里所呈示的，不仅有大陆历年高考的资源，而且还有台湾的。这就保证了本书思维冲击力的强度和广度。

作为一个特殊的读者，我对本书中“争议作文存疑”更有兴趣，把文章的现成可比性，发展到评价的现成可比性。不管是那些可笑的评价、深邃的价值还是似是而非的评价，都极其有趣，对我的思维造成强烈的冲击。在阅读的过程中，我逐渐形成了一个观念，就是：光是这些材料，就很值得一读。

我前面说了，这本书的主导思想是素质教育，在一般人的印象中，素质与应试似乎是矛盾的，但是由于有了可操作性，素质和应试在很大程度上得到了统一。细读这本书，寻找到了自我，不但会提高自己思维的灵敏度，而且可能会提高作文的应试能力。

南帆 7 岁时的作文

南帆本来是以文学评论而著名的，可是这几年来，他在散文方面的成就似乎已经超过了他的文学评论。专门研究散文的楼肇明先生在编撰跨世纪散文新人的散文集时把南帆放在第一位。近日，上海文艺出版社来了一封信函，余秋雨先生《文化苦旅》的责任编辑约南帆写一本散文，要求全部都是他现在擅长的长达一万字以上的“大散文”。许多行家都在看好南帆的“大散文”文体和感知方式的创造。有一天，南帆告诉我，他 7 岁时写的一篇作文被他的爸爸保存了下来，题目叫“要说什么大？”。

> 陆地真正大。我们全世界一看也看不到边。我们还有什么大呀？是大海洋。海洋比陆地还要大。地球多大？大海放在地球里面，大家看一看海多大。地球比海大了多少也不懂得。再说比地球还大的东西是什么？那太阳比地球还要大得多。我们的东西一个比一个大。看我说，如果地球大，太阳比它还要大！又来一个比一个大了，天比太阳还要大。什么东西都是还有东西比它大。

30 多年过去之后，他把这篇文章和他有关大自然的一篇文章做了比较：

> 山，我不稀罕。即使在寝室里，我也能透过窗口望见山。远方一带蓝蓝的山脉蜿蜒不绝，波动起伏。我所居住的城市，栖息于一块不大的盆地之中。山时时从四周探头垂顾这个城市，听着这个城市所有的动静。我不能想象，山从这个城市四边撤走。丧失了山的庇护，这个城市仿佛会沿着倾斜的地表滑落到海洋里边去……没有山作为太阳月亮的隐身之处，白昼与黑夜的交替又将如何完成呢？

我不知道读者在比较了这两篇文章以后，会觉得哪一篇更有特色一些。而南帆本人的想法是，在经过 30 多年文学训练以后，他的想象和语言修辞都变得“成熟而雅致了”，可是“已经找不到童年时代那纵论宇宙的气魄和目空一切的神情”，他认为“这就是 30 年的距离”。

可是我却想得更多。在这篇孩子的作文中，有两种可贵的东西是后来的文章中所缺乏的。第一是纯粹的自我感觉，绝无依傍和模仿的痕迹。就像契诃夫当年所欣赏的一个孩子作文里的一句话“海真大”一样，天真而又旁若无人，充满了童真的诗趣。第二是他在这里提出了一个很有哲学意味的命题。世界上大的东西总是相对的，对于更大的东西它总是不够大的。作为一个孩子，他当然没有可能想到哲学之类，但是他自发地做出了这样朴素的概括。这令我想起人类早期的某些哲学的、文学的创造，都是这样原始而又粗糙的，但是又充满了后来那些精致的作品所缺乏的原创性。这又使我想起了初民的歌谣、原始的岩画、早期陶器上的花纹、汉朝的砖刻，想起了那些给了屈原、毕加索以灵感的艺术。而作为一个作家，在走向成熟的时候，不可能不把原始的东西加以修饰，但是其结果却是丧失了对于文学艺术来说最可贵的精神。人类的文学艺术史，似乎在显示着某种难以逃脱的悖论：一方面，是在发挥自己的创造力，有了创造力的进步，才有了后来文艺辉煌的高峰；另一方面，又似乎在抑制自己的创造力，因而辉煌总是孕育着衰亡。

童趣的样本：一个13岁孩子的作文

陈莎莎，一个13岁的孩子，居然写了一本书，这实在有点不可思议。回想当年，我十三四岁的时候，也爱好文学，孜孜不倦，连吃饭的时候眼睛都离不开书，多多少少也有一点写作天分，作文老受到老师的表扬，但是要说写这么一本出来，连想都不敢想。

目前中学语文，说实在的，比我念初中时（20世纪50年代初）复杂多了，但也僵化多了。我们那时，虽然课堂教学质量不高，但是作业没有现在这样繁重，除了数学以外几乎没有，课余时间有的是。全国的文学杂志和青少年报刊非常有限，几个文学爱好者有足够的时间把新出的文章囫囵吞枣翻阅一番，互相交换意见，长进得也相当快。向报刊投稿连邮票都不用贴的。编辑先生（那时叫同志）看稿很有耐心，不管用不用，都有回信，有时还相当热情地鼓励。相比起来，今天的编辑先生就官僚多了。不要说孩子的稿子投过去大抵是石沉大海，就是像我这样的老资格，也有杳无音信的时候。这几年，他们学了香港编辑先生的样，稿子发表出来，也不通知作者，连样报、样刊都懒得寄。直到收到稿费，才知道稿子早已发表了。

在课内外巨大的压力下，一个孩子要写出一本书来，真令人想起毛泽东语录中的一句话：排除万难。不要说写，就是抄一遍，得花多少时间，“耽误”多少作业啊！如果光凭这一点，最多不过说明这孩子有毅力而已。更为喜人的是，文章的质量还不错，尤其值得称道的是从中显示出来的心理素质。

我得坦率承认，最初的几篇，例如《回母校》，并没有激起我特别的阅读兴味，可当我读到《夹心饼干》的时候，就禁不住提神了。晒太阳，吃饼干，有什么可写的呢？居然写出一片童心来，字里行间有一点自我嘲讽的味道：“盯着饼干看，想像牛顿一样从好吃的东西中发现伟大的东西。无奈竟没有发现，看来人并不是都很幸运的。”难得的是，孩子气的想象没有被流行于中学语文课堂里的教条所束缚：小作者放任自己的想象，驾驭着自己的想象飞翔。把夹心饼干当成一个家庭：左边是父亲，右边是母亲，中间的蓝莓馅儿就是孩子。碰到一个嘴巴挑剔的，当中的馅儿，就可能被丢掉了，就成了“孤儿”。而自己是“极馋”的，把馅儿也吃了，顺理成章地“成了一个促成美满家庭的人”。把自己的馋，写得这样坦然，既有自我调侃，又有自我欣赏，流露出一点幽默感，读之不禁莞尔。

这就是童心，这就是童趣。我们一些老师天天喊童心、童趣，可是常常用一种虚假的模式去套孩子的心灵。让孩子说大人的话，实在是折腾孩子，也折腾自己。

具有《夹心饼干》同样优点的文章不在少数，大都以自由的、儿童式的想象见长。像《一片树叶的旅行》：小树叶掉在河里，觉得自己“本来就不是一片胆小的树叶”。它在河里漂的时候，蝗虫向它求救，因为是害虫，它拒绝了。而蜜蜂是益虫，它就成了蜜蜂的船只。这显然是童话式的想象。孩子气的道德观念和天真的想象结合得相当自然。

在这个集子中，写得好的多是具有想象性的文章。这好像是一种规律，只要让孩子自由地、勇敢地展开想象，而不是用一些现成的教条去束缚它，往往就能出好文章。

连 2001 年的高考作文都是这样。福建省语文试卷阅卷负责人告诉我：此番题目是“诚信”，那些想象的寓言、童话与超越现实的故事，比现实性的描绘性的作品，在文字上、在情感的独特方面，都要高出一筹。

在陈莎莎这里，情况也有相似之处。想象性的往往更为可爱。

但是，现实性描绘的，也不都是平淡的。像《两幢老房子的回忆》，本来是很平常的，睡在外婆家的老房子里，想到小时候外公、外婆、舅舅的一些琐事，又想到姐姐教自己学拗口的“万”“吐”“水里”的英语单词，在平淡中蕴含着深长的意味。“中午外婆叫我回家吃饭，‘莎莎——’后面那个‘莎’字总是拖得好长好长，我听到后不得不赶紧跑回家。吃过饭，我总爱光着脚丫踩着被太阳晒得很烫的小院子的地板。”“被太阳晒得很烫的小院子的地板”，文字并不华彩，可意味是多么精致！内行人从“很烫的”三个字中可以看出一点艺术的感觉来。没有良好的心理素质，很可能会把“很烫的”感觉忽略过去。

显然，这个孩子的心理素质是很好的。不但想象力有孩子气的纯真，而且感受力也有儿童的敏捷。

良好的心理素质还表现在《永远的悔恨》《和好》等篇章中。

哪怕是一点微小的、遥远的心灵微波，她都会长时期地保存。多情而善感，对情和感的记忆深刻是她的本钱。人们一般都倾向于忽略情和感，因为情和感是不实用的，但是对于文学创作来说，情和感却是生命的核心，具有良好文学心理素质和修养的人，往往把情和感看得比实用的一切都重要。

我想，在当前语文教学中僵化教条盛行的时候，陈莎莎能保持着如此强烈的情感优势，这不但与她先天的遗传有关，而且与她后天的勤奋阅读文学作品有关。

当然，作为一个孩子，她是不成熟的。有时，她的作品中情和感虽然有，但独特性却不足；有时，陷于流行的抒情，如《雨》；有时，局部的句子不无有趣之处，但全篇比较平淡，如《我和爸爸妈妈去看海》。所有这一切都说明，作者还小，还比较稚嫩，还需要努力发奋。像诗人何其芳所说的那样：要“痛苦地突破自己，提高自己”。

找到自己的少年心态

按：我已经为某报写了“找到自己”，这还不够，为什么一些同学多少年就是满篇大人腔，就是找不到自己呢？这是因为，他们往往对于自己最现成的少年心态不由自主地回避。我从一组中学的散文中，得出一个新的结论：找到自己的少年心态，哪怕是调皮的也好。

福建省德化一中有一个叫《野草叶》的小报，是学生办的，很有生气，可惜我没有看到。这一回《野草叶》的选集《青青野草叶》的清样放在我面前，我随便翻阅了一下，就不禁有一种大开眼界之感了。文字不必说，都达到了很不错的水平，林文荣的《英雄末路唱大风》、憩茗的《越过严冬》、林永坚的《情诗》可以作为代表，语言运用到这样的随意自如，甚至诗意和格言都能不着痕迹，涉笔成趣，信笔出奇，其间蕴含着多少才智啊。像林永坚的：“如果只为消逝的太阳伤心，那你将错过夜晚美丽的星光”，以及其他类似的笔墨，就是在全国性的重点中学的高才生中也是不多见的。

当然，光有语言的自由和流畅还不一定有真正的创造性，难得的是，写得真有灵气的比比皆是。神雕侠的《身为人兄》，就很可爱。很平淡的日常生活，在许多人看来是没有什么东西可写的，可是作者却写出独特的情趣。

抓住生活中随处皆是的情趣是作文的真功夫。

许多同学老喊作文难，觉得没有东西可写。其实只要仔细读这本集子里的一些好作文，就可以得到深刻的启发。

如果出一个题目，要求写一写自己的老师，恐怕许多同学写出来都是差不多的，这是因为，有一种现成的模式在扼杀着年轻的心灵。流行的话语有一种力量，像无声的命令一样让你把自己活泼的、调皮的天性掩盖起来，其结果就是不由自主地写些空话、套话、大话。关耳同学笔下的老师，却活脱脱就是他自己眼中的老师：作者不但对老师调皮，而且对语言也调皮。他先是说：有一种说法——莆田人嗓门大，心眼小，教英语的都是窈窕淑女。本以为这是个定律，但是他说，非常遗憾，这种定律不适合林老师。他在写文章的时候，没有把自己的俏皮掩盖起来："我们林老师是原装正版的莆田人，他的嗓门实在大，但是字正腔圆。声音有厚度，有磁性，听了不刺耳。至于心眼小，我想我们林老师的心脏病够严重的了，不至于自寻烦恼，跟自己过不去。"许多同学文章写不出自己的个性，往往就是因为做出一副大人腔，表面上是一本正经，实际上是伪装自己，结果写出来的是大同小异的套话，这无异于自我扭曲。

要知道青少年的调皮也是一种美啊，有时比美丽的风景还美得多。忘掉了自己，忘掉了自己的年龄特点、身份特点、自己的个性和调皮，是作文之大忌。

关耳同学的这一篇，成功的关键在于活脱脱敞开了自己的少年心态，把俏皮的心灵公开出来。成功的作文，各有各的经验，但是，不管经验多么五花八门，归根到底有一条，就是贴近自己，贴近自己的年龄和自己的心态，不能一味教条地迷信"贴近生活"。

作文不是生活的照抄，它应该是心灵的灯光，而俏皮也是一种个性的光华。

懂得这一点当然并不简单，但也不太深刻，如果允许我补充的话，我还要说：不是要贴近自己的一切，只要贴近自己和别人不同那一点。许多同学作文写得不好，就是因为不但不贴近自己的心灵特点，相反却害怕自己的个性。陈金銮《乡愁》的成功，就在于他写出了别人不敢写的东西。一般人写起乡愁来都充满了诗意，而他写的是对于故乡的"绝情"，坦然写自己"彻头彻尾做了一个故乡的叛徒"。

当然一味坦然是不够的，趣味是多彩的。一般同学误以为除了抒情以外别无选择，其实不然。周韵奇的《十七岁的故事》，居然写到"青春痘的烦恼"，而且用调侃的语调说："青春痘是青春的见证，应该为之感到荣幸。"这就叫作趣味的独创。没有一定语言修养和构思的魄力是不敢写的，因为，这和我们通常的诗意模式是对立的。如果说抒情追求的是美化、诗化的话，而调侃自己，则是幽默，幽默就是"不怕丑"。正是因为有了"不怕丑"的勇气，才能把没有诗意的东西写得有幽默感。不怕丑，虽然没有诗意，但是却表现了心灵的开阔和坦荡，天真和无瑕，难道这不也是一种精神之光吗？懂得了这一点，才能从根本上理解林兆永的《矮个子的滋味》的精彩之处。幽默散文在语言上还有一个特点：反话正说，正话反说，比之一本正经地抒情，可以说，须多一副笔墨。最近一期的《中华文学选刊》的《少年作文》选了篇美国中学生的优秀作文《矮个子》。应该说，那位美国少年写得也是很不错的，但是，他很正经，议论风生。而林兆永却写得很诙谐，妙趣横生。

可以肯定，还有许多比我所举出来的更精彩的。虽然不管是我提到的，还是没有提到的好作品，难免还有许多不足之处，也许还有明显的幼稚，但是我要说，最可贵的是，趣味的独异，情感的丰富，语言的不拘一格。正是这一切，冲破了无处不在的模式化的套话和框框。正是在这个意义上，我理解了《野草叶》和其深邃含义。

这使我想起了王维的诗：

木末芙蓉花，

山中发红萼。

涧户寂无人，

纷纷开且落。

花开得这么鲜艳，没有人注意，并不影响它的美好，精神本身就以自然、自由、自如、自在为最高境界，有人注意也好，没有人注意也好，谁也挡不住它生气勃勃地生长。

找到自己的感知和找到自己的语言
——读一篇高中生的作文

按：要有自己的感知，还要有自己推敲出来的语言，这样才能表达出自己的思想。

在作文教学中，有许多无效的、实际上是自我蒙蔽的理论，最流行的一种就是贴近生活，说来说去，总是要求学生观察生活。实践证明，不管怎样嚷嚷“贴近生活”，都挡不住学生的作文往往远离生活，问题的关键在于用什么去贴近生活。作文不仅是生活的反映，而且是心灵的表现。

因而，要贴近生活，首先要贴近心灵。别人的心灵是很难贴近的。如果连自己的心灵都不贴近，或者自己的心灵很不活跃，怎么可能去贴近别人的心灵？还谈得上什么贴近生活呢？只有贴近了自己的心灵，让自己心灵活跃起来，才可以贴近生活。只有经过自己的心灵体验过了的生活才是生活，别人的生活就严格来说，不算生活。

为什么老是嚷嚷贴近生活而总是贴近不了呢？就是因为总以为生活是摆在面前的，对于每个人都是一样的，你只要细心去观察，就有东西可写了。

其实不然。举一个例子，马路扩建了，一棵树被挖掉了，你观察到了。要去“贴近”这样的生活现象并不难，走近一点就是了，但是，你能不能由此而写成一篇作文呢？不能。因为作文是一种创造，心灵的创造。光是看到了，心灵还没有动起来，谈不上创造，也就没有东西可写。作文是要动心的，心不动起来，就没有可写性。光是一般的动动心还是不够的，因为一般的动心很可能是表面的，你也许只是不由自主地把别人的、权威的文章里面动心的话语模仿了一番，文章中的心灵还不是你的，而是人家的。

同样是一棵树被挖掉了，台湾作家王鼎钧就写过《那树》，他是从一个大人的角度去感受的。而你要写的话，就只能从你的角度去感受，写出你的特点来。

所以，光是说贴近心灵还是可能落空的，还要加上一句：贴近自己的心灵。而自己的心灵不是现成摆在那里的，它是隐蔽的，是需要寻找的。找到自己心灵的前提是找到自己的感觉，所以要让一个看来很平常的现象，变成可以写一写的现象，就得从找到自己的感觉开始。福州一中高二王上同学是这样找到自己的感觉的：

澳门路如一幅流动的画。946路小巴车站就在树下，遇到雨季，老树张开绿色的双臂，让上上下下的乘客好从容撑伞。夜晚我有时骑车回爷爷奶奶家，毛毛细雨比猫的脚步还轻，跌进树叶。

等到树被锯掉时，她的感觉是这样的：

我看见电锯向树上咬下去嚼碎，撒了一圈白森森的骨粉，树倒下了。我看见，叶片纷纷落下，好像一点不疼似的，轻盈地飘落。

这种感觉不但是一个普通少女的，而且是一个感情比较丰富的少女的。只要仔细体会一下，“毛毛细雨比猫的脚步还轻”“电锯向树上咬下去嚼碎”，落下“一圈白森森的骨粉”，特别是树叶飘落下来，“好像一点不疼似的”，都让我们不但关注于树的倾倒，而且凝神于这孩子痛切的感觉。但是，光有这样一点感觉，可能还比较肤浅，不够深刻，可贵的是这样的感觉还引出了她深化了的感觉，甚至还有一点点思想：

树消失了，灰色的水泥永远盖住了生命，一条路穿越我少年青春岁月，因此成了我生命的一条脉络，如今我走在澳门路上，却有一种置于异乡的感觉。

这里的“异乡的感觉”写得多好！不但是自己的感觉、自己的思想，而且是语言的创新。从王上的作文可以看出，要写好作文，语言当然是重要的，但是决定语言的却是心灵，心灵丰富的人，语言才可能丰富。

许多同学害怕写作文，说是没有东西可写。有的老师可能就说了，你没有生活，你没有注意观察生活。

这话太笼统了。问题应该深化一下：为什么有些文章写得漂亮的同学就能观察得到东西，有的同学就视而不见、听而不闻呢？

前面我说了，这和作者的情感有关系。

如果再进一步问下去：为什么有的同学情感就动得起来，有的就动不起来呢？

这个问题很复杂，暂时不谈太复杂的，一般地说，情感一活动，就不是瞪着眼睛观察，而是超越了眼睛看得见的东西，进入了想象的境界。

从找到自己的感知、语言到找到自己的思想
——推荐福州一中林蓥同学的文章

按：这是一篇写得很深刻的文章，并不是高考应试文章，要找到自己的感觉，就要有自己的思想。

文章写的是一个在考试中屡屡失败的同学。对于这样的同学，一般的同学会怎么写呢？庸俗一点，是掩饰不住自己的优越感，思想修养比较高一点的，大概会给予一点同情吧。如果光是这样，文章给人的启发是不会太大的。作者提出来的问题是，在中学里，作为一个人，有没有比考试成绩更宝贵的东西？我们中学语文，讲了多年人文精神，可是真正落实到具体的同学身上，我们有没有认真思考，有没有意识到这也是一个可以用文字来提高自己精神境界的问题呢？我想我们的老师，如果不是全部，也可能是大部分都忽略了的。

而在这篇文章中，作者对这个问题的思考水准，真有点令人惊叹。

在她笔下，这个人物，由于成绩不佳，精神上有沉重的压力，压到什么程度呢？从他喜欢唱的《世界末日》中可以感到。在作者笔下，他没有考好，也没有考好的希望，质检啦，高考啦，考不好，他习惯了。日子过得“冗长而暗淡”，但是，最有特点的语言是：日子是“没有痛痒的”“没有热情，也没有意义”。从这里，读者可以感到，作者对于这个人物的同情，不是一般的，而是有着比较深刻的理解。陷在这样的考试制度中的人物是无奈的，他承受的压力是巨大的，他的心灵是茫然、漠然的，甚至作者问他日后的去向，他也懒得动脑筋。

从这里显出了作者的才气，那就是对人的理解超越了肤浅的同情，才有超凡脱俗的理解。主要是把人作为一个人来理解，理解他的情绪，他的困境（“世界末日”的感觉）。作者洞察了，他在逃避，然而无可逃避。在一系列含蓄的描述之后，作者显示出了相当深刻

而又简洁的概括力：

阿J是骚动的。质检后阿J想到逃避，其实他也知道他只是在自欺欺人，谁都无处可逃。他开始冷静，然后自嘲，他不再大摇大摆，他妥协了。用他的话说，他的世界末日到了，荒凉到了极致。阿J像一个秋千，乏力但不停摇荡，迷失了方向。事实上根本没有方向。

如果光是描写，稍微出色一点的中学生都会写出一点精彩的句子，但是，要将灵魂深处的无奈，包括人物自己也不一定明确的潜在意识用简练的语言表达出来，光有比较深厚的语言修养可能还是不太够的。写出人物心灵深处的矛盾，最难得的是，写得并不吃力、不太夸张，这要求作者思想敏锐。

文章的好处，并不仅仅在于表现了对于一个被考试折磨得失去了希望的同学的理解，而且还在于把这种理解写得相当精粹。这并不完全是一种手法，而且是一种深刻，相信他会在秋千一样的摇荡中回到自己的世界，也就是说，就是考不好的人，也会有适合自己的世界。追求含蓄的作者，到了这个份上，不得不把这一点说得明白一点：

我知道有一天阿J会荡回自己的世界。我问阿J，阿J没给我答案，只给我沉默。没错，他是一个有预感的人。我们彼此心照不宣。

从这里，细心的读者想必会感到，作者并不是很有把握，这是因为，她还太年轻，对于当前的考试制度虽然表现出某种质疑，但是也无可奈何，可思想上，作者是很坚定的，人不仅仅是考试的机器。一个花季少年难道因为考试成绩不佳，生命就丧失了全部价值吗？作者对此是有自己的理解的，她把这种理解写到作文里，却得不到语文老师的理解。

这是一笔大胆而深刻的反衬。虽然老师不理解，但是，作者作为这个陷于困境的同学的真正朋友，却是心照不宣地理解他，而且是坚定的。在这篇精炼得在字里行间留下许多空白的文章中，作者难得用反复的笔法强调：

关于阿J，我一直以为我比谁都更了解他，因为我们本质上就是相同的。他表现在外，而我伪装得很好，很彻底地把它掩埋了……

作者写这位女老师用的笔墨并不多，可以说很是吝啬，但是，双方的矛盾却刻画得非常深邃。老师不理解，为什么呢？

从这里，作者把它提升到一种哲理的高度：

因为她看不懂，因为她不是阿J。

请注意，“因为她不是阿J”，这是很深刻的。老师不理解，并不是因为她师德有问题，而是因为人与人所处的地位不同，人与人本来就是很难沟通的，又加上，高考价值观念的霸权，理解是不可能的，但是作者理解，为什么呢？回答就更深刻了：

我只为阿J写，又不为七月写。这一句我没对她（按：老师）说。她把我叫到办公室唾沫横飞地讲一堆长篇大论，最后她叹了一口气说我太任性。我愣住了，没做任何解释。

为什么这位女老师不理解作者的文章呢？也许，对于渲染和夸张没有警惕的作者会滔滔不绝起来，但是，作者似乎十分爱惜她的笔墨，没有正面回答，只从侧面轻松地带了一句："我只为阿J写，又不为七月写。"就是不为高考而写。女老师之所以不理解，是因为她脑子里只有高考。她脑子里，高考就是一切，而"人"却视而不见。人的生命，人的心灵，人的价值，人与人之间的理解与沟通，完全不在她的关切之中。作者和这位女老师完全处在两个不同的思想境界中，虽然女老师激动得唾沫横飞，但是作者却很冷静，因为她有着对人的更高的理解和同情。她非常从容地"没做任何解释"。这里表现出来的自信有一点惊人，读者可以从这个简单的句子中感到思想的力量。

在语文学习中，有什么比对人的价值和尊严的理解与沟通更为重要的呢？

小小年纪，居然这样坚定，这样深沉，还有一点和她年龄不太相称的冷峻。细心的读者可能在这个时候才发现，作者写了这么多理解和同情，却一直没有抒情的句子，但是，这并不是没有感情，相反，这里缺乏的只是常见的、廉价的滥情，含而不露的情感却因为理解显得更深厚，更有思想的分量。尽管作者暗示，她和这位同学的命运如永远不会相交叉的平行线。我们完全可以猜想作者的成绩很好，但是她仍然忍不住在文章的最后，用直接抒情的语言对他呼喊"别忘了友情"，甚至，连听到他有点灰暗的歌声，也感到自己轻而易举地被刺痛了。

这篇写得如此深刻的文章，还有一个特点，就是从容不迫，逃避渲染和形容，追求深沉精炼。许多意思都在字里行间，有时以形象感人，有时又以思想警策，发人猛醒。我的评介文章写到这里，已经比原作都更长了，但是，我还是忍不住要引用文章中的几句话供读者自己去体会其中的精彩：

阳光灿烂，他的语气很活泼。每天放学的时候，夕阳会把我们的影子拉得很长很长。阿J说过我们是两条直线，直线后却界限着另一个世界，就像是黄昏下的夕阳永远也找不到尽头。

这是多么有才气的孩子，高中还没毕业，就有了自己的语言，坚持着自己对别人的价值观念。她的素质是高于她的语文老师的，高太多了，我不担心，语文老师能够摧残得了她。

附：

世界末日

福州第一中学　林鋆

那一段时间真的很喜欢周杰伦的《世界末日》，阿J曾经为我唱过。

阿J喜欢周杰伦，他欣赏那种洒脱，因为他没有。他叫自己Jay，所以我叫他阿J。

阿J是我的同班同学，与他接触的次数在记忆中几乎是零，直到最后那学期的有一天……

“想哭/来试探自己麻痹了没/全世界/好像只有我疲惫/无所谓……”阿J不知从哪个角落很突然地冒了出来，在我身后悠悠地唱。我一愣，有些惊讶，惊讶于他的不掺任何杂质很纯粹却略带忧伤的嗓音，很R&B，很周杰伦。阿J一首接一首地唱，从《龙卷风》到《双截棍》，我像上了瘾似的喜欢听他唱歌，在那以后。

我说阿J是一个不用花钱的点唱机。“哦，是吗？”他笑了，阳光灿烂，他的语气很活泼。每天放学的时候，夕阳会把我们的影子拉得很长很长。阿J说过我们是两条直线，直线后却界限着另一个世界，就像是黄昏下的夕阳永远也找不到尽头。我一直不明白。

质检后是完全没有痛痒的日子，冗长而又暗淡，没什么热情也没什么意义。

“准备去哪？”我问阿J。“不知道。”阿J随口道，但这确是实话，“你呢？算了，不用说我也知道。”阿J一副很轻松的样子，但转身之间还是留下了一声怅然若失的重呼吸，我感觉到了。

阿J是骚动的。质检后阿J想到逃避，其实他也知道他只是在自欺欺人，谁都无处可逃。他开始冷静，然后自嘲，他不再大摇大摆，他妥协了。用他的话说，他的世界末日到了，荒凉到极致。阿J像一个秋千，乏力但不停摇荡，迷失了方向。事实上根本没有方向。

我知道有一天阿J会荡回自己的世界。我问阿J，阿J没给我答案，只给我沉默。没错，他是一个有预感的人。我们彼此心照不宣。

很久没有听到阿J唱歌，阿J在某个片段的某个时刻无声无息地退出了所谓的“我的世界”。我耳边残留的是路上喧哗的吵闹声。夕阳把阿J的身影越缩越短，最终成为夕阳深沉下遥远的一个点。那时我想阿J的秋千弧度一定很完美，却越来越无奈。

七月前老师布置了最后一篇作文，我写了阿J，老师没给评语。她说这样的文章是不会拿分的，因为她看不懂，因为她不是阿J。阿J说他理解，真的。我只为阿J写，又不为七月写。这一句我没对她说。她把我叫到办公室唾沫横飞地讲了一堆长篇大论，最后她叹了一口气说我太任性。我愣住了，没做任何解释。

我欣赏阿J，而她不。关于阿J，我一直以为我比谁都更了解他，因为我们本质上根本就是相同的。他表现在外，而我伪装得很好，很彻底地把它掩埋了，但阿J却能轻而易举地把它连根挖出来。我始终无法描述阿J，也许是他给我的印象太明显，抑或是太模糊了。

阿J最后一次为我唱《世界末日》是在电话里。在电话那边他轻声哼着，我悄悄地跟着他的节奏。继而我们都不再说话。那天以后，七月来了。

七月的那三天白茫茫地过去了，容不得我多考虑，那三天后我始终没见过阿J。电话里，他只是在敷衍。他停住了，他无话可说，默不作声。我却很清楚地感受到他沉闷的呼吸。“平行线永远只能平行。”说完，他挂了电话。

一切都会好起来的，阿J，别忘了友情。我一个人孤单地对着电话大声地喊。

一切都会好起来的，阿J，别忘了友情。空洞的电话那头发出回响。

是吗？是的。

“天灰灰/会不会让我忘了你是谁/夜越黑/梦违背/难追难回味/我的世界将被摧毁/也许事与愿违……/也许颓废也是另一种美”（歌词）轻而易举地刺痛了我的神经，然后悲伤地在房间里穿堂而过。

让个性在想象中飞扬起来
——读德化一中优秀作文集

我对德化一中有着特殊的感情，这倒不仅仅是因为我在 20 世纪 70 年代在德化一中有过一段当教员的经历，还因为德化一中同学的作文对我的理论研究有相当的触动。前几年，他们把优秀之作集成一本《野草叶》请我作序。活到为人作序的年龄，有时免不了说些空话，但是对于《野草叶》，我非但没有说空话，相反，说了一些在一般序文中很难说出来的话。这是因为，同学们的作文，激发了我的灵感，在理论上产生了一种顿悟、一种发现，后来变成了我对于作文观念的一个出发点。

我那篇序言的题旨就是“找到自己少年的心态”。

流行的作文观念是“贴近生活”，我觉得这种说法很空，甚至有点不负责任。什么叫作生活呢？一个少年，奔忙在学校与家之间，不就是在生活之中吗？不是和生活贴得很近吗？

问题在于，什么是生活？在一些权威人士心目中，生活是社会的、客观的，有着一种伟大的、统一的意义，对于青少年来说，是遥远的，所以要努力去贴近它。其实，他们所谓的贴近生活，就是贴近那种固定的意义和伟大本质，而青少年每天都在体验着的日子，很平凡，并没有他们所向往的意义和本质。因而，要贴近那统一的意义，就不得不离开青少年各自的生活，离开的结果就难免虚假，甚至是造谣。

中学作文、高考作文中盛产“假大空”，其理论根源就在于此。生活中并没有那种抽象的、远离青少年心灵的统一的价值。离开了青少年的心灵的生活，就既不是“生”的，也不是“活”的。生活，就是活在不同人的生命中的独特体验，抽象的、统一的本质不是生活。有了独特的生命体验，那才叫生活。它并不仅仅是一些事件和经历，它的生命在于当时和事后的情感、感觉、幻想、遗憾、痛苦的体验。只有这样，才有生气和活气，才有可能成为写作的源泉。不和自己的情感发生关系，心灵不曾为之激动过、为之颠倒过的，哪怕是很有社会意义的，也很难成为写作源泉。严格地说来，一般的经历不能叫作生活，因为对于心灵来说，它既没有“生”过，也没有“活”过。盲目地要求青少年贴近这样的“生活”，实际是让学生背弃自己的心灵体验，失去自己的个性。

基于这一点，我提出了一个纲领：贴近自我。只有贴近自我，贴近自己鲜活的生命，有了和他人不同的体验，才能贴近生活。生活的发现和自我的发现是不可分割的。

正因为这样，我提出，为了贴近生活，必须找到自我。

在读《野草叶》选本的过程中，我觉得找到自我的理论还需要发展。我在给一个中学生刊物的信中这样说：

> 我已经为贵报写“找到自己”，这还不够，为什么一些同学多少年都是满篇大人腔，就是找不到自己呢？这是因为，他们往往对于自己最现成的少年心态不由自主地回避。我从一组中学生的散文中，得出一个新的结论：找到自有年龄特点的心态，哪怕是调皮鬼的也好。

如果出一个题目，要求写一写自己的老师，恐怕许多同学写出来都是差不多的。这是因为，有一种现成的、统一的话语模式在遮蔽着年轻人的个性。流行的话语有一种力量，像无声的命令一样让你把自己活泼的、调皮的天性掩盖起来，其结果就是不由自主地写些空话、套话、大话。

在一些成功的作文中，活脱脱就是作者自己眼中的老师：作者不但对老师调皮，而且语言也调皮。许多同学的文章写不出自己的个性，往往就是因为摆出一副大人腔，结果是堆砌大同小异的套话，一本正经地自我扭曲，伪装自己。

要知道青少年的调皮也是一种美啊，有时比许多人热衷的美丽的风景还美得多。

忘掉自己，忘掉自己的年龄特点、身份特点，回避自己的调皮，是作文之大忌。成功的关键在于活脱脱地敞开自己的少年心态，把俏皮的心灵公开出来。成功的作文，各有各的经验，但是，不管经验多么五花八门，归根到底有一条，就是贴近自己，贴近自己年龄特点的心态，不能一味教条地迷信“贴近生活”。

这一思想，后来成了我作文观念的理论基点。

我要对德化一中的同学和老师，表示深深的谢忱。

一年多过去了，德化一中同学作文的又一个选本《放飞个性》放在我的案头上。这一次，我又有了新的发现，他们不再以找到自己年龄的特点为满足，而是把它上升为个性，不是一般的个性，是要让个性飞扬起来。试看第一篇《新〈狂人日记〉》，作者写的是一个厌学同学的幻觉。通篇模仿鲁迅的《狂人日记》，把自己写成“狂人”。如果按照教条式的

"贴近生活"的统一本质的准则，恐怕要被判为歪曲生活，但是，这恰恰是贴近了作者的自我，作者面临的考试的压力和无奈的生活处境，跃然纸上。指导教师称赞他的文章"惊天地，泣鬼神，实在是个性十足"。

这是因为，他们的个性借助了幻想的翅膀飞扬了起来。

从这里可以看出，德化一中语文老师所推行的"个性作文"取得了实实在在的成就。老师们真是有胆有识。

放飞个性，就是借助幻想，从爬行的写实套路中把调皮的个性解放出来。《爱上女鬼》，就是一个大胆的尝试。既像是神话，又像是寓言。如果用贴近生活的教条来衡量，可能会被说成是宣传封建迷信了，但是从贴近自我来说，却是意气风发的。不如此，一个中学生，如何来表现他对于爱情这个禁区的思考呢？贴近生活，贴近生活，说成了习惯，就成了自我麻醉，连被剥了幻想的翅膀的悲剧也视而不见了。

堂而皇之的理论孤立起来看，有时是神气活现的，一接触到实际，就往往显出纸老虎的原形。林海容的《赤道往北40度》可以说是雄辩的证据。这是一篇首都游记，却没有任何贴近首都伟大的、统一的概念，相反，作者强调的是"不是在故乡，不是厦门，也不是在福州，是属于我的北京"。这个北京，和概念中的北京，起初还是有点相像的，作者下决心要用一生来记住"生命中的第一座城市"，但是后来：

拿了围巾和手套，来到街上。街上都是光秃秃的树，没有很多人，太安静了。有一个遛狗的女孩靠近我，漂亮的女孩。漂亮的狗凑到我脚下。她没有说话，只是微笑着看我。进去吃了早餐，再出来时，逐渐热烈的清晨的阳光一点一点从屋檐转移到手上，不太冷。

想象的北京大概就是这个样子吧。

每天不停地拍照，不停地走，不停地照。

整个人越走越沉默。

在一家小店里，买了一套明信片，黑白的。北京胡同，一直都很好奇，曲曲折折的胡同，到了北京才知道不过如此。原来可以知道写什么，可以写给谁，真是一种幸福。

走累了，挑一家小吃店坐下，点了炸酱面和水饺。吃完，抬头，发现天空很暗，和南方一样。

开始有点喜欢这城市，虽然让人觉得有点冷清的意味。太繁华终究是不好的。

从来不会想要一个太过热闹的梦，因为容易显得短促，只奢望漫长而缠绵的。

多么独特的感觉，居然没有强调激动，没有张扬，出奇的平静，也能产生出奇的感染力，要说才气，这就是才气。

如果从贴近生活的教条出发，这个作者所写的一点也不符合通常所谓的统一的本质，在一般概念中的那种伟大首都的景象，这里可以说是一点也没有，但是这并不妨碍它动人。它之所以有感染力，就是因为，一切都是从作者的心灵里流泻出来的。这个心灵与众不同，对于太热闹的场景，她没有什么感觉，她连做梦都不喜欢热闹，她有持续性的细腻的感觉。在这种感觉中，读者不难感到，她对于首都的爱是慢慢流露出来的。这种爱是渗透在一系列微妙的感觉中的，不停地走着，不停地照相，好像漫不经心，然而，流水账的感觉，别人是不在意的，而她却很在意。从天有点冷，到阳光照到手上又不太冷的感觉，从并不热闹的街道到遛狗的女郎，从炸酱面到水饺，从买明信片到写明信片，在别人看来可能觉得没有什么意味，没有什么情致的地方，甚至连自己“不过如此”的感觉，她都觉得很重要。这种情趣不是别人的，而是她自己的，带着这个感觉精致的女孩的个性特点。

作者是如此不动声色地贴近了自己的个性，又如此从容宁静地表现了自己的个性；把零零落落、琐琐碎碎的，似乎是没有深意，没有连续性的细节，用自己的情致加以同化，构成一个统一的境界。

这就不但贴近了生活，而且超越了生活的原生状态，因为这并不是反映，而是一种创造，一种心灵的、精神的、个性化的、艺术的创造。只有超越了生活，才能进入想象的境界。这时，关键在于和生活拉开距离，过分地贴近生活可能窒息了情绪，扼杀了想象。贴近生活的说法之所以经不起推敲，就是因为它从根本上否定了想象。多元的个性和统一的、概念化的生活相比，是无限丰富的，而想象比之个性则更加多彩。

没有想象，就没有多彩的个性。

从《放飞个性》中看，如果不是得力于无拘无束的想象，怎么可能设想，一个中学生被虚拟的法庭宣告有罪，“剥夺任何与学习无关的课外活动权利”？这是反讽的胜利，也是想象的胜利。

脱离了心灵和想象去强调“贴近生活”，其结果是贴近概念，贴近套话，在生活面前视而不见，听而不闻，最后是悲剧性地脱离了生活。比如，一个卖鸡蛋的，卖来卖去老是卖不掉，可是她还是坚持不懈地叫卖。对于这样的“生活”，你怎么去贴近呢？你去采访她吗？可是如果你采访到的事情没有深深地触动你的灵魂，你怎么能够写出自己的、私有的而不是公共的感受呢？可是一个中学生，却直接从这叫喊声中，贴近了卖鸡蛋者的生命，也贴近自己的生命：

姑娘，要鸡蛋吗？

在布满皱纹的脸上，我读出老人内心的另一个世界，那个世界叫希望。我摇摇头，摇得那么不忍心，那么吃力。在老人眼中，我看到了失望。

老人眼中的“失望”和“希望”，都不是生活中现成的，而作者内心的情感是通过想象投胎的。这时的话语，既不是生活的原生状态，也不是自我情感的自发状态，而是比之平常状态更为精纯的状态。作者对于弱势群体的同情，在平时也许是潜在的、模糊的、若隐若现的，但是在想象中，这种状态得到了肯定和升华，找到了自己的话语，自我就进入一个更高的层次。它不但超越了生活，而且超越了平常的自我。

这时，我们再来看，所谓贴近生活的作文诀窍，本来旨在反对脱离生活，但是，颇具讽刺意味的是，它却实实在在脱离了深刻的生活。

许多同学为没有东西可写而苦恼，原因当然很多，其中之一就是过分迷信“贴近生活”这样的教条。殊不知，从生活到作文的过程，并不是这样直线的，至少要经历以下五个层次的跨越：（1）生活要和心灵猝然遇合；（2）两者要通过想象才能构成意象；（3）生活在想象中要重新化合为智慧；（4）灵魂（自我）在想象中也要升华；（5）这两种升华要达到水乳交融的统一，才能走向思想的殿堂，构成文章。光是虔诚地贴近客观生活，实际上是把灵魂委弃在世俗的尘土之中。如此这般，只能是重复现成的套话，津津有味地用青春的舌头唱陈腐的歌。

序《第三届全国中学生校园诗会作品选》

诗在中国传统文化中的地位，和世界各国相比，可能是最为突出的。没有哪一个国家会像春秋战国时代那样，经典诗歌被广泛运用。孔夫子强调“不学诗无以言”，不是太夸张的，先秦游说之士，外交使者就常借《诗经》中的语句强化自己的可靠性和亲和性。没有一个国家在长达千年的时间里，把写作诗歌作为选拔人才的标准；更没有一个国家，除了文人名士，上至皇帝（包括昏君）、文臣（包括奸臣）、武将（包括失败投降者）、革命志士（包括后来变成汉奸的）、大家闺秀，乃至军阀、名妓均能遵循严谨的格律写出中规中矩的诗词；也没有一个国家在小说中夹杂了这么多的诗词歌赋，甚至有一部在文学史上很有地位的小说干脆冠以“词话”之名。这实在是世界文学史上的一大奇观，堪称世界非物质文化一大遗产。在这个商品大潮冲击一切传统精神的时代，在西方，诗歌，尤其是古典浪漫主义的抒情诗歌，不但在课本上，而且在课外阅读中处于边缘，就是在大学里，罗曼蒂克也已经同义于书呆，一场莎士比亚诗歌的朗诵会，甚至是穿了古代的服装，听众也往往只有十来个。

在后现代思潮君临解构真善美的西方，完全可以毫不夸张地说，这不是一个诗的时代，而是一个散文的时代。至于说让中学生用莎士比亚的五步抑扬格或者用意大利体写十四行诗，那简直可以说是痴人说梦。但是，托中国诗学传统丰厚的福，这种天方夜谭，在中国却是司空见惯。虽然诗歌写作被排斥于高考作文之外，这本《第三届全国中学生校园诗会作品选》，可以说是中华诗国圣火不熄雄辩的证明。居然有这么多青少年会把古典诗词格律玩弄于股掌之中，《沁园春·即席歌赠友颂琴》写得可以说是中规中矩，运用古代汉语，驾驭古典词律，典故被不着痕迹地激活，表现传统文人的豪情，足以表现作者非同小可的语言才华。如果说，这一首诗和现代生活的联系还不够鲜明的话，那么《听琴贺诞十六韵》就完全是现实生活的激发了。朋友弹琴庆祝十六岁生日，作者以诗贺之。能将古典文采和现代日常生活结合，不仅需要勇气，更需要才气。作者所采用的形式是古风，这表面上比写词更自由，但是，因为没有现成严密的规格可循，其实更难，要在自由的章法和固定的句法中，写出情感流畅的旋律，当有更洒脱的情致和控制语言的能力。如果允许吹求，则作者情感意脉自首至尾皆慷慨高昂，若能高低错节、宫商起伏、意脉跳跃，率性如李白之《宣州谢朓楼饯别校书叔云》而似续若断，则为可百尺竿头，更上一层。至于《颂少年一百韵》之可贵表现在对于五言古风的情绪的把握。少年稚嫩与古风浑朴颇能交融。五言古风，看似与七言同，然其高古，不尚激情，每以温情从容取胜。此君驾驭古人雅语至一百韵，已颇惊人，更令人刮目者，五古之淡定，作者显然对五言与有别于七言与长短句成竹在胸。当然，这一切毕竟是拟古之作，虚拟自我，古人情感与语言与当代之自我与心态当然有矛盾，可贵的是皆能在严格的束缚中表现出某种文化情操。令人想起闻一多所谓戴着镣铐跳舞，能跳到如此水准，堪称才俊。

毕竟古典格律束缚甚酷，故要看出更本真之性情，当阅读其现代新诗。从集体朗诵诗中我们可以看到更多现实生活的体验，如“军训时灼人的骄阳 / 稚嫩的脸上满是倔强”写出从生理到心理的发育，“黑格尔的辩证法理性加冕 / 伽马的航海线纵横四方”则是心智的成长。

比起古典诗歌来说，新诗更贴近当代学子之心灵，一般说，此集中新诗比之古典诗作，自然得多、清新得多、活泼得多。以当代华美的语言抒写心事、爱情、友谊，均可插上自由的翅膀。

有条路注定要一个人走
有条路铺满曙光
这条路——叫青春
也有
为无法找到曾经见过的青空而深深叹息
一直用自由代替任性活到现在

青春的感觉，丰富多彩，想象自由，不可羁勒，然而，放任自由可能造成散漫。此诗集中佳作之可贵，在于对新诗的基本范式有相当的把握：想象集中在单纯的意象焦点，以之为核心，其他意象皆从此衍生，故统一而丰富。此类主题最单纯者当以《如果你还在》为代表。想象集中在树，以之为核心意象，鸟、花、歌皆从此衍生，故单纯而丰富。斯可谓已登诗道之堂矣。更可贵者，诗集中境界最高者，似乎不满足于抒情，而在追求更深沉的人生体验，带着哲理而不失感性：

我是行了千年的旅人
路在脚下路通往归程

……

住在叫作“自由”的笼中只要你在就好

在这个天空中我已不再需要翅膀

不难看出，虽然青春年少，但是，对生命和青春却是有思考的，甚至并不回避面临未来的艰难甚至恐惧，有时提炼出些老练的格言式的句子，超越青少年的有限的人生经验。正是这种对抒情审美的突破，才使诗作和当代世界和我国诗作“审智”的潮流相一致。

诗集的精神聚焦于审美和审智交融，其中之佳作均超过一般新诗爱好者之水准，风格迥异，亦颇可观。《我以为》只写一刹那的顿悟，而《青春组诗》旨在对青春作超越时空的概括。《选择荒凉》在千年的祖国，最后却发现：

这片曾经荒凉的土地

已经不再荒凉！

从中不但看到青春的诗，而且看到诗的青春。这里没有挣扎于题海的无奈，没有八股套话，商品拜物教的喧嚣、随波逐流的沉沦都被超越，这是一方精神的净土，有的只是超越了庸俗的自由，而且还有对于诗的形式和语言的推敲以及苦心孤诣的追求。要说这些作者以诗为生命可能还是不准确的，应该说，是他们以生命为诗。就为文之水准而言，把这样的作品放到世界中学生中去观察，也许我们在散文的哲理性方面略逊一筹，但是，在诗歌的想象和情志方面，似乎不但比美国，而且比欧洲的中学生显出领先优势。

一个才气没有被扼杀的中学生
——青春感觉中的哲理思索

典典还是个小学生的时候，我就感到她有天分，她的文章总是有奇思妙想。有时，她到我家里来玩，回去告诉妈妈，说和孙伯伯“谈天”了。她的话语常常使我惊异。我的感觉是，在我们这种教育模式中，典典是如此出格，但是，如果不加特别的爱护，到中学就可能会被扼杀。我对她既有某种期待，又有一点忧虑，担心什么时候中学的考试体制把她毁了。她到北京念中学以后，居然写了一本书，寄来给我看。我开始感到，也许我的担心是多余的。个性特别强大的孩子，有一种非常的能量，应付僵化的教条绰绰有余。至今，我还记得那本书的第一篇文章，写的是她的自我介绍。她不像一般孩子那样，老老实实地说一些外在的信息，而是说，她这个“我”是多种多样的，在家里是一个样子，在学校又是一个样子，发脾气的时候和心情好的时候，这个“我”是很不相同的。

我想这孩子的心灵，不但没有被窒息，相反越来越丰富，越来越自由了。不但对世界，而且对自己，她已经习惯于有自己的感觉、自己的想法。

读她的小说《子非鱼》，才读了几行，就觉得这孩子长大了。

小说中所描述的心理，完全是青春期的某种记录：从青梅竹马、两小无猜，到性意识隐约地出现。字里行间充满了自我发现的痕迹。这种痕迹是深邃的，但是，又是轻描淡写的。从这里，我感到了可以用“才气”两个字形容了。

以写两个人生理上的发育为例：男孩子长高了，女孩子发育了，“水的身材有了一点凹凸”，“鱼考得好，水原先便会假装生气地拍鱼的脑袋，说要把鱼打傻点。现在要拍到鱼的脑袋就有点费力了”。但是，生理的变化是表面的，典典追求的是更为深层的青春心理的变化：“鱼原先习惯了在运动会时为水拿着衣物，在终点看水第一个冲过，扯着嗓门喊加油，如今只有默默看着水将她的衣物交给同班的女生，看着水对别人做出一个熟悉的‘V’字手势。

水并不像以前那样总和男生一起打打闹闹了，倒会和女生聚在一起说悄悄话。”

这里的感觉背后，有一种对男性强烈的关注，甚至有一点焦虑。对于一个还没有脱孩子气的中学生来说，能做到文字上不张扬，就十分难能可贵了，更为可贵的是，典典把她的洞察写得如此不动声色，从容不迫。令人惊异的是，她揭示了双方对青春的体验的那种既是十分深刻的又有一种“顺其自然”的特点，既有变化，又好像没有变化：

> 鱼和水仍不说别的，只是放学时在校门口等着对方，然后在短短的回家路上说说今天发生的琐事。生活本来是这样简单平淡，青梅竹马的二人，什么都不曾发生。也许是有些小小的变化了，不过也顺其自然吧。无论如何，心底还是相信对方会一直在身边，一如既往，无须多言。

居然能有这样不着痕迹的笔墨，真好像是挺有经验的作家似的。

光有这一点，也许挑剔的评论家会说，这不过是小聪明罢了。当代的孩子都比他们的前辈早熟，这样的感觉，在他们这一代，已经是司空见惯了，这样的文风在网络文学作者中屡见不鲜。这样的说法，可能是有道理的，但是，典典的长处不限于此，她还表现出一种比之感觉更为早熟的思考。

虽然两个人的感情，包括潜在的情感，都很深挚。特别是男孩子，在远离了女孩子以后，有了美女的爱情以后，却仍然沉睡在当年的情感之中，以至于美女的爱情也不能打破童年的情结。这种排他性的情结，最后导致了美女的离去，但是，这并不意味着男孩子和女孩子之间的沟通，两个人即使相见，却没有走到一起，原因在哪里呢？典典的回答是，这里并没有什么外在的阻力，全部的障碍就在两个人自己。

虽然男孩子的情感是不变的，但是，在关键时刻总是逃避，而更为勇敢的女孩子，则在走向生活以后，认为婚姻和爱情可以是不统一的。虽然两个人童年的情结仍然存在，但是两个相爱的人却永远拉开了距离。

典典面对这种人生悲剧，没有过度地加以浪漫化的处理，没有让情感有多少泛滥的余地，她把悲剧放在一个哲学的框架里。文中反复引用《庄子》中的话：“子非鱼，安知鱼之乐？”“子非我，安知我不知鱼之乐？”并以之作为人物关系，成为情节变动的线索。

人与人之间，即使是相爱的人之间，也难以心心相印。

庄子的思想被典典当代化了，而且被双重地艺术化了，不但成为小说的主题焦点，而且成为全篇艺术结构的核心。

从艺术上说，小说前半部分似乎更为丰满；从思想上说，小说的后半部分更为深刻。但是，过分显露的哲理是不是有碍于小说人物心理的展示呢？人物是不是多少有一点追随着哲理呢？这是我在读完小说以后一直在思考的问题。

附：

子 非 鱼

典典

鱼和水认识的时候，都还很年幼。小学校的课堂里，孩子们咿咿呀呀地念着“军民鱼水情”，然后都看着鱼和水，喳喳地笑。鱼和水便努力地离得远一点，再远一点，可还是超不过同一张课桌的两边。

鱼是个羞怯的男孩子，始终都是。“三岁看小，七岁看老”这句老话，也是有一定道理的。从小学一年级到小学六年级，鱼一直和水同桌。以后鱼去了北方，看见那里的孩子是一人一张课桌，不过鱼所在的南方的小学校，是两个人一张课桌，一条长凳。六年的时间里，同桌的娃娃们已经长成了少年，彼此间那一点点小小心事也明朗起来。前桌的风和火，后桌的海和沙，都已经定下了稚嫩又纯真的誓言，但鱼和水之间什么也没有。

水并不像名字般柔弱。尽管白皙的皮肤，纤细的身材，柔软的长发，都显出一种文静温顺气质，实际上却是个直率活泼的女孩子。水体育成绩一向比鱼好，也一直在学武术。五年级的时候，几个中学生在校门外拦住了一起回家的鱼和水。在鱼哆嗦起来的时候，水已经踢翻了两个。水一直像鱼的姐姐般护着鱼，个子也比鱼高，这多少让身为男孩子的鱼有几分自卑。

不过，鱼的学习成绩是数一数二的。不仅仅是学校的课程，其他事情鱼也知道得很多。他看过太多太多的书，什么都看。水拉着鱼要和他打乒乓球的时候，鱼会微笑着说：“我不会打，只是知道规则……”其他的事情也是如此。鱼是个理论家，水却是行动派。

只有考试之前，水才会一反往日的悠然自得，哭丧着脸寻求鱼的帮助。鱼自然是尽心尽力地辅导水，日子久了，给水补课就成了鱼最好的复习。这个时候鱼也能偶尔嘲笑捉弄水，说些平时不敢对人说的大话。尽管谁也没有开口，在别人眼里，鱼和水早已是契合的一对儿了，甚至连父母也拿这打趣，说要给鱼和水定亲。“呵呵，看俩孩子的名字，就是天生八字相合呐。”鱼这时就低头微皱了眉，水则是红着脸跺脚。

小学毕业，鱼和水还在一所初中，只是不再同班。这却并不给他们带来什么离别的愁绪。一则鱼和水并不是容易伤感的人，鱼太理智，水太无心；二则鱼和水两家相距不过百米，依旧是上学放学一条道，前前后后走着，吃一样的零食。

初二时，鱼不知不觉地长了起来，瘦瘦弱弱地立着，像根竹竿，于是就得了个外号叫鱼仔，细细长长的小鱼仔。水的身材有了一点凹凸，也会每个月“见习”两节体育课了。

两个人的相处渐渐有几分微妙的变化。考试成绩下来，总是鱼考得好，水原先便会假装生气地拍鱼的脑袋，说要把鱼打傻点。现在要拍到鱼的脑袋就有点费力了，于是便没了这习惯。鱼原先习惯了在运动会时为水拿着衣物，在终点看水第一个冲过，扯着嗓门喊加油，如今却和水所在的班级成了对手，只有默默看着水将她的衣物交给同班的女生，看着水对别人做出一个熟悉的“V”字手势。水并不像以前那样总和男生一起打打闹闹了，倒会和女生聚在一起说悄悄话。

鱼和水仍不说别的，只是放学时在校门口等着对方，然后在短短的回家路上说说今天发生的琐事。生活本来是这样简单平淡，青梅竹马的二人，什么都不曾发生。也许是有些小小的变化了，不过也顺其自然吧。无论如何，他们心底还是相信对方会一直在身边，一如既往，无须多言。

因此那天鱼也始终没说什么。只是在水到了家门口，咧嘴笑着告别说“明天见”的时候，鱼轻轻说：“你不知道吗？不能明天见了。我明天要在家里整理东西，后天就要到北方去。”

水愣了片刻，惊呼出声：“什么啊？开玩笑啊？”

“我还以为叔叔阿姨已经和你说过了……”鱼无奈地笑笑，“当然不是玩笑。我爸都已经把我的户口迁到北方了。后天就走。后天要上学吧？不能和你道别了呢。不过那样也免得难过。你要好好学习呐。别光顾练武了，以后嫁不出去唷。”说着便笑着往后闪身，躲避那应该飞来的一拳。

水却站着不动，过了一会儿，突然抬头，只是说：“别胡扯了，书呆子。明天在这里等我啊。”便转身进屋了。

“为什么？”没有问出口，水的身影已经消失在门后。鱼静静站一会儿，似乎也思量着什么。落日的光辉把窄窄的街道镀成了金色，又似乎是褪色的老相片，泛着凝滞的寂寞。

第二天，鱼没去。傍晚却听见敲门声。“果然啊……”不情不愿地喃喃着打开门，却看见一双含泪的眼。从来只溢着笑的眼睛，也会有这样的神情吗？鱼稍稍吃惊，下一刻一双拳头却狠狠地挥过来，又轻轻地落在他的胸前。

“你在逃避什么啊，笨蛋！”

“……抱歉。”

水再扬起脸时，已经没有了泪水，只是眼角微微红着，倒显得有几分动人。鱼在心里略动了歪念，甚至下意识地前倾了身子。水也忽然闭了眼，仿佛有所期待似的。不过一贯的安分守己，使鱼终于缩回了身子，什么也没有发生。水抬眼望他，不知是不是有几分失落。鱼只是将目光游离在水的耳畔，不敢去看那明澈的眸子。

“呐，你听过吗，这么一句话。”水开了口。

“鱼说，我的泪没有人知道，因为我在水里。”鱼很快接上。这是一句流传颇广的话，也像是两个人的暗号。小学毕业的时候，水曾经说过同样的话。那时候鱼拒绝了另一个女孩子的表白。女孩子找了别人来“教训”水，却被水打了回去。那时水道歉，说鱼是因为被水拖累了，才不能让别人看见自己的泪水。

“水说，我知道你的泪，因为你在我心里。”水那样说着，眼睛闪亮地望着鱼。鱼想要像小时候那样低了头逃避，然而如今，低头却正对上水的目光。自己到底知道水的什么，水又知道自己的什么呢？因为疼痛这样的小事，鱼常常忍不住哭，水却从不。到底谁知道谁的眼泪？

“子非鱼。”鱼突然说了这样的三个字。

子非鱼，安知鱼之乐？子非鱼，安知鱼之泪？子非鱼，安知鱼之别情？

次日，鱼一个人登上了去北方的火车。透过人群他看见背着书包的水，在急切地寻找什么。鱼却没有叫她，只是轻轻念叨一句：“这个笨蛋，初三了呐，居然逃学。”

从此杳无音信。鱼在北方上学，这里是一人一张课桌。陌生的人群里，孤僻的鱼愈显孤单，却正迎上“酷”的潮流，淡漠的态度吸引了众多的仰慕者。

高一的时候，在众多情书之外，有女孩子主动向鱼告白。是校花，如果拒绝似乎会激起“民愤”。鱼有点为难。对方的确是普通男生都会喜欢的类型，鱼却有着一套自己的恋爱观。受不了逢场作戏，认为只有两个相知的人才能相处。

于是就如此回复了：“你了解我吗？我们根本不认识呐。”

“就是因为不了解才要交往的呀，笨蛋。”女孩子笑容满满地看他。

这一瞬间，鱼仿佛看见水的笑脸。说得对呀，答应她吧。说出口的，却是：“对不起……鱼离了水，就已经死了，也不能再被爱。”

“水？”

抛下一脸疑惑的女孩子，鱼匆匆离去。又用水当了挡箭牌吗？或者，那是自己的心声呢？也许，真的是对水无法忘怀。

真可笑。无论如何，水离了鱼也还是水。

水至清则无鱼。

水太纯真，太清澈。那样的眼里，容不下鱼的心。鱼这样安慰自己。

其实，当初迟疑着，什么也没有抓住的人，什么都逃避的人，又是谁呢？鱼无论如何逃不过心底的声音。水不是鱼，然而鱼就是鱼。

第二天放学的时候，几个高年级的男生堵住鱼的去路。鱼任他们拳打脚踢，竟然没有吓得发抖，也没有为疼痛而哭泣。也许是因为离开了隐藏鱼的泪，保护鱼的水吧。现在，即使哭泣，也没有人来救鱼了。离水的鱼只能任人宰割。

这时却听到女孩子的声音，喊着“住手”，渐渐近了。那几个男生便都住手，满脸堆笑地说：“小天，我们修理一下竟敢拒绝你的人。”

原来那个漂亮的女孩子叫小天呐。昏昏沉沉的鱼躺在地上，看见小天气呼呼地抽了为首的男生一巴掌，“谁叫你们这么干的！小鱼没有拒绝我，他是我的……男朋友了！”

是吗？鱼可以在天空中游吗？鱼迷迷糊糊地想着，终于什么也感觉不到了。

醒来是在学校医务室，天已经黑了，老师也不在。小天趴在鱼身上睡着了。鱼想轻轻起来，终于还是惊醒了小天，笑了笑，说：“抱歉吵醒你。我没事了，你快回去休息吧，这么晚了。”

小天噙着泪，声音柔柔的：“笨蛋，该道歉的是我啦。如果我不向你告白，他们也不会这样干。那些粗鲁的家伙真是太可恶了！”

“不关你的事，别在意了。是我不好，我总是逃避……”鱼轻轻地安慰她。此时鱼心里居然有一种满足感。水是不会哭的，也从不曾用这般撒娇的语气对鱼说话。水一直是个保护者。而此刻，鱼觉得自己也是被人依赖的。

“我骗他们说你是我男朋友，你生气吗？”小天小心翼翼地望着鱼。鱼什么都没说，却突然做了一年前曾经想对水做却又不敢做的事。他突然俯身吻了小天。

等鱼直起腰来，说“抱歉”时，小天很小声地说：“不，我很高兴。”

于是，鱼和小天正式成了“恋人”。

这样的“交往”却并没有持续多久。终有一天，小天对鱼哭喊了：“你从来没有真正看过我！看我的时候也好，吻我的时候也好，你的目光总是穿过我，看着另外的某个人！你的心里被她充满了，根本放不下我！她是谁？你说的水吗？难道鱼就不能有翅膀，在天空中飞？”

“没有鱼有翅膀。没有鱼会飞。”鱼却是淡然。

“明明有飞鱼的……”小天为那样的淡漠所伤，低了头啜泣。

鱼看着小天的泪水。女孩子的眼泪并不总那么美丽。小天为什么要刨根问底？因此鱼只是说：“你，了解我吗？”

“当然！我了解，你……爱的是那个水，根本不是我！为什么？”为什么？因为鱼离了水就不能活。可是，这不代表鱼爱水，也不代表水里一定要有鱼。

鱼还是只有那句话：“子非鱼。”

子非鱼，安知鱼之乐？子非鱼，安知鱼之痛？子非鱼，安知鱼之思念？

于是鱼和小天分手了。似乎也不算什么大事。只不过又被打了一顿，鱼也已经习惯。鱼浑身是血地回家，父亲大惊失色，直说着“这样胡闹怎么对得起你死去的母亲”，鱼却听不进去了。母亲早在鱼幼儿园时便去世，这也一度使鱼成为被欺负的对象，但那也早无所谓了。于是只轻描淡写地说一句：“我还活着。”

是啊。虽然离了水，不还一直活着。生活中也许没有什么东西是不能失去的。

上大学时，意外碰见了火，他已经工作了。小学时，火坐在自己和水的前桌，和一个叫风的女孩很要好。听说他和风上了同一个初中，但是后来风甩了他，找了个高中生，结果初二便怀孕，被逼得自杀了。当时这事成为鱼和水好几天的谈资，却也只是谈资而已。

“好久不见，近来如何？”就这样问候火。

“你呀，还是没变，书呆子一个。”火笑得有几分诡秘，“你知道吗？”说到这里却是一顿。

“嗯？”鱼也只好附和一声。

“我和水订婚了。”

后面的话，鱼都没有听清。半晌，鱼突然说：“不是水火不容吗？”

火大笑着：“是啊，想想小学时她还老和我打架呢。可是现在不同了。人是会变的嘛，名字不过是一个符号，哪里就真不容了？结婚的时候，去给我们当伴郎吧？哈哈哈哈。”

“她，变了？”

“嗯，现在可是真正文静又贤淑的一个好女子，追她的人有一个师！老子运气就是好哇，哈哈……”火仍旧合不拢嘴，仿佛是故意笑给鱼看。

“噢，恭喜。”鱼却恢复了谦和淡然的常态。

的确，过了一年，就当真接到了请帖。鱼犹豫片刻，还是去了。

穿着婚纱的水似乎真的变了。但婚礼结束，火忙着到席上喝酒时，水突然拉住了鱼。

假装去卫生间，二人暂时离开了婚宴的喧嚣。

“你大学毕业了吗？”水先问了。

“嗯，在读研。”鱼有点紧张，就像多年以前的那个孩子。

“你还是学生，我都为人妻啦。”水轻轻叹口气，又说，“你觉得我变了吗？”

“表面上有，其实没有。不过，时间长了，就真变了。”

“你就会说这些乱七八糟的话。”水笑着抬手捅捅鱼的额角，这样令鱼怀念的动作，“不过，你说得对。”

“水，你了解火吗？”鱼突然问。

“比你了解吧。”水笑盈盈地看鱼，“怎么，吃醋了？他对我很好。”

“你愿意和不了解的人结婚？”

“不了解的人就不能去爱吗？再有……不爱的人就不能结婚吗？关系嘛，也不过是妥协出来的。”水沉默片刻，又说，“那时候我以为我是很了解你的。可是，你还是否认了。”

“这个世界上，没有谁能完全了解谁的。”鱼无奈地说。

“即使如此，你也要找完美的爱情？水至清则无鱼。我想我们之所以分离，不是因为不了解，而是因为太了解。”水的目光从鱼肩头滑过，不知落在哪里。

“是这样？我倒不觉得。何况我们从来没有在一起，谈什么分离。”鱼有点不自然地说。

“每次都是这样，鱼。每次你的心思被我看穿，你就非要装出另一种样子。为什么逃避？为什么非要告诉自己我们不能相互了解？为什么要这样伤害彼此……”水掉了一滴泪。只有一滴，清亮地落下来，砸在地上，瞬间就消失了踪影。

“子非鱼。”鱼固执地说。

子非鱼，安知鱼之乐？子非鱼，安知鱼之爱？子非鱼，安知鱼之寂寞？

“子非我。”水突然接上。然后，转身离去。喜宴将散了。

鱼一人站在门外，看着客人簇拥着水和火离去。新人满面是不知真假的幸福。

你知道吗？水是不会哭的。如果水流泪了，那么那颗泪珠就会永远留在鱼的心里，以至于鱼那小小的心再也容不下别的东西了。可是鱼多么固执啊。它无论如何也不愿意承认它对水是多么依恋。而水就这样向前流去了，不再回头。

子非鱼，安知鱼之乐？

子非我，安知我不知鱼之乐？

不伦不类的比喻构成幽默的谐趣

——为“响屁”一辩

2002年8月31日，翻阅某报一位郭姓先生之《“响屁”琐谈》，读之颇觉惊异。“响屁”之议，源自当年某省优秀作文《放屁的选择》，原文梗概为：屁分两种，一为响屁，殊不雅听；一为闷屁，虽无人知何人所放，然奇臭，乃有人将响屁憋成闷屁。接下来，文章从写实转入议论，把“放响屁”和敢于直言联系起来，有勇气向领导直言的，往往不受欢迎，而不敢直言的，也就是“放闷屁”者，却能明哲保身。作者主张，应该提倡放“响屁”，营造直言无忌之风。这篇文章获得了高分。媒体公布之后，备受多方称赞。

郭先生提出了异议。

对于文章的主题，郭先生并没有说什么不是，只是对于文章如此这般的比喻和引申，却以为有“致命硬伤，即比喻不当。也就是说，喻体和主体不能和谐地统一。敢向领导提意见，敢于亮明自己的观点，这是值得提倡的好现象，是褒义的，而‘放响屁’，则是贬义的”。郭先生对于给这篇文章高分，不敢苟同。

郭先生的全部理论根据很明确，就是一切的比喻，喻体和本体应该和谐统一，不和谐统一，就格调低下。这个理论，可能在中学语文乃至大学修辞教学中很流行。但是，在理论上，有多大的合理性，能够经得起多少实践经验的考验呢？就很值得研究一下了。

郭先生在文章中说：倘若某领导在会上号召大家提意见，他不说提意见，而是要大家都来“放响屁”，谁能接受这个带有侮辱性的贬义词呢？“请张三放响屁”“王五不要放闷屁”，这不是在骂人吗？由此他得出结论：“提倡‘放响屁’的学生，审美能力是不高的。”

这话说得很机智，甚至有点“雄辩”，但是，很经不起推敲。

这要看什么语境，如果这位领导事先把这位学生的文章先介绍一遍，然后加以发挥，说：“在一般人印象中，领导总是不爱听‘响屁’，我这个人却不认同，最喜欢听‘响屁’。

因为‘响屁’有三大好处：一是公而开之，堂而皇之，不给显而易见的毛病打掩护；二是大庭广众之间，是非自有公断；三是不怕讲错，不怕领导给穿小鞋，这是对领导最大的信任。应该欢迎‘响屁’，当然，‘闷屁’也可以放，只要闻到臭味，就要想想为什么人家不敢放‘响屁’？像曾子一样，天天反省一下，自己在接受意见的时候，有什么不够诚恳或者不够虚心的地方。”这样讲，按郭先生的理论，本体和喻体仍然是不和谐、不统一的，却不但没有什么侮辱性，而且还增加了一点谐趣、一点幽默感。

问题出在郭先生的“审美”理念上，本体和喻体要和谐、统一，只是审美类型的一种风格，那就是抒情的、美化的、诗化的一类，但是，这些并不是审美风格的全部。在一些幽默的、喜剧性的语境中，恰恰不是追求和谐的比喻，而是以营造“不和谐”甚至不伦不类为目标的。余光中在《牛蛙记》中，写自己因为牛蛙夜鸣，不能入睡，乃施毒杀之术，把自己比作“纳粹狱卒”“刽子手”。钱锺书在《围城》中，把性情放荡、穿着暴露的鲍小姐，比为“真理”，因为“真理”据说是赤裸裸的，然而鲍小姐并未完全暴露，故比之为“局部的真理”。契诃夫把娶了 17 岁姑娘的 50 多岁的老官僚刮光的下巴，比作“脚后跟”。赵树理把三仙姑搽了过多粉的脸比作“驴粪蛋上下霜”。所有这一切都是以不和谐、不统一取胜的。在西方幽默学中，有一个术语叫作“incongruity”，就是不和谐、不统一的意思。和谐的美是诗意的，不和谐或者不伦不类，在心照不宣之间，构成一种幽默感。

这取决于人的情趣选择，如果一个女同事发胖了，你对她表示友好的感情，你可以说：“啊，你发福了！”这个暗喻的本体和喻体是很和谐的，因而，这里的感情性质是抒情的。如果要表现得幽默一些，你就可以用不和谐的办法，说：“啊，长膘了！”“长膘”本是用来形容动物的，在一般情况下，用在人身上是带“侮辱性”的，但是在特殊关系中，侮辱性的可以转化为比友好更为亲切的调侃，抒情的不和谐可以转化为幽默的和谐。

这位学生的文章之所以赢得广泛的称赞，除了它的主题比较独特以外，还有一个原因就是写得比较幽默。

辞采华茂为什么不着边际

2007年广东高考作文以“传递”为话题，下面一篇文章引起了极大的争议。

游子的目光，朝北消瘦

平仄数十字，你将那对故乡深沉的爱传递千年，让后世的我，仍能从一词《苏幕遮》中，看见你这游子的目光，朝北消瘦。

——题记

碧云天，黄叶地。浅浅的白云赖在蓝天的怀里，轻唱着歌谣。风把枝头的叶子带进大地母亲的怀抱，却还有不尽的叶子向下飞旋。那是大地母亲怕它们冷，要搂它们过冬。那你呢？谁伴你过冬？

秋色连波，波上寒烟翠。山映斜阳天接水。你的乡愁蔓延开来，漫成一条河，直达山的那一边，接住了斜阳。那是故乡的方向呵！你将乡愁折成一艘纸船，即使没有航标，也未迷失家的经纬度。

芳草无情，更在斜阳外。夕阳挂在天边舍不得走，舍不得你这满心秋寒的孩子，你却与那芳草一起，逃离斜晖。你说，不是我们无情，而是心壶已装得满满的，怕一与那同落故乡的夕阳相遇，思念之水便会溢出，淹没天地……

羁旅思，黯乡魂，夜夜除非，好梦留人睡。你只有在梦里，才能放下你的思念，因为在梦里，你已回到了那使魂牵使梦萦的家。背景是阡陌一片炊烟阵阵，而不是千嶂里黄沙闭孤城。你一次次地蹀躞在乡土上，贪婪地嗅家乡泥土的味道，恨不能用天下最大的袋子，把一切一切都装了去。在梦里，你笑了，笑得像个孩子，那么满足。真想让梦神拉住你的衣裾，别让你醒……

独自楼高莫凭栏。你一个人登上高楼，想眺望到什么，却一无所获。以为有明月相伴会不那么寂寞，却忘了夜空那轮，也是孤单一月呀，只会愈发清冷。你笑笑，说：

"冷！"然后转身下楼，徒留你的影子，在高楼，继续对月叹息。

酒入愁肠，化作相思泪。你拼命地灌酒求醉，醉了才再记不起故乡那青翠的山那温柔的水。可是你失败了，你醉不了也忘不了，却饮出两行清泪，滑过唇角滴入酒中，荡开一圈令人心颤的涟漪。你听见一曲调子，哀转于天地间，那是离曲。你说这酒，是离人酒。你说那泪，是相思泪。

词的平仄仍千古流传着，千年后的我竟被一首词传递来的切切深情震撼得心疼不已。历史的山谷中，还有多少文人传递着他们的痴、嗔、爱呢……

第一次阅卷评分，该文得了满分60分，评语是：这是一篇意蕴厚重、情感沉郁的考场抒情散文。考生的积累相当丰厚，凭借厚重的阅读积累作为强大的写作之源，以典型的乡愁文学为材料，善于运用情景交融的笔法，把一个愁肠百结的悲情游子刻画得让人心生爱怜、思绪飘飞。你看考生老练的文笔："碧云天，黄叶地。""秋色连波，波上寒烟翠。山映斜阳天接水。""羁旅思，黯乡魂，夜夜除非，好梦留人睡。""独自楼高莫凭栏。""酒入愁肠，化作相思泪。"这些意蕴厚重的语言在文中比比皆是，更增添了游子的无限伤情。文章的开头入题快，中间厚重，结尾不忘扣题，书写好像练过字帖一样，字字端庄圆润，令人赏心悦目。

初评的意见不无道理，指出的某些优点也是事实。如说"这是一篇意蕴厚重、情感沉郁的考场抒情散文。考生的积累相当丰厚"，"善于运用情景交融的笔法，把一个愁肠百结的悲情游子刻画得让人心生爱怜、思绪飘飞"。但是，毛病也就出在全文把一个"悲情游子刻画得让人心生爱怜"上，因为"悲情游子"和命题的要求"传递"不相切合。文章经过三个轮回的研究，最后的得分是42分。为什么在语文上具有如此丰厚积累的考生却写出这样并不切题的文章来？有人认为"都是穿靴戴帽惹的祸"！何勇涛《都是"穿靴戴帽"惹的祸》中，对"穿靴戴帽"这样解释说："所谓'穿靴戴帽'，比喻说话作文在开头和结尾硬加进一些空洞的套话。我以前在教学时也经常提醒学生写作时不要'穿靴戴帽'，但未引起足够的重视，直到今年参加高考评卷，又一次亲身体会了高考作文'穿靴戴帽'带给阅卷人的痛苦，对'穿靴戴帽'切肤的感受，才发誓一定要杜绝这种现象。"这个说法有道理，文章开头结尾都有些空话。为什么要把这些空话写到高考这样决定命运的文章中去？因为这些空话不是一般的话，而是化用了诗歌，不是一般的诗歌，而且是经典诗歌。经典诗歌的权威性，如果运用得当，当然比一般的话语有更强的说服力和感染力。经典的话并不空，为什么到这里，变成了空话呢？因为不切题，不是自己要说的话，扭曲了自己的情思。

文章开头引用范仲淹的词，由此再引申到"对故乡深沉的爱传递千年"。这句话有可能成为立意的核心，条件是，扣住考题的"传递"，范仲淹的词就可能落实到"传递"自己的乡愁，但是，文章写下去却离“传递”越来越远。

“碧云天，黄叶地。浅浅的白云赖在蓝天的怀里，轻唱着歌谣。风把枝头的叶子带进大地母亲的怀抱，却还有不尽的叶子向下飞旋。那是大地母亲怕它们冷，要搂它们过冬。那你呢？谁伴你过冬？”这一段不但离开了命题，而且离开范仲淹原词的主题。范词每一意象都浸透着悲郁的乡愁，可是这里的黄叶却是欢快的，居然轻唱着歌谣，向下飞旋去接受大地母亲温暖的搂抱。范仲淹写的是归乡不得的忧愁，而这里却写成了自由地回归大地，这里的意脉可能蕴含着叶子“传递”着爱，可是意蕴并没有在语言上落实，作者的思路被黄叶回归和大地接纳的诗意干扰了，未能扣紧黄叶落下“传递”了什么样的诗意的信息。整篇文章都在为范仲淹的词作阐释，一直没有摆脱被动追随，结果就是意脉与命题频频擦肩而过。“秋色连波，波上寒烟翠。山映斜阳天接水。”把乡愁写成“一条河”，向着“故乡的方向”，“未迷失家的经纬度”，这离“传递”的题旨可能只是差之毫厘，但是行文却失之千里。

至于说“羁旅思，黯乡魂，夜夜除非，好梦留人睡”一段，写到梦里，已回到了家乡，强调的仍然不是“传递”，而是“恨不能用天下最大的袋子，把一切一切都装了去。在梦里，你笑了，笑得像个孩子”，可惜作者并没有把“袋子”“瓶子”和“传递”联系起来，意脉又一次脱离了题目的轨道。“独自楼高莫凭栏”（按：作者的记忆有误，应该是“明月楼高休独倚”），写登楼眺望到什么，一无所获。“转身下楼，徒留你的影子，在高楼，继续对月叹息。”明月高楼，本来是传递乡愁的，这么一写，就反过来，变成传递的反面。“酒入愁肠，化作相思泪。”“你说这酒，是离人酒。你说那泪，是相思泪。”写到这里，已经与传递一点关系都没有了。这里好像不是作者在按着自己的立意来运用范仲淹的词，而是范仲淹的词在牵着作者的鼻子了。

如果这样的分析没有太大的错误，则文章的缺点似乎不仅仅是在开头结尾穿靴戴帽，而是整篇文章都是化妆。严格地说，并不是戴了无用的靴子和帽子，而是不但戴错了帽子，穿错了靴子，而且是全身都穿错了衣服。

这样的文章，从立意，从确立自己的主题方面来说，是不及格的。

终评小组给出了只能得 42 分的原因：

（1）穿靴戴帽明显。这篇文章的确只在开头和结尾写了“传递”，但是除去开头和结尾，文章的主要内容说的是游子的思念、乡愁，根本不是在说“传递”，因此内容和话题脱离，不和谐，显得牵强附会。

（2）标题故弄玄虚。2007 年的广东高考作文有一个普遍的硬伤，那就是很多考生不会拟题，甚至拟出不少离题或牵强的标题，如“薪火相传”“亲情的邮递员”“圣诞老人”“十指紧扣”“交通工具发展史”“科学之路”“贺卡”“涛声依旧”“学会做人”等等。这篇文章的标题“游子的目光，朝北消瘦”，真有故弄玄虚、有意卖弄之感，不读文章，根本弄不明白是什么意思。

评卷组可能考虑到作者的语言流畅，辞采华茂，抒情描写方面的素养均有相当水准，故给 42 分，合百分制 70 分。我想，评价虽然不够准确，但是大体上还不算离谱。

朴实无华为什么获得高分

与上篇文章不同，另一篇文章《在传递中发展》看起来在材料上颇有些不够准确的“硬伤”，最后却得了54分，按百分制计算为90分。请看：

在传递中发展

技艺在传递中日益精湛，文化在传递中步入辉煌，科技在传递中发展，人类在传递中成长。在我们的生活中，传递无数（处）不在，父母将他们的生活经验传递给我们，老师们把文化知识传递给我们，我们总是活在接受传递与传递者之间，我们总会把接受的事物在我们的心中加以提炼，加以升华，加上自己的见解，而这个过程，就是发展。

事物的发展离不开传递。从书法的发展中我们便可清楚地看到这一点，从古老的篆体，到秦朝的小篆，再到棣（隶）书、楷书、行楷、宋体、草书，最后发展为百花齐放的书法艺术。这一个过程中就包含了一代代人的传承发展，从繁到简，从古到今，一代一代的书法家们在接到前人传递的技艺后，经过自己的思考、研究、创新，扬其精华，去其糟粕，发展为一代又一代、一种又一种的字体，若不经过这一代代的传递，仅凭一代人便可以把书法提升到如此高度吗？这显然是天方夜谭。

传递的核心是发展。在小说中常能看到这样一段话：“如今为师传你本门武学，望你能把历代祖师传下来的武艺发扬光大。”这种武侠小说的情景虽然是虚构的，但是也客观地反映出人类希望通过传递来把学问发展到一个新的高度。如今人人都在关注奥运，人人都在期盼奥运，其实奥运的精神也是一种传递，而这种传递也是为了发展。奥运的精神在一届一届的传递中，从最初的“更快，更高，更强”发展到了“绿色奥运，人文奥运”。奥运精神在时代发展的要求下，渐渐发展为一个包含和平、环保、竞技、理想等方面的现代社会科学体系，在一站一站的传递中，从一个岛国的国民运动会发展到了一个普天同庆、全世界同乐，甚至连战争也要为之停止的盛大节日。而每一站的传递，都蕴含着发展的需要，所以说，传递的核心是发展。

我们在生活、学习中经历了各种各样的传递，也见证了一次又一次伟大的传递，我们了解了儒家学说如何在一代代的传递中发展，目睹了基督教如何在传递中壮大。玄奘天竺取经，张骞出使西域，这一次又一次的伟大传递告诉我们，传递中需要发展，发展才是传递的根本目的。因此，让我们背负着前人的希望，运用我们的智慧把前人传递到我们手中的东西发扬光大，在历史上留下一笔辉煌的痕迹吧！

评卷领导小组认为，“这是一篇考生在考场上写出来的，没有经过打磨的、比较粗糙的好文章，表现了考生对社会、生活的深刻认识和较强的创新意识，又能够运用清晰的结构和丰富的材料论证中心论点”。但是，据报道，这引起了很大的争议，甚至有人夸张地形容为“嘘声一片”。我想，这可能与评卷最后的评语比较抽象有关。说它对社会、生活有“深刻的认识和较强的创新意识”，但是，没有具体阐释它深刻在哪里，创新又在哪里。

我想，在说文章深刻之前，首先应该说，它的立意集中鲜明统一，表现了作者对人类历史进程比较广泛的概括。这是一篇议论文，议论文与抒情散文的不同，抒情散文从具体个别的感性事件出发，议论文的优长在于，从普遍的概括抽象出发。概括得越是有广度，越是有抽象的高度。这篇文章之所以给评卷组以深刻、创新的感觉，主要就因为它概括的广度，议论文有了广度才可能有抽象度，从而才有深度。这从第一段就可以看出。作者先从技艺、文化、科技三个方面概括，这既有广度，又有历史的深度，抽象的质量是比较高的；但是，作为议论文，一味求概括的深度和广度，可能陷于枯燥。文章接着就辅之以感性的语言，从师长、父母等感性经验方面，提出“人类在传递中成长”“活在接受传递与传递者之间”，这个（传递的）过程，就是发展。这就不但丰富了而且发展了传递的内涵，文章接下去一直扣紧传递就是发展，但不停留在抽象议论上，每段都是具体事例。

议论文举例一般有两种：一是个别的事实，这对论证普遍原则来说，可能成为逻辑上最忌的孤证；二是历史概括性事例，具体事例无限，举不胜举，当以少胜多，举一反三者为上，故避免人所共知，力求出奇制胜，追求陌生、新异。

文章的第一个例证是讲书法史的，属于概括性史实，在考卷中应该说是不俗的。当然，其中具体表述有些简单化，把字体的丰富复杂，简单化为先后顺序，但是瑕不掩瑜。

下一个段落举了两个实例：第一个从小说中来，不够权威，不够准确，比较勉强；第二个奥运精神的发展则十分新颖，从最初的“更快，更高，更强”发展到了“绿色奥运，人文奥运”，渐渐发展为一个包含和平、环保、竞技、理想等方面的现代社会科学体系，话语简洁，而且到位。

如果再这样一个一个举例下去，文章的结构就可能比较单调，缺乏变化，主题也可能在平面滑行，难以深化。最后一段则换了一种举例方式，就是多个事例的概括性列举，从基督教到玄奘再到张骞扫描式的罗列，将主题（结论）果断地上升为“传递中需要发展，发展才是传递的根本目的”。

应该说，这个学生的抽象议论的能力和素养是相当高的，如果不出现书法史实上的瑕疵，如果举的例子更好些，如果没有把张骞放在玄奘后面这样的小毛病，完全可以得满分的。这样的好文章才得了 54 分，居然会引起“嘘声一片”，可以想见，发出嘘声的人士中当有不少是南郭先生。

广东作文评卷领导小组这样评点这篇文章①：

这篇文章表现了作者对“传递”话题的深刻认识。作者认为事物的发展离不开传递，传递的根本目的是发展，由此推断出传递的核心是发展的中心论点。基于对此深刻的认识，作者在结尾发出了呼唤：“让我们背负着前人的希望，运用我们的智慧把前人传递到我们手中的东西发扬光大，在历史上留下一笔辉煌的痕迹。”这篇文章很好地体现了考生对社会和生活的深刻认识，具有良好的思考能力，创新意识很强，鲜明地提出必须要在传递中发展。在深刻的认识中，考生还列举了书法、武术、奥运会、儒家学说、基督教、唐僧取经、张骞出使等历史中文化的传递，有力而充分地论证了中心论点。这篇文章除了立意深刻之外，材料丰富，内容充实，结构清晰，议论文的文体特征鲜明。

当然，本文也存在不少毛病，如第一段“我们总是活在接受传递与传递者之间”，“之间”就用得不恰当，语言表达不明达、规范；“我们总会把接受的事物在我们的心中加以提炼，加以升华，加上自己的见解，而这个过程就是发展”，对“发展”的解释就不是太准确。另外，本文在使用材料时也有不准确的地方，如在利用书法来论证事物的发展离不开传递的时候，认为书法是从篆体到小篆，再到隶书、楷书、行楷、宋体、草书，最后才发展为百花齐放的书法艺术，然后又说书法“发展为一代又一代、一种又一种的字体”，无疑就出现了一些常识性的错误。对奥运的认识也不太准确，说奥运是从最初的“更快，更高，更强”发展到了“绿色奥运，人文奥运”，然后又说奥运精神在时代发展的要求下，渐渐发展为一个包含和平、环保、竞技、理想等方面的现代社会科学体系，断语就下错了，再说希腊也不是一个岛国。

总之，这是一篇优点和问题都比较突出的文章，但根据评分等级标准要求的 4 个考查点来看，作文评卷领导小组认为这是一篇考生在考场上写出来的，没有经过打磨

① 《中学生》（高中作文版），2008 年第 1 期。

的、比较粗糙的好文章，真实地表现了考生对社会、生活的深刻认识，又能够运用清晰的结构和丰富的材料论证中心论点，最后的得分为 23+21+10=54。

广东省专家的评价应该说是准确的，但有一个缺点，那就是第一段仅仅对作文的内容做了评价，并没有结合议论文的特殊规律进行更为具体的分析。第二段对文字的细析，对文章例证中书法的历史错误有正确的指谬，但是，在文字上过分强调“规范”，其中一些评判缺乏必要的灵活性。例如，对文章中“‘我们总是活在接受传递与传递者之间’的评判，‘之间’就用得不恰当，语言表达不明达、规范”，就没有什么根据；至于“对‘发展’的解释就不是太准确”，我想，如果真要准确理解“发展”，可能要对发展下一个定义。这个定义，不但考生难以做出，就是评卷组勉为其难地做出来，也难免有“不准确”之嫌。这是一篇随笔式的散文，并不是一篇哲学论文，作者完全有权利只谈自己对于发展的理解，而不对发展下放之四海而皆准的定义。从这里不难看出中学语文教学中的教条主义流行病，就是专家组成员，也缺乏免疫力。

另外，专家组的评语写得太啰唆，本来评语最根本的要求就是简明扼要，以概括性的结论为主，然而开头一段并不是评价，而是重复文章的内容。另外，在修辞上，评语也有不够讲究之处。评语第一段 300 字左右，类似的话语反复说了四次：开头已经说了“这篇文章表现了作者对‘传递’话题的深刻认识”，隔了一行又说“基于对此深刻的认识”，隔两行再说“这篇文章很好地体现了考生对社会和生活的深刻认识”，到本段末尾还说“这篇文章除了立意深刻之外”。这说明评语的执笔者修辞意识薄弱，在可以避免重复的地方，不知提炼，在不得不重复的地方，笔法太贫乏。

才华横溢的文章为什么评价悬殊

2009年湖北省高考作文，以“门口”为题。下面这篇文章的评价引起了极大的分歧。

站在我家的门口

我家门口站着一条狗。

这是条普通的狗。黄色皮毛，粗短四肢，腥臭的大嘴往外滴着口水，好一幅（副）正宗的流浪的土狗（相）。

然而狗先生，您为何站在我家门口？似乎我家并没有养过类似的狗，同样也没有养年轻漂亮的西洋狗，难道你是来骂我的？不对，你的眼神告诉我，你是不屑做这种事的。你的后腿是跛的，这一点我很好奇，是怎样跛的呢？是路见不平，露牙相助，被小偷打跛的？是狭路相逢，争风吃醋，被同类咬跛的？还是乞讨时被别人打跛的？

狗是一种忠诚的动物，也是一种勇敢而可怜的动物，我现在考虑是不是邀请站在我家门口的这位狗先生留下来，但我毕竟只是个弱小的书生啊！

正当我想开口挽留这位狗先生时，与我对视良久的“他”肚子“咕噜”一响，“呜咽”了一声，走了。

接着，来了一位猪，站在我家门口。

猪是一种哺乳动物。生来便是吃了睡，睡了吃。然后肥了，送进屠宰场，“喀嚓”一声便成人们口中的美食。

我家不养猪，我很好奇这头猪是如何逃离猪圈，逃离农村，来到城市，来到我家门口。

这肯定是一位英雄的猪，为表示尊敬，我用上了“位”，而不是其他的量词。有了前一位狗先生的教诲，我开始想猪先生是不是向我求助的，然而猪先生啊！如你所见，我不过是个弱小到不能再弱小的人，你是一个英雄的猪，你能冲破牢笼，冲破命运，奔向自由，而我却要受种种枷锁，背负种种负担，应当是您来拯救我啊！

可惜，显然猪先生并没有为我的话所动。那充满智慧的小眼只是盯看虚空的某一处，沉思着，沉思着。

这是一头智慧的猪，我想到，它应该在思考时间与空间的关系，可惜我语言与它不通，要不可以和它讨论一下牛顿三大定律，霍金的时间猜想，以及讨教一下金融危机等问题。我悲哀地想到，或许这位猪先生比我还牛，参加高考获得文科状元也不为奇。我沮丧地望了望这位猪先生，最后还是把门关上了。

忽然，门口站着一个人。

这回终于正常了。是谁？有可能是收水费、电费、管理费的，也有可能是收网费的，也有可能是小偷、杀手，那样我就死也不开门，把门反锁。细看，他是个年轻人，白衬衫，牛仔裤，从口袋中拿出钥匙，居然打开了门。

啊，原来这个人就是我自己！

按阅卷规则，一篇作文同时由两名教师评分，一名教师给出了60分的满分，而另一名教师“读不懂”，给出了20分的最低档。文章自动转到第三名教师处，评分与前两位教师均值相差仍然甚大……提交专家组讨论，出现较大分歧。否定者表示，文章读来一头雾水，不知所云，不排除有“恶搞”嫌疑，属于不及格的作文；而肯定者则认为文章内涵深刻，颇有卡夫卡的味道：文笔明净而想象奇诡，采用寓言体，背后的寓意言人人殊，暂无定论。几经争议，文章得到了50多分。

专家组的评语是：

作者以荒诞的黑色幽默小说写法，来考问眼下的“人性”。在现代文明的进程中，受到各种欲望的挤压，人丧失了本应属于“我”的所有东西，如“忠诚”“勇敢”，如“冲破牢笼，奔向自由”，如“智慧”，以至想要请狗“来帮”，请猪“来拯救”。表达了作者对现代人的生存状态的关切与思考，也可理解为是作者本人的生活自述和反思，切合题意，中心突出。构思有特点，描述生动形象，语言有意蕴，表达很有个性色彩。

文章的评价之所以引起这么大的分歧，原因是不少的评卷者在几个方面读不懂。

第一，他们读一般的作文，也许还能给出不太离谱的分值，但是，他们缺乏读懂文学作品的全面修养。对于一般现实主义或者浪漫主义作品，他们并不一定缺乏必要的学养，但是，对于这样一篇现代派作品，知识结构的残缺使得他们“一头雾水”，莫名其妙。这是由于现实主义或者浪漫主义的作品，其基本美学原则是写实的、感性的、形象的、审美的、诗意的；而现代派作品则往往是超越情感审美的，形象带着寓言式的象征性，诗意的、审美的并不是它的追求，相反，形象背后的抽象的理性，并不排除审丑理念，强调人生存状态的荒诞。

在这一点上，专家组认定其以黑色幽默小说写法，来考问眼下的“人性”，应该说是到位的。评语指出文章揭示了“人丧失了本应属于‘我’的所有东西，如‘忠诚’‘勇敢’，如‘冲破牢笼，奔向自由’，如‘智慧’”，这样的概括是很深邃的，特别是“以至想要请狗‘来帮’，请猪‘来拯救’”，抓住了作者立意的关键。

但是，要真正读懂这篇寓言式的文章，读出它艺术上的好处来，还要有更具体的分析。一方面，这只狗是很丑的，“腥臭的大嘴往外滴着口水”，“后腿是跛的”，而且这种丑，既不一定是“见义勇为”的后果，也不一定是为了生存而付出的代价。另一方面，这只狗又是自尊的，对我（人）是不屑一骂的，它还是“忠诚的”“勇敢的”，虽然它又是“可怜的”。正是因为这样，它对我的挽留是不屑一顾的。在它面前，我（人）更感到自己是“弱小的”。这里隐藏着现代派文学很深的寓意，那就是：即使在这只跛脚的丑陋的狗面前，人的精神也是弱小的。

一些阅卷老师之所以看不懂，是因为他们不了解这不是任意的“恶搞”，而是一种艺术流派的原则的体现：不是人性美，而是人性不美。它和一些教师所熟悉、认同的现实主义，特别是浪漫主义文学追求人性的美是不相同的。

第二，是这些教师心灵上的封闭性，对于自己不懂的作品，不是虚心开放，而是故步自封、盲目贬斥。

如果与狗的对话还不是十分清晰的话，与猪的对话就更分明了。

猪的形象矛盾更为尖锐。一方面从表面上看，它是没有精神生活的。“生来便是吃了睡，睡了吃。然后肥了，送进屠宰场”，强调的是，猪是纯粹的畜生。但是，就是在这样的畜生面前，人（我）也没有任何优越感。因为猪之所以能出现在我面前，就说明它“能冲破牢笼，冲破命运，奔向自由，而我却要受种种枷锁，背负种种负担”，不能自拔。相比起来，猪才是“英雄”的，而自我却是“弱小到不能再弱小的人”，虽然人（我）能够思考牛顿三大定律、霍金的时间猜想、金融危机等问题，但还是不能不感到猪“比我还牛”。

第三，缺乏对这种流派的文学与现实主义、浪漫主义文学不同的起码理解。现代派文学的形象表面上是写实的，实质上是象征的。不论是狗还是猪，与人的对话都是某种抽象意义上的象征，象征从感性上看是虚拟的，从实质上，也就是从哲学意义上看，又是对人的生存状态的深邃写实。

这里隐含着对人自己认为是万物之灵的调侃和讽喻。

第四，对于现代派的象征性没有起码的理解。读到最后一段，他们可能更加感到莫名其妙。门口来了一个人，怎么一下子又变成了自己呢？其实，这个“人”象征的虚拟性更强了。为什么要说他既可能是“收水费、电费、管理费的，也有可能是收网费的，也有可能是小偷、杀手”呢？就是说，这一个人，不是个别的人，而是一切人。最后为什么又说这个人就是自己呢？象征寓意很清楚，那就是这一切人，包括自己。刚才“我”和狗、猪相比较的弱小感，是属于一切人的。

专家组的评语说文章“表达了作者对现代人的生存状态的关切与思考，也可理解为是作者本人的生活自述和反思”，这个理解其可议之处是，和一切人有机统一的不可分离的“我”，本是一回事，却变成了两回事。其实，身份多种可能的人变成“我”的寓意，就在提醒一切人和一个人是一样的。

这种人的象征化艺术方法，也就是人的抽象化，在强调感性审美的现实主义和浪漫主义中是大忌，可是在追求抽象的概括性的审丑的现代派小说中是常见的。

第五，对本文在语言方面的妙处毫无感觉。专家组的评语说，文章“描述生动形象，语言有意蕴，表达很有个性色彩”完全是空话，是毫不接触文章语言特点的通用标签。关键在于本文最为光彩的语言都是一种反讽。如“正宗的流浪的土狗”“你的眼神告诉我”“不屑做这种事”“你是一个英雄的猪”“这是一头智慧的猪”“和它讨论一下牛顿三大定律，霍金的时间猜想”“这位猪先生比我还牛”……这样的词语搭配，如果以一些教师热爱的“规范”来衡量，可能要被判为不通。专家组可能多多少少感受到了这一点，故在评语开头定位为“黑色幽默”，但是，严格的黑色幽默定义应该是“找寻不到凶手的恐怖”。这里显示出来的荒谬是虚拟的，它不是一般缓解对抗的幽默的会心一笑，而是参透生存困境的审智的孤独的冷笑。

这样的文章无疑是杰出的，这样的作者无疑是才华横溢的，这样的创造性无疑是不可多得的。本该得满分，可是，最后只给了 50 多分。可以想象，这是专家组中肯定派对反对派的妥协。妥协的原因可能是，他们对文章也没有完全读懂，底气不足。这就是说，文章的作者的智慧和才华已经达到的境界，是连专家组中最有水平的人士都尚未达到的。正是因为这样，媒体报道说：“专家们也指出，由于选择了这种非常规的表达方式，文中形象所包含的意义有模糊性，会影响读者对主题的理解。”完全是糊涂、庸俗之见。我们的阅读理论不是一直在强调多元解读吗？形象的“模糊性”不是更有利于多元解读吗？

对于全国来说，这也许是极其个别的现象，但是，对于有职业自尊心的老师来说，则不能不把它看成是一种普遍的警示。

古文流畅为什么不能破格录取

先来看看2010年福建高考被评为优卷的一篇作文：

士　运　论

余读《左传》《汉书》《三国志》，寻寻觅觅以求运道，成功诸法，然每见古之名士不得其主未尝不废书而叹焉。至如三国之李萧远作《运命论》曰："夫治乱，运也；穷达，命也；贵贱，时也。"余未尝不涕泗横流，扼腕叹息曰："古今之士、之贤、之圣岂受制于三者乎？至如仲尼受困陈蔡，李广难封，哀哉。"后余饱览古今贤士之文，远近名圣之迹，乃释怀，有三叹作焉：一曰士运在此不在彼，再曰士运在勤不在求，三曰士运在我不在他。谓予弗信，请见陈词如下：

昔者仲尼学富五车、胸藏礼乐，遍施仁义欲以正道援天下于溺，学于郯子、师襄、老聃之徒欲以广其闻，周游天下欲以布其道。其志壮哉，其行壮哉，其言壮哉。然其时运不济，命运多舛，遍历七十国而不一遇其主，岂不叹哉！然其尊庠序之教，而有颜回出；修古之圣典，而有六艺作。其志彰矣，不然以我百代后一孤陋书生，岂得闻其名而后深赞哉。孟子曰："人必自侮，然后人侮之。"人有不弃于壮志之道而后必有不知有处得之。此余所谓"士运在此不在彼"。

战国之时，齐有孟尝田文，赵有平原赵胜，楚有春申黄歇，魏有信陵无忌。当是时，有志之士投之则中，未有不得意之人。余以为弗是也，孟尝之徒独养鸡鸣狗盗之徒，未有匡扶国家之才贤。是故苏秦散尽资才而不说听其言，后起六国而权倾天下。曩时其所孜孜求之而不得，当时尽有矣；曩时其所蹬蹀之公卿门，当时尽开矣。富埒人主，权衡国君，谁得而当之？是矣王勃曰："老当益壮，宁移白道（首）之心；穷且益坚，不坠青云之志。"此非余所谓"士运在勤不在求"乎？

伯牙遇子期乃畅其意，相如因得意逐名汉武，商鞅得景监方说秦王。士运在人手乎？奈何以我之力，以我之学，以我之滔滔雄辩须假人之手？余思淳于髡闻之必仰天大笑，疑缨索绝。俞伯牙有绕梁之音，司马相如蕴绝世之才，公孙鞅敢冒天下之大不韪而变法。韩退之云："世有伯乐然后有千里马。"窃以为余为千里马亦先已于伯乐矣。"士运在我不在他"昭矣。

《诗》云："高山仰止，景行行止。"言天下皆慕圣德。《运命论》曰："木秀于林，风必摧之；堆出于岸，流必湍之；行高于人，众必非之。"又曰："通之斯为川焉，塞之斯为渊焉，升之于云则雨施，沉之于地则土润，体清以流（洗）物，不乱于浊；受浊以济物，不伤于清。"又曰："是以圣人处穷达如一也。"是也夫。余阊阖于此，欲作沛然之辞以广余意，终日孜孜不倦于古今典籍，所为何事？所拥何志？张载《日知录》志曰（《近思录》记张载言）："为天地立心，为生民立命，为往圣继绝学，为万世开太平。"

对于《士运论》争议颇大。

虽然这篇作文被评为优卷，但由于该考生其他学科成绩较差，只达到专科录取线，乃有《东南快报》等鼓吹，福建本科院校当破格录取。本人从一开始就表示不能同意。原因如下。

就文章本身来看，虽然表现出作者有相当高的古文驾驭能力，但是，有致命的缺点，那就是与本年度的高考作文题不太切合。

格林兄弟收集的民间文献，其历史文化联系的阙如与文学价值的发现，其偶然与必然之间的矛盾是命题关键。本文与命题要求若即若离。

《士运论》第一段列出了论题的纲领，即"士运在此不在彼""士运在勤不在求""士运在我不在他"，最后的结论是"为天地立心，为生民立命"。所有这些与命题表面上有所关连，实际上完全是不同范畴，所遵循的逻辑也不同。考题的焦点不是作者所说的"士运"，不是古代文化人的命运，甚至不是格林兄弟的命运，而是同样作品在不同条件下的价值悬殊。

高考作文的公平性功能是依题立意，作者驾驭命题的能力是比较差的。如果他有起码的驾驭能力，本该就"士运在此不在彼"做分析，主要是"此"是什么（如文化历史价值），"彼"又是什么（如文学的经典价值），这样就不难切合命题的根本，甚至还可以把必然与偶然的矛盾联系起来。丢掉了这个机遇，就离开题意一去不复返了，下面的"士运在勤不在求""士运在我不在他"要和格林兄弟的故事挂钩，就难上加难了。至于后面的结论"为天地立心，为生民立命"，这是张载的话，作者至少应该解释一下，"为天地立心"的"心"是什么意思，这个意思与"为生民立命"有什么关系，更重要的是与格林童话的不同价值又如何联系起来。文章就此结束，不但离命题万里，而且与当代社会生活毫无关系。

当作应考性质的作文来看，巨大的反差呈现在我们面前，一方面是古代汉语的驾驭自如和历史文化典故的精熟；另一方面是对主题和思路缺乏起码的驾驭。当然，如不是应考的作文，该文又有自成一体的逻辑。但是这是依题作文，离题是大忌。可怪的是从“士运在此不在彼”到“士运在勤不在求”再到“士运在我不在他”，最后“为天地立心，为生民立命”和格林兄弟的故事毫无关系，其意脉是层层深入的，结论是顺理成章的。这样离题而有序的文章就不能不排除“宿构”的联想。

说白了，语言如此严密，典故如此精工，概括性如此周密，而把握命题的能力又如此薄弱，不能不令人推想，其中不在少数的话语并非完成于考场内的推敲，而是长期反复修饰的成果。

最值得质疑的一点是，整篇文章的资源，好像与当代青年的生活经验、喜怒哀乐无关，“士运论”中的“士”，是古代的文人学士，而不是当代知识分子。其思想资源似乎不在当代，更多的是五四运动以前的典籍。作者似乎对 21 世纪的文化生活和青少年当前的奋斗和困惑没有任何感受，也没有提出任何当代中学生切身感受的问题。文章中的话语和古代文人学士没有多大区别。

阅卷组之所以将其列入优卷，可能是就文章本身而言，古代汉语的驾驭能力显然属于优等，在没有任何宿构的直接证据的情况下，只能按卷评分。也正是因为这样，这篇文章在优卷中被列入最后一篇。这里显然有保留的意味。

2009 年六七月之交，诸多空谈破格者，对高考作文依题立意的功能避而不谈，又对此文中重大的局限视而不见，不仅践踏了高考的公平性原则，而且表现出对文中显而易见的矛盾欠缺分析，而媒体之炒作，其旨并不在人才，而在耸动视听。有识者不可为之干扰也。

华丽辞藻中的“靡靡之音”

2010年福建高考作文是根据《格林童话》的诞生故事命题的材料作文。有一位考生写了这样的文章，被评为优卷，全文如下：

只待蓦然回首

在生命的纵横阡陌，踽踽而行，或见落花翩跹衰草盘桓，或经流水人家榆柳娉婷，或恍然听见悠远山谷中传来的黄鹂声声清啼，或一路尘满客袍。在行途的终止，我站定身子，蓦然回首，曾经的舟车劳顿原来是用以抵化一个明媚的春颜，红了樱桃，绿了芭蕉。

我们或许都曾像格林兄弟，面对零碎的情节，无法预知它与未来有怎样的串联。对看似白费的努力不免心灰。可是，这联系一直都存在着，如一条透明的丝线纵贯历史的长空，酬我们以璀璨的银河，只待蓦然回首，验证曾忠于心声的无悔。

儿时看过《康熙大帝》这壮阔豪迈的帝王史诗，惊羡于作者非凡的叙事能力和渊博的才学。后来才知，作者凌解放，学历尚低。在下放农村的年代里，他用劳动之余研读了许多古文史书。谁也无法理解这样的痴迷能为那个萧艾遍生的年岁带来什么。而就在一次研讨会上，凌解放突发奇想将目光投向那个开创盛世的康熙大帝。以二月河为笔名，那些了然于心的史料经帙真如河流般汇成浩瀚壮丽的海洋。他填补的又岂止是一个帝王的寂寞？他是为文学的画卷上那空白的一角，添上了浓墨重彩的一笔！蓦然回首，那些枯坐灯下的岁月仿佛都充盈了起来，饱满而鲜艳。

人们常常以为，成功多带有偶然性。殊不知，智慧女神的光芒更胜过幸运女神的眷顾。只有始终撇拭身外的杂音，聆听自己内心真实的呼唤，也许《格林童话》的成功就不会来得那样迟。事物的联系与发展总是暗藏奥秘玄机。横陈在我们面前的荆丛，萦绕于身畔的夜雾，甚至由自我衍生的孤独，都是命运的安排。当我们剥落虚无，触摸心壁上的纹脉，点亮梦想，哪怕灯火阑珊，也必定能照亮一寸欣喜的脚印。

当我摊开掌心，无数的掌纹仿佛凌空而起，泛着萤火，交织成神秘的幻象；霎时是我魂牵梦萦的江南古镇，转瞬又融成玉龙雪山的清澈雪水，忽而一面经幡扬起庄严的图腾，最后耸立起一座孤崖。我临崖垂望。崖下是一面澄静深蓝的湖面。我可以窥见，那一个钟爱诗词、沉醉文学的青衫少女，凌波而来，在历史蓦然回顾中，化羽涅槃……

这篇高考优秀作文，粗粗看来，驾驭文字的能力是第一流的，不要说在现今的高中生中是凤毛麟角，就是拿到中华人民共和国成立前，或者20世纪50年代中期，我们考入北大中文系的学子中，亦当是佼佼者。但是，没有想到的是，我的朋友须一瓜，一个很有才华的女作家，针对这篇文章发表了严厉的批评，并且通过网络将它发给我看：

让孩子说人话吧，亲爱的老师

我不知道什么时候，我们孩子的作文变得如此华丽轻飘，满纸靡丽造作的呻吟遐思。原来有段时间，我做编辑，经常要看那些指导老师推荐过来的学生稿子，它们源源不断地过来。我后来警告我家丫头，这类作文不要看了，永远也不要羡慕他们。

我挡得住我家丫头，我能挡得住现世作文价值观吗？看看我们今年高考状元文章，有几篇作文的文字不是奢华、锦绣至极？哪几篇不是书袋掉满，管它贴切不贴切，先掉再说。我看现在的学生，如果你的作文的引号少了，老师可能就不会给你高分。

可是，我想看到“说人话”的作文。我们想看到，学生用自己的眼睛去观察，用自己的心灵去感受的东西。它是带泥带水的，它是血脉丰沛、气韵生动的，是健康自然，哪怕有点稚气有点野，但它带着这个阶段孩子感受世界的新鲜、勇猛，一句话，就是他和这个世界面对面后的个性化的真情实感。

我不知道我们的教育魔棒，怎么一下调理出那么多“神话大王”，一拿起笔，就忘记了人话，大家在比赛谁的文字更神、更飘忽、更仙女散花。这种“病梅馆”局面，老师难辞其咎。老师失去了对作文最根本的价值判断。我们学字、学词、学句子、学作文，最终是能通过文章表达真实的自己，绝不是轻浮的“舞文弄墨”，更不是举办“奢华文字展览会”。

来看看这个满分作文中的一段，《格林童话》给这个孩子蓦然回首的感慨：

“当我摊开掌心，无数的掌纹仿佛凌空而起，泛着萤火，交织成神秘的幻象：霎时是我魂牵梦萦的江南古镇，转瞬又融成玉龙雪山的清澈雪水，忽而一面经幡扬起庄严的图腾，最后耸立起一座孤崖。我临崖垂望，崖下是一面澄静深蓝的湖面。我可以窥见，那一个钟爱诗词、沉醉文学的青衫少女，凌波而来，在历史蓦然回顾中，化羽涅槃……”

我想问，这位批满分的老师，你真的对自己的判断有信心吗？靡靡之音，一般指含低级趣味、反映腐朽颓废情调的乐曲。我现在想用它的本意，即柔弱的、软绵绵的、萎靡不振的文风。靡靡之音，这就是我对高考作文的最大感受。

读完朋友的文章，我变得清醒起来，我不能不同意，她的批评是切实的，主要是站在思想、文风高度上。像开头这一段："在生命的纵横阡陌，踽踽而行，或见落花翩跹衰草盘桓，或经流水人家榆柳娉婷，或恍然听见悠远山谷中传来的黄鹂声声清啼，或一路尘满客袍。在行途的终止，我站定身子，蓦然回首，曾经的舟车劳顿原来是用以抵化一个明媚的春颜，红了樱桃，绿了芭蕉。"和文章的题目"只待蓦然回首"并没有多大关系。本来，这个题目把成功的必然与偶然的回顾结合起来，用富有感性的、诗化的语言表述得很精致，虽然花哨了一点，但总体上提示了文章的意脉，即"成功多带有偶然性""都是命运的安排"。作者可能是觉得把文章的题旨这样鲜明地表现出来不够生动，不够有文采，就用了这么华丽的形容和排比来装饰：一路莺啼燕语，桃花流水，目迷五色，景观应接不暇，舟车劳顿，仆仆风尘，到达终点时，"蓦然回首"，才发现不过就是"抵化一个明媚的春颜，红了樱桃，绿了芭蕉"。殊不知，这么复杂的形容却使原本并不复杂的意旨发生了混乱。本来"只待蓦然回首"的意蕴是：反复寻求美好而不得，蓦然回首，来得轻易。这里隐含着从难到易，从茫然到发现的矛盾的转化，而这样叠床架屋的形容却把题旨混杂着从美到美、从易到易、从欢欣到欢欣。这就不但未能使题意鲜明，相反使题意芜杂、不鲜明了，也就谈不上生动了。

作者的文字修养显然是不俗的，但是，词语华彩并不是在任何条件下都能成为文章的优点，在考试的时候，这种优长也是不能放任的，而是要根据题旨来调节、控制的。可惜作者对此显然毫无自觉，不但在开头没有控制住，到了结尾，又来了一段画蛇添足式的抒情。这一段的核心就在：临崖垂望，在蓦然回顾中，一个沉醉文学的少女凌波而来，化羽涅槃。有了这样的语言，意脉已经完足，文采也可称灿然，可是作者对自己的"锦心绣口"不忍节制，结果绕了几个弯子，从掌纹到萤火到江南古镇到玉龙雪山，从图腾到孤崖湖面。文章结尾，本来有提示题意的功能，故有卒章显志之说，而这样"绕树三匝"式的结尾，完全是画蛇添足，把自己的优长变成了缺失。

当然，这样的毛病是文风性质的，与为人的风格，也不能说绝对没有某种联系。但是，不可忽略的是，这样的毛病在中学生作文中不是一般的毛病，而是属于高级毛病，一般水平的学生还犯不了这样高级的毛病。

就这篇文章的整体来看，除了这两段完全属聋子的耳朵以外，其余部分均堪称优秀。

就命题立意来说，是从格林兄弟的故事中总结出来的，应该说还是切题的：零碎的情节和历史牵连，目迷五色，于蓦然回首之间，才发现其真诗。之后，文章就沿着这条逻辑展示：把作家二月河的成功，也归结到“蓦然回首”上来，“那些枯坐灯下的岁月仿佛都充盈了起来”，偶然和必然的关系得到拓展。从这里，可以看出作者对自己的思路还是把握得住的，当然，只是下了结论，还缺乏具体分析：蓦然回首的偶然，在格林兄弟的困顿转化为成功，其必然的条件是什么，例如，转换价值观念，从文化历史中发现文学价值。如果能够这样，则主题思想就不会停留在蓦然回首这一个层次，而是在层次上有了深化，论点有了发展，就用不上华丽辞藻来凑足字数了。从这里可以看出，耽于华丽辞藻的原因，乃是为了掩盖思想的贫乏。

作文批改和教师的原创性语言素养
——评改两篇中学生作文

在中学所有课程中，语文课的难度特别大，难在文本解读容易流于学生一望而知的表层，这一点已经获得普遍的共识；更大的难度是作文教学，这一点至今没有得到清醒的认识。近代从西方输入的课堂制是大工业生产方式向教育方面延伸的结果，其原则是针对学生群体的普遍性；而作文教学则应该是个体的，因为每一个学生从用词到立意，从思路的控制到篇章结构，所显示的才气、所面临的问题各不相同，可以用西方一个哲学家所说的“世界上没有两片相同的树叶”来形容。所以，作文教学当以手工业方式为特点。一些老师上作文课也做些讲评，但是以普遍共性为主，只能讲到叶子的共同性，对于某一片叶子的特殊生机和缺陷，是不可能涉及的。故作文教学的原则，应该与文本分析有一定的差异，那就是更多地针对特殊的个案。用俗话说，就是“一把钥匙开一把锁”。通过特殊个案的分析，不但对个体有效，而且对群体也有效，因为特殊中包含着普遍，正如苹果中包含着水果的普遍性一样。因而作文教学越是过细地分析个案，越是对群体有益，故个案分析是群体有效性的基础。

这是当前作文教学面临的严峻挑战。

一般老师对批改作文望而生畏，多数采取逃避政策。表面上看，由于作文教学是手工业方式，工作量太大，但实际上，其根本原因是相当一部分老师的素养、具体问题具体分析的能力不足以对个案做深刻到位的分析，因为这从某种意义上要具备直接形成概念判断和推理的原创性。具有这种能力，也就是研究能力的教师，在目前并不是多数。

当然工作量太大的问题也不能忽略，哪怕是十分敬业的老师，也不能指望其对学生的每一篇作文做过细的分析批改，但是，在一个班，在一学期的作文中，取一篇或数篇作文做详细的分析，乃至和学生一起重写，应该不算苛求。目前教师晋升职称都有书写一两篇论文的要求，这种要求本来不算高，但许多教师视为畏途，有些地区乃以工作总结之类代替。我想，与其写一些罗列现象、大而化之的所谓工作总结，不如要求其交纳一篇或数篇个案文章的微观分析。

理想的微观分析是什么样的呢？请看我对两篇作文的评改。

“碎石”改变了我

刘蕊畅

“三角形总是要向着圆不断变化”，这是一句从我懂事开始，就一直在思考的人生话语。

点评：这个开头很鲜明，用一句套话来说：开门见山。从写作方法来看，有一定特点，就是用一个格言式的句子，亮明主题。但是，在表述上有不够周密之处，那就是“从我懂事开始”，这是不太可信的。“懂事”而且是“开始”之时，应该是童年，在那样小的年纪，就开始有了“三角形”向“圆形”转化这种带着哲理性的思考，几乎是不可能的。这是表达上的不准确。这个毛病不大，改起来不难，把时间加以限制，如“在我从童蒙未开向青春少年转化开始，就不断体悟到……”就可以了。

有了比较准确的立意，还不能成为文章，文章要求对主题的内涵加以阐释，要尽可能地深化。从下文可以看出，作者是懂得这一点的。

大家都喜欢圆，因此会动的东西下面几乎都有一个圆圆的轮子，因为它圆滑、实用，它可以跟随着你随心所欲地运动。而大家却不太喜欢三角形，因为它有棱有角，不依着你，总是有着自己的方向，一不小心还会划伤你，所以三角形总是会被许多人打磨成圆。

点评：这一段是对“圆”和“三角形”的矛盾分析，应该说是有所深化的：把抽象的“圆”转化为人生态度的“圆滑”，把“三角形”转化为坚持“自己的方向”“有棱有角”。这个阐释使主题的所指明确了，大体上是到位的，但是，在表述上仍然有瑕疵。“会动的东西下面几乎都有一个圆圆的轮子”，这样的概括性论断在逻辑上不全面，犯了以偏概全的错误。“会动的东西”涵盖面太广了，从宇宙天体到人造机械，从动物到人类，会动的事物包罗万象，不一定都有轮子，就是人造的机械，如花样滑冰的鞋子，就没有轮子，下面是一把冰刀。概括不准确，就是立意不严密，必然降低议论的质量。

我认为所有的孩子都是不规则的三角形，都有着自己鲜明的个性，而长大后的他们都被成长中的“碎石”打磨成了圆……我就是一个怀念着三角形时光的圆。

点评：这一段的功能是：第一，进一步阐发论题，把论题具体化，将抽象的“圆滑”和“棱角”转化为孩子的经验，拉近了与自己的距离。第二，为下面的具体论述做自然的过渡。但是，这里论述“三角形”（个性）转化为“圆”（圆滑）的条件时用了一个暗喻——“碎石”。这个暗喻有点生硬，没有来由，前文并没有埋伏，后文所举的例子又没有照应，显得突兀而且多余，好像一部机器上一个没有用处的螺丝钉。更大的毛病是把话说得太绝对了。“所有的孩子都是三角形”，这话还有点道理，至于说他们都被“打磨成了圆”，就显然与事实不符了。照这么说，所有成年人就不可能有任何个性了。

小时候，爷爷问我：“你长大后的理想是什么呢？”我毫不犹豫地回答：“在江山乘着小船捕鱼，这样不仅好玩，还很轻松自在哩。”爷爷却嗔怪道：“你怎么会喜欢这么没出息的职业呢？算了，生活的经验会告诉你的，你还小。”我奇怪地望着爷爷：“难道捕鱼就是没出息的职业吗？”我带着对生活经验的探索改变了我的回答，现在的我回答是：“我要当法院院长、教育部部长。”这时已变成圆的我回想起那个不规则的三角形，不禁感慨。

点评：这个例子意在说明自己捕鱼的理想本来别树一帜，但是，与当官（部长）的世俗理念不符，因而不得不在口头上“改变”。例子的潜在意味与论点是符合的，但是，表述上却有很多不周密的地方。第一，前文已经说明，“圆”是被“碎石”“打磨”的结果，但是，这里作为“打磨者”的爷爷却并没有“打磨”，相反十分宽容，“算了，生活的经验会告诉你的，你还小”，和“打磨”对不上号。第二，“我带着对生活经验的探索改变了我的回答”作为论据是关键，可什么样的“生活经验”怎样“改变了我”是重点中的重点，应该细致展开，这样才能使论题有说服力。然而，这里却只讲了个结果，而且把它压缩成一个定语分句放在复合句中，就淡化了。第三，这个论据的核心是从有棱角变成没有棱角，原来的理想是捕鱼，只是“轻松自在”，并未显得有多明显的棱角。第四，后来说要当“部长”，也并没有十分清楚地表明有多“圆”，因爷爷只是认为以捕鱼为业，没有出息，而当部长很是虚无缥缈，也可以理解为赌气。这是一种棱角的特殊表现，还能算是“圆”吗？还有一个小地方用词不准确，“在江山乘着小船捕鱼”，在“江”里可以乘船捕鱼，在“山”里则不可能。“这样不仅好玩，还很轻松自在”，“不仅……还”是个递进结构，“好玩”和“轻松自在”是同性质的，构不成递进关系。如果说不仅好玩，而且收入也可观，在逻辑上就比较通畅了。

刚上学的时候，老师说：“同学们，记住了，中国的地图像一只公鸡。”我连忙说：“老师，我觉得更像我家那只会跳舞的花猫呢！”我那时候相信老师一定会说：“哦，一定很像。”可老师却对我说：“中国的地图是世界上公认的公鸡，你不要再提你那会跳舞的猫了。”于是我知道了老师讲的话一定是对的，至少要听。上中学后，地理老师问我们：“中国的地图像什么？”全班异口同声地回答：“公鸡。”看着老师一脸的微笑，我这个被打磨的圆，想起了从前那个不规则的三角形的回答，不禁一阵心酸。

点评：这个例子举得稍微切题一点，至少比上面那个例子好。一是写出了被老师“打磨”的过程；二是点到了“公认”的不一样。但是，这个例子还是不够圆满，因为中国地图像“跳舞的猫”实在不伦不类，在外形上、内涵上，毕竟不如公鸡那样得到认同。这就可能带来反作用。有棱角、个性，要有坚定的信念，要有相当的合理性，任意性抬杠、胡说八道，达不到“信念”的层次。对于棱角、个性，也要有分析，二者都有一个发展的过程，对于幼稚的错误，不断修正，是良性的；坚持错误，顽固不化，则是恶性的。

我曾经想过：人可能是有一双翅膀，只是没发现它而已；地下可能也有一个世界，里面生活的全是小矮人；天上一定有一个仙女城，里面全是可以变出棒棒糖的仙女……可是这些想法全被一个个“资深人士”痛批了。于是我知道了“资深人士”的话永远是对的，至少你说不过他们。

点评：这一段枚举式的例子有点不切论题。人可能有翅膀、地下有小矮人的世界、天上有仙女等等，只是孩子的幻想，和论题所说的个性、棱角，一个在幻想的层次，一个在现实的层次，不是一回事。把这些幻想和“资深人士”的理性观念拿来对比，并不能证伪“资深人士”永远是对的。退一步说，如果你真诚地相信这一切，就应该和他争辩，表现自己的“棱角”。争辩，多次的争辩，如果是你被“打磨”了，失去了自信，就认输了。文章没有把“打磨”这个立意的核心化为贯彻始终的意脉，也没有把“碎石”的暗喻（其锋利，其反复挫伤）发挥清楚。

的确，生活的“碎石”改变了我，把我这不规则的三角形打磨成一个圆滑、听话的圆。现在这个实实在在的圆怀着对那个不规则三角形的怀念、向往、心酸记录下这篇——“三角形遇碎石变圆记”……

我禁不住要问：这种改变是必需的吗？

点评：最后一段写得比较好，不但总结全文题旨，比较全面，而且最后一句用了一个反问句，显得有余味。唯一的不足就是“圆滑”似乎用词不当，因为全文并没有什么事例显示出作者的“圆滑”。“圆滑”有虚伪的意味，作者所举的事例，充其量只是软弱，不够自信而已。

总评：抒情叙事散文和议论文固然有根本的区别，一个重感性，一个重理性，然而，作为文章也有其共同之处，那就是情感和观念的脉络必须前后统一。这种统一不是表面上的，而是深层的。在以议论为主的文章中，为了达到这样的境地，最起码的要求是论题和所举论据要高度统一。所谓高度统一，就是不但在表层的语言上，而且在隐含的意味上严密一贯，不可偏离；统一的关键在于把握，使之贯彻文章的首尾。

当前中学作文教学中，流行着一种引用名人格言为主题的方法。引用名人格言要注意两点。

首先，格言是抽象的，要使它有说服力，而且有血有肉，就得对之证实，就要有与论题高度一致的事例。事例是无限的，因而，要选择最雄辩的，要用最精确的语言加以严密的阐释，这样文章才有说服力。这篇文章题旨是不错的，但是，所举事例不够雄辩、不够严密，给人一种若即若离的感觉。

其次，对格言要加以分析。从严格的意义上来说，一切格言由于把复杂的生活和思想简化为一两个句子，都免不了有片面性，故将名言反过来，做否定的表述，思路就会活跃起来。知足常乐是对的，知足就不可能常乐也有道理；笨鸟先飞有道理，笨鸟不一定能先飞也不是没有道理的；天才就是百分之九十九的勤奋加百分之一的天赋，对某些人来说是深刻的，对某些人来说则是荒谬的。对一切现成的、公认的，被认为是天经地义的、不言而喻的说法的反思，是为文立意深化之道。

这篇文章最大的缺点，乃是对开头所引的格言式的论题没有分析，造成了论题的片面化。“三角形总是要向着圆不断变化”，这太绝对了。反过来说，三角形并不总是向其内切圆转化，也许更有道理。并不是一切有个性的人，命中注定要变得圆滑的。立意要深，就要做层次深化的分析，分析出变得圆滑和坚守个性的不同原因。为什么有些人变圆滑了，有些人则相反？当然，有些教师会说，这样的要求对于中学生似乎有点过分了，但是，许多美国小学生的作文，往往是将不同的观念加以展示，有所赞成，有所反对，从中提出自己的观念。这应该是我们努力的方向。在英语托福作文考试中，这种“批判性思维”（Critical Thinking）是最高分的标准。

春天里不要做秋天的梦

佚名

春天里不要做秋天的梦，硕果的培育注定需要艰难的劳作，面朝大海，春暖花开……①

去年的盛夏，一场青春的闹剧②轰轰烈烈地上演了……“×××，老师叫你去办公室一趟。”我又一次[3]心怀忐忑地来到办公室门口。“报告！”“进来。”林老师依旧低着头批改着作业，我拘束地站在一旁，空调的冷风向我袭来，却吹不走此时心中的不安与自责[4]……

回想起上个星期办公室里的情景。[5]“我知道你是一个明白事理的孩子。一进初中我就觉得你很像过去的我，很多老师都如同我一样[6]欣赏你，中考很近了，我想你应该知道轻重缓急，早恋是不现实的，当然我没有要反对你，只是谈恋爱，要看个时期，看个场合，懂吗？[7]我想……他如果真的喜欢你，也希望你考好，是吗？”我低下了头，红着脸，[8]脸像被火烧了一样发烫，于是我下定决心为中考努力了……[9]

“唰”圆满的一个句点。老师放下了手中的笔，同时也拨动了我心中一根紧绷的弦……“你的状态还是没有恢复过来，上课一直开小差？”[10]“我……”“不用说了，你先把手头上班长的职务转交给 ××× 吧，你冷静一段时间！”“嘣”的一声弦断了，[11]我的思绪也乱了，[12]机械地走出办公室，燥热的空气压得我喘不过气……

班长被撤了？ ×××，你怎么这么不争气啊！你让一个一直很欣赏你的老师伤透了心，你怎么向你的父母交代？怎么向你自己之前的努力[13]交代？怎么向班上 61 位看好你的同学交代？来自四面八方的责骂声压垮了我的天空[14]……“班长！怎么了你哭成这样？”“对啊对啊！怎么了？”呵呵，我苦笑着心想：班长？我配吗？我跑出了教室，却怎么也跑不出现实。不！我不能逃避，我应该要面对，总有一天，我会把班长的位置再抢回来[15]！于是，[16]接下来的每一天，我都很努力地赶超同学[17]，还好基础不差，落下的不多。但毕竟以前老师上的课没听，有一些书上没有的知识无法掌握，这令我又一次陷入茫然之中……该放弃吗？就在这时，一张纸从我的作业本中滑落，上面写满的，是从前上课的内容[18]，那清秀的字迹[19]……是？不错，是林老师！[20]恍惚间我似乎听到了林老师[21]说：“我相信你！”我又一次振作起来。从那以后，我的作业本里每天都会夹着一张纸，一张[22]写满老师对学生的爱的纸[23]，渐渐地我的成绩提高了，我终于又重新回到了自己的岗位上。

罗曼·罗兰说过，“要播撒阳光到别人心中，总得自己心中有阳光。”林老师，是您用心中的阳光为我驱散青春的阴霾，是您那一张张小纸条，让我得以补回以前的知识，其实我知道，您把我班长撤去，是想让我专心读书，不被其他杂念所牵绊着。老师，谢谢您！这一路上的跌跌撞撞，因为有了您的扶持，变成了让我一生受益的宝藏。当时我年少春衫薄，是您为我添上了一件厚厚的棉袄，是您日日夜夜的辛苦换来我现在的成绩。

春衫薄的少年啊，幸得有您，老师一路相伴！

谢谢您！老师。㉔

批改：

①“面朝大海，春暖花开……”多余的话，可删去。

②“闹剧”改为“梦幻剧”。

③“又一次”多余，可删去。

④“与自责”可删去。

⑤“回想起上个星期办公室里的情景。”改为“林老师和蔼地看着我，说：”

⑥“如同我一样”删去。

⑦“早恋是不现实的……懂吗？”改为“春天里不要做秋天的梦。”

⑧“红着脸”删去。

⑨“于是我下定决心为中考努力了……”删去。

⑩“开小差”改为“心不在焉”。

⑪“‘嘣’的一声弦断了，”删去。

⑫“我的思绪也乱了，”删去。

⑬“之前的努力”删去。

⑭“责骂声压垮了我的天空”改为“目光热辣辣地射在我的脸上”。

⑮“把班长的位置再抢回来”改为“重新获得失去的信任”。

⑯“于是，”删去。

⑰“同学”删去。

⑱“内容”改为“笔记”。

⑲“那清秀的字迹”改为“那清秀的字迹中，我仿佛又听到了林老师的声音”。

⑳“是？不错，是林老师！”删去。

㉑“林老师”改为“他”。

㉒“一张”删去。

㉓“纸”改为“话语”。

㉔“谢谢您！老师。”改为“春天里不要做秋天的梦，经过艰苦的劳作，也许秋天的梦会更美好。”（注：这里要回到题目“春天里不要做秋天的梦”上去。）

以下是我批改后的誊清稿：

春天里不要做秋天的梦

佚名

春天里不要做秋天的梦，硕果的培育注定需要艰难的劳作。

去年的盛夏，一场青春的梦幻剧轰轰烈烈地上演了。“×××，老师叫你去办公室一趟。”我心怀忐忑地来到办公室门口。“报告！”“进来。”林老师依旧低着头批改着作业，我拘束地站在一旁，空调的冷风向我袭来，却吹不走此时心中的不安……

林老师和蔼地看着我，说：“我知道你是一个明白事理的孩子。一进初中我就觉得你很像过去的我，很多老师都欣赏你。中考很近了，我想你应该知道轻重缓急，春天里不要做秋天的梦。我想……他如果真的喜欢你，也希望你考好，是吗？”我低下了头，脸像被火烧了一样发烫。

“唰！”圆满的一个句点。老师放下了手中的笔，同时也拨动了我心中一根紧绷的弦……“你的状态还是没有恢复过来，上课一直心不在焉。”“我……”“不用说了，你先把手头上班长的职务转交给×××吧，你冷静一段时间！”我机械地走出办公室，燥热的空气压得我喘不过气……

班长被撤了？你怎么这么不争气啊！你让一个一直很欣赏你的老师伤透了心，你怎么向你的父母交代？怎么向你自己交代？怎么向班上61位看好你的同学交代？来自四面八方的目光热辣辣地射在我的脸上。“班长！怎么了？你哭成这样。”“对啊对啊！怎么了？”呵呵，我苦笑着心想：班长？我配吗？我跑出了教室，却怎么也跑不出现实。不！我不能逃避，我应该要面对，总有一天，我会重新获得失去的信任！

接下来的每一天，我都很努力地赶超，还好基础不差，落下的不多。但毕竟以前老师上的课没听，有一些书上没有的知识无法掌握，这令我又一次陷入茫然之中……该放弃吗？就在这时，一张纸从我的作业本中滑落，上面写满的，是从前上课的笔记，从那清秀的字迹中，我仿佛又听到了林老师的声音，恍惚间我似乎听到了他在说：“我相信你！”我又一次振作起来。从那以后，我的作业本里每天都会夹着一张纸，写满老师对学生的爱的话语，渐渐地我的成绩提高了，我终于又重新回到了自己的岗位上……

罗曼·罗兰说过：“要播撒阳光到别人心中，总得自己心中有阳光。”林老师，是您用心中的阳光为我驱散青春的阴霾，是您那一张张小纸条，让我得以补回以前的知识，其实我知道，您把我班长撤去，是想让我专心读书，不被其他杂念所牵绊着……

春天里不要做秋天的梦，经过艰苦的劳作，也许秋天的梦会更美好。

评语：全文的主题句是“春天里不要做秋天的梦”，很有内涵，但是在原稿上未能贯穿首尾。从严格意义上说，结尾两个自然段落仍然未能改变脱离主题的缺陷。改稿严格按照主题句为线索，把最后两段删节，回到主题句上来，将之稍做引申，加上“经过艰苦的劳作，也许秋天的梦会更美好”。这样不但文章的意脉完整了，思绪提升了，而且开头、中间和结尾也更统一了。根据这条在最后上升的意脉，文中一些与之关系不是很紧密的，似乎是挺漂亮的句子，毫不留情地割爱。

和一位语文老师交谈修改一篇作文的对话

课文解读成为目前语文教学关注的焦点，课文是经典，解读是很不容易的，但是，毕竟有历史的积累，有时一篇文章有上百篇的文章可以参考。相比起来，好像作文教学要容易得多，但是，这是误解。首先，从某种意义上来说，作文教学是手工业式的，其基础是对每一篇作文的解读，由于没有历史积累，因而更具挑战性。其次，对学生的作文不但要解读得准确，而且要找到切实可行的办法，帮助他改进。从这个意义上说，理想的教师不但要会解读，而且还要在修改的过程中提高其水准。这就是说，教师不但要有相当的解读水平，而且要有相当的写作水平。道理说起来抽象，下面是我和一位中学语文教师对同一篇学生作文进行批改时的书面对话。

作文的题目是“机会”，作者是昆山一位叫殷旻的中学生。

在文章以前，作者有一个题记：

机会，只垂青有准备的头脑。

师：“头脑”改为“人”，如何？

孙：不能改，因为：第一，原文是法国微生物学家、细菌学的奠基人路易斯·巴斯德的话。这是权威的格言。如果要改的话，把“机会”改为“机遇”，这是更准确的翻译。在古代汉语构词法中，往往用“头”代替“人”，如“元首”（《尚书，益稷》“元首明哉，股肱良哉，庶事康哉！”），又如“黎元”（杜甫《自京赴奉先县咏怀五百字》中“穷年忧黎元，叹息肠内热”，黎元就是黑头）。第二，从现代汉语来说，这句话中的“头脑”比“人”好，因为人是抽象的，而头脑则比较具体。第三，头脑是人的局部，却是人区别于动物的特点所在。它能唤醒读者的记忆去补充其余部分。从形象构成来说，有特点的细节胜于整体。如辛弃疾的“春在溪头荠菜花”，不是别的地方没有春色，而是辛弃疾出于热爱农村的情感，选择了局部代替整体，比整体更生动。

人人都喜欢成功，喜欢被别人羡慕的感觉。

师：把“羡慕”改为“赞美”，把“感觉”删去，如何？

孙：不好。羡慕可能是无声的，如某种眼神；也可以是有声的，如赞美的语言。羡慕到一定强度，关系密切，才会用有声语言表述出来。故羡慕比之“赞美”不但涵盖面要大，而且更贴切。

“感觉”二字，可改可不改。凡可改可不改的，一般不要改，以免学生觉得一无是处，失去信心。

可是人人又都有些惧怕成功所需要付出的代价，比如时间，比如汗水。

师：这个句子不太顺，改为“人又不愿付出必要的代价”，怎样？

孙：改得有些道理，原文中“人人”把话说得绝对了，并不是每一个人都害怕付出代价的。改成“人”，绝对化的意味就淡得多了。但是，还是不够到位。如果改成“人们往往”，就会委婉一点。把“惧怕”改成“不愿”，也不如原文更富于感性。

而即便是吃苦耐劳如黄牛般勤勤恳恳，也未必就能摘下成功的果实。

师：改成“有一种可能，即便如黄牛般勤勤恳恳，也未必就能摘下成功的果实”，如何？

孙：这句肯定得改。前面说的是惧怕付出时间和汗水的代价，后面说即使如黄牛吃苦耐劳，这是思路的转折，要有足够的强调，光一个“而”字是不够的。你改得挺到位。因为这是核心观念，最好再强调一下，在这句前面加上“然而，成功并不一定与汗水的付出成正比”，把“有一种可能”删掉。

所以，人们需要机会。

师：这一段逻辑上有些混乱，一定要突出“机会”的重要性。而且，这句太生硬了，改为：“这时候机会对于人们的重要一定不亚于主观的勤奋和刻苦。”

孙：你这两句改得非常好。逻辑转折得到强调，主题也更突出了。如果允许吹毛求疵的话，把“一定”改为“肯定”，把“人们”改为“人”，是不是更好一点？

然而机会不像空气，遍布每一寸空间。

它总是在不经意间降临，寻找它的主人也就是那些抓得住机会的人们了。之后的事情可想而知，人们得到了机会，就仿佛在去往成功的道路上插上了翅膀，越飞越高，最后达到理想的彼岸。

师：我想把“它总是在不经意间”到“越飞越高，最后达到理想的彼岸”全部删去。因为这一段是“转”，不可一下子就过渡到机会那么容易得到，而是突出机会的来之不易。

孙：你说“不可一下子就过渡到机会那么容易得到，而是突出机会的来之不易”是对的，这里本该强调机遇青睐有准备的头脑，重点在：对于没有准备的头脑，机遇就会失之交臂。因而，文章的思路应该落实在随时随地准备迎接、寻找机遇，抓住机遇，而不是机遇“寻找它的主人”。文章的毛病是思路偏移。但是，把此段全部删去并不是最好的办法。因为文章中还有可贵的话语，那就是机遇总是“在不经意间降临”的“不经意”。因为“不经意”，所以容易失去，最好把它反过来发挥一下，那就是要时时处处“经意”，这个“经意”，就是一种“准备”，属于心理“准备”，是最起码的“准备”。有了这个基础（经意），文章的逻辑大致可以了。但是，严格说来，还不够明确，为了更严密一点，最好从正面说明一下：“所谓‘经意’就是对一切看来平常的（把文章后面所说的‘和吃饭、睡觉一样’说法提到这里来）也不要放过，也要捕捉其中可能存在的机遇。”这样，下面的一个很长的例子，在逻辑上就接得上气了。

在我的记忆深处，有那么一片羽毛。

师：这比喻来得很突兀，“羽毛”很含混，是什么没有说清，还不如把“一片羽毛”改为“一件事”，平实一点。

孙：这个批注也比较到位，先要把事情说清楚了（“一件事”），再作比喻（“羽毛”），不然就给读者没头没脑的感觉。

看着很轻，实则意义重大，那是我最在意的一次成功。

师：不如删掉。

孙：可删可不删的，尽量保留。

也就是那件事，让我懂得了如何面对机会……

那是小时候了，那时的自己。懵懵懂懂，也不知道怎么成功，怎么光荣。只是觉得站在舞台上，有那么多人看着你，为你鼓掌，真的很好。然而又不知道自己怎么有本事站在那么多人的面前。要知道，表演似赌局一般，表演得好，掌声雷动；表演得差劲，嘘声一片。要知道我自尊心强，万一要是面对一大片黑压压的喝倒彩，不哭出来才怪呢。然而，哪个孩子不愿意被别人多夸几句？所以爸妈常对我说：“你要做好准备，等到有了机会，就要懂得抓住，这样才能够成功。”对当时的我来说这固然是听不懂的奇怪的话，然而爸妈也未曾放松过对我的要求。练琴，对那时的我来说几乎就是一件和吃饭、睡觉一样平常的事情。

师：与文章中心不符合，整段删去。

孙：这一段文章的确有如批注所说“与文章中心不符合”之处。文章写向往成功和惧怕失败的矛盾，其中有父母讲的“等到有了机会，就要懂得抓住，这样才能够成功”，这正是文章的主旨，只是作者没有抓住。完全删节掉，是比较消极的办法。最好的办法是在逻辑上调整一下，先说自己向往成功，但是对可能的失败怀着恐惧。在练习钢琴的时候，也只是“懵懵懂懂”，只觉得“和吃饭、睡觉一样平常”。虽然爸妈对我说过“有了机会，就要懂得抓住，这样才能够成功”，“我”也感到有道理，但是并没有和钢琴练习联系起来。

曾经以为日子就是这样如流水般哗啦啦地过了，

师：这句话要不要删节？

孙：这句话在逻辑上比较生硬，但是，也可以保留，只要在后面加上一句话“没想到机遇就在‘不经意’中降临了”，就比较顺了。

然而有一堂钢琴课，下课之际，

师：这句在逻辑上好像很生硬，删掉也不可惜。

孙：你是对的。关键在于“然而”，在这里不但多余，而且引起逻辑混乱。因为这里的上下文并没有转折的意味。

老师兀然说：“你也学了这么久了，这样吧，今年的新年音乐会给你安排一个节目，回家挑首曲子准备一下。”波澜不惊的一句话，却在我心中抹开层层的涟漪。

师：波澜不惊，明显用词不当，改为“老师很平常”。

孙：你说得很对。这不但是用语不当，而且导致在逻辑上自相矛盾。明明下面写的是内心“压了很久的梦被翻了出来”，“梦想成真的感觉”，不是“波澜不惊”，而是内心波澜涌动。

一个在心底压了很久的梦被翻了出来——紫色的绒布帘幕，金色的耀眼的灯光，舞台，观众。

师：我觉得“舞台，观众”要与前面照应，应该改为“炫丽的舞台，狂呼的观众”。

孙：你这样一改，很简洁，而且有文采。

不知道那时是怎样想的了，

师：这句话显然又是自相矛盾，刚刚说了那时是怎样想的，接着又说了相反的意思。删去。

孙：咱们所见略同。“不知道那时是怎样想的了”，和内心波澜的描写是矛盾的，删节是完全必要的。

只是心里有点不安，又有点“梦想成真”的感觉。

师：我想改为：“一会儿，我心里开始紧张不安起来。”

孙：改得也很不错。固然“梦想成真”孤立起来也不错，但是，和后面的“开始发呆”不统一。

所以回到家里，

师：改为“一回到家里”。

孙：改得很好。这里是时间上的连贯，不是逻辑上的因果，故不能用“所以”。

第一次面对着熟悉的钢琴，

师：“第一次”，不通，删去。

孙：有道理。“第一次”明显不妥，明明不是“第一次”。除了删节，还有一个也许更好的办法，那就是加上一个“好像”。不是“第一次”，而是“好像第一次”。

开始发呆：

师：改为“我竟然开始发呆”。

孙：好，有了“竟然”，就写出了抓住机遇后感觉的变化，看见钢琴，就和以往不同了。

你怎么了，这不是你做梦都想要完成的心愿吗，为什么现在又打退堂鼓？往日沉默了那么久，为什么此时不敢展现自己的才华呢？你忘记爸妈常对你说的话了吗，机会来了吗？

师：最后一句改为：“机会不是来了吗？”

孙：改得很好。本来文章的主题就是抓住机遇，可是作者却用了一个疑问句，自我反问，并没有确定，就说自己“没有退缩”了，逻辑上有断裂。把它改为“机会不是来了吗？”就不是疑问，而是用否定的反问来肯定。加上一句“我内心仿佛有两个我在对话”，就加重了主题句的分量。但是，从文章的重心来说，这还不够分量，最好在这里强调一下主题句。其次，把自己的体悟“不经意”再提示一次，进一步发挥一下，主题就不会在平面滑行，而是有所发展、有所深化了。例如，加上以下的话：

我突然想到父亲的话：“抓住机遇，才能成功。”多年的梦想啊，走向成功的机遇在不经意中来了，也可能在不经意中失去。

师：再加上一句：“我内心里仿佛有两个我在对话。”

孙：这里加上的句子，不俗，使得主题深化了。

终于，没有退缩。于是我开始比平常花更多的时间；

师：删去。

孙：这句话本来不一定要删，但是太软弱、太无力，而且又有碍于思绪的连贯性，删去也好。

于是我开始一次又一次地想象登台的样子；我开始期待，开始屏住呼吸期待着那属于我的光芒四射的梦。我想那是属于我的机会，既然我准备了那么久等待了那么久，那么，就让我抓住它，去实现自己的理想。

师：把“就让我抓住它”改为“就让我抓住这次难得的机会”。

孙：改为“我终于战胜了另一个自己”会更精彩，和前面的与另一个自己对话呼应。

那一天，到了。

师：改为“那一天果真到了”。

孙：可改可不改的不改。

依旧是被闹钟唤醒，

师：改为“我依旧被闹钟唤醒”。

孙：可改可不改的不改。

阳光洒在华丽的演出服上，很像是那么一回事。

师：改为“我在镜中发现今天的自己真的好漂亮”。

孙：原文“很像是那么一回事”，词不达意。这样一改，就明确提示了作者内心的快乐。

《天鹅》

师：改为：“《天鹅》，对，我今天就演奏《天鹅》，我就是一只美丽的天鹅，我仿佛看见自己在天空中翩翩飞舞。”

孙：加得好。这是重点，表达自己的激动，用抒情的想象，赋予双关含义，很生动。改到这样程度，说明教师有相当的文学修养。

我将要在音乐会上弹奏的曲子。它正安然地躺在桌上，仿佛沉默，却又似乎是在积蓄力量，准备在一瞬间释放出来。

师：这似乎应该删节。

孙：我想这几句挺精彩的，但有些不顺，把“曲子”改成“乐谱”就顺当了。渲染作者兴奋，不直接写心情，而是写对乐谱的想象，这是抒情，不过是通过对乐谱的感受，和前面的直接表达不一样，挺生动的，删去是可惜的。

妈妈没有说什么，

师：改为“要上台了，妈妈没有说什么”。

孙：这里改得也有道理，连贯性加强了，保留了作者的含蓄的用笔：母亲虽然没有说话，但是在眼神中有更多的话。

只是用充满期待的眼神注视着我，那眼神好像在重复着往日里那些话语：“把握机会，就能成功。”

师：改为“然而她那充满期待的眼神一直注视着我，那眼神好像在重复着往日里那些对我的叮咛与嘱托”。

孙：这里改得也不错。

绾起头发，套上长裙，我看着镜中的自己，喃喃道：“这是属于你的，

师：“我看着”改为“我再次看着”；在“属于你的”后面加上“绝佳机会”。

孙：加上“再次”，虽然只是两个字，很含蓄，但是很有潜在量，说明不止一次地端详自己，而“绝佳机会”则是画蛇添足。

好好表现。”演出现场自然很是热闹，我静静地坐在后台，

师：把“自然”删掉。

孙：“自然”是多余的，删得好。

数着裙子上的小花：一朵，两朵

师：改为：“等待着属于我的那一刻的到来……”

孙：数着裙子上的花朵，细节的内涵不清晰，不知是要说明激动还是沉静，删去也好。

“下面让我们欣赏一曲《天鹅》，带给心灵无限的抚慰，

师：后一句改为：“希望这首曲子能带给你心灵无限的抚慰”。

孙：原文有点断裂，这样改后比较完整。

掌声欢迎！”主持人的声音响起在耳边。

到我了，轮到我了。那么多天的辛苦，就集合在这几分钟之内了。走上舞台的瞬间，我仿佛看见上方的机会闪烁着灵光。

师：最后一句改为“我仿佛看见一只美丽的天鹅在向我闪烁着灵光”。

孙：改得好。把抽象的“机会”改为“天鹅”，与前面《天鹅》的乐意和想象连贯起来，形象的感染力就叠加起来了。

其他的已经记不清什么了，只是记得那时候的心跳很快，周围都是金色的光，我被围绕在一片光芒之中。伴随着最后一个音符的滑落，我的心也变得沉静下来。

师：先在后面加上一句：“又回到了我扬帆起航的海港。”这里要有足够的分量，中间

应补上："悠扬的琴声响起，大厅里的我仿佛就是一个船长，指挥着键盘在音乐的海洋里驰骋，时间在一分一秒地流淌，我越来越感觉到我也随着波浪远赴重洋……"

孙：这一段补充，好处在于：第一，这是全文情绪的高潮，要增加氛围和感受的强度，要浓笔重墨加以渲染；第二，很生动，从现实境界进入想象的境界，用了一些华丽的语词，强化了情感的力度。

停顿几秒，我听到了如雾气般向我袭来的掌声，那是属于我的掌声，

师：把"雾气"改为"潮水"。

孙：改得好，把不恰当的比喻变成恰当的形象。

属于我的第一次表演的掌声；属于我准备太久、抓住机会取得成功的掌声，

师：删去。

孙：这是可以删去的。但是，最好保留"属于我的"，因为它很生动，又很有思绪含量。非删不可的应该是"准备太久"那样可有可无的定语。

我笑了，笑里含着那些梦与泪，无限春风！

师：改为："笑里含着梦的甜蜜与泪的咸涩，终究还是无限春风从我的面庞拂过，只是不再无声无息。"

孙：改得很到位，主要是在"梦的甜蜜"中增加了"泪的咸涩"，文章的思想分量就更重了。

这就是我的第一次登台，之后就有了第二次，第三次……已经忘掉许多了，然而这件事却铭刻在我的记忆深处。因为我一直记得：机会，真的只会垂青有准备的头脑。

师：把"第一次登台，之后就有了第二次，第三次……"删去，改为："现在登台对于我来说已经不再是什么稀罕的事情了，但我更加明白：机会，真的只会垂青有准备的人。"

孙：这样改动，是不错的。从结构上说是首尾呼应，但是，这样的呼应并不是最好的呼应。最好的呼应是把主题句，即名人名言再发挥一下。在重复了"机会，只垂青有准备的头脑"后，把文章中自己独特的体悟点明一下："机遇往往来得很轻易，失去也很轻易。所谓有准备，首先就是从轻易而来的，像吃饭、睡觉一样平常的事情中看出潜在的机遇，紧紧把它抓住。"

许多教师在作文教学中都强调名人名言的重要，但是却忽略了名人名言是别人的，写文章就是要把别人的化为自己的，只有把自己的体悟渗透进去，文章才可能有深度，才有自己的生命。这样的首尾呼应才不会呆板，才会有灵活性。

附：

机　　会[1]

昆山少年文学院2010级文学班　殷旻

机会，只垂青有准备的人。

——题记

人人都喜欢成功，喜欢被别人赞美，人又不愿付出必要的代价，比如时间，比如汗水。这样，成功一定与之失之交臂。有一种可能，即便如黄牛般勤勤恳恳，也未必就能摘下成功的果实。这时候机会对于人的重要一定不亚于主观的勤奋和刻苦。

然而机会不像空气，遍布每一寸空间。

在我的记忆深处，有那么一件事让我懂得了如何面对机会……

在一堂钢琴课下课之际，老师兀然说："你也学了这么久了，这样吧，今年的新年音乐会给你安排一个节目，回家挑首曲子准备一下。"老师很平常的一句话，却在我心中抹开层层的涟漪。一个在心底压了很久的梦被翻了出来，紫色的绒布帘幕，金色的耀眼的灯光，炫丽的舞台，狂呼的观众……一会儿，我心里开始紧张不安起来，一回到家里，面对着熟悉的钢琴，我竟然开始发呆：你怎么了，这不是你做梦都想要完成的心愿吗？为什么现在又打退堂鼓？往日沉默了那么久，为什么此时不敢展现自己的才华呢？你忘记爸妈常对你说的话了吗？机会不是来了吗？我内心里仿佛有两个我在对话。

于是我开始一次又一次地想象登台的样子；我开始期待，开始屏住呼吸期待着那属于我的光芒四射的梦。我想那是属于我的机会，既然我准备了那么久等待了那么久，那么，就让我抓住这次难得的机会，去实现自己的理想。我终于战胜了另一个自己。

那一天果真到了。我依旧被闹钟唤醒，只见阳光洒在华丽的演出服上，我在镜中发现今天的自己真的好漂亮。《天鹅》，对，我今天就演奏《天鹅》，我就是一只美丽的天鹅，我仿佛看见自己在天空中翩翩飞舞。要上台了，妈妈没有说什么，然而她那充满期待的眼神一直注视着我，那眼神好像在重复着往日里那些对我的叮咛与嘱托："把握机会，就能成功。"我心领神会般地绾起头发，套上长裙，我再次看着镜中的自己，喃喃道："这是属于你的，好好表现。"演出现场很是热闹，我静静地坐在后台，等待着属于我的那一刻的到来……"下面让我们欣赏一曲《天鹅》，希望这首曲子能带给你心灵无限的抚慰，掌声欢迎！"主持人的声音在我耳边响起。到我了，终于轮到我了。走上舞台的瞬间，我仿佛看

---

① 本篇为教师修改的作文。

见一只美丽的天鹅在向我闪烁着灵光。周围都是金色的光，我被包围在一片光芒之中，悠扬的琴声响起，大厅里的我仿佛就是一个船长，指挥着键盘在音乐的海洋里驰骋，时间在一分一秒地流淌，我越来越感觉到我也随着波浪远赴重洋……伴随着最后一个音符的滑落，我的心又回到了我扬帆起航的海港。停顿几秒，我听到了潮水般向我袭来的掌声，那是属于我的掌声，我笑了，笑里含着梦的甜蜜与泪的咸涩，终究还是无限春风从我的面庞拂过，只是不再无声无息。

现在登台对于我来说已经不再是什么稀罕的事情了，但我更加明白：机会，真的只会垂青有准备的人。

评语：作文关键要能完整地记述一件事情，能从具体的一件事情中悟到什么。切忌空洞的议论或是随意地说出某种情绪性的话来。首先，作为第一次登台，一定要有心理活动描写，这也是本篇作文必须要用到的表达方式；其次，铺垫和对比也是本文所要用到的写作技巧。

第三辑　议论文写作：以具体分析为纲

议论文“三要素”的有限合理性和局限性

按：议论文为语文教学和高考的薄弱环节，原因之一是基础理论落伍于哲学文艺学理论几十年。现将本人1985年完成之《基础写作概论》中的议论文部分抽取适合中学水准的一节适当修改，以救燃眉之急。

正统的议论文理念认为，构成议论文的要素大致包括三个方面：论点、论据、论证。当然，就某一篇文章来看，三者未必完全具备，有时并不一定有论据。大量的文章并不一定采取先有论点，再举论据的格式，全文只是一系列的推理、一系列的分析。如韩愈的《师说》：

> 古之学者必有师。师者，所以传道受业解惑也。人非生而知之者，孰能无惑？惑而不从师，其为惑也，终不解矣。生乎吾前，其闻道也固先乎吾，吾从而师之；生乎吾后，其闻道也亦先乎吾，吾从而师之。吾师道也，夫庸知其年之先后生于吾乎？是故无贵无贱，无长无少，道之所存，师之所存也。

这段文章的核心结论是“道之所存，师之所存”，并不是用论据来证明的，而是通过推理来得以肯定的。为了这个结论，韩愈首先提出一个定义：“师者，所以传道受业解惑也。”这个定义，其实也是个结论，但在这里，韩愈并没有论证。为什么？因为这篇文章带着很强的针对性、论辩性。论辩双方，观念不同，必须有共同认可的前提。这个定义，估计对方不会反对，或者没有水平反对，就毫无保留地确定下来。这样的论述带着韩愈不怕武断的气魄，在古典文论中，叫作“先立地步”，从而由这个定义出发，层层深入，推出结论。接着韩愈又引出一个前提：“人非生而知之者，孰能无惑？”这是后面一系列推理的前提，也没有任何论证，原因是前提带着常识性。论辩对方没有争议，也不用论证。当然，理论往往是要对常识加以批判的，但是，有共识的论题不在此列。文章接着分三个层次向结论推进。第一，因为不可能无惑，故不可能不从师。第二，闻道先后与年龄有矛盾，以师道为准。虽然在通常情况下，师者长也，但是，闻道先者，年龄小不是问题。第三，闻道先后与贵贱身价无关。虽然通常以师为贵，但是以闻道为准则，身份贱也无所谓。韩愈论述的主要方法，就是把矛盾放在两个极端情况中不断变化，而闻道的原则是不变的：不是年龄、贵贱决定师道，而是师道高于年龄和贵贱。

这明显不是论点在前，选择例证的模式，而是先立地步，加上两极推理的模式得出结论的结构。在有些议论文教材中，硬把这样的文章说成是论点、论据、论证的模式，就是因为迷信议论文三要素，削足适履，盲目硬套，不但牵强，而且造成学生论述文体的僵化。

一、论点、结论和定义

论点与论题不同，论题只是指出了问题，例如“什么是美”，而论点是对论题的解答、阐述等等。换句话说，就是作者在文章中要阐明或者要论证的观点、见解、主张，有时它可以是一种计划、方针、方案，有时可以是一种解释、说明或预测。它既可以用论证的方法来证明，也可以用阐述的方法揭示其内涵，还可以用论述的方法有系统地展开。议论的方法是多种多样的，并不是只有论证一种。

阐述和论述的方法，是议论的重要方法。有些写作书上把论证作为唯一的方法，往往就把对论点的阐释忽略了。阐释就是将论点中的基本概念加以明确，使其严密，将其内涵、外延进行准确的规定，防止模糊含混。模糊含混不但有碍论点的展开，还可能导致论点的转移。因而，有时基本论点需要以下定义的方法，用精密的语言加以阐明，并对其中细微之处做一丝不苟的说明。必要的咬文嚼字是概念的科学性和论述严密性的表现。当然，从写作来说，文章的风格是多种多样的，定义要严密，但语言可以严肃，也可以活泼。例如关于邓小平的“让一部分人先富起来”，郎咸平在清华大学的演讲是这样讲的：

> 25年之前，邓小平说过一句话，“让一部分人先富起来”。各位注意到没有？当时讲这句话的时候，全国老百姓是一致支持的……可是，让一部分人先富起来有什么条件呢？我想在清华大学，把这个条件重新定义清楚，我不希望在这个基本问题上面，我们学术界，或者企业界再有任何争论，以及任何的怀疑。它的条件就是，可以让一部分人先富起来，可是其他人不能变得更贫穷，这就是原则。（掌声）

这是用口语来为学术概念下定义，其特点是，为这个定义增加了一个条件，使得这个定义的内涵更加丰富，但这毕竟是口语，比较感性，不够科学，郎咸平接着说：

> 各位请注意，这是社会主义国家，其他人不能变得更贫穷就是一个前提。但是一

个资本主义的结晶——《微观经济学》的思维理念，竟然和社会主义的思维是一模一样的。“帕累托改进”，一个基本原则就是公平一定是在前头的。公平是什么？是一个初始条件的平等。也就是给你同样的机会，你不能够剥夺他的机会，当然是一个起点的公平，也就是在不剥夺他的公平机会之下，允许一部分人富起来。所以不论是以社会主义或者是以现代资本主义观点来看，公平就是一个起点，在公平之上才能谈效率，而“公平产生效率”是一个不容争辩、不容讨论的事实，这是邓小平所提出来的，同时也是社会主义理念，更是现代资本主义的精神所在。

在这里，郎咸平把概念理论化，一是提供经济学的资源，二是把它上升到公平与效率对立统一的高度上去。

有时，在一篇议论性文章里提出的论点不止一个，但其中必有一个是主要的、贯穿到底的中心论点，其他论点从属于这个中心论点。如果其他论点或论题离开了中心论点或中心论题，那就是论点分散、论题混乱，这与议论性文章所要求的系统性、严密性与深刻性是不相容的。

如一篇以“热忱”为主题的文章，提出的问题是如何将“青春年华”转化为一种“人生态度”，引出关键词语“青春的热忱”。全文反复抒写“青春的热忱”是“知识的渴求”“渴望与奋斗的决心”“修养自身，不求闻达的君子儒”。其“成功则是湿透了奋斗的泪泉和牺牲的血雨”。接下去一段：“热忱是‘天下兴亡，匹夫有责’的社会责任感、爱国情操。”例证一，鲁迅“刀一样的笔”“刺破了多少的反动面具”。例证二，“觉慧们”“冲破封建藩篱，打破政府的恐怖镇压”。例证三，“汶川地震后，又何尝少了青年志愿者承担社会国家的责任的身影？”另起一行：“青春的热忱，究其根本，其实是未来的不灭希望”“有青春热忱的人，不会被绝望掌握。”再起一段：“青春的热忱就是永远前进的姿态，破釜沉舟的勇气，不是杂酒中孔乙已那种书生腐气。”最后的结论是：“热忱抛却，颓唐必及灵魂。”“故应该以热忱突破时间的篱墙，以免来日感叹青春的泛黄。”文章之所以给人以杂乱无章之感，是因为逻辑混乱，主题概念在行文过程中发生错乱。“热忱”本有相当确定的内涵，但是，作者几乎把与热忱邻近的美好词语通通塞了进去。热忱是人生态度，是奋斗的决心，是知识的渴求，还勉强可以归纳为意志上进层次，可是接下来的“爱国情操”则属政治范畴，而“不求闻达的君子儒”则是道德范畴，而且“不求闻达”是一种平静的心态，与热忱相去甚远。同样，鲁迅刺破反动派面具，并不完全靠热忱，觉慧反抗的并不是“政府的镇压”，最后拿孔乙已“书生腐气”来反衬，则与鲁迅和觉慧更是凿枘难通，无类比附。

表面上文章从头到尾一直扣紧“热忱”，内涵却不是重复、断裂，就是偏离。作者对

"热忱"的内涵不求确定的理解，对与热忱相近的观念不做起码的辨析，就眉毛胡子一把抓，鸡毛蒜皮一锅煮。读者不能不产生一团乱麻之感。在确立主题的开端，思绪是无序的，用《文心雕龙》的话来说，就是"万涂竞萌""云蒸霞蔚"，只有以智性逻辑梳理，才能化无序为有序。智性逻辑的基础就是概念的严密性、稳定性，在行文中的一贯性。为了保证概念的严密和一贯，最起码的办法就是下定义。如果作者在文章的开头，有起码的下定义的自觉，就不至于造成相邻概念反复错位，交叉概念叠床架屋了。

论点，特别是中心论点，可以在开头提出，成为阐述论证的前提；也可以在结尾加以概括，成为全文的结论。贾谊的《过秦论》（上篇）就是这类论述文章的经典之作。我们来看，贾谊这篇文章最后的结论概括力是如何的强大：

且夫天下非小弱也，雍州之地，崤函之固，自若也。陈涉之位，非尊于齐、楚、燕、赵、韩、魏、宋、卫、中山之君也；锄櫌棘矜，非铦于钩戟长铩也；谪戍之众，非抗于九国之师也；深谋远虑，行军用兵之道，非及向时之士也。然而成败异变，功业相反，何也？试使山东之国与陈涉度长絜大，比权量力，则不可同年而语矣。然秦以区区之地，致万乘之势，序八州而朝同列，百有余年矣；然后以六合为家，崤函为宫；一夫作难而七庙隳，身死人手，为天下笑者，何也？仁义不施而攻守之势异也。

他的结论是"仁义不施而攻守之势异"。贾谊的概括方法是把矛盾放在对比中展开。用反面排除法，寻求"成败异变，功业相反"的原因，或者说矛盾转化的条件：第一，不是地理位置优势的改变；第二，不是陈胜力量比之九国更强，而是相反；第三，从武器技术含量到人才智谋，远远不如秦所消灭的六国。在所有这些可能性明显地被众所周知的事实排除后，贾谊提出自己的结论"仁义不施而攻守之势异"就不但全面，而且相当雄辩。

作为结论，它是全文的概括，必须全面地包容文章的内容，不得越出文章所论，也不得遗漏文章的某个部分或侧面。

表述结论的文字应该力求简练。不简练，就可能啰里啰唆，就不能给人以清晰的印象。然而，简练如果过分了，就可能变成简陋，难免使得论点的内涵贫乏。当然，这是一般的水平。然而，贾谊这篇文章结论带着辉煌的雄辩性，是其成为经典的重要原因。

二、论据

所谓论据，就是阐述或论证论点的根据，即作者建立自己观点的理由。它是为确立论点服务的，因此，它必须与论点有内在的一致性。通常讲"观点与材料的统一"，说的就是材料必须在性质上与观点一致；如果不一致，论据就不成其为论据，在文章中成为游离的部分，不但无用，而且阻塞文章思路的连贯性，破坏文章结构的完整性，成为文章中的赘疣。

论据可以是一种具体的事实，也可以是一种思想材料。间接运用书面材料或经典著作的引文、权威性的名言作论据，叫引证。在学术论文中，特别是考证性的论文中，因为材料都很稀罕，可以旁征博引，不厌其烦，但在普通的评论文章中，过多的引证可能会淹没作者自己的观点。考证文章之所以容易烦琐，就是因为不得不大量依赖引证。

在一般评论文章中，有了经典作家的言论，常常能使论点具有比较大的可信度，但是不管什么论点，之所以能够确立，主要并不因为其与经典相符，而是因为其与事实相符。所以大量的论据并不是言论，而是事实。事实胜于雄辩，事实应该更有说服力。①引用事实为论据的叫作例证。事实总是无穷无尽的，而文章的容量是极其有限的，特别是议论性文章，它在论述上的概括性要求与罗列大量事实不相容。所以，论据必须是鲜明的、强烈的、突出的、精心挑选出来的，而不是平淡的、含混的。例如雷祯孝、王通讯《试论人才成功的内在因素》中，在说明人才得到社会的承认，必须百折不回时，举了这样一个材料：

> 美国杰出作家杰克·伦敦，在他自传性小说中描写了一个海员作家叫马丁·伊登。他创作了大量优秀作品，百投不中，被退回来的手稿塞满床下，连再寄的邮票也买不起了，但他百折不挠。后来有篇短文《太阳的哲学》发表了，读者争相购买。从此他床下的发霉手稿才交上了顺利发表的好运。

这个材料（论据），因其尖锐、突出而有很强的说服力。

写在文章里的论据总是个别的，在援引为据时特别要注意：它是不是有代表性的，是不是孤立的，是不是某种假象？如果不具备典型性，不具备代表性，就属于“孤证”，论述也就失去了可靠的基础。

文章的容量总是有限的，但文章的说服力又取决于论据的涵盖面，故论据才有概括性枚举之法，哪怕是单个的事例，也是既不可能又不需要完整无缺地写到文章中去。只需要取其一端，写出与论点有关的那个侧面，就能写得简洁。学习写作议论文要养成取其一端，自如地驾驭材料的能力。司马迁在《报任安书》中阐述有大志的人，即使经受磨难也能发愤自励，做出过人的成就：

> 盖文王拘而演《周易》；仲尼厄而作《春秋》；屈原放逐，乃赋《离骚》；左丘失明，厥有《国语》；孙子膑脚，《兵法》修列；不韦迁蜀，世传《吕览》；韩非囚秦，《说难》《孤愤》；《诗》三百篇，大抵圣贤发愤之所为作也。

---

① 当然，依据现代西方修辞学说，没有离开陈述的中立的事实，事实一经陈述，就带上了陈述者主观的价值。因而事实胜于雄辩，并不一定很准确，而事实有待于雄辩的陈述，可能更有道理。

这里所举的几个人都有各自不同的人生经历，但在引用时只取其因受不公平待遇，而能变消极因素为积极动力，终于取得成就这一面。这些事例，在司马迁当年，被认为都是有古籍可稽的，但今天，其中一部分已被证明仅是传说，而非事实。这是我们今天才知道的，但这是另外一回事。司马迁文笔的概括力是这样强，几乎每一句话都说出一个故事来，这是很不容易的。在引用事例、材料时，作者要主动地撷取，切忌被动地铺叙。

只要能按论点主动撷取，同一事例就可能从不同方面去加以论述，有时，老材料也会翻出新意来。

议论文的论据像论点一样也要追求新颖，这就要求作者有广博的知识和灵活的思维魄力，既能以新材料说明新论点，也能从旧材料中引出新意思。

如果能自觉地训练自己从同一事例的不同角度驾驭、撷取一端的能力，在援引比较复杂的事例时，就能以简洁的语言抓住要害；否则，就会“眉毛胡子一把抓”，被事例中与论点无关的因素牵着笔头走。其结果是论点模糊，思路混乱。例如有位业余大学的学生在论述学习文化要有顽强的奋斗精神，要有百折不回的毅力时，他引用了如下一则事例：

> 那曾是祖国花朵的少年，他们有过幸福的童年，他们高唱着《我们是共产主义接班人》，尊敬师长，热爱劳动，努力学习，然而一场大浩劫把他们卷进了愚昧的深渊，幼稚的心灵受到了污染，他们沉沦了。然而在工读学校的课堂里，在老师的循循善诱下，他们从迷茫中看到了光明，懂得了人生的意义，重新拿起笔学习，他们比常人付出了更大的代价，顶住了讥笑和侮辱，在平凡的工作中干出了不平凡的事情。他们所走的道路是曲折的，布满着荆棘。今天他们成为建设“四化”的一员，不同样也攀登上了座座小山，付出了悔恨的泪水和艰辛的汗水吗？

这里的大部分句子与论点“百折不回的毅力”没有关系，只有“顶住了讥笑和侮辱”才是要害，至于“那曾是祖国花朵的少年，他们有过幸福的童年，他们高唱着《我们是共产主义接班人》，尊敬师长，热爱劳动，努力学习”，还有“在老师的循循善诱下，他们从迷茫中看到了光明”“今天他们成为建设‘四化’的一员”等等，都是与论点间接相关，但并不与论点（百折不回的毅力）直接相关。其中“比常人付出了更大的代价，顶住了讥笑和侮辱”与论点直接相关，可以说是论证的核心，本该加以分析，可是，作者却轻描淡写地一笔带过。对与论点无关的幸福的童年、尊敬师长、热爱劳动、努力学习，以至十年浩劫、一度沉沦、终于觉醒，却无节制地大写一通，这就完全不着边际了。论据失去控制的原因在于，作者不是根据论点所需要的角度重新组织材料，抽出与论点相关意蕴，排除不相关意蕴，而是按着事情的时间顺序，平铺直叙地写下来，这样，不相关的部分就占据了太多的篇幅，作者驾驭材料的自由便丧失殆尽了。

有了论据要善于找到与论点有关的方面，排除不相干的部分，从这个意义上说，根据论点选择与论点相关的材料进行论证，在微观上有一定的合理性，但是“选择”并不准确，应该加以析出。

三、论证

论证大致可分两种形式：一种是理论论证，一种是事实论证。

（一）理论论证

论点能不能成为一种规律性的科学概括，主要看它有没有普遍意义。有一定的规律性，就不是孤立的现象，就能重复地表现出来，具备了指导意义。理论就是揭示这种重复的、普遍的、规律性的现象。所谓理论论证，就是普遍性、重复性、规律性的论证。当然，理论的价值在于有科学的深刻性，不能停留在现象的重复上，而要深入到本质的、内在的、隐秘的联系之中。从大量复杂、矛盾的现象中，找到单纯的、统一的、必然的规律，这是理论论证的任务。

理论论证，就是使论点在逻辑上获得可靠性，因而必然要遵循逻辑的方法。例如形式逻辑的方法：归纳的、演绎的、类比的推理方法；还有辩证逻辑的方法，如分析的方法、综合的方法；此外还有逻辑与历史统一的方法。这些，我们在下面都会分别讲到，为避免重复就不在这里一一阐述了。

（二）事实论证

一个论点在进行了理论上的论证以后，还不一定能成立，因为不管多么严密的理论，也不可能完全概括世界、社会、思维的复杂情况。人类历史上至今还没有绝对正确的，不包含任何错误的理论。就是自然科学中的定律，也只是相对地、近似地表现事物的普遍规律。普遍性只是自然、社会和人的思想的共同性，都是省略了具体事物、观念的特殊性的结果。因而，理论在这一点上是有局限的，不可能穷尽事物的全部属性。所以歌德说：生活是常青之树，而理论是灰色的。虽然在议论文中，都要进行理论论证，但是，这只是权宜的说法，因为理论从根本上来说，是不能论证理论本身的。检验真理的标准并不是理论，而是实践，因为实践比理论有无限的丰富性。因而，不管多么权威的理论，都有一个与实际结合的任务。在理论上得到证明的论点，还要在事实中反复检验。当然，反复是在实践中进行的，在文章中不能反复。它只能挑选少量的典型的事实加以说明，把大量的事实概括在凝练的判断之中。

理论的普遍性与文章事实的有限性是永恒的矛盾。挑选具有普遍代表性的事实成为关键；反过来说，没有代表性的例证，就没有论证的功能；至于个别的、偶然的事例，那就叫作孤证。这是特别应该加以具体分析的。例如，舒芜在《读书》杂志1997年第3期发表了一篇题为《伟大诗人的不伟大一面》的文章，就钟叔河举白居易年老留妓的事例展开论述。

> 钟叔河先生的《忆妓与忆民》(载1996年8月3日《文汇读书周报》"书人茶话"栏）里面，介绍了白居易的《不能忘情吟》，那是白居易七十岁之年，"既老，又病风"，本拟将家妓樊素和家养的一匹良马转让给别人，据说此马此妓都眷念老主人，不肯离去，于是老主人改变主意，继续留供己用，并赋此吟。
>
> 钟叔河先生论之曰："七老八十的人，尽可以搞他的黄昏恋，但若凭致仕尚书的权势，或凭二千石的财势，或凭大诗人的声势，像畜犬马一样畜着此'年二十余'(《不能忘情吟》诗序自云）的靓女，让她们提供性服务，'既老，又病风'，则可以转让给别人，'幸未及项籍之将死'，又可以继续给自己享用，这种诗的本事虽真，总难说是美，也难说是善吧。"……

本来钟叔河先生所举白居易年老留妓的事例，可以说是个别的孤证，接下去舒芜对之进行普遍化的分类，就不是孤证了。

> 中国古时家庭里的性奴隶，可分为好几等，家妓是最下一等。大致说来，如贾琏之娶尤二姐，是正式的"二房"，凤姐对她也以"妹妹"相称（虽然心里是要置之死地），是高等。如平儿、香菱，是通房丫头，是次等。这两等都不可称为"家妓"。而处于最下等的家妓，则有两个特点：一是其服务以技艺服务即歌舞之类为主，当然也逃不了性服务的义务，但主职不在此；正如当二房的和通房丫头若能歌善舞自然更好，但本职亦不在此。二是家妓还作为待客的工具，宴客时以歌舞娱宾，乃至奉主人之命为客人提供性服务，不算门风之耻；若是二房之类，通常不见男客人，若与男客人有偷情之事，则为门风之耻，为主人所不许。

在写作议论性文章时，种种论证方法不是互相排斥的，而是互相渗透、互相结合的。把归纳和演绎、分析和综合、逻辑的和历史的方法结合起来，是马克思《资本论》在方法上的最大特点。

总的说来，以上谈的都是思维方法，它与写作方法虽然一致，又有某种区别。作为写作方法，它比思维方法有更大的技巧性。例如同样是类比的方法，在写作上追求出奇制胜、以少胜多、以新颖独特的比喻揭示论题的内在矛盾等等。先秦诸子理论著作中的寓言故事多属此类。

（三）直接证明和间接证明

论证自然不限于上述直接地、正面地把论据与论点联系起来的方法，它也可以用间接的证明方法。

间接证明的方法是一种兜圈子的方法。正面论证没有现成的材料，或不满足用现成的材料作出的证明，就用正面证明甲，达到反面或者侧面证明乙的方法。比如，已经确定某件事只有两种可能性，只要证明其中一种可能已经消失，就间接从反面证明了只有另一种可能性会化为现实。在科学实验中常常用到这种方法。例如，星球明亮或者由于自身发光，或者由于反射其他星球的光，如果能正面证明不是自身发光，实际上就从反面证明了它的光来自其他星球。

反证法的形式很多，有时采取证伪的形式。例如有人提出人的思想不是社会实践的反映，而是人的大脑先验发生的。对于这样的命题，论者的任务不是证明，而是“证伪”。由于目前人对大脑内部机能认识的局限，一般还无法直接正面“证伪”。这时就得用假定对方为正确的方式。那就是姑且肯定对方的论点为前提，如果人的思想不是社会实践的反映，而是大脑生理作用的结果，那么任何一出生就离开社会，在野兽的哺养下长大的孩子，都会有人的社会思想，但是迄今发现的狼孩、熊孩等等都不具备人的社会思想和发达的智能，这就从反面证明了人的思想、人的智能不光是大脑的生理机能的表现，它不能离开社会关系，不能离开人与人的社会交际环境。

证伪往往从曲折的反证入手。

有时，则用肯定论敌观点的前提，然后按逻辑引申，得出了不符合事实或某种公理，实属荒谬的结论，这在逻辑上叫作导谬法。

反证法有局限性，因为它没有正面地接触大量事实，完全依赖推理，而推理的特点是在肯定前提的基础上进行的。但是，前提是不是完全正确呢？这是很难保证的。任何判断都只能相对的正确。任何正确的前提都只能近似地指出事情的主要性质，而不可能把次要的属性一齐囊括进去。因而光凭推理是有局限性的，有犯错误的危险性，特别是反证中的推理，观点不直接与有关材料发生正面联系，危险性更大。

反证方法虽有明显局限，但是却能表现作者的机智，乃至特殊的个性和感情。所以在文艺性的杂文中，为了追求喜剧性情趣，有时会成为主要论证方式。在一般评论文章中，它往往是一种辅助的方法。只有在特殊的科学论文（如考证性的文章）中，由于缺乏正面的材料，才借助于这种从反面推理的方法。

（四）驳论

正面确立自己的论点叫作立论，反驳论敌的论点叫作驳论。驳论的特点是以驳为主，驳中有立。

驳论就是一种证伪，或者是证伪对方的论点，或者是证伪对方的论据，或者是证伪对方的逻辑推理，归根到底是为了证伪对方的论点。驳论很少直接反驳对方的观点，常常是分析对方的基本概念，从中找出矛盾，引出相反的内涵，这在政论性文章中是常见的。比如，1949 年美国国务院《对华白皮书》中把美帝国主义近百年来对华的侵略说成是“传统的友谊”。毛泽东在《友谊，还是侵略》中驳斥了所谓的“友谊”，实际上是侵略。

驳斥论点不可能光在概念上兜圈子，必然要涉及事实。驳斥对方论据时，自然也就指出论据的虚假，但是，对同样的论据，驳斥对方性质判断的谬误。例如毛泽东在《友谊，还是侵略》中这样写道：

> 参加八国联军打败中国，迫出庚子赔款又用之于“教育中国学生”，从事精神侵略，也算一项“友谊”的表示。

这里并不否认用庚子赔款办学校的论据，只是指出事情的性质是“精神侵略”，而不是“友谊”。

这样的反驳论据，不能不涉及反驳对方的论证。反驳论证主要是从对方论据中抽出观点，指出对方在形成概念、构成判断、进行推理时违反了逻辑规律。最常见的是指出对方材料与观点的分裂。例如，上述美国白皮书把中国革命发生的首要原因归结为人口太多。人口太多，这是事实，不可否认，但能不能得出革命发生的必然结论呢？毛泽东在《唯心历史观的破产》中这样写道：

> 革命的发生是由于人口太多的缘故么？古今中外有过很多的革命，都是由于人口太多么？中国几千年以来的很多次的革命，也是由于人口太多么？美国一百七十四年以前的反英革命，也是由于人口太多么？艾奇逊的历史知识等于零，他连美国独立宣言也没有读过。华盛顿杰弗逊们之所以举行反英革命，是因为英国人压迫和剥削美国人，而不是什么美国人口过剩。

这样一来就把“人口多”与“发生革命”之间的关系揭示得比较清晰了。

总的说来，上述立论和驳论的方法都是属于证明的范畴，但是证明的方法是一种有很大局限性的方法，这一点是不应该忽略的。因为证明的方法，是一种先肯定论点的方法，对于论点毫不怀疑，是证明的前提。这就产生了两个问题：第一这个观点如果是正确的，证明并不能回答如何形成正确观点的问题；第二如果这个观点包含错误，用证明的方法很难揭示这种迷误，因为论据是根据与论点相一致的原则而挑选出来的。

在中学、大学作文教学中，例证法是最为流行的方法，但是，作为严肃的论证却是有漏洞的。所谓论证，就是根据自己的观点，选择与观点一致的材料进行论述。这里的要害是“选择”。“选择”意味着排除，排除的对象就是与自己的论点不相同、相悖的材料。这样的论证还谈得上全面、深刻吗？比如，面前有一筐豆子，有黄豆，也有黑豆。如果我的论点是这里全都是黄豆，那么我可以把黑豆排除，一颗一颗把黄豆排列出来。如果我的论点是这里全都是黑豆，也可以把黄豆排除，把黑豆一颗一颗排列出来。不管排列多少，也不可能证明它全部是黄豆或者黑豆。这种举例论证的方法，在罗素看来，无异于自我蒙蔽，属于应该避免的“愚蠢的见识”。

> 对于那些容易助长你狂妄自大的意见尤宜提防。不论男人或女人，十之八九都坚信男性或女性特别优越。双方都有不可胜数的证据。如果你自己是男性，你可以指出大多数诗人和科学家都是男子；如果你是女性，你可以用大多数罪犯也都是男子来反唇相讥。①

不言而喻，要对这个问题做严肃的研究，那就不能排除与论点不一致的论据，而是要十分珍惜这样的反例。当代科学家波普尔将上述论证法上升为理论。他举例说，有一个经典命题：一切天鹅都是白的。你可以举出例子，中国人看到天鹅是白的，外国人看到天鹅是白的，古代人看到天鹅是白的，当代人看到天鹅是白的。能否证明一切天鹅是白的呢？不能。只要有人发现一只天鹅是黑的，就被证伪了，因为“一切”就是无穷大、无限，而所举的例子则有限。可以用数学方法计算其正确的概率：一切，无穷大，是分母，而例证，有限，是分子。分子加分子，加到 n 次还是有限，相对于无穷大分母，概率等于零。这个命题就被证伪了。证伪的结论——并不是一切天鹅都是白的，则肯定是对的。这就说明，证伪高于举例证明，证伪比证明更能发现真理。寻找白天鹅的同时寻找黑天鹅，就达到雄辩的水平。

什么叫雄辩呢？定义下起来很困难。古罗马昆体良有过《雄辩术原理》，但是并没有讲雄辩术本身，只是讲些劳逸结合、因材施教等。一般辞书的“雄辩”条目也很简陋。不如先举一个例子来说明：古希腊有个非常雄辩的人叫普鲁泰哥拉，他很擅长辩论。他说，任何人到我这里来学习雄辩，将来出去打官司一定赢。如果第一场官司不赢，就不要付学费。来了一个小伙子，学了一年，拍拍屁股就走了。普鲁泰哥拉说：“喂，学费呢？”这个小伙

---

① 这篇文章的原文，对于语文界人士来说，比较不好找。如果贪图方便的话，可以查阅徐中玉主编的《大学语文》，华东师范大学出版社 2006 年版，第 47 页。

子说："你去告我吧。法院判我交学费，就说明第一场官司打输了。我们有过约定，第一场官司输了，不交学费。如果法院判决我不交学费，那我就依法不交。"普鲁泰哥拉心想，海船翻在阴沟里了。于是他去向一个朋友诉苦，那朋友正好是大法官。他说，这个不难，你去告那小痞子，第一场我让他赢，判决不交学费，可按照你们的约定，第一场官司赢了，就要交学费，而按照法庭的判决，不用交学费。这不够雄辩，雄辩就是不但符合法庭判决，而且符合你们的约定。你可以不服上诉，二审判决，我让他输，要交学费。按照约定，第一场官司赢了，要交学费；按照法庭终审判决，也得交学费了。

按我的理解，这就叫作雄辩。雄辩不仅仅是自圆其说，而且是他圆其说。不但按我的道理证明自己是对的，而且按对方的道理证明自己也是对的。不但按照自己的逻辑，而且按照对方的逻辑同样能讲得通，这才是有效的交流。关键是要有本事把对你不利的论据、逻辑转化为对你有利的。这在英语修辞辩论术中，叫作"justify my position in your terms"。从理论上，看起来是一大进展。西方的论辩原则本来是"双方必须属于同一话语共同体"，但是，最新的理论提出，发生于不同系统成员之间的论辩必须遵循以对方的话语来证明自己的正确。从理论上来说，这是一种创新，但是，这种创新不过是把历史上成功的辩论转化为普遍的理论而已。早在《韩非子》中就有"以子之矛，攻子之盾"的名言。

在中国先秦经典中这样的例子不胜枚举。

庄子有一个朋友叫惠施，二人都喜欢斗嘴皮子，都觉得自己挺雄辩。有一天两人出去旅游，走到桥上，桥底下有水，水里面有鱼，庄子随便发了个议论：那鱼游得很轻快，一定很快乐吧！惠子就说了：你又不是鱼，你怎么知道鱼快乐不快乐呢？对于惠子的抬杠，庄子可以采取两种办法，一是反驳他潜在的或者是预设的大前提：我不是鱼，就不能知道鱼快活不快活，意味着只有动物的主体才知道其内在感觉，人就不能通过外部的动作来推想它的内在感受。辩论这样的大前提比较复杂，庄子采取了另一个办法：把这个大前提暂时当作正确的，拿来推理，得出荒谬的结果来，说明这个大前提是不正确的。这在逻辑上叫作导谬术。庄子说：对，我不是鱼，不能知道鱼是不是快乐，但是，按你的逻辑，你又不是我，你怎么又知道我知不知道鱼快活不快活呢？庄子用对方的逻辑来反驳对方，把对自己不利的转化为对自己有利的论据，这就是高度机智的境界。但是，庄子虽然机智，却没有意识到自己承认了惠施的大前提对自己不利的方面。于是惠施说：是的，既然你承认了我不是你，就不能知道你如何如何，但是，你不是鱼，不知道鱼是否快乐，则是肯定的了。庄子显然被绕进了惠施的套子。但是，庄子没有让步，他说：请回到原本的论题上来。你说"汝安知鱼乐"，"安知"，就是从哪里知道，你只有肯定我知道了，才能问我从哪知道。如果你认为我根本不知道，你也就无从问起了。庄子这样的反驳是不是圆满，可以讨论，但是庄子死死抓住双方认同的前提，是很机智的。接下来有个叫郭象的可能觉得庄子的说法不够完满，在《庄子注》中对庄子的这个说法加以补充，[①]他把重点放在另一个关键上，当你问我，你怎么知道鱼快乐不快乐的时候，你已经知道我不是鱼了（“是知我之非鱼也”），你既然不是我，怎么可能知道我不是鱼呢，这很符合庄子的思想。庄子做梦梦见蝴蝶，连自己是蝴蝶还是人都有点迷糊。这是不是有点诡辩，也是可以讨论的。两位大师在口才上孰高孰低，是很难说的，但所运用的方法是统一的。第一，从对方认同的前提出发。这是雄辩的前提。第二，双方的大前提显然不可靠，甚至有一点歪（除了自己亲身直接体验到的以外，间接地根据外部表现做出的推断均不可靠），但其他演绎过程都以对方大前提加以推演，得出与对方论断正相反的结论。从形式逻辑结构来说，讲的是正理，因而其雄辩性占了上风；但是从内容上来说，大前提不可靠，又有一点诡辩色彩。

① 郭象的原文是：“寻惠子之本言云，非鱼则无缘相知耳。今子非我也，而（庄子）云：汝安知鱼乐者，是知我之非鱼也。苟知我之非鱼，则凡相知者果可以此知彼，不待是鱼然后知鱼也。故循‘子安知之’云，已知吾之所知矣。而方复问我。我正知之于濠上耳，岂待入水哉。”

用具体分析统率“三要素”

建立在“三要素”基础上的证明方法，对于培养青少年初步的抽象思维能力是有作用的。例如在初中阶段，对初学议论文写作的少年来说，进行观念与材料的统一训练是必要的。但是，例证的有限性和观点的普遍性是永恒的矛盾，故即使典型的例证加上概括性的例证，也不能证明普遍的观点，最多只能起说明观点的作用。要成为有独立思考能力的人，就不能满足于这种初级的思维方法。高中生的议论文写作训练，不能停留在那种把具体事实和现成原理直线地联系起来，加以简单说明的初级阶段。

一、“三要素”理论的局限性

从根本上讲，把论点、论据和论证作为抽象思维“三要素”的理论还没有超出形式逻辑的范围，形式逻辑还只是思维形式的规律，只是事物表面的外在联系，所能达到的深度和广度都是极其有限的。抽象的理论思维，当然不能没有形式逻辑，但不能仅仅限于形式逻辑。要提高抽象的理论思维能力，就要在严格遵循形式逻辑的基础上，自觉地运用辩证逻辑。辩证逻辑则同时是思维内容的规律，它反映事物内在联系和转化的规律。

按形式逻辑来看，立论就是在推理中证明。它的局限性是很明显的。第一，只能说明其是或不能证明其是，而事物是非常复杂的，常常不能以简单的是或否来作出符合实际的结论。第二，形式逻辑的“证明”是先有论点，然后选择论据。它对论据的选择以是否有利于论点为标准。这从认识论上来说是错误的，因为它没有回答论点如何产生这一关键问题，也没有回答论点怎样才正确深刻的问题。

人类对任何客观事物的认识，都只能有相对的正确性。一切论点的正确性都有它的界限，越出了这个界限就走向反面，变成谬误了。因而人类认识的一切成果，一切现成的观点都有待于深化。一个事物，哪怕是一个比较简单的事物，也都包含着内在和外在的矛盾，总是有它的正面和反面。比较科学的理论包括事物的各个侧面，因而是全面的；科学理论反映事物的历史发展，因而是一个过程；历史的发展是永无终止的，因而，科学理论的发展也是永无终止的。从这个意义上说，对于任何现成的，乃至权威的理论，都要保留质疑的余地。

认识任何事物，都不能先有一个现成的观点作为选择论据的标准。按这种现成的标准选择出来的论据，往往都是片面性的、绝对化的。从根本上来说，不应是先有论点后找论据；而应是先有正面的、反面的，必然的、偶然的，深刻的、现象的，历史的、现实的等相互矛盾、错综复杂的材料。抽象思维的任务就是从中抽出普遍性、规律性的东西来。这就要求我们先全面地掌握材料，分析互相矛盾的各个侧面，按照研究的目的，找出它占主导的方面，然后找到其不断转化的条件，得出一个初步结论。这在自然科学中叫作假说，在社会科学中任何未经社会实践证明的也都属于假说。一切假说都有待于在长期的实践检验中反复地加以验证。如果被证明是错误的，那就被推翻；如果没有被推翻，那就证明它有正确的成分，但是这种正确性往往只是相对的。哥白尼的日心说，虽然基本正确，但是在具体描述上仍有不足；牛顿的古典力学体系，到了相对论出现的时候，只能在有限的范围内适用。人在认识过程中，要得到任何一个正确的观点都是几经历史性的曲折、永无止境的。因而，在验证的过程中，不管是符合初步结论的事例还是否定初步结论的事例，对于结论的确立、深化和完善都是极为珍贵的。

必须明确：理论的认识作用主要并不在于对现成结论作证明，有时倒在于对现成结论的具体分析，揭示出其中合理与不合理部分的矛盾。理论思维就是分析现成结论，对新结论进行探求。理论在验证过程中还有一种对已知事实和现象做深刻的理论性说明的作用。经过检验的理论还有一种预言作用，它能指称未来的事实必然产生，以及为了防止和促进某种倾向应该采取何种措施，等等。这一切都不是证明和论证所能包含得了的。如果把理论思维的作用仅仅限于证明，人们必将失去独立思考的能力，失去探索真理的能力。满足于证明现成论点，必然使人变得庸碌。理论思维的可贵恰恰在于能无所畏惧地对权威和常识进行质疑，在常人深信不疑处提出问题，具体分析观点的是非，洞察现成认识成果的局限，把握将论题引向深入的症结，把理论引向新的高度。

提出论点，选择论据，组织论证的方法，只有在特殊的条件下才能使用。例如，论点本身已经是社会公认的了，举例不过起一种具体“说明”的作用，论点是否真实，以及如何进一步深入，不需要再加以讨论（初中的议论文命题作文大抵属这一类），但是，如果把这样做的前提条件忘了，把这种方法当成唯一的方法，那就非常有害了，因为这种方法的特点就是以不怀疑论点的真实性程度和限度为前提的。这在高中生的学习和研究活动中是特别应该避免的。王力在《谈谈写论文》中这样说：

> 搞研究工作最忌的是先有结论，然后找例证，这是很有害的。凡是先立结论，然后去找例证，往往都靠不住。因为你往往是主观的，找一些为你所用的例证，不为你所用就不要，那自然就错误了。

问题就出在遇到不符合论点的论据时采取排斥态度。一排斥不但失去了把论点进行具体分析，加以限制、发展、深入的机遇，而且是向论点的绝对化、片面性方向滑行。这不但在写作方法上，而且在思想方法上都是歧途。

进行理论思维的首要条件，就是客观地、全面地，而不是主观地、片面地掌握材料（论据），决不能以是否符合个人的胃口作为取舍的前提。所谓“全面”，最简明的表述就是正面和反面，只有正面，或者只有反面，就是片面。

当然，人总有自己的倾向，免不了多少带点片面性，很难达到绝对的全面。正是因为这样，列宁才强调：“要真正地认识事物，就必须把握、研究它的一切方面、一切联系和‘中介’。”“全面性的要求可以使我们防止错误和防止僵化。”掌握全面的材料是理论思维科学性的最根本保证。思想的片面性常常是从材料的片面性来的，而材料的片面性又使思想的片面性恶化了。在这种情况下，无条件地用论证或证明的方法，就完全背离了科学性。所以列宁说：

> 罗列一般例子是毫不费劲的，但这是没有任何意义的或者完全起相反的作用，因为在具体的历史情况下，一切事情都有它的个别情况。如果从事实的全部总和，从事实的联系去掌握事实，那么事实不仅是“胜于雄辩的东西”，而且是证据确凿的东西。如果不是从全部总和、不是从联系中去掌握事实，而是片段的和随便挑选出来的，那么事实就只能是一种儿戏，或者甚至连儿戏都不如。

学习议论文的任务是培养人的分析和概括能力，以及抽象的表达能力。任何结论都不能依据现成的原理做简单的演绎。任何时候都不能从概念、原理出发，只能从客观的、多元的、矛盾的全面性出发。归根结底，概念虽然能反映事物的深刻属性，但不能穷尽客观对象的一切属性。概念、论点、计划、方针都只是事实的一部分，只能迫近而不能穷尽地表现事物的实质。任何具体的事物都有普遍原理所不能包含的部分。正因为这样，在有了论点以后，理论思维能力的训练就集中在具体问题的具体分析上。列宁说：

马克思主义的最本质的东西，马克思主义的活的灵魂，就在于具体地分析具体的情况。

这不仅是马克思主义，而且也是前卫的解构主义的“活的灵魂”。任何科学的原理、任何权威的论点，对于事实来说都只能是相对的正确，都不可避免有“误差”，它们只能是对事物的内外部联系进行分析时的向导，而不是现成的结论。

正因为这样，在议论文写作训练中，批判“三要素”的形式逻辑的简单程式，就有了重大的原则意义。拘泥于“三要素”的框框，往往使思维本该很活跃的青少年失去了创造性地提出新问题的可能。

议论文的教学任务是把学生培养成头脑清醒、思路灵活、胸襟开阔的人。如果对“三要素”论证的狭隘程式无限崇拜，就不但可能把学生，而且可能把教师弄成思想贫乏的庸人。教育的任务之一在于培养学生独立思考的能力，有了这种能力才有创造性，忽略了这种能力的培养，人才就可能被扼杀。

议论文的“三要素”最早来自陈望道的《作文法讲义》。该书虽未有“三要素”之正式说法，但是讲了论题和判断、证据、证明法式，相当于今天的论点、论据、论证。陈望道先生的著作写于1922年，当时即使是用形式逻辑的规律来讲议论文，也有其开创性的功绩。时间过去了近百年，后辈不能只在原地踏步，应有所发展、有所前进。

二、具体分析的三个原则

辩证逻辑的论证，不像形式逻辑的论证模式那样先有论点，然后选择论据组织论证。辩证逻辑的论证，只承认形式逻辑的论证方法在有限的局部范围内有其合理性，但从总体上来说，辩证逻辑的论证所强调的，首先是对论点加以分析。一切事物和观念都是复杂的，由多元的、内外部的矛盾构成，而论点则往往是一个简单的论断，充其量也仅仅是多元中的一元。其狭隘性在一些被视为民族智慧结晶的格言中表现得尤为明显。如“人定胜天”“有志者事竟成”“知足常乐”“笨鸟先飞”“慢工出细活”“大河有水小河满”等等。其实都是片面的，人就不能战胜天体运行的规律，在地壳漂移和释放能量的地震中，人是像蝼蚁一样渺小的；光是有志而事不成者比比皆是；知足了，不思进取，就不能常乐；笨鸟后飞更是常见；手工业产品比不上电子计算机程序控制的效率和精确；大河有水小河满恰恰是把事情讲颠倒了，事实上大河都是从小河（支流）汇聚起来的，更科学的道理是小河有水大河满。立论要求明确，故往往概括一种简明的概念或者判断，而概念或判断越是鲜明，就越容易简单化、片面化。片面性的反面是全面性，粗浅地说，就是正面和反面。立论的起码要求是全面。对于可能隐含着片面的论断，哪怕天经地义的、不言而喻的、众所周知的论点，都不能不假思索地追随，而是要加以全面分析。从这个意义上来说，立论的基本理念就是：一切命题都是可以分析的，在一切命题背后都可以分析出反命题来。分析的前提就是提出问题。不提出问题，只能人云亦云，就不可能有自己的论点。要提出问题，就要反思，从正面肯定到反面否定，冷峻地审视其间隐藏着的矛盾。

从人所共知的常识到天经地义的权威，都要反思。有了反思，有了对立面，分析才有切入口。周敦颐的《爱莲说》，“出淤泥而不染”得到普遍的赞叹。分析性思维拒绝被动地追随，而是向相反的方面联系，“近朱者赤，近墨者黑”（当然，这并不要求你知道这是出自西晋傅玄《太子少傅箴》，原文为：“故近朱者赤，近墨者黑；声和则响清，形正则影直。”）。李白的“天生我材必有用”固然是千古名句，但李白的坎坷遭遇恰恰说明天才没有得到重用。

议论文教学理论，强调立论新颖，要有个性，要有突破，但大都变成了老生常谈，原因在于按“三要素”以论点为纲的理论，对共识性的、权威性的观点只能无条件地盲从，而不能提出问题，揭示潜在的矛盾。就是备受瞩目的高考作文命题，在这方面也每每有误导。汶川地震那年，四川的题目是“坚强”，完全忽略了救灾不但需要意志坚定性，而且还要严密的科学性。2012 年某省的作文材料为：“手：伸出是温暖的服务，摊开是放飞的想象，张大是创造的力量，捧起是收获的快乐……”这四项提示具有同类的性质，都是奉献的、向上的、创造的、欢乐的。很明显，这样单向的诱导事实上成了透明的牢笼，学生只能做片面的、被动的追随。其实，只要有起码的反思，就不难发现，“手”字在汉字中还有种种与之异质的联想：词汇中有“杀手”“凶手”“黑手”“毒手”，成语里有“心狠手辣”“一手遮天”“翻手为云，覆手为雨”，歇后语中有“棺材里伸手——死要钱”。

有了矛盾就可以对论点进行分析，就不难提出自己独立、新颖、突破性的见解了。为什么会有“出淤泥而不染”和“近墨者黑”的矛盾呢？主体本身的条件就是决定性的。同样为安禄山俘虏，王维接受了伪官，可以说是污染了，而杜甫却出逃了，可以说不染了。李白无疑是有才华的，他的才华成就了中国古典诗歌的辉煌丰碑，然而在政治理性和实践方面却一味空谈，即使进入到最高权力圈子，也是一事无成，最后又投错了门路，弄得身陷囹圄。这说明他在政治上并不是天才，只能当个花瓶，连庸才的建树都没有。

从科学发展来说，提出问题比解决问题更重要。没有提出问题的能力，对议论文来说，也就是没有根本意义上的议论能力，就不能不为陈腐观念所束缚、所蒙蔽，思想就活不起来。如对牛弹琴，历来的共识是讽刺牛的愚蠢，典故出自汉朝牟融的《理惑论》：一个叫公明仪的人，对牛弹奏高雅的“清角之操”，而牛却兀自吃草，不为所动。牟融的结论是：“非牛不闻，不合其耳矣。”要对这个问题有自己的立论，就要提出问题。这本来不一定绝对是讽刺牛的，也蕴含着讽喻这个弹“清角之操”的高人雅士的，明知牛不可能有音乐感，为什么还傻傻地去对牛弹高雅的乐曲呢？又如《列子·天瑞》中有杞人忧天的故事（“忧天地崩坠，身亡所寄，废寝食者”），本来是讽刺性的：忧虑天掉下来，地坠下去，烦恼得吃不下饭，睡不着觉，完全是自寻烦恼，自我折磨。上千年来没有一个人对之提出问题。日月星辰，挂在天上，是什么力量使得它们不掉下来？从天体物理学来说，这个问题非常深刻，直到牛顿发现万有引力，才回答了这个问题。[①]

立论的生命不在对论点被动地追随，而是让论点在具体分析的过程中深化。

对论点中包含的矛盾进行分析，就是文章分析展开的过程。对于辩证逻辑来说，不存在永恒的无条件限制的论点，每一个论点都要防止绝对化，都要分析其如何受到时间地点条件的限制，并且在时间地点条件变化时也发生变化；论点就是在分析的过程中得以确立、得以论证的。

对于理性来说，论证过程并不是寻找例证的过程，而是具体分析的过程。这种论证与形式逻辑很不相同，它不是对于论点的垂直的肯定，不是遵循观点与材料一致的要求去组织论证。相反，它追求的是矛盾。不管是观点内部包含的矛盾，还是观点与材料之间的矛盾，乃至材料中存在的矛盾，都是这种论证所应珍视的。

这种论证的规律是：提出问题——分析问题——得出结论。

它把提出问题、发现矛盾当成论证的开端，不像形式逻辑的论证那样追求观点与材料静态的统一，它追求的是论点与材料动态的统一。这种分析的过程之所以叫作“具体分析”，就是因为它把重点放在每个环节的矛盾的丰富的特殊性上。

只在局部段落中运用形式逻辑、从肯定到肯定的垂直性论证结构，其总体常常是一种螺旋性的曲线，也就是把否定和肯定多层次地交织起来的论证结构。例如，王蒙在《一个值得探讨的问题》中，提出中国作家队伍中非学者化的倾向影响了作家队伍的质量，应该把作家与学者统一起来，才能产生文化巨人式的大作家。王蒙运用的主要是辩证逻辑的论证方法。他首先不是从肯定方面论证作家与学者的统一，而是从否定方面论证作家与学者的矛盾，指出作家和学者不是一回事，没有什么学历的当了作家（如高尔基），学富五车的教授则不但不会创作，而且往往并不懂艺术。在现实生活中，这两种人之间还存在隔膜，而且怀有偏见。

① 当然现代自然科学又计算出光有星球间的引力还不足以使之悬空，应该还有一种“暗物质”的引力在起作用。

这个小论点是用形式逻辑方法加以论证的，它与王蒙在文章中所要特别提出的恰恰相反。王蒙开宗明义提出这一点，是为了使自己真正要强调的论点不陷于绝对化，避免片面性，为了把本文的根本论点建立在全面性的基础上。自然，从行文技巧来说，这又是一种蓄势，一种欲扬先抑，为了使文章的思路变幻。

接着王蒙提出了问题的另一面，中国作家非学者化的倾向很要不得，开始了另一个方面的分析。在这里所强调的与前面所提出的恰恰相反，同样一个例子，这时揭示出不同的侧面——高尔基如果光有做面包房伙计的能耐，而不在社会大学里读了比大学生更多的书，就不能成为作家了。在此基础上，王蒙引出中华人民共和国成立30年来作家文化水平有下降的趋势，因而产生不了文化巨人式的作家。光靠经验和机智，轻视学问基础，成就必然有限。

（一）全面性原则

所谓全面性，最简明的解释就是正反两面。通过分析矛盾，就避免了形式逻辑论证对论点不加分析、不加限制，不讲条件的片面性。

分析矛盾还只是思想方法，议论性文体的论证应该包括表述的和展开的特殊性。例如学术论文在梳理前人研究成果的基础上，用很大的力气梳理问题史。杂文要有论辩性、曲折性，因而此类较复杂的论证在分析矛盾以后，还要将前人已经研究过、讨论过的问题所得出的结论，逐一与自己的论证加以对照。凡前人所考虑过、研究过的问题，都要重新考虑过；前人留下的思想材料，要尽可能批判地审查过。这样的全面性才是充分的、站在历史高度上的全面性。上面谈到王蒙已经得出作家队伍应改变目前非学者化的倾向，才能产生文化巨人式的作家。这是一个新论点。

它与过去论作家成才的理论成果不完全一致。以往的理论都是从思想、技巧、才华等方面去论述作家成才的。因而，王蒙接着论证了学问与思想、技巧、才华的关系。这样本来已经可以说是相当全面地论述学问的积极作用了，可是王蒙还不满足，又从反面提出问题，一些消极的、格调低下的现象正是学问不足的表现。最后王蒙还把前面提及的具体问题一一加以解释，包括预防对自己的某种误解也涉笔成趣地做了说明。这样的全面性才是论文的全面性。

论文要求历史性突破，因而它不仅要在自己思路上做积极的进攻，而且在论敌的思路上做积极的防御。这样的全面性就不但是分析的全面性，而且是思路的周密性和论述方法的多样性。

全面不仅在矛盾的两方面，而且是在矛盾的多方面。它要求把同一个问题放在不同的关系中去考虑。如果不是这样，光凭一点感想、一得之见、一点小聪明，是完不成论文的论证任务的。报刊上不少评论文章之所以不具学术性，缺乏科学性，主要原因之一就是它的论证没有论文所要求的全面性。

（二）层次深化性原则

全面性并不等于面面俱到，不能不管各个方面在矛盾的统一体中所处的地位如何，都一视同仁。这在表面上很全面，实质上可能导致表面性，其结果是把现象和深刻的矛盾、把主流和支流混同起来，导致论证的肤浅。肤浅的原因，往往从分类开始。例如，有一篇文章题目是“培养写作兴趣”，文章一开头就提出要引导学生积累素材，激活素材。方法是：第一，关注生活，仔细观察；第二，丰富生活；第三，课文引路；第四，课外阅读。分门别类写了许多，但是没有提出问题，比如让他关注生活，他也仔细观察了，可是到写作时，还是觉得没有东西可写。问题在哪里，没有提出来。接下去写丰富生活，带学生去设身处地，进入大自然。由此写出来的散文还是像流水账一样。这个问题没有提出来，就转向了第三个方法，即课文引路。前面没有问题，课文怎么引路？因为有了障碍才需要引路，障碍没有说清楚，引路也就落空了。至于课外阅读，本来是要解决引起写作兴趣的，可是写到这里，作者似乎根本就忘记了。整篇文章各个点之间只有表面的并列，没有内在的逻辑层次。这就是所谓的“开中药铺”式的现象罗列。甲乙丙丁，一二三四，看来篇幅不小，但却是论证深化的障碍。辩证逻辑论证的全面性原则与深化性原则是紧密地联系在一起的。

所谓深化的原则就是把论点在具体分析中得出初步结论，然后不断提出新问题，对论点进行再分析，使论点在层次上深化，是一个反复不断的过程。在这方面，苏洵的《六国论》表现得最为典型。

针对世俗之见，认为六国之灭是战败于秦，他提出，恰恰相反，是不敢战而败。表面上六国是战而败，其实恰恰相反：“弊在赂秦。赂秦而力亏。”在强敌面前不敢战，总是割地求和，虽然得到一时的平安，但是却在整体力量对比上削弱了自己。“破灭之道也”，种下了失败的种子。

文章的精彩不仅仅在论点精辟，而且在于主动提出对论敌有利的论据，然后加以分析，使之转化为有利于自己的论点，从而深化自己的论点。

他提出的第一层深化是：“六国互丧，率赂秦耶？”六个国家并不是每一个都割地求和的。苏洵的分析是，“不赂者以赂者丧，盖失强援，不能独完”。不求和的，因为别人求和了，失却了强大的同盟军，这就造成了奇怪的后果，对方奉送的和战获的相比达到“百倍”。

接着分析第二层深化：齐国并未向秦国割地求和，不也是灭亡了吗？苏洵的回答是，因为五国在被侵凌的时候，齐国见死不救，等到五国都垮台了，齐国也就不能自保了。

第三层深化是：燕赵两国敢于和秦国抗衡，最后不是也灭亡了吗？苏洵的回答是：“赵尝五战于秦，二败而三胜。后秦击赵者再，李牧连却之。”小国屡屡战胜大国，这是确凿的事实。可惜的是，赵国把李牧将军诛杀了。这个事实恰恰说明，不是战而败，而是敢战的战略不能坚持（“惜其用武而不终也”）。大国灭亡得快，燕赵是小国，最后才灭亡，更说明敢战之败优于不敢战之败。

从三个层次驳斥了论敌，文章本来就可以结束了，但是，光有破没有立，文章毕竟不够饱满，最后，作者乘势直下，从正面发展出自己的延伸论点：“以赂秦之地，封天下之谋臣，以事秦之心，礼天下之奇才，并力西向，则吾恐秦人食之不得下咽也。”如果不是把物质财富拿来讨好侵略者，而是用来厚待人才，那么秦人就会吓得吃不下饭，统一中国的就可能不是秦国了。

要抓住论点的实质，就要对论点进行多层次的分析。

（三）抽象上升为具体性原则

这里的具体指的不是日常生活中感性的具体，而是论点包含的内涵（规定性）。内涵（规定性）越丰富，越是具体；相反，内涵越是单一，就越是抽象。要抓住实质，就要具体分析论点所包含的多个层次的内涵（规定性），防止以笼统的表面性质代替之。你说白居易的文学主张是现实主义，你就得具体分析这种现实主义与恩格斯讲的典型环境、典型性格的具体内涵有什么具体差别，如果不具体分析这种差别，就犯了论证抽象的错误。

在上升为具体性论证过程中，对于论据的要求也有些特殊性。有时，它所分析的例子和观点并不以尖端、大量取胜，而是以最平常、最一般、最不起眼的例子，为数极少的例子取胜。正因为它是常见的、普遍的，因而并不需要是大量的，有时一个例子就是一个典型。在自然科学家的实验室中，从一粒沙子可以看到整个世界，而不需要一吨沙子；从一滴水可以看到大海，而不需要一担。这样的沙子越平常越没有个体的特殊性越好，越是处于矛盾的“纯粹状态”越好。社会科学也常用这种典型分析的方法，或者叫作“解剖麻雀”的方法。

自然，研究对象在数量上越是有限，要获得其普遍性所要求的抽象力越高；其抽象的普遍性越是广泛，它所舍弃掉的特殊属性越多。这样一来，概念可能越来越抽象，这一点似乎是与论证的具体原则背道而驰。但是，具体论证却能在这单一的纯粹对象和高度抽象的概念中分析，其实就是还原出越来越多的内涵，将逻辑的展开和历史的过程统统囊括进来。论点的系统延伸、丰富，好像不是来自现实，而是由有限的、概念的运动中生发出来，正是在这生发的过程中，论证越来越具体了。这正是马克思在《资本论》中所用过的“从抽象上升为具体”的方法。从一个看来贫乏的简单观点（商品）开始，通过提出问题，展开矛盾，层层推进，最终构成一个自给自足的体系。

论证的具体性原则还意味着它的论据是具体的，在分析的过程中包含着感性材料，在得出结论以后又能对具体的现象给出科学的说明。具体性论证原则排斥抽象地在内涵贫乏的概念上打转转。欧洲中世纪经院哲学家不接触具体实际，在亚里士多德的概念中一代又一代地熬白了头发，结果导致了经院哲学的灭亡。中国改革开放初期，思想解放的对手也是以经典的只言片语为不变的教条，最后为历史所抛弃。

真理是具体的。没有抽象的真理，也没有空洞的论断。抽象的论证都与真理无缘。在文学批评中，那种生硬的法官式的宣判和一棍打死的批评，就是因为缺乏具体分析而遭人厌恶。

从写作方法上来说，要避免直接从概念到概念的演绎，要尽可能从作品的具体分析引出论点，在具体分析中不断丰富其内涵，增加其规定性，最后得出一个内涵比较丰富而又比较统一的结论。这样，你的论证不是外加的，而是从客观对象中分析出来的。在论证过程中不但没有离开具体对象，相反是层层深入了对象。

在这种具体分析式的论证中，文章的结构也与形式逻辑的论证不同。它不是论点在前，论证、论据在后，而是先有一个内涵比较单纯的论点，然后从几个方面去分析它，使其内涵不断扩展，层层深化，最后归纳起来形成一个严密的结构。

三、议论文的结构：在具体分析中深化

“三要素”的理论缺陷还在于暗示着按论点、论据、论证的顺序展开，似乎是议论文唯一的结构模式。其实，这是一种极大的误导。从根本上说，结论不是思考的开始，而是分析的结果，是在正面证明、反面证伪的过程中得出的。经典议论文很少是先有结论，再加以论证的，而是先提出问题，再层层进行具体分析，最后得出结论。真理是个过程，具体分析、论证的过程比之结论更为重要。故《过秦论》上篇，结论只有一句话：“仁义不施而攻守之势异也。”而得出结论的过程则占了文章 90% 的篇幅，只是解决提出的一个问题，“然秦以区区之地，致万乘之势，序八州而朝同列，百有余年矣；然后以六合为家，崤函为宫”，这样一个伟大的国家，却毁在一介草民之手：“一夫作难而七庙隳，身死人手，为天

下笑者，何也？”

鲁迅的《中国人失掉自信力了吗》也一样。文章就抓住“自信”加以分析：第一，不断地揭示潜在的矛盾；第二，从正面到反面，矛盾是如何转化的。

原来我们相信地大物博，这应该是“自信”，但分析的结果不是自信，而是“信地”。后来，日本打进东三省，又把希望寄托在国联，这也不是“自信”，而是“他信”。这两个层次，把分析放在自信的“自”上，都不是信自己。然后提出近来的求神拜佛，就把分析的重点放到了“信”上，连“他信”都不如，而是“自欺”。鲁迅的分析严密、深刻，用的是关键词的具体分析方法，从肯定轻而易举地分析出反面。以上均属质的分析。鲁迅并未罢休，接着更进一步从量的方面进行分析。他说：这是公开的文字、表面的现象，“自欺”也并非现在的新东西，现在只不过日见其明显，笼罩了一切，也就是在量上占了“优势”罢了。然而，在这笼罩之下，我们有并未失掉自信力的中国人在，“有埋头苦干的人，有拼命硬干的人，有为民请命的人，有舍身求法的人”，不过总在被摧残、被抹杀、消灭于黑暗中，不能为大家所知道罢了。鲁迅的结论是：“说中国人失掉了自信力，用以指一部分人则可，倘若加于全体，那简直是诬蔑。”如果鲁迅采取“三要素”的方法，先说我们中国存在着并未失掉自信力的人，举些例子，文章就没有分析的过程，也就没有活气了。

以层层具体分析达到结论，可以说是议论文活的灵魂。

四、从“我思故我在”到“我分析故我在”

其实，议论文教学的最高目标并不完全在作文，而在于做人。杰出的老师呼吁把学生教得像人一样活着。为什么有这样的呼吁呢？因为不在少数的学生被弄得活得不像个人，没有形成自己思想的能力，满足于用自己的舌头讲别人的话。要活得像个人，就要以“自由之思想，独立之精神”，从流行八股中解脱出来，对之进行反思、质疑，进行层层深入的具体分析。这可能就是西方哲人所说的“我思故我在”。反过来说，我不思故我不在。通俗地说，我不会反思，就白活了，瞎活了。一所著名大学新闻系的课本中有这么一个论断：中国发明了火药，火药传到欧洲之后，便冲破了欧洲中世纪封建的堡垒。一位将军觉得这真是笑话！你发明的火药冲破了人家的封建堡垒，你自己的封建堡垒怎么没被冲破，反而更加坚挺？这位将军当然算是有独立之思想，有自由之精神，但这还不够，还要具体分析二者的反差。这一点鲁迅在《近代木刻选集小引》中倒是说过：“中国古人所发明，而现在用以做爆竹和看风水的火药和指南针，传到欧洲，他们就应用在枪炮和航海上，给本师吃

了许多亏。”(《集外集拾遗》)

善于具体分析不仅是作文的水平、为人的高度，而且是口语交际的素质。我们一些学者、企业家、官员在正规的国际会议上，每每离开了事先准备的讲话稿就失语，不能即兴应对。问题就出在不善现场随机具体分析，以自己超群的智慧和人格魅力赢得对手的尊重。赫鲁晓夫随机应对的能力值得称赞。在一次大会上，他正在揭露斯大林的暴政，有人递纸条质问：“您本人在斯大林当政时期也在权力核心，为什么不起而反对斯大林的独断？”赫鲁晓夫把纸条高声念一遍，随即大声道：“这是谁递上的条子？站出来！请站出来……”下面轻轻骚动了片刻，但是没有人站出来。赫鲁晓夫说道：“你们瞧，我们现在这样民主，这样无须恐惧的情况下，递条子的同志尚且不敢站出来。试想，在斯大林统治时期的那种气氛中，有人胆敢站出来顶撞斯大林吗？”听此全场鼓掌。这从论证上说，属于将不利于自己的证据（反例）转化为有利于自己的证据（正例）的方法。能把这种方法运用得得心应手，不管是前期准备有素的，还是即兴发挥的，都是思想的高度自由，也是生命的高度张扬。从这个意义上来说，从“我思故我在”不但可以引申出“我不思故我不在”，而且可以引出“我反思故我在”“我分析故我在”。

具体分析：寻找“黑天鹅”
——抒情和议论在逻辑上的矛盾

最近我参加了张家港中学的作文会议，后来又到绍兴参加作文会议。那里的学生不乏很有才气的，文采情采均佳，两地的老师在教学上苦心孤诣，水平相当高，又非常敬业，精神令人感动。两地作文教和学的水准在全国是属于最高层次的。这很令人鼓舞。现在有些人，老是拿美国说事，好像美国的语文教学有多好的样子。其实，美国的母语教学是比较落伍的。不要说别的，就是考托福，在全世界也是排在新加坡、中国香港，甚至中国大陆学生后面的。1992 年，我的侄儿大学三年级考托福，得了 629 分，到美国留学，读硕士，他的教授对他的英语成绩说了一句话：incredible（不可思议）。他们的大学生能考到 600 分就算顶尖了。美国青少年的阅读水平和作文能力，有相当落后的一面。我说这一点，不是妄自尊大，针对的是一些假洋鬼子，妄自菲薄。我在美国教过书，大学生考卷上拼写错误比比皆是，本来我以为我不行，查查字典，其实是他们很差，连起码的 light 都写成 lite，因为 gh 不发音，但是这样初级词汇都弄错，也太离谱了。他们的英语语法也不行，我有时讲一个比较复杂的句子，不放心，就问他们，语法对不对啊？他们说，英语语法我们美国人都不懂，只有你们中国人才懂。大学里写作课，教授讲评，只是把学生作文中比较好的句子念一下，就完了，剩下的时间自习。一些动不动就说美国怎么样的人，其实对美国语文教育并不懂。20 世纪 90 年代，我听老布什演说。他说，希望 21 世纪我们的孩子数学和阅读能力能够评上世界前列。可到现在也没进展呢。2010 年末，经济合作与发展组织（OECD）国际学生评估项目（PISA）调查结果公布，首次参加的上海 15 岁在校生，在阅读素养、数学素养和科学素养全部三项评价中，均排首位；韩国排第二位；我们教改学习的对象芬兰，此前几乎垄断了历年测试的头把交椅，这次排第三位；美国位列第二十三位。虽然该项测试不代表全国水准，不具绝对的可比性，但我们不要听一些人妄言，动不动就说我们什么都不行。

当然，我们也有问题，而且很严重，但是，我们根据自己的国情，结合西方一些先进的理念，来改造我们的语文教学。说实在的，我们比美国不差，但比欧洲就差远了。欧洲中学生除了母语，一般用两种外语对话是不成问题的。我们必须面对现实，问题太大了。作文教学的特点是手工业，是一把钥匙开一把锁，可是我们现在做不到。老师工作量太大，老师敬业精神也不够，甘愿做手工业工作的人士绝少。我念小学、中学的时候，老师对作文可谓精批细改，有中肯的评语。

现在的中学生作文比较偏向于抒情，中等以上的学生写抒情散文驾轻就熟，带着某种“文艺腔”，但是没有思想。中学一线教师普遍反映，高中生不会写议论文。当然，我并不笼统反对“文艺腔”，只是希望文艺腔有点思想，不是一味情景交融，而且还能情理交融。当然光是情景交融的散文也有非常漂亮的，我这次去绍兴和张家港，有些学生写的抒情散文非常有才气。但是不管多么有才华的文章，都暴露出一个弱点，那就是耽于抒情，没有自己的思想，主题不严密，缺乏思考层次。

在这以前，我在福建某地看到一篇文章，文章的主题是“热忱”，提出的问题是如何将“青春的年华”转化为一种“人生态度”。这本身就是没有逻辑的。人生态度和青春年华之间，不属于同一层次，构不成矛盾，也没有什么因果关系，如何谈得上转化？作者根本不管，眉毛胡子一把抓，反复讲“青春的热忱”，一会儿讲“青春的热忱是知识的渴求”，一会儿讲“是渴望与奋斗的决心”，一会儿是“修养自身”，是“成功渗透了的奋斗的血泪”，是“天下兴亡，匹夫有责”，是“汶川地震的志愿者”，是“未来的希望”，是“青春热忱的人不会被绝望所掌握”，最后说“青春的热忱是永远前进的姿态、破釜沉舟的勇气”，结论是“故应该以热忱突破时间的藩篱，以免来日感叹青春的泛黄”。

这种很典型的“混乱抒情”，至少有两个问题。第一，没有一个贯穿到底的统一主题，许多概念完全是分裂和交叉的。本来，文章基本要在稳定的内涵中发展，“热忱”“青春”“知识的渴求”“天下兴亡，匹夫有责”“汶川地震的英雄行为”等在逻辑上并没有直接的联系，要把它们统一起来，要弥补一系列逻辑的空白，而这里却把凡是擦边的都拿来堆砌在一起。第二，对主题没有具体分析。好像青春只要有热忱就行了，这是很片面的，人不能光凭热忱生活。就“天下兴亡，匹夫有责”而言，仅凭热忱够吗？热忱要跟智慧、跟理性联系起来，要不然就是盲动，容易在现实中碰钉子。文章举了鲁迅的例子，鲁迅难道仅仅凭热忱吗？鲁迅的思想有非常冷峻的一面。张定璜说他文章的特点有三个：第一是冷峻，第二是冷峻，第三还是冷峻。这样的缺点，可以说是最低级的，那就是主题片面，概念转移，观点与材料脱节。要主题全面，概念一贯，观念与材料统一，就要符合逻辑思维、基本概念内涵统一的准则。由此可见，抒情散文写不好，原因是缺乏议论文的写作基础。

问题出在我们的教学理念上。就我所见到的中学乃至大学的写作教材，都没说到抒情散文与议论文在思维上的根本区别。我在张家港中学看到一篇相当漂亮的文章，讲项羽之死，说项羽是失败者，但项羽是一个完美主义者。他不是懦夫，当他觉得无力回天的时候，就宁愿牺牲自己，表现出豪迈的、英勇的气概。他悲壮地追求人格的完美，本可以逃走，东山再起，但他不走，他为了英雄的自尊而死。他没有悲伤，只有满足，他伟大而骄傲。他视死如归，为自尊心、荣誉感而活。你们活着的人要好好地活，自己的头给吕马童，让他去领赏。

文章写得很漂亮，观念也严密，贯穿首尾，逻辑清晰。在如今中学生中，无疑属于高档次；但是我觉得文章还是很肤浅，没有自己独立的见解，没有具体分析。这样的文章缺点很大，没有分析项羽的矛盾，明明是项羽打了败仗，可至死也不承认失败，而怪老天，说什么天亡我也。他突围，走入绝境，有人故意给他指错了路，说明他平时不得民心。要有自己的思想观念，就要做理性的分析，把项羽这个人矛盾的两方面展开。另外，不可忽视的是，他也不是那么绝对的坚强。在知道被包围了以后，他哭了（泣数行下），四面楚歌。他以为“楚地尽失”，其实没有，江东还有他的根据地。他死于错误的判断，悲观失望。需要分析的还有：在鸿门宴上他不听谋士范增的话，不杀刘邦；他不会用人才，韩信原来是他的人，反而成了刘邦的大将，等等。司马迁在《项羽本纪》后面的“太史公曰”中就批判他：打了败仗走投无路，“身死东城，尚不觉悟而不自责。过矣！乃引‘天亡我，非用兵之罪也’，岂不谬哉！”把矛盾的各个方面统一起来考虑，他还能算什么完美主义者？

说他是完美主义者，这是抒情语言，抒情是可以片面取胜的，片面、极端化才有感情；而要有理性，就要做不动感情的分析，满足于抒情就肤浅了，就没有头脑了。议论的基础就是全面（至少是正反两面）分析。这本是常识，可是我们在作文教学理论当中，好像不存在。

我看到的另外一篇是讲屈原的，也是追求诗意，说他完美、高尚、伟大，具有孩子般的灵性，无比纯洁，满腔的热忱，政治思想和操行都有完美的追求，他愿意建造一个完美的祖国。这里可以提醒一句：不管说什么人，或者什么事，一说完美，从思想方法上来说，就是绝对化，就是片面性，就是不全面，也就只能抒情，同时也就意味着没有理性。理性地说，完美的人是没有的。议论区别于抒情，就是矛盾的全面展开和分析。屈原的失败原因难道仅仅是因为他追求完美吗？楚国最终还是要灭亡的，楚国政治、经济上那么僵化，而秦国经过全面改革，不管用不用屈原，楚国的失败是必然的。这类学生的文章，语言都很漂亮，考试都可以拿到85分甚至90分，但从严格的理性要求来说，都是没有头脑的。就抒情而言，也过了头，过了头的抒情，就是滥情，甚至矫情。

必须明确指出，抒情散文和议论文是两路功夫，抒情语言可以绝对化，可以片面，而议论则要面对矛盾。“情人眼里出西施”完全是绝对化的，但是，感情是很生动的。要防止滥情、矫情，也就是《文心雕龙》告诫过的“为文而造情”，虚情假意是令人倒胃口的。为了防止这样的偏向，就得有议论文的修养。议论文冷峻地警惕廉价的抒情，“月是故乡明”，感情生动，却并不符合理性，只有承认他乡的月亮有时比故乡还明，才有资格写议论文。对青少年不仅要有情感的熏陶，还要引导其学会动脑子，以理性揭示矛盾，提出问题，分析矛盾，这是心智全面发展的必要条件。

虽然我们的指导思想有问题，但是，拔尖孩子的才气还是压抑不住的。我去张家港和绍兴第一中学，发现有才气的孩子很多，有头脑的孩子也并不罕见。张家港中学生黄冷千对樊於期的死提出了和司马迁不同的看法：

> 荆轲要带上他的人头见秦王以复仇，於期也不啰嗦，既如此，人头只管拿去！真正豪迈极了。但若我们理性地想一想，这不过闹戏而已。秦燕之间的政治军事矛盾重重，岂是一刺即可化解的？即使匕首刺到了秦王，也刺不灭秦国，反倒可能引来对燕国的反击。如此看来，樊於期的死是不是很不必要，或者有些幼稚？

这个孩子没有按照传统的思路，把樊於期往英雄的完美方面去抒情，而是往相反的方面提出问题，英雄的视死如归变成了“幼稚”“闹戏”。在中学生作文中，这种揭示问题展开矛盾的思维方式是难能可贵的。接着作者在对立面中展开分析：“当时樊於期对秦国的购赏，虽计不知所出，但料想凭自己的身份复仇绝不可能。”并且，他对燕太子丹又太“冲动又重情”。在从正面分析了樊於期从容献头缘由之后，又从反面说明他别无选择：“从武、生猛，使他不能为屈原；冲动、直爽，使他不能为韩信。”在这样的情况下，还不如被“英雄”，在历史上留下无奈的一笔。不管作者对樊於期的死，阐释得是不是绝对正确，但是，由于他从樊於期本身揭示了矛盾，又在外部拿屈原、韩信为对立面，进行了内外两个层次的具体分析，他的观念就是自己的，有了独立思考的成果；而且他的语言，不是套话，而是带着某种调侃意味：秦王要悬赏砍掉他的脑袋，干脆就把脑袋给你，“就算成全你了”，“古今重义之人不可胜数，樊於期有幸在《史记》中留一笔，算是不错的了”。最后，调侃的意味变成了反讽：“樊於期自始至终是个小人物，反倒为他套上光环，既满足了荆轲之计，又能较为畅快地离开。”对于死亡的选择，不用庄重的“献身”，也不用口语的“送命”，而用“畅快地离开”，显得多么潇洒。

这孩子不但有头脑，而且语言有才华，实在是不可多得。

当前中学作文抒情的泛滥，跟我们作文命题有没有关系呢？应该有一些关系。我们的命题基本上是感性的，要讲感性故事，要贴近同学的经验，但是这个指导思想我们应该质疑。如果把我们中国的作文命题跟欧洲、美国相比较的话，可以发现有很大的差别。我们是偏重感性的，在法国是经典哲学命题，在美国是两难命题，在新加坡是不允许写抒情文的，只能写议论文。

问题的关键是，流行的议论文教学理论基本上是错误的。议论文“三要素”的理论（论点、论据和论证），通俗的解释就是根据论点，组织跟论点一致的材料来进行论证，可悲的是，不但中学，而且大学写作教材都是这样讲的。但是不管从方法论来说，从哲学上来说，还是从写作学来说，这都是错的。怎么可以先有论点呢？先有论点，就是先入为主，先有框框。首先，论点对不对，是需要分析的。不管论点对不对，你去论证它，不是盲人骑瞎马吗？按波普尔现代科学经典《猜想与反驳》，这是绝对错误的。他用证伪、举反例的方法推出“一切天鹅都是白的”命题不成立。要有自己的思想，关键不在于为现成的观点举正例，而是反例，不是寻找白天鹅，而是寻找黑天鹅，从而对现成的观念进行批判，这就是美国人所提倡的批判性思维（critical thinking）。根据论点去选择跟论点一致的材料，从观念到方法是罗素所说的“自我蒙蔽”。不能根据已有的观点来选择材料，因为选择意味着排除，排除了就不全面了。因而，论点要经过反思，材料要全面，至少是正面和反面一起考虑，进行具体分析。

当然，根据观念组织与之一致的材料，在初中阶段，也许还可以作为一种练习文体；到了高中，已经是世界观形成期了，就要迫使他们做分析性、批判性思考。也许正是出于这样的考虑，胡适主张，在初中阶段，学生口语以演讲为主，可满足于自圆其说，甚至一面之词；而到了高中，胡适主张以辩论为主，就是为了训练学生从正反两方面分析矛盾，全面地进行立论和论证。具体地说，有一个论题，“出淤泥而不染”，如果你去抒情，在初中阶段，能够举出许多动人的事例加以抒情，就不错了；但是，到了高中，就要提升为议论，要往相反的方面去思考，如人的思想品格和环境的关系，还有“近朱者赤，近墨者黑”的一面。亡羊补牢是对的，未雨绸缪也是对的。“有缘千里来相会”是对的，“不是冤家不聚头”也是对的。“浪子回头金不换”是对的，“狗改不了吃屎”也不能说是不对的。“兔子不吃窝边草”有道理，还有“近水楼台先得月”呢！我们要让孩子们会动脑筋，会分析问题，就要从找到问题的对立面开始。一味抒情，可能把学生搞成你说一个“近朱者赤，近墨者黑”，他就跟你抒情，久而久之，就会失去自由思考的能力。

目前这种议论文理论，这种思维模式，这种滥情、矫情的泛滥，对我们下一代的素质实在是毒药。问题如此严重，很多人都怪中学老师不好，其实不对，应该怪我们这些老师，我们没有教好，或者是我虽然教了，但效果不好，没有落实到他们的世界观、方法论中去，责任还是我们的。议论文的教学需要重新启蒙，我们任重道远。当然我这样讲，有些煞风景，有一些老师听了以后会难过，但愿我是错的，我好高骛远，但是，我更愿我今天的话是苦口良药，甚至是醒世恒言。

从两篇高考满分作文看“三要素”的流弊

网上出现了一些2012年高考的满分作文卷，细读之余颇有感慨。近几年来，大学以及中学一线的有识之士，为高中生不善于写议论文而大声疾呼。《语文建设》为此进行了议论文基本教学理论，如“三要素”的讨论。讨论的焦点在于：现行的议论文“三要素”原则为先有论点，然后组织与之一致的事例，观点与材料统一，就是论证。问题在于排除了与论点不一致的事例，就很难不是片面的。从理性思维来说，不管是立论还是论证，最根本的在于全面性。通俗地说，至少是正面和反面和严密性，这就需要对之做全面的分析，并把论的焦点放在论点与论据的“契合点”上。在复杂的事物面前，独立自主地思考，拿出自己的论点来，是对考生素质考核的题中之义。

从基础教育改革以来，命题模式发生了改变，与限定主题的命题相异，话题作文、材料作文应运而生，原则上都是非主题性命题。2012年高考作文命题大多是非主题性命题，其中不乏蕴含深邃、对考生的思维和表达素养富有挑战性的命题。如广东卷提供了两则材料：一则说的是英国历史学家汤因比说过，如果可以选择出生的时代与地点，他愿意出生在公元1世纪的中国新疆，因为当时那里处于佛教文化、印度文化、希腊文化、波斯文化和中国文化等多种文化的交汇地带；另一则说的是居里夫人的两个外甥女，一个愿意生在公元1世纪以前，而另一个则宁可生得晚些，生在未来的世纪里，而居里夫人则以为，人们在每一个时期都可以过有趣而且有用的生活。这里不但不隐含价值暗示，而且为之提供了感性审美基础，也许最能代表当前命题方向。与之相似的还有湖北卷，一方面有杜甫的“家书抵万金”这样的经典，另一方面又有比之书信更为便捷的电话、短信、邮件，手写的书信失去了重要性。命题把科技进步（理性）与人的交往（感性）之间深邃的矛盾摆在了考生面前。

命题的优劣向来众说纷纭，光由专家从理论上进行论证，并不完全可靠，更重要的是从考生的实践，对其作文做全面的分析才是最雄辩的论证。但是，对于此项工作，不但缺乏有志者，而且缺乏全面的公开化资源。福建省规定所有考卷都严格“保密”，泄密者将按律严惩。其实，杜绝评论等于拒绝全面总结实践经验。从这个意义上来说，天津、湖北、江西和使用课标卷的几个省市的气魄很值得称赞，他们公布了作文“满分卷”，实在功德无量，其中一些为我们深入研究议论文素养提供了非常典型的个案。而个案分析，虽然比之全面分析有不可否认的局限，但是也有不可忽略的优长。

首先引起我注意的是湖北的一份得了满分的卷子：

鼠标轻击，按键轻点，电波激发一个个信息点，代码串联起一个个字符。此时此刻，你的话语就传达到我的身边。高速发展的现代科技，使世界各地的人们（似乎可以改为“天涯海角的人们”）瞬息之间可以交流。但是，通过如此方便快捷的通讯方式，我们能够真正地了解彼此吗？

应该说，这个问题提得很简洁、很鲜明，没有花多少篇幅去引题，有开门见山的好处。

信息技术的迅猛发展，给我们生产生活带来了深远的影响。如今的时代（“的时代”是多余的），书信早已被冷落，它们的身影往往（“它们的身影往往”建议删节）留存在我们心中的只是父辈们发黄的写着或黑或蓝（“或黑或蓝”，多余，建议删节）钢笔字的纸张。

后一句不太顺，原因是太长，把多余的、可有可无的成分割爱，就不但通顺，而且鲜明得多了。

必须承认，电子传媒有着书信无法比拟的优点，方便、快捷，费用极为低廉，但是转瞬即来的信息，大多数的时候就如同三个月就长大的肯德基香辣鸡，往往味同嚼蜡。手机和电子邮箱里收到的往往只是一连串自创的，但更多的是人云亦云转发的数字符号，往往并没有给我们充实饱满的感觉，反而感到时时的空虚和无助，仿佛一场疲惫的梦幻。

这一段接触矛盾的实质，快捷的电子信息和手写的书信相比，“往往味同嚼蜡”，“往往”很重要，没有绝对化，后面说“更多的是转发的数字符号”，因而感到“空虚和无助”，“仿佛一场疲惫的梦幻”，这是有道理的，但是，论点到此为止，就不全面了。前面明明说的是“更多的是人云亦云”的符号，那就不是全部，而是部分。做全面分析，就不能回避另一部分。虽然在数量上，在作者看来，不是多数，但是完全略而不计，就片面了。从经验上看，第一，人们使用手机和电邮并不完全是为了接受信息，同时也主动地发出信息。第二，所接受的也并不完全是“人云亦云”的，富有科学的和实用价值的应该不在少数。第三，不管是远行还是近游，瞬间可达的平安报告、意外的问候，是令人快慰的，是富于情感价值的。这就暴露了作者在思维和语言表达上均不够全面，也不甚严密。

如果文章仅仅这一点不严密的话，只是局部的。接下去，作者的重点就不限于短信，而是全部的电子信息交流了。

这就是交流的无奈。我们很难或者无法拒绝突如其来的电话信息的打扰，做好的安排与计划付诸东流。很多时候往往最大的无奈不是别人从我们这里夺走了自由，而是自己不能在现实中给自己留一份自由。前者是改变不了的，因为我们还要生活。只是对于后者，又有谁人能够做到？

这一段是相当深刻的，作者的概括力相当高：第一，把日常生活的被动提升为带着哲理性质的“自由”。第二，把自由的丧失不仅仅归结于他人，而且归咎于自我。

这可以说是全文的最大亮点，但是仍然不够全面，电子信息的发达，带来的不仅仅是不自由，不可否认，还有比书信交往更大的自由。可以说，本文的亮点之中还有空白点。

如今是一个快速消费的时代，我们没有了对于信息“烽火连三月，家书抵万金”的珍重，缺少了“呼儿烹鲤鱼，中有尺素书”的欣喜，也减淡了“此书未到心先到，想在孤城海岸头”的思念，褪去了“江水三千里，家书十五行。行行无别语，只道早还乡”的叮咛，遗忘了“去凭游客寄，来为附家书。今日知消息，他乡且旧居”的嘱咐。书信时代，有的是“凭君莫射南来雁，恐有家书寄远人”的担心与牵挂，多的是“岭外音书断，经冬复历春。近乡情更怯，不敢问来人”。

如果前一段的精彩是思想，而这一段的精彩则是论据很丰富，不但有脍炙人口的经典诗句，而且有不太为人熟知的诗句。对于一个中学生来说，古典文学素养的厚实是不言而喻的。

在那一封封亲笔书写的信件里，“不徐不疾，得之于手而应于心”充满了未被浮躁时代洪流所淹没的亲切与温馨、浪漫与希冀。寄出信件就是寄出一份美好的愿望与嘱托，然后在无尽的期待中翘首以盼书信鸿雁回传。在手写书信这个载体上，我们前辈们的思考进一步深入扩展，字字推敲，款款情深，丰富细腻的情感在笔尖流淌，文字后面浮现的面孔和情感，对一种深度情感模式的向往，曾经多么让人激动不安。

这一段的精彩之处是：超越引经据典，不但从生活，而且从心理上作出了诗意的概括：寄信就是寄出“美好的愿望与嘱托”，而等待回信，哪怕是“无尽的期待中翘首以盼”，也充满了情感的审美价值。如果说前一段的力量在于经典诗歌的权威性，而这一段则是颇有概括力的抒情语言，其中还隐含着想象的细节。读到这里，可以感到作者文采和情采并茂。

手写书信所附带的传统的元素文化价值，稍不注意就有被泡沫般的网络所湮灭的危机。是的，科技解决了符号传递的问题，但是还是没有解决真正交流沟通的问题。因为“如果意义不在词语里，而是在脑子里或是在对客体的参照里，那么，什么东西也不能保证意义可以跨越两个脑子而成功迁移”。假如我们缺少了等待与珍视，我们注定是不能“心连心”的人，我们发出的电子信号最终消散在茫茫太空，我们从未知之中来，又往未知之中去。

这一段又比上一段在思想上有了发展，在前一段文采和情采交织的基础上，在理念上加以升华，把手写书信的消失提升到传统文化价值被泯灭的危机的高度上。文章到这里，显得相当有智慧。

从总体观之，文章虽然不无瑕疵，但作为临场即兴之作，这样的水准应该是可以得满分的。

但是，如果进一步推敲，从议论文的根本原则——具体分析的全面性来看，本文还是有明显的不足。首先，前面已经指出了，说了“更多”，就丢掉了那“更多”以外的，显然并不可忽略的信息。最主要的是，完全不提除了“转发”以外的，还有大量自己主动发出的信息。这就是说，作者缺乏量分析的自觉，对论据就只选择于文章论点有利的部分，排除了于其不利的部分，在文字上只用了明显不符合事实的“更多”来掩盖。这就有漏洞，就不严密了。其次，具体分析更重要的是质的分析。量的分析是多少的问题，质的分析则是定性的问题。要定性就得全面，全面就是多面，多面有可能是无限的方面，简单地说，可以说是正面和反面。一切事物都处在外部的和内在的对立之中，二者相互矛盾，又相互联系，可以在一定条件下相互转化。站在这样的高度来严格分析，本文不但在量上是不全面的，而且在质上是片面的。信息技术的发达，不但极大地推动了科技、金融、工商业的高速发展，也给人类交往带来了空前的自由。这是问题的主要方面，虽然它也带来了作者所强调的诗意的湮灭，甚至是文化价值的危机，但是这种危机并不是全面的，而是局部的，就是书写时的感知、期待的诗意，也并不就绝对湮灭。因为书信可以在书写之后，经过扫描，作为附件瞬息之间发送到全球乃至航天飞机上。更何况还有视频对话，可以直接交谈。古代“千里眼”“顺风耳”的神话变成现实的幸福感，“家书抵万金”期待的痛苦可谓永恒地消失。这就大大缩短了人与人的空间距离，乃至情感距离，因而在古典诗歌中亲友为离别而痛苦的主题在现代诗歌几乎消失，代之以徐志摩“再别康桥式”的潇洒而来，潇洒而去。

引起我关注的还有下面这一篇文章。作文材料是：船主要求漆工油漆船体，而漆工完成了规定的工作以外，顺手把船体上的一个漏洞给补上，因此避免了一次海难。这篇满分作文自拟的题目是“细节决定一切”。

每个人，做每件事，都不可避免地要面对一个细节的问题，细节处理得好，往往可能事半功倍，反之，不但事情难圆满，而且还可能前功尽弃，甚至后果很严重。

船主与漆工的故事，显然就给我们这样的启示。试想，如果不是漆工平时很有责任心，重视每个细节上的问题，船主们的孩子驾船出海，还能如此轻易地平安归来吗？又或者是，倘若船主重视细节的问题，及时交代漆工把船上的漏洞给补了，还用得着担心孩子们的出海安全吗？

对这个题目，多数考生从道德价值上立意，而这位考生却从细节与成败的关系上着眼，应该说颇有特点。

但是，作为全文的主题，作者这个论点却缺乏分析。通常说的“细节决定一切”是有针对性的，其隐含的前提整体上是有序的、科学的，各个部分之间是有机统一的，此时细节就是成败的关键，甚至是决定一切的。孤立地、笼统地、不加任何限制地讲“细节决定一切”，显然是不全面的。如果整体上不科学、无序，问题多多，其失败就是注定了的，此时的细节（作为局部）再精致，也改变不了失败的结局。议论文的立论应该是全面的，这里把隐含的前提排除掉，孤立地强调一个方面，可以叫作片面立论。

有一次，美国唱片业协会CEO（首席执行官）希拉里·罗森目睹了乔布斯与工程师讨论用户界面设计的情形。当时，乔布斯和工程师坐在电脑前，为了一个设计上的问题争执不下。罗森发现，乔布斯与工程师所关注的，不过是在屏幕上一块大约只有一张便条大小的区域里，如何排放3个单词的问题，乔布斯如此关注细节让罗森惊叹不已，而他天才、奇迹般的成功，对细节的高度关注不啻是关键的一大秘诀。

先有了论点，对论点不加分析，就举例论证，为“三要素”的教条所拘，固然已经成为局限，但是，如果例子的质量比较高，论述的契合点比较准确，也还能够自圆其说，达到中等以上水准。本文中的这个例子，只能说勉强到位。事例是具体的，论点是普遍的，文章要做到二者的契合点上。这里的契合点应该是“细节决定”，但是例子的论述却是“细节”的“高度关注”，二者并不完全契合。至于这与“他奇迹般的成功”，作者说“是关键的一大秘诀”，并没有落实到“决定”上去；而且不是从事例中分析出来的，而是作者直接的论断，这就使得论据与论点脱节。

小到个人、家庭，大到单位乃至国家，细节的重要性几乎无处无时不显现在我们面前。有的家庭因为平时没有能够处理好一些细节上的问题，结果矛盾、积怨日益加深，最终甚至分道扬镳；有的工程、项目，因为不注重细节上的严谨，留下安全隐患，甚至酿成重大事故。

文章要论证的毕竟是普遍的规律，而不是局部的现象。这一段的好处是论点向广度拓展，细节的决定性不再仅仅限于船主和乔布斯，而是向普遍性提升：“小到个人、家庭，大到单位乃至国家”。这样的写法使得文章的思想领域扩大了。

去年发生的“7·23”甬温线特别重大铁路交通事故揪紧了国人的心，几十个生命的代价换来的教训中，同样有个细节的问题。相关部门公布的动车事故报告中指出，铁道部在LKD2-T1型列控中心设备招投标、技术审查、上道使用等方面违规操作、把关不严，致使其上道使用，是导致事故发生的一大重要诱因。

这个事例在论述中很重要，因为要论证从个人、家庭到国家这样普遍的规律，不管多少例证都是不够的。随意性的举例，可能会在逻辑上导致“孤证”的错误。因而事例，尤其是单个事例，一定要比较典型，也就是有代表性。从这一点来说，这个事例本身的典型性在于：细节之小和危害之大。但是，分析时却没有抓住契合点：“设备招投标、技术审查、上道使用等方面违规操作、把关不严。”作者在这里本该把这些事例中的“细节”揭示出来，至少要在这一系列的过程中，分析出多少“细节”上的“违规”，造成了什么样的连锁性严重后果。此外，这个论据本身隐含着和论点的矛盾：一系列的“违规”和“把关不严”，又发生在“设备招投标、技术审查、上道使用”复杂过程中，这就不是细节，至少是带着局部系统性的了。论据与论点的游离，就成了这段文字的致命伤。

假如铁道部不是像那个船主那么“粗心”，假如具体施工建设者能够像那位漆工一样，发现某些细节上的问题，能够主动、及时、“顺便”把漏洞补上，难道不就完全可以避免悲剧的发生吗？！船主与漆工的故事，动车事故血的教训，以及我们现实生活中许许多多的事实都告诉我们，细节决定成败，无论是在学习、生活还是工作中，也无论是在日常管理或者履行职责过程中，都要时时提醒自己，不做粗心、不拘小节的糊涂船主，要做重视细节、负责任的漆工。

从文章的结构来看，这个结尾还是写得比较好的，符合通常所谓的“首尾呼应”。先用了反问句来从反面强化了主题，又从正面突出了现实生活中的普遍意义。就总体而言，这篇文章虽在论述和立论上有严重的缺陷，但是就“三要素”的最低层次要求，尚能言之有理，其水准应该是中等偏上的，之所以被评为满分，可能是一些老师对先有论点后找事例的“三要素”缺乏警惕。网上对这篇文章有个点评，可能是出自某位资深老师之手：

开头就摆明观点，然后从材料入手，给我们这样的启示，连用两个反问句，说明细节确实决定成败，船主如果注意细节的话，就可以防患未然，漆工注意细节，就拯救生命，用假设论证的方法使得开头引得读者注意，开篇十分有力。接着又用美国唱片的事例，说明乔布斯关注细节的正面事例，由此过渡到不注意细节的危害性，最后警示大家应该注意细节，结构十分严谨，是一篇好文章。

这样的评语完全是重复文章的内容加上不着边际的、空洞的称赞，对文章的论点、论据的得失都缺乏起码的分析。评语作者自己对论点与论据的具体分析及其在“契合点”上的一致性，缺乏体悟。说乔布斯的事例是“关注细节的正面事例”，完全忘记了作者的论点并不是“关注细节”，而是“细节决定成败”。才指出结尾用了两个反问句，就直接得出结论“说明细节确实决定成败”，又说“开篇十分有力”，怎么有力，却不见片言只语，这种缺乏逻辑的论断就叫作武断。

类似的评语在网上、在第一线的作文教学中比比皆是。“以其昏昏，使人昭昭”，滔滔者天下皆是也，其祸根全在“三要素”先有论点后找事例的所谓“理论”。

片面立论和全面立论
——点评两篇高考优秀作文

2011年高考辽宁卷作文材料：

有位哲学家举起一个苹果，对学生说："这是我刚从果园里摘来的，你们闻到苹果香味了吗?"有个学生一看到苹果红红的就抢着说："闻到了!"哲学家拿着苹果走到学生面前让他们闻，有的说闻到了，有的闻也不闻就跟着说闻到了，只有三个学生默不作声。哲学家问："你们怎么啦?"一个学生上前又闻了闻，说："我什么味也没闻到。"另一个上去摸了摸，说："这是什么苹果?"还有一个讷讷地说："老师，今天我感冒了。"

哲学家把那个苹果交给大家传看，竟然是蜡做的假苹果!

一

有一个考生对之自立的题目是"杜绝盲从"。

点评：从题目看，这个考生作出了一个论断，也就是他的文章的主题——杜绝盲从。根据命题所提供的全部材料，用"盲从"来概括是不是全面? 材料明明说，对待这个权威的述说，有几种不同的态度：一种是不动脑筋，"一看到苹果红红的就抢着说：'闻到了!'"这是自我麻痹，可以说是"盲从"。另一种是即使面对权威，还是根据自己的感知做出判断说："我什么味也没闻到。"此人明显没有盲从。还有一种，回避和权威冲突，说自己感冒了，表面上是拒绝表态，实际上是委婉地表示保留。要确立论题，起码应该把这三种态度综合分类，再加以具体分析，从严格的意义上来说，这才能算切题。这个立意，从三种表现中仅取其一，显然很片面，这叫"片面立论"。在当前的高考作文中，片面立论并不是个别的，而是相当普遍的现象。高考评分往往对之宽容，原因是滔滔者天下皆是，法不责众。议论文的基本功，或者说基本素养之一，就是用一个抽象的观念把复杂的感性材料，尽可能全面地概括进去。立论要全面，不能片面。立论是议论文的出发点，出发点片面了，文章写下去，就可能越写越片面，难免“差之毫厘，谬以千里”。

从这里可以看出，当前议论文教学和考核对“片面立论”的放任。

> 对一个蜡做的苹果，在有一些人说闻到苹果香后，一些人闻也未闻就说闻到了香味，这是一种盲从的做法。他们抱着跟着大众走总没错的想法，未经历过一件事，就盲目地继承了主流的看法。

点评：“他们抱着跟着大众走总没错的想法，未经历过一件事，就盲目地继承了主流的看法。”这句话有没有错呢？似乎没有错，但是不准确。首先，“抱着跟着大众走总没错的想法”，这没有根据，材料上并没有什么大众说话，只有一个科学家的说法。议论是一种理性思维、科学思维，严密是其生命，不能大而化之，不能无中生有。准确的说法是：跟着权威走，先入为主。其次，“未经历过一件事，就盲目地继承了主流的看法”，也不准确。这个盲从的人，并不是没有经历这件事，而是亲身经历了这件事。他的错误在于，不是根据自己的感知做出判断。再次，说他“继承了主流的看法”，也不妥。哲学家仅仅是说：“这是我刚从果园里摘来的，你们闻到苹果香味了吗？”这是一种权威人士的陈述，而且仅仅是一个人，谈不上主流。主流的看法应该是不仅权威如此，而且群众也如此。最后“继承”二字也不妥。继承的对象应是前人的思想，而这里却不是。这就不仅仅是立论片面了，而是缺乏发议论所必要的严密的思维素养，不善于从具体的、感性的、复杂的现象中进行准确的、严密的抽象。高中的数理化和社会科学知识，都是高度严密的抽象理论，语文课中也有相当数量的议论文，耳濡目染，潜移默化，中等资质的学生应该具有相应的严密抽象能力，但是，这里却是感性材料和理性话语严重脱离。当年我就提出高中要加强议论文的教学，高考应该有议论文的导向。只是，有这样自觉的老师凤毛麟角，不少老师持怀疑态度，还发表了不同意见。从根本上来说，这不是个理论问题，而是一个实践问题。只要认真分析一下这篇得 54 分的文章（满分 60 分，合百分制 90 分还多一点）的毛病是如何的明显，就不难看出问题出在学生身上，而根源却在于为这篇文章给出优秀成绩的老师身上。

> 何为盲从？顾名思义，盲从就是指那些对某件事缺乏亲身感受，盲目跟从他人做事的做法。

点评：“何谓盲从？”提出问题是为了给“盲从”下定义。对论题下定义，对于议论文来说，是十分必要的：一来为了观点的严密；二来为保证文章在展开论述和论证的过程中不致“跑题”。但是下定义需要从感性材料里进行理性的抽象，是否准确到位是关键。文章说，盲从是由于“缺乏亲身感受”。有两个问题值得推敲：第一，材料里有没有亲身感受？

"有一个学生看到苹果了，就说闻到了"，"看到了"是不是感受呢？亲眼看到了，是红色的，因为红就联想到香，闻都没有闻就说闻到了。"缺乏亲身感受"的说法不对头，准确的说法，应该是"不顾亲身感受"。第二，说盲从是由于"缺乏亲身感受"，在理论上隐含着一个前提，那就是只要出于亲身感受，就不盲从了。其实盲从往往是明明亲身感受并非如此，恰恰是出于对主流的、权威的说法的迷信，麻痹了亲身感受。文章接着把盲从落实在"盲目跟从他人做事"就更离谱了。盲从首先是思想，其次是行为。不仅是"做事"，而且材料上也仅仅是说话，并未涉及行为。

盲从心理在我们很多人心里都存在着，我们心中总认为与大多数人在一起更加安全，不会犯错，带着这种心理，我们在生活中变得"人云亦云"起来了。

点评：这几句思路是因果分析，为盲从下了定义以后，接着阐释产生盲从的心理（也就是作者所说的"人云亦云"的原因）。这个思路是对的，但是这里又冒出一个"大多数人"的观念。这和题目中的材料是矛盾的。题目只提供了一个人，即哲学家的说法。这需要一个过渡。一种办法是分类：盲从有几种，一种是盲从权威，一种是盲从多数或者主流意识形态。另外一种办法是从个别转化为普遍，如盲从往往不只是一个"苹果"和权威的问题。在现实生活中，盲从的对象并不限于孤立的事件，而是盲从主流或者大多数人的看法，因而放弃了自己的思考，扼杀了自己的经验。为什么要有这个过渡？因为议论文讲究逻辑的一贯性，从一个具体的事实，发挥起来，提升到普遍的规律，逻辑上要细致，过渡要婉转、要自然、要顺畅，最高的表现是天衣无缝，让读者觉得顺理成章、心悦诚服。这就叫作以理服人。没有过渡，直接从一个论断跳跃到另一个论断，叫作粗暴武断。

为何要杜绝盲从？

点评：有了论题，接着问为什么。这样的思路是对的。这是第二层次的因果分析，因为盲从有危害性。

这就要从盲从的危害说起。首先，盲从会使人丧失评判事物的能力，变得容易被人利用。

点评：这话没错，但没有完。"丧失评判事物的能力"还会有什么危害性呢？没有讲清楚，逻辑上不是很顺。第一，本来文章说的盲从是认识问题；第二，被人利用是实践问题。认识问题还没有阐释清楚，一下子跳到实践问题上去，显得缺乏条理。应该先把认识上的危害性讲透，如盲从导致自我心智的蒙蔽，失去了确立自己观念和立场的能力。在思想上蒙昧，在行动上从众。从众的危害很多，在思想上失去自主性，在行为上往往危害自身利益，甚至被人利用。实质上，被人利用是后果，被自己的观念愚弄是原因。更严密的说法是：蒙蔽了自己，失去了自己的立场、自己的感知、自己独立的见解，随波逐流。这些论述完了以后，再到下一层次，就是在最坏的时候，甚至被人利用。议论文分析问题，立论全面问题解决了以后，就要有条不紊地展开：一是分类全面，逐条展开；二是要有层次，层层推进。不然的话，就会杂乱无章。

几年前，邪教“法轮功”就是利用人们的盲从心理，进行破坏活动，当那些带着盲从心理的百姓看到了很多人加入了这一组织并相信这一组织的一系列言论，从众的盲从心理驱使他们加入了这一组织。当他们完全被盲从心理蒙蔽时，他们就会丧失掉评判事物的基本能力，以至于相信看起来十分荒谬的言论。

点评：这种例子举了不如不举。为什么？因为例子不突出。论题是普遍的，而例子是无限的。举例要举突出的、鲜明的、雄辩的、新鲜的、有冲击力的，不要举陈旧的。

其次，盲从使人的思想变得单一、肤浅。“一千个读者眼中有一千个哈姆雷特”，每个人的思想都是不同的，事物也像哈姆雷特一样在不同人眼中是不同的。正是这种差异性使事物变得美好起来。

点评：这个论据跟命题是矛盾的。命题有一个正确的答案——不是真苹果，而是假苹果。不可能因为一千人来看，就有一千个答案。“一千个读者眼中有一千个哈姆雷特”，说的是因为人的思想都是不同的，所以哈姆雷特在每一个人眼中是不同的。这讲的另外一个道理：人的思想情感决定了人的判断。按照这种说法，真苹果还是假苹果是没有标准的，完全由不同的人的主观精神状态决定。同样一个蜡苹果，你认为是真的，我认为是假的，反而变得美好起来，这样自己把自己的命题（盲从导致谬误）否定了。这个错误是比较严重的，这叫作观点与材料不一致，自相矛盾。

当人们为盲从心所左右而不敢表达他们独到的思想时，人们的思想就会变得肤浅。这是一个十分可怕的结果。如欧洲中世纪般的黑暗社会将会重现。人们的思想遭到束缚，社会变得压抑，创造力完全消失。

点评：首先，“人们的思想就会变得肤浅”这个论断本身就很肤浅，因为这不是肤浅和深刻的问题，而是正确和错误的问题。其次，说“欧洲中世纪般的黑暗社会将会重现”，在逻辑上缺乏严密的推理，欧洲中世纪的黑暗是政教合一的专制，思想禁锢，由盲从这样的精神状态导致那样的政治、思想、文化上的严重后果，还要有许多层次的积累。这里的逻辑是“一步到位”，就造成了武断。

既然盲从有如此大的危害，我们应如何杜绝盲从？我认为应从个人和社会两方面入手。

点评：这里提出如何杜绝盲从的问题，从思路上是对的，因为这有利于将论题深化。从个人和社会两个方面入手，这个分类也是全面的。

在个人方面，我们应该锻炼独立思考评判事物的能力，坚持自己的想法。我们如何杜绝盲从呢？不盲从他人的评论，做个有主见的人。

点评：杜绝盲从的结论是坚持自己的想法，不盲从他人的评论，这话说了等于没有说。这在逻辑上，叫作同语反复。而且表述得不好，要避免重复“盲从”这两个字。正确的表达应该是：凡事都要用直接经验和间接事实加以衡量、对照，对于一切好像是天经地义的、无可置疑的观念，要提高警惕，要加以反思，并且在实践过程中不断检验。

在社会方面，应当鼓励人们有自己的看法。媒体应当从多个角度不同观点论述一件事物，不要形成单一肤浅的评论。

点评：这里有点大而化之了，而且没有贴近盲从的题旨。社会、媒体鼓励人们有自己的看法，这个话对，但是不具体。为什么特别提出要鼓励呢？因为通常受到压抑。更严密的思路可以这样展开：坚持自己独立的见解，当然可能有偏颇，但有偏颇不要紧，即使有错误，也要一分为二，对待错误当然要加以澄清，但是对坚持独立思考要加以保护，特别是要保护少数人。这样才能把“鼓励人们有自己的看法”这样的论题深化到新层次。

当我们每个人都避免盲从心理，杜绝盲从后，世界将会变得更加多姿多彩！

点评：这个是废话。论述没有充分展开。要让世界变得美好，有许多条件，避免盲从只是其中之一。这里的思维属于单线思维，把问题简单化了。应该回到开头、回到苹果上去。例如：这样才可能避免在假苹果面前自我蒙蔽，从而从树上掉下来的“苹果”中拓开牛顿式的智慧。

二

另一个考生根据材料自立的题目是《坚持真理》。

点评：这个题目立得好，比较全面，而且比较严密一点。立论的关键就在精密。

哲学家将一个蜡制的苹果展示给他的学生，只有两个学生否认了哲学家所谓的“刚从果园里摘来有香味”一说，其余学生都认为有香味。可是事实证明，他们是错误的。

点评：虽然只有几句，但是表现出这位作者有比较强的概括力。第一，把材料中复杂的情况用简明的语言分为两类，一类是肯定哲学家的说法，一类是否定哲学家的说法，这就全面了。第二，全面并不是面面俱到，而是有重点的，重点是“认为有香味”，“可是事实证明，他们是错误的”。这是立论的事实基础。

为什么其余同学会犯错误呢？首先，在学生的眼中，哲学家是权威的象征，哲学家所说的在他们的大脑中一定是正确的，因此，学生们一味地去跟随正确答案而从不坚持自己的原则，是一种盲从的心理。然而事实未必如此。

点评：接着下来是因果分析，为什么会犯错误？从反面说，迷信权威，以为他们的说法“一定是正确的”；从正面说，则是不坚持自己的原则。这就叫作“盲从”。这里虽然没有采取下定义的形式，但是和下定义有同样的功能。比之前面一篇正面提出什么叫作“盲从”，然后下的定义“对某件事缺乏亲身感受，盲目跟从他人做事的做法”，不但更准确，而且语言也简明得多。

正如著名物理学家郎志万所说：“科学家的话，不一定都是对的。”

点评：这个引证比较恰当。你不是迷信权威吗？我就引用一个权威科学家来反证。前面的那篇作文，连这个都没有。一些高考作文应试指导总结出一条规律，叫作“名人开会，名言荟萃”。同学们背诵了许多名言，但是都是死的，只有用在论述的焦点上，才是活的。

由此观之，坚持真理需要一定的勇气，需要敢于向权威挑战的勇气。

点评：“权威”这个词是讲到点子上了。只是这个地方的逻辑还不够严密，“科学家说的话，不一定都是对的”，这还只是从反面说的，而挑战的勇气，则是从正面说的。所以，这里还有一个逻辑的过渡，要过渡到“勇气”上，逻辑上还要细致一些。如果加一句“尽管如此，要怀疑科学家，还是需要勇气的”，就会好一些。

正如坚持“日心说”的布鲁诺，不惜自己的荣誉，甚至为之献出了生命，但却因此换来了千古不息的歌颂与赞扬。

点评：这个例子举得好。虽然是许多人都知道的，但是放在这里，很雄辩。美中不足的是简单了一些。如果把具体的细节亮出来就更好了，比如把鲜花广场、宗教裁判所的火刑点出来，布鲁诺面对火刑，还是坚持自己的看法，不惜为自己的信念献出生命。如果能再举出伽利略，虽然口头上检讨了，可是脚还是画着“不”，则论证可能更为丰满一些，因为这是本文立论的核心。

坚持真理需要有坚持的勇气，但是，假设布鲁诺只是一个田亩间耕作的农夫，或者是市井间喧哗的商贩，又怎么会有勇气提出“日心说”呢？恐怕只会被人当作疯子，只会被人说是自不量力。因此，我认为坚持真理要有足以支持自己来坚持真理的能力与才干。

点评：论点确立了，还只是第一步。更重要的是，在这以后，让它在具体分析中，引申出更深层的观念来：坚持真理仅仅有勇气是不够的，因为论题是坚持真理，如果坚持的不是真理，而是谬误，就可能是“疯子”了。因而，提出坚持真理要有能力和才干，论述就从第一个层次深化到第二个层次。

哲学家的学生若干，但真正对苹果的真假提出怀疑的只有两个，为什么？因为真理往往掌握在少数人的手里，通往真理的道路往往是崎岖的。

点评：这里论点进入第二层次，应该说有一定的深度了，但是作者还不满足，接着又引申出第三个层次。“真理往往掌握在少数人手里”，如果加上“少数就是孤立，害怕孤立是坚持真理之难的更深刻的原因”，可能就更严密一点。

假如那两个学生没有强大的心理屏障来反对哲学家的观点，则那只苹果会一直“真”下去；假如生物学家没有强大的心理屏障去反驳教会中关于“生命灵气”的说法，则至今人类都不会知道血液为什么循环；假如故事中的小孩子没有强大的心理屏障，冒着死罪的危险去揭穿皇帝新衣的真相，则可怜的百姓至今仍蒙在鼓里。所以，我认为，坚持真理所需的强大心理屏障，即自信，是不可少的。这也是在坚持真理的过程中一定要具备的素质。

点评：为什么坚持真理难呢？前面分析了三层次，第一要有勇气，第二要有能力和才干，第三不要怕被孤立。但是，对于这么高度的概括，具体的证据只有两个，一个是郎志万的议论，一个是布鲁诺的献身。这一段文章的好处是增加了更多的具体的实例。举例之难在于，实例举不胜举，而文章的篇幅有限，这里作者采取了“简单枚举”的办法，用一句话表述一个例子，这叫作概述；而且用了排比句，增强了情绪的力度。当然，最后只是归结为“自信”是坚持真理必备的“心理素质”，并不能概括前面三段的全部内涵，反而使论点倒退了。前面已经说过，光有勇气，如布鲁诺那样不怕牺牲，是不够的，需要相应的能力与才干，这里却只强调“信心”。如果把布鲁诺的例子放到最后，论述的层次就更有序了。

真理的路往往最难走，但结果总会是一片光明，而歪理的路看似平坦，最终都会通往堕落的深渊。

点评：这个点睛不错，简明，带了一点格言的性质。

所以我们应当坚定不移地走真理的道路，要有坚持真理的勇气与自信，具备坚持真理的能力，走向属于自己的那片光明。

点评：总的说来，这篇文章比较优秀。作者有头脑，文章写得有逻辑、有深度，层层深入。通常的议论文往往先有论点，再举与论点相一致的例子，实际上排除了与论点不一致的例子，这样的论点是固定的、僵化的；而这位作者则是先确立一个初步的论点，然后举例子说明，分析其不足、不够。从坚持自己看法的必要，到坚持之难，首先需要勇气，不怕牺牲，再到要有能力和才干，最后还要不怕孤立。不断提出新的问题，深化论点，得出更为周到的结论。议论到位了，最后展望，“走向属于自己的那片光明”，还有一点文采，真是难能可贵！作者是有点才气的，可是据悉，这篇文章得了 55 分，只比前面那篇多了 1 分，高考评卷的老师实在应该反思自己的水平了。

片面立论和语录堆砌
——从一篇高考优秀作文谈“名人开会，名言荟萃”应试作文模式的弊端

2011年高考评卷结束后不久，《语文学习》杂志刊登了多篇各省优卷作文，并附有老师的评语。粗粗阅读之后，不禁心生忧虑，不论是作文，还是老师的评论，都暴露出了严重的问题，许多问题带有普遍性。乃随机抽样，以细读文本的原则来对之进行个案具体分析。

某省的作文试题是：“冯骥才说：‘运动中的赛跑是在有限的路程中看你使用了多少时间；人生中的赛跑则是在有限的时间内看你跑了多少路程。’”从命题来说，质量还是比较高的。题目提示一对矛盾：一个是在有限路程（空间）中尽可能花最少的时间，另一个是有限的时间中尽可能越过最长的路程（空间）。这有点接近美国托福作文命题原则：把相互矛盾的现象放在考生面前，迫使其全面思考，拿出自己的见解来。全面的立论应该是把两个方面都涵盖在论点（主题）之中，但是，就目前披露的这篇“高分卷”而言，似乎并未抓住这两个方面，而是在一个方面片面展开。

原文的题目是“一苇以航，生如逆旅”，给人以挺漂亮的印象。

> 在《爱丽丝梦游仙境》中，那只西装革履的小兔子，一边飞奔一边看表，大喊着：“我没有时间了，来不及了。”此举映射现代人之嘴脸。我们生活的赛制被统一规划为运动场上的赛跑一般盲目，路程被定死，只须关注时间的毫厘之差。然而，生如逆旅，重要的并非时间的一分一秒，而是生命的纵横广远。

应该说，这段文字相当精彩，至少有两个优点。第一，明确提出了自己的观点（主题）：人生短暂（如逆旅），关键不在时间上争分夺秒，而应该在短时间中让生命有质量（纵横广远）；第二，这个论点不是以抽象的语言，而是以相当形象的语言来表述的。但是，对这个仅仅针对时间的主题“生命的纵横广远”，究竟是什么意思，确切的内涵是什么，文

章没有起码的解释。从上下文分析，“纵横广远”属于空间概念，批判现代人无视“路程被定死”，而执迷于时间，忽略了空间，不言而喻的是，生活的质量在赛程以外的空间。文章并没有明确表述，因而主题显得含混。

如同法国文学家左拉所说的俏皮话：“人生只有两分半的时间：一分钟微笑，一分钟叹息，半分钟的爱。”生而在世，最后归尽于《圣经》所言：“他试炼我之后，我必如精金。”只可惜飞驰出的熏心利欲，使我们聚焦于“时间”之上。凡事锱铢必较于时间，且以时间为标杆，成为王开岭先生笔下的“像流水线产品”一样的人生，起点与终点划定，毫无意趣。

为了阐明前段的论点，文章举出左拉的格言：“人生只有两分半的时间：一分钟微笑，一分钟叹息，半分钟的爱。”粗浅地说，这和论点生命质量的“纵横广远”在内涵上是有关联的。但是，文章并未把这种关联推演出来。议论文的概念，尤其是主题句的概念应该是非常精确的。句子之间的关键词的逻辑联系应该非常严密。生命质量在于空间的“纵横广远”，与例证的“微笑”“叹息”和“爱”在逻辑上却没有关联。严密的思维要求把“纵横广远”和“微笑”“叹息”“爱”紧密地联系起来，这就需要把“纵横广远”加以引申。例如，可以这样说，“纵横广远”并不仅仅是物理的空间，而且是心灵的空间，心灵的空间是丰富的，不仅仅是时间上竞争的紧迫，而且是精神的丰富（包括“微笑”和“叹息”），还有与竞争相反的互助（其最高层次应当是“爱”）。

接下去文章引用了《圣经》上的名言：“他试炼我之后，我必如精金。”《圣经》上的“他”，在英语里，指的是上帝。上帝试炼了以后，自己就如精金，和论点“纵横广远”可以说是八竿子打不着，完全是思想控制不住语言，让语言干扰、脱离了思路。接下去说：“凡事锱铢必较于时间，且以时间为标杆，成为王开岭先生笔下的‘像流水线产品’一样的人生，起点与终点划定，毫无意趣。”这种论断片面到荒谬的程度。生命的质量固然有因时间所迫而失去内心的丰富和自由的，但是与之相反的，时间就是生命，人生的竞争取决于时间者比比皆是，不论是产品的创新、学术的发明、战事的胜算、策略的制定，每每取决于速度，取决于分秒之间。所谓“先下手为强”“捷足先登”“寸阴寸金”，都是从正面总结出来的人生智慧结晶，而“事后诸葛亮”“放马后炮”“吃后悔药”，则是从反面对虚度时间者的批判。至于和文章中的“熏心利欲”“时间”的珍惜，则毫无因果关系可言，完全是第六个手指。

论点为什么会出现这样的片面荒谬和混乱呢？其根源在第一段就种下了种子。文章只抓住了题目的一个方面，可能是为了出奇制胜，一味强调争分夺秒就是生命质量的降低，把时间的争胜向消极方面绝对化地发挥：完全忽略了其积极方面。在固定的空间中尽可能缩短时间，也就是减少生命的消耗，这本身就是生命质量的提高。文章之所以如此武断，因为完全丢弃了题目的另一个方面："人生中的赛跑则是在有限的时间内看你跑了多少路程。"生命苦短，时间有限，走出更长的路程，就是取得更高的成效，不言而喻，单位时间利用率越高，生命的质量越高。题目表述两个方面的语言貌似矛盾，其实在提高生命的质量上是一致的。从这个意义上来说，这个命题把统一隐藏在矛盾的背后，比之托福式的把矛盾明明白白地摆在考生面前，解题立意的难度显然更大。

诚然，人生中的赛跑，是在有限的时间内看你跑了多少路程。何妨转换视角重新审视生活之道？现今作为无可避免地沦陷在被催稿的阴影之下的文学工匠，正是因为赶时间，桎梏住了源头活水创造力；成百上千的科学工作者为饱满热情所驱使，不停地赶时间，抢速度，却始终比不上爱因斯坦的一个响指。反思之后，我们真该学习《月亮与六便士》的主人公查理，在众人低头争抢地上的"六便士"之时，抬头看见月亮，看见生命质量所在。

这一段论点接触到题目的另一个方面，本来可能对矛盾中的统一加以发挥，但是作者笔锋一转，又回到前面的论点上去，这是议论文中常见的毛病，叫作"论点徘徊，平面滑行"。这段文章严重的毛病还在于，论据不真实。文学家被催稿，就一定会丧失创造力吗？鲁迅的《阿Q正传》在报纸上连载，是在他的学生孙伏园不断催逼下，定期交出固定数量的文字，不是也成了现代文学的经典吗？这样的例证缺乏常识，立论不负责任，近于笑话。至于接下去说"成百上千的科学工作者为饱满热情所驱使，不停地赶时间，抢速度，却始终比不上爱因斯坦的一个响指"，好像爱因斯坦的成就纯粹是心血来潮，如弹个响指一样召之即来，其实，爱因斯坦的成就来之不易。第一次考瑞士理工学院失败，大学毕业后两年（23岁）才被瑞士伯尔尼专利局雇佣，利用业余时间研究学术，直到1905年5月（26岁）完成论文《论动体的电动力学》，完整地提出狭义相对性原理，开创物理学的新纪元。这样艰巨的历程却被歪曲为一个潇洒的响指。接下来文章说："《月亮与六便士》的主人公查理，在众人低头争抢地上的六便士之时，抬头看见月亮，看见生命质量所在。"本来举这个例子的任务是深化主题（生命的质量在于其"纵横广远"，而不在时间），可是例子的结论却是"生命质量所在"，质量在哪里，并没有任何阐释。这个关键概念的空洞，造成了主题的贫乏。就例子而言，对毛姆小说中的"月亮"与"六便士"的关系，起码应该交代一下，六便士是英国最小的币值。据毛姆自己说，这本小说的书名带有开玩笑的意味。有一个评论家曾说很多青年人终日仰慕月亮，却没有看到脚下的六便士银币。毛姆喜欢这个说法，就用以作为书名。我们大抵可以理解为，应该追求一种审美的精神境界，不要执迷于微不足道如六便士般的物质。对上述胡编乱造爱因斯坦的故事，对毛姆的小说作文不对题的论断，评点老师却称赞其“故事的新颖性”；明明论点极其片面，评点教师却赞赏其“立论的辩证性”。这就暴露了教师不但知识贫乏，而且对辩证法的对立统一和转化这样的基本常识，根本就是一窍不通。

如何应对“时间有限”的命论？自然是放下时间的焦点作用，关注内心，关注生命的纵横广远。

生命的纵横广远是本篇也是本段的主题，已经重复三次了，如果能比前段揭示出更新、更深的内涵，则有意义，然而文章快结束了，还如开头一样，只是重复宣布，论点又一次徘徊，而且比之开头更加空洞，更加武断了。

圣伯夫形容苏格拉底与蒙田是“拥抱所有国家和所有时代”的。

圣伯夫的话说得这么绝对，有没有片面性？本该反思一下。如果作者认为没有片面性，就应该有起码的阐明：苏格拉底和蒙田凭着什么突破了时间和空间的局限，居然拥抱了所有国家和时代？文章到此完全陷入了盲目性，论述到了完全不动脑筋的程度。蒙田和苏格拉底，起码就没有拥抱到孔夫子的时代，世界上几百种语言，起码有一半还没有把他们的书翻译出来，当然他们也就无从拥抱。

对此，我们应该能够理解。不朽的灵魂方能在时间的方寸之境中突围，增加生命的韧度。

这两句似乎将主题——“生命质量的纵横广远”有所发展，提出“在时间的方寸之境中突围”，然而，突围的目标是什么呢？如何突围？至于“生命的韧度”和文章的主题（生命的“纵横广远”），在逻辑上对不上口径。这和议论文中概念与概念之间要求严密联系是直接冲突的。更重要的是，生命的“韧度”和“纵横广远”的关系是什么，作者显然都心中无数。

事实上，“事无两样，心有别”。

引文没有点明出自何处，其实出自辛弃疾的《贺新郎·老大那堪说》。“事”是指金人入侵，山河破碎。“心有别”指对待同样的“事”，志士痛心疾首，而临安权贵却歌舞升平。其意味就是时间紧迫中的“突围”，不争朝夕吗？这么说，倒是那些临安的权贵在国难当头之际优哉游哉有道理了。

世界上不少伟大的创造，是由那些生命垂危的人完成的。

这样的说法可以说闭着眼睛说瞎话，世界上绝大多数伟大的创造并不是由生命垂危的人创造的。立论到这样的地步，就不但是不讲理，而且是公然藐视常识了。

试看台湾画家几米，便是在患病后幡然醒悟，不再为时间所困，而是拿起画笔，记录下生命的哀愁和更多美好的人情世故。

首先，单独举一个例子说明论点，在逻辑学上犯了“孤证”的错误。其次，这个例子与文章前面爱因斯坦的例子直接矛盾，爱因斯坦的成功在二十几岁，并不在垂危时刻。议论文的起码要求是自圆其说，其反面就是自相矛盾。直接相连的例证，很少会自相矛盾，行文距离较远，就容易顾头不顾尾。

要想赢得掌声，就不能放弃，更不能混世！

这个论断与主题并不统一，而是隐含着矛盾，主题说的是不要斤斤计较于时间，而“不能混世”，就是时光不能虚度。

几米诠释着生活的真谛：“生命不仅有劳苦，生命更有诗意与远方。挣脱对时间的恐怖迷信，方能体味世间风情与生命之美。”

这话不但武断，没有论证，而且又一次自相矛盾。挣脱时间的束缚，不为时间所迫，固然可能体味生命之美，但是，这位漫画家在病情危重之际，在极端有限的时间里，不争分夺秒能够创作出作者所赞颂的成就吗？

凡心所向，素履所往，虽不能至，心向往之。正所谓生如逆旅，一苇以航，跳脱时间的束缚，心向往之，生如逆旅，与超脱时间的束缚，有什么因果关系？

这里又犯了一个低级的错误，就是观点与材料若即若离。

我们也可以大声喊出：“在千千万万的束缚中，我却感受生命的拥抱。”

从时间的束缚中解脱尚未充分论证，就想冲破千千万万的束缚，这完全是狂想。

这样的文章，总结起来至少有如下毛病：第一，立论片面、武断；第二，连初级的论点与论据统一尚未达到；第三，论据胡编乱造；第四，论据前后相互矛盾；第五，论点前后不连贯；第六，文章越写越离题。议论文要求立论内涵明确，力求全面，避免片面，论点在具体分析中、在演绎过程中，保持一贯，不得跑题，但又不得徘徊重复，以层层深入为上，在深化过程中，前后文的观点材料要严密统一，不得自相矛盾。这样的要求此文均未达到。即使考虑到当前中学作文实际水平，再考虑到文章的语言相当通顺，放宽尺度，以百分制计算，也只是 70 分左右而已。令人忧虑的问题在于，不但该省的阅卷教师给予了高分，而且远在河北的老师也如此这般地称颂不已。

原因在哪里呢？我想，首先，老师的水平与其职责太不相称；其次，老师们被这篇文章中许多花言巧语迷惑了。当前流行着一种作文应试模式，叫作“名人开会，名言荟萃”。一篇只有 800 字的文章，引了至少 6 位名人，有苏格拉底、蒙田、圣伯夫、左拉、毛姆、爱因斯坦，引用的名著则有《圣经》《爱丽丝梦游仙境》《月亮与六便士》。除此以外，还有未点名的，如辛弃疾的词，再加上“一苇以航”，乃是禅宗的典故。达摩来华，晋见梁武帝，话不投机；渡江北上魏都洛阳，没有船只，乃虔心借一苇以渡江。而另一和尚神光，因为不够虔诚，借一捆芦苇亦不得渡。“生如逆旅”出自李白的“天地者万物之逆旅也”。“凡心所向，素履所往，虽不能至，心向往之”，出自七堇年（赵勤的笔名，女，1986年生）的《尘曲》，意思是凡我心所向往，就是穿着草鞋，也能到达，生命就是天地间的旅舍，哪怕大江在前，也可以像达摩踏一支芦苇从容渡过。其精神实质是，虽然生命苦短，客观条件简朴，然而理想境地，任重道远，只要有达摩的精神，即可达到。这个引文的实质，只在信念不在时间，和作者的主题风马牛不相及。

在这么“丰富”的权威语言和典故面前，老师可能有点眼花缭乱。殊不知，所有这些引文，就算是没有胡编乱造的，没有错误的，也都是死人的、他人的，是在不同时代针对不同现象而发，其间并无现成的逻辑联系，因而是没有生命的。作者的任务是将其消化，使其转化为自己的东西，起码应该将其内在逻辑贯通起来。这就要对之有所分析和批判，建构起自己独特的观点和思路来。但是，作者在运用名人语录时一味贪多，有些是一知半解，有些是肆意混淆，将不同意味的话语硬性铺排一番，编造了一个权威话语的迷魂阵。虽然“眉毛胡子一把抓”，但其“丰富性”却让迷信“名人开会，名言荟萃”的改卷教师产生某种自卑感，结果是眼大无光，把黄土当成黄金。

这就提醒我们，议论文教学和文本解读有相同之处，那就是都要对文本个案做过细的分析。但是，议论文教学理论比之文本分析更加贫乏，联系到近来《语文建设》上对议论文“论点、论据、论证三要素”的某些批判文章，似乎对其根本精神，亦即论点与论据的统一未能充分地联系实际做过细的具体分析，并加以发展。从本文来看，问题不仅仅是论点和论据的不统一，而且是论点与论点的不统一，论据与论据的不统一，观点的内涵在擦边、错位中转移，材料前后隐含着自相矛盾。议论文是理性的科学性思维，观点的高度客观性、严密的统一性是其生命，而在这里，显而易见的混乱和荒谬却为权威语录和典故的表面连续所掩盖了。

论述严密：关键词严密贯串

经常收到一些中学教师或者学生寄来的文章，苦于不能及时作答，时间久了，欠债太多，就淡忘了；但是这一篇，却一直惦记着。首先就教师出的题目而言，是有水平的，但是，从行文来说，有点啰唆，有些多余的字句。我把这些字句放在方框里，供读者评判。

[动物园里]来了一位哲学教授，向动物们传授哲学。[哲学教授讲了好多空洞的理论，][接着]：“任何事物都必须从基础做起，就如任何建筑都必须从底层做起。”[有一只青蛙听得不耐烦了，就][向教授发]问：“请问教授，真的[所有建筑都必须从底层做起]吗？”[哲学]教授[瞄了青蛙一眼]：“当然！井底之蛙！”青蛙[反击]说：“正因为我是井底之蛙，才问你，难道打井也从底层做起吗？”[哲学]教授哑口无言。动物们纷纷说：“是啊，即使是井底之蛙，也有自己独到的见解[，何况他并不是呢]！”

鲁迅说过，写完以后至少看两遍，尽量将可有可无的字句毫不容情地删去。对此，人们耳熟能详，但是，在实践中，为什么还是很难做到呢？这里还有道理是鲁迅没有讲到的，那就是：第一，句子只需传达必要的信息，不能指望它表述全部信息。现代语言学认为，语言作为象征性的声音符号，并不能直接指称事物（reference），其所提供的信息并不完整，但是，能唤醒读者的经验（experience），对之加以补充，以有限的声音符号唤醒读者无限的经验，是语言的生命。第二，作文题目尤其如此，其特点乃是概括性的，而不是现场描述性的。因而，“动物园里来了一位哲学教授”“有一只青蛙听得不耐烦了”“瞄了青蛙一眼”等都有画蛇添足的性质。第三，文章题目只提供最简洁的事实，一般评断性的语言，如“青蛙反击说”中的“反击”显得累赘。第四，这个题目还有一个不小的问题。青蛙回答教授的话中有“正是因为井底之蛙”之语，已经承认自己是井底之蛙了，可最后动物们又说：“何况他并不是（井底之蛙）呢！”这里隐含着自相矛盾。其实只要把“正因为是井底之蛙”，改成“就算我是井底之蛙”，就可以避免这样逻辑上的漏洞。

除了这些问题以外，这个题目就主要方面来说，其优点乃是蕴含着对学生的想象冲击性，立意的空间很广阔。表面上是哲学教授和“井底之蛙”的事，实质上提示是：普遍原理难以涵盖全部事实。一般不成功的命题，往往用看来是不言而喻的共识为题，命题就变成了强制性的主题，学生只能被动地为主题提供论据，谈不上独特立意的可能，其主体性就不能不被窒息了。这个题目的好处是对共识，尤其是对权威提出质疑，为学生在常识以外提供了两个方面的思路：第一，哲学教授虽然权威，但是，在小动物面前，也会有明显的错误。第二，即使是小动物看起来如井底之蛙，也往往有“独到的见解”。这位学生抓住了前者，自主立意为《有时权威也有错》。

这个立意，好在挺有分寸感，具体表现在“有时”。这就说明，作者是有分析的，有时有错，意味着有时没有错。这就避免了一般作文中常见的偏颇，即片面立论，把文章的观点强调到极端。一说权威有错，就置在许多情况下没有错的事实于不顾。

哲学教授告诉动物们说：“任何事物必须从基础做起，任何建筑都必须从底层打起。但却遭到了青蛙的有力反驳：“难道打井也是从底层开始吗？”

开头一段是“引题”，很简洁。这是必需的，一来文章只能写800多字，二来读者已经知道的，要尽可能省略，取其最必要的，否则就成为对题目的重复。

朱熹如是说，学贵有疑，小疑则小进，大疑则大进。但遗憾的是，现实生活中，

朱熹讲的是学习上的事，而文章却总结为“现实生活中”，从逻辑上说，更为严密的表达应该是“在求知的道路上”。

我们往往对“哲学教授”深信不疑，

这样写，在逻辑上基本上是通畅的，但是把朱熹的语录丢开，不够严密，连续性还不够，最好在“我们往往”后面加上“忘记了朱熹这一深邃的规律”。

殊不知，有时权威也会有错，而我们需要有自己的见解，

更严密的说法应该是“本着朱熹质疑的精神”，因为“自己的见解”是从质疑开始的。

来探寻问题的真谛，

“探寻问题的真谛”，说法不够精确，更严密的说法是“生活的、世界的真谛”，“问题”充其量就是要思考的课题，“真谛”则是思考的深刻的结论。

这样我们才能避免陷入错误的境地，从而被所谓的权威牵着鼻子走。

上下文中用“从而”来连接，表示的是因果递进关系。但是，这里的“陷入错误的境地”和“被所谓的权威牵着鼻子走”，并不是前因后果的递进关系，恰恰相反，是因为被权威牵着鼻子走，才陷入错误的境地。与其在逻辑上这样无益地纠缠，不如把“从而”删节，使二者成为并列关系。

这一段的功能是提出论点，分成三个层次，第一个层次引用了朱熹的权威语录，对于学习来说，学贵有疑，小疑小进，大疑大进，质疑与进步成正比。第二个层次则从反面说，不质疑，迷信权威，陷入错误的境地。第三个层次回答为什么不能迷信权威，因为权威也会有错。只有坚持质疑精神，才不致陷入错误的境地。

这样引出主题，好处是比较鲜明，又有层次，不像一般化的文章，简单宣布一下了事。

生活中我们要勇于质疑那些错误的权威。

“生活中”是多余的。“要勇于质疑那些错误的权威”和后面发现权威的错误的例子相比，不够有力，最好改成正面的概括：“勇于对权威质疑是纠正权威性错误的前提。”

澳大利亚的一名物理学家在翻阅牛津词典时，虹吸管原理的阐述让他沉思：“难道权威的字典也会有错？”他没有轻信，而是坚持己见，

应该扣紧到主题上来，把“坚持已见”改为“勇敢质疑”，因为他起初只是怀疑，并没有“已见”。有了“质疑”这两个字，和前文朱熹的“学贵有疑”保持一贯，论述就更加严密了。

多方考察，发现确定是权威的牛津词典出错了，而这一错误竟延续了 99 年。而他也因此受到修订字典的专家的感激和赞誉。

99 年的时间竟无一人发现牛津词典的差错。那么，如果没有人站出来质疑，这个差错是不是就要一直延续下去了呢？那么，那些还在探索中的多少人们就有可能将被误导。

这一段的文字比较芜杂，方框中的语词都是多余的。

从论证方法说，这一段用的是例证法。例子选择得不错，好在：第一，和主题扣得很紧；第二，错误很“权威”（牛津词典），而且很明显；第三，为害时间很长（99 年），说明质疑之可贵；第四，例子还算比较新鲜，不像一般作文中的例子，多为老生常谈。

文章写到这里，比较得体，但是比较平淡，如果是作为高考试卷，竞争力是不强的。

这就涉及议论文的论点和论证的根本关系：论点是普遍的，所涉及的是普遍规律，而文章中所能列举的例子是特殊的、有限的。只举一个例子，最多只能说明问题的一个侧面，这在逻辑上叫作“孤证”，不可能不是片面的。在英国哲学家罗素看来，这无异于“自我蒙蔽”，属于应该避免的“愚蠢的见识”。

要证明普遍原理，不管举多少例子，都不可能是全面的，因而从论证方法上说，举证分两种，一种是具体的、个别的，一种则是普遍的、概述性的。按议论文最严格的要求，那就是特殊的事例与普遍概括的结合，力求在时间上、空间上有最大的涵盖面。在举例之前或者之后，用最简括的语言，点一下迷信权威的事例，如在西方长期不敢质疑亚里士多

德的重量与自由落体的速度成正比，在中国当代不敢批评鲁迅对中医的偏见，等等。

或许，不是大家没有发现差错，而是没有质疑权威的勇气，其实，往往是那些勇于质疑权威的人才能赢得更多的赞誉。

勇于质疑权威是我们攀上高峰的石阶。柏拉图曾定义过“人就是直立行走的没有羽毛的动物”，结果一名学生把鸡拔光了羽毛，问他这是不是人，弄得柏拉图哑口无言。柏拉图的弟子对他的思想既推崇又质疑，尤其是亚里士多德，更是宣称：“吾爱吾师，但吾更爱真理。”正是柏拉图的弟子没有局限于老师所说的话，能自己独立思考，才有后来居上，超过柏拉图的成就。

这一段有点难能可贵。第一，这里质疑的对象是柏拉图，比之前面的牛津词典更具权威性，因而也更有质量。第二，接着引用了亚里士多德的“吾爱吾师，但吾更爱真理”，从具体事例上升到原则上，更具议论文的理论性。但是，关于拔鸡毛的例证，固然有趣，却是有缺陷的。因为，拔掉了毛的鸡，已经不是鸡的原生形态，不具理论的普遍性，与论题不切，显然是诡辩。再则，事例并不太可靠。原文出自第欧根尼·拉尔修（大约生活于3世纪）所著《名哲言行录》第六卷第二章：柏拉图曾定义人是二足无毛的动物。第欧根尼就带了一只拔光羽毛的鸡到学园，说：“这就是柏拉图的人。”[①]

正是因为例证是极其有限的，不管举什么样的例证，都是不够的，因而，可靠性和准确性是最基本的要求，不可靠、不准确必然影响到论证的质量。就是准确的例证，也要精选那些最为突出、最为鲜明、最具雄辩性的。

不可忽略的是，例证本身不可怀疑，并不等于论点不可怀疑，因为具体的例证，充其量只能对论点的一个方面做出感性的说明。解决的办法就是要对之做具体分析，防止把论点绝对化。上述怀疑权威的例子，肯定是有道理的，但是，道理并不是绝对的，权威是历史文化科学积淀的丰碑，在绝大多数情况下，字典词条的释义还是比较可靠的，权威的论述也是经历了历史实践的考验的。并不是对权威的一切怀疑，都会被实践所证明，质疑的结果还有另外一种可能，就是被证伪。如果作者能够将这两种可能性都考虑进去，在论述中就会严密得多。其实，要做到这一点并不困难，只要把文章主题中的“有时”强调一下，在一般情况下权威还是比较可靠的，只是“有时”会有错误。人们往往因为其在常规情况下可靠，而忽略其在特殊情况下有错误，就导致了盲从。

这样写，论点就会在层次上深化了，但是，囿于议论文教学的成规，作者显然没有在

① 这故事很可能是编造的，拉尔修之前并无记载，600年后的他怎么会知道呢？柏拉图的《政治家》这篇对话中确实有一处出现了人是二足无毛动物的说法，但显然是戏谑的口吻，柏拉图也没有让苏格拉底说出这话，而是由对话的另一个主角，一个神秘的客人说的。通篇对话中严肃论证的部分却是采用“二足群居动物”的定义，不再提及“无毛”，因而拔鸡毛之事，极有可能是后人拿来开玩笑的。

层次深化上的自觉，而是让观点在原来的平面上滑行。

> 反观东方思想家孔子，以儒学闻名于世，弟子三千,七十二贤，却没能有一个胜过自己的。这应该是孔子的悲哀吧。假如柏拉图的教育也是墨守成规，对学生的质疑予以否定，那还会有辉煌的亚里士多德吗？假如孔子的弟子能够有自己独到的想法，探求孔子所说的不合理之处，那么今天是不是会有另外一个圣人让人们铭记于心呢？
>
> 权威和经验固然值得尊重和借鉴，但决不可迷信和依赖，因为它有可能是阻止一个人脱颖而出的最大障碍。别盯着权威不放，有时权威也会有错。

虽然论点没有深化，但是最后两段作为文章的总结，应该说是比较得体的，把文章的论点概括得比较周全，所举的两个反面例子，一个东方，一个西方，涵盖面还很大，都是不可抹杀的优点。不过，就所举的例子而言，还是有明显的不精密之处。说孔子三千徒弟，七十二贤人，没有一个胜过自己的，这个说法也许没有大错，但是文章的主题是质疑，这里的总结应该落实到质疑上来。如果文章这样的结论是真实的，造成这样后果的原因应该是孔夫子不鼓励学生质疑。可是，通观《论语》，孔子却是循循善诱，鼓励学生对自己质疑的，而且习惯于和学生讨论，甚至辩论。

《论语・宪问》中南宫适问于孔子曰：“羿善射，奡荡舟，俱不得其死然。禹稷躬稼而有天下。”孔子不答。南宫适出。子曰：“君子哉若人！尚德哉若人！”这不是称赞学生善于质疑吗？孔子主张“不愤不启，不悱不发”，学生的质疑就是教师逼出来的。先让他惑，再帮他解，所以孔子把“困而知之”看得比“学而知之”更重要。孔子还在另一处说过：“起予者，商也。”《论语精义》解释说：“‘起予’之言，亦教学相长之义也。”这个写在《礼记・学记》里的“教学相长”，不但指教者在教的过程自我提升，而且是教与学双方的相互提升。[①] 最有名的应该是“子见南子”，这在《论语》上有记载。另据《史记・孔子世家》载：

> 灵公夫人有南子者，使人谓孔子曰：“四方之君子不辱欲与寡君为兄弟者，必见寡小君，寡小君愿见。”孔子辞谢，不得已而见之。夫人在絺帷中。孔子入门，北面稽首。夫人自帷中再拜，环珮玉声璆然。孔子曰：“吾乡为弗见，见之礼答焉。”子路不说。孔子矢之曰：“予所不者，天厌之！天厌之！”

对这个事件有许多解释，但不管是什么解释都足以说明，子路对自己的老师去见一个风流女子是持有异议的，而孔子对学生的不满是很在意的，是很认真解释的。

论据不确切，在学术上叫作硬伤。初学习写作者，如果对之采取不严肃的态度，就可

① 《礼记・学记》：“虽有嘉肴，弗食，不知其旨也；虽有至道，弗学，不知其善也。是故学然后知不足，教然后知困。知不足，然后能自反也；知困，然后能自强也。故曰：教学相长也。”

能给人以信口胡柴的印象。

这篇文章以中学生现有的水准衡量，应该是比较好的。首先是立意比较好，其次是结构大体上合理，再次是文字也通顺。好比一座房子，远远看过去，还不错，但是，进入内部仔细观察，不难发现装修上有毛病，主要是论据有些粗糙，在关键词语上该扣紧论点的没有扣紧，在修辞上不够精练。

附：

《语文建设》记者访谈录

李节： 最近十几年来，您一直关注高考作文命题，每年高考后都会针对作文命题的趋势写评论文章。您为什么这么重视作文？您对中学作文教学的现状满意吗？

孙绍振： 从我们的教育传统来说，衡量语文教学的唯一标准就是作文。不管是汉代皇帝主持的笔试，还是隋代开始的科举制度，基本上都是一篇作文定终身。这是我们的传统经验。这种模式在世界上是独一无二的，影响很大，以至于后来英国的文官考试都学中国。应该说，作文是检验学生语文素质的最雄辩的证明，但是，在引进了西方的课堂教学制度和标准化考试制度后，对我们的语文教学带来了极大的伤害，几乎是摧残性的。把语文很丰富、很人文的价值简单化了，作文也受到冲击。语文高考 150 分，作文占 60 分，按照我的理想，作文得占 120 分才比较合理。我在 1955 年考大学，语文就是作文占 80%，剩下的 20% 是古代汉语的标点和翻译。当然，作文评价有个极大的难度。在日常教学中，学生作文交上去，这个批“文不对题”，那个批“主题不突出”，到底优点在哪里，缺点是什么，多数教师缺乏具体分析的能力，讲不出什么切实的意见来。作文的评价标准本来就很难确定，加上一些老师头脑比较僵化，一见比较出格的作文不能理解就横加挞伐。在高考阅卷中，创造性的作文风险很高。这就是问题的严峻性。大量的语文教师平时很少充电性阅读，又不爱写作，只能在课堂上花大量时间对学生进行海量的做题训练。教师的水准跟不上学生的要求，这个问题很严峻，但是把责任完全归诸中学教师是不很公正的，因为这些教师都是师范大学中文系毕业的。他们的水准不行，说明我们的教学不达标。我们这样的人不得不沉重地反思。我怀着某种负疚感，来研究一下作文教学，持之以恒，十几年来坚持不懈。我投入语文教学的研究，最初的注意力主要在文本解读，文本解读的无效和低效有目共睹。但是现在面临着更严峻的问题，就是作文教学的无效和低效，甚至反效。越教越有框框，学生越不会写。

李节：作文教学为什么会出现无效或低效的情况？您认为作文难在哪里？

孙绍振：首先，作文教学的指导思想错误。课程标准强调学生作文要贴近生活。意思就是说，不要瞎编，要写生活里的真人真事。其实这是废话。一个小孩子从家庭到学校，从学校到家庭，已经在生活里了，你叫他怎么贴近？为什么在一个同样的生活环境里面，有的同学写得挺漂亮，有的同学却写不出来？问题在于要让学生明白什么是生活，怎么贴近生活？由于这个问题没有解决，这句话成了教条。贴近生活，怎么贴法？我说，为了贴近生活，必须贴近自我。去贴近自己年龄的、环境的特点，捕捉习以为常而容易被忽略的感受，让心灵活跃起来。鲁迅曾在他的学生孙伏园的作文背后批曰：嬉笑怒骂，皆成文章。不要一味说大人话，调皮的话、幻想的意念，都可能写成好作文，这样的文章就可能有竞争力。实际上，笼统地强调贴近生活是害人的：第一，生活是共同的，而文章则要独特的；第二，贴近了自我的心灵，才可能在作文中进行自我提升，包括精神、语言驾驭和文体驾驭的提升。

其次，文本解读脱离写作。老师在文本解读时，往往是为解读而解读，很少联系到写作。不联系写作的文本解读，就使得阅读和写作变成油和水的关系。举一个例子，上完《背影》以后，老师就问学生，这篇文章哪里最生动？同学们都说爬月台那段最生动。为什么最生动？对话的结果是老师跟学生达成一致：因为作者善于观察，所以写得很生动。最后，老师布置学生回去观察生活，写一篇文章。要我说，这个教学实在是太幼稚、太粗糙、太荒谬了。《背影》是一篇抒情散文，文章之所以动人，原因在于儿子带着特殊情感看父亲，而不像某大学教师那样以交通警察的眼光看朱自清的父亲爬月台，那还有什么诗意和美感可言？那就只有实用的、公事公办的、干巴巴的结论。朱自清看父亲，感情是很有特点的。他爱父亲，爱得很惭愧、很矛盾、挺痛苦，而且是有秘密的、是有隔膜的。老师没有把文章的独特性充分地阐述出来，对于学生写作同类题材的文章是不利的。老师要引导学生想一想：文章为什么不朽？不朽的原因就在于朱自清写出了别人写不出来的东西，这是非常关键的。所以说，文本解读的无效和低效直接造成了作文教学的无效和低效。

李节：您针对中学语文教学进行文本解读也有很多年了，您觉得中学语文老师的文本解读存在哪些问题？

孙绍振：不夸张地说，就是大学老师，真正会解读文本的也不多，何况中学语文老师。我到现在才感觉到，文本解读是一个绝活，不是每一个人都会的。我原来是随便写，还以为这是小儿科，后来一位研究古典文学的老师看到了我写的东西，他说不是小儿科，这是大学问。中学语文老师在讲课文的时候，往往误以为自己看到的就是全部，没看懂却以为都懂了。对文本的解读有封闭性，用教参上的解读同化了文本、封闭了文本。感觉到的不一定能理解。不能跟着感觉走，理解了的才能更好地感觉。现在很多课上进行所谓的自主学习，如果语文课只是让学生谈感悟，语文老师就做做节目主持人，那还要老师干什么？感觉是要和理性的解读结合在一起的，语文老师有这个责任。

李节：很多人都明白读和写之间的关系密切。课堂上的阅读教学属于精读，语文老师解读文本的方式方法对学生的影响确实很大。如果读得不到位，或者读得乏味，不仅对写作没有帮助，反而可能造成错误的印象和观念，让学生不喜欢语文课。从作文教学来看，重视文本解读是否抓住了根本？

孙绍振：作文教学是离不开文本解读的。如果课堂上的文本解读到位的话，学生可以提高得非常快；如果解读不到位，老是机械地强调要写真情实感，容易让学生摸不着头脑。老师们似乎觉得学生的真情实感就像放在口袋里一样，你要有勇气拿出来。其实不是的，真情实感往往深深地藏在潜意识里面，需要语文老师帮助学生去发掘。怎么发掘？就是在阅读教学中，通过文本解读，让学生学会发现自我，通过写作提升自我。

还是举朱自清的例子。《荷塘月色》好在哪里呢？众说纷纭。到现在为止，占优势地位的还是社会学的观点，就是从文章写作时的社会背景来分析。1927 年 4 月国共分裂，共产党遭到镇压，大革命的统一战线分化了，大地主、大资产阶级背叛革命，工农阶级坚持革命，小资产阶级动摇于革命与反革命之间，想革命又缺乏信心，有牵挂，不革命又不满。朱自清是个小资产阶级，文章的价值就是表现了他的苦闷。这种解读就是遮蔽。我们念的是朱自清，而不是小资产阶级。你解读一下这个文本，就会发现朱自清有政治苦闷，但是也有另外一面。文中作者分析有两个朱自清，一个是平常的自己，一个是超出平常的自己。为什么和平常不一样呢？因为“我”一个人来到这个地方，有一句话很关键——“超出了平常的自己”。就是说有两个世界，两个自我。一个是平常的世界，一个是现在的世界；一个是平常的自己，一个是现在的、超出了平常的自己。平常的自己怎么样？爱热闹，爱群居。现在的自己什么样？一个人独处的妙处便是自由。他写的是什么？这个地方之所以好，是因为一个人很自由，什么都可以想，什么都可以不想，白天的事通通都可以丢开。朱自清是很丰富的，《荷塘月色》就写了那么半个小时的自由的朱自清。

李节：语文老师在解读文本的时候首先就要贴近作者、贴近文本，这样才能帮助学生

学会在作文时贴近自我，是吗？

孙绍振：是的。我们讲文学是人学，然而却往往忽略了人的丰富性。文本解读的关键是对人的理解，而我们的语文老师在讲课文的时候往往用抽象的感觉或者作者的个性，把文章最生动、最深刻的地方遮蔽住了：一是用社会背景去遮蔽；二是用作者整体的思想、整个的人格遮蔽。其实每一篇文章都有作者的创新，每一篇经典的作品都有作者自我的一次提升。有的时候是联系到整个一生，有的时候就是一天，有的时候甚至是半小时，有时在绝句里就是一秒钟，都是一个新的自我。所以贴近自我不是笼统的一句话，甚至不是贴近这个人的一生、一辈子，不是贴近这个人概括性的人格，而是贴近他不断变化的心灵。

李节：在现实中，我们也经常碰到这样的情况，就是学生写得比较真实的作文，却被语文老师认为是立意不高，思想境界不高。对此您怎么看？

孙绍振：这一点很要命，作文并不是一定要写伟大的、所谓健康的、立意要高的事情。对于记叙文来说，首先是认识你自己，体会到自己宝贵的心理就可以了。所以说，你就写自己的东西，写自己被压抑，写自己好像平时拿不上台面的东西，顺理成章地写出来，就是文章。我曾经读到过一个真实的故事：有个小学生写了一篇作文叫《我的理想》，老师却给他这篇作文打了一个叉。他怎么写呢？我念给你听一下："老爸没过世的时候叫我当个科学家，老妈却要我当个公安，这样啥都不怕了。我不想当科学家，也不想当公安，我的理想是变成一条狗，天天夜里守在家门口，因为老妈胆子小怕鬼，我也怕。老妈说，狗不怕鬼，所以我要做一条狗，这样老妈和我就不怕了。"你看这是多好的文章啊，是小孩子的一种幻想、一种孝心，也写出了小孩子的生活环境，非常感人。这就是贴近自我、贴近生活了啊。语文老师却不理解。所以说，我们的作文教学和文本解读常常在不自觉的状态下扼杀了学生的心灵。其实，老师自己首先要从封闭的、僵化的观念中解脱出来，从教参的解读模式中解放出来，然后去启发学生，让他从"伟大"中解脱出来，让他去发现，把他原始、一刹那闪过的感受拿来发展，拿来升华，就是好文章。鲁迅当年说过，"嬉笑怒骂皆成文章"嘛。

李节：写好作文首先要贴近自我。"自我"又是复杂多变的，您举的朱自清的例子就说明，不同文章里，朱自清表达的可能是完全不同的自我。那么语文老师在阅读教学中该如何通过文本解读，让学生在作文中找到独特的自我呢？

孙绍振：欣赏文本是帮助学生理解人，学习如何贴近自我，找到那个独特的自我。我们讲贴近自我，这个自我并不是绝对的、成熟的，需要提炼，需要一点想象，有一个升华自我的过程。写作的过程是精神升华的过程，不是贴近自我以后所有的问题就都解决了。你把野蛮的、心里面黑暗的东西，原封不动地搬出来也不行。所以这就需要我们教师的引导。我们在分析文本的时候，把文本转化为学生的作文能力，不但要告诉学生课文写了什么，而且还要讲没有写什么，把什么东西省掉了。要写好一篇文章，也是如此，要有所取舍。让学生学会通过写作，提升自我的精神境界。自我是很丰富的，你要写特殊的自我，把丰富的、平常被忽略的东西写出来，就能取胜。有时候，老师总说学生的记叙文写得不真实，这话虽然也没错，但是这么说还没说到位。学生内心真实的东西，往往被语文课上那些现成的话语、权威的理论压抑了。如果有一种自觉把他解脱出来，把他发现出来，不仅看到别人已经看到的东西，而且看到别人没有看到的东西；不仅看到平常自己看到的东西，而且把平常忽略的、超出平常的自我表现出来。这就是我们语文老师的责任。

李节：今年（2011 年）高考结束后，您在本刊发表了《从抒情文体到议论文体导向的重大进展——从 2011 年高考作文题看命题的历史走向》，您认为今年比较新颖的、对智性具有冲击力的作文题目，都是议论性的题目。您为什么这么看重议论文？

孙绍振：就抒情文体和议论文体而言，一个属于情感范畴，一个属于理智范畴。抒情强调主观，感情追求强烈，逻辑可以极端，甚至片面，那样才有诗意；而议论则强调客观，贵在冷峻，追求全面，那样才有深度。在语文教学中，我们把记叙文、抒情散文跟议论文分成两类文体，认为两类文体互不相干，实际上二者紧密相连。记叙文、抒情散文头绪混乱写不好的，或者写得不上档次的，往往是缺乏写议论文起码的基础。抒情散文也需要一个情感的脉络，要有一贯性，这一点跟议论文是一样的。议论文讲究的是什么呢？讲究概念严密，首先得是主题明确，不要走题，不要被相近、相邻的概念牵走。但是如果你光写记叙文、抒情散文，没有议论文的基础，往往就会被相近的概念牵走。现在的高中生大多数不会写议论文，常常沉溺于华丽的文采之中，误以为情感是唯一价值，而不知将之上升为理智，达到情理交融才是更高的层次。其实，不管写抒情性的散文还是规范的议论文，都离不开概念的、逻辑的严密贯通，以及对矛盾的具体分析。中学语文教学最薄弱的环节就是议论文，进大学以后，议论文写作能力是主要的。从这个意义上来讲，要培养一个在大学里乃至到社会上、世界上有竞争力的人，必须发展他的理性思维。

李节：您说现在的高中生不会写议论文，其实我们都知道写议论文的基本方法：论点、论据、论证过程。议论文的套路似乎已经很成熟了，为什么还是不会写呢？看一篇平庸的议论文和一篇优秀的议论文，主要差别在哪里呢？

孙绍振：议论文的结构，也就是你所说的论点、论据、论证这个结构本身就是有问题的。好像议论文就是先有一个论点，然后铺开三个例子、四个故事、五句名言，最后得出结论，证明论点。议论文最大的问题就是结论在前。按照我的思路，任何一个结论都是不完全的，结论和问题并存，真正的议论文应是结论在后。一般来说，一篇议论文，如果结论在前，那它只有一个层次一个观点举几个例子，这算不上是好文章。如果有一些思想的空间、有结论，再反思一下，能有两个层次，就稍微好一些。如果更进一步，结论跟材料不符合，甚至矛盾（其实是留下了思想的空间），然后发展起思想，得出结论，再发展，再结论，甚至直至无穷，这就是真正的好文章了。

李节：很多议论文被批评为“名人开会”“名言荟萃”，指的就是文章缺乏思维的深度和论证的层层推进，要达到您所说的深刻性、层次性，是不是要学习一些思维的方法？

孙绍振：从议论文写作学来说，反例高于正例，形象一点说，“黑天鹅”高于“白天鹅”。因而要有自己的思想，关键不在于为现成的观点举正例，而是举反例。不能根据已有的观点来选择材料，因为选择意味着排除，排除了就不全面了。因而，论点要经过反思，材料要全面，至少是正面和反面一起考虑，进行具体分析。那么，还有一个操作问题，一般的写法是先有一个论点，然后组织与论点一致的材料，加以论证。从严格意义来说，这是错误的。为什么？首先对论点没有进行具体分析，就开始找与论点相一致的材料。所谓“选择跟论点一致的材料”意味着什么呢？意味着排除跟论点不一致的材料。严重就严重在这里。把与论点不一致的材料全部排除掉，那就是停止思考，跟议论文的基本精神背道而驰。可以说，我们平常所认可的一切，包括谚语、格言都是片面的，都有“黑天鹅”可以发现，都有很大的思维空间，而我们却忽略了。为什么忽略了呢？就是被论点、论证、论据这个僵化的模式搞坏了。先有论点，再找论据，这太可怕了。应该是把所有的证据都拿来，然后加以衡量。把各种复杂情况拿来考虑，你才有创造性，才有研究能力。比如说，失败乃成功之母，我们都讲得耳熟能详，如果反过来说，失败不一定是成功之母，这也是常事儿。所以说每一句话的时候，都要提高警惕。越是大家公认的东西，你越是要反思一下，这叫思维的突围，就是创造性。所以说不但找到自己，而且深化自己、盘活自己，不要停留在名言格言的基础上，要把它加以具体分析，加以发展。

李节：作文教学确实是语文教学中的难点，也是重点。它跟文本解读关系密切，又跟每一位语文老师的观念和方法有关。您在作文教学的思想层面上表达了十分中肯的观点，在实际教学中，需要每一位语文老师付出努力，把思想变成现实的行动。

孙绍振：我想我们的语文教学应该培养非常有情感的，同时又有深邃思想的一代人。我常说我自己做着一些比较草根的工作。我有的时候也改改作文，替学生重写一遍，这个也是蛮有趣的。跟文本解读一样，改作文这个工作虽然最初被认为是小儿科，但是现在好多人都说不是小儿科了，是大学问。不管是小儿科还是大学问，我们都要好好做，因为教育比文艺重要。作文是手工业生产，我当写作教师的时候，两三个礼拜就找学生谈一次，告诉他，为什么那样写不好，要怎样改。因为每一个人不一样，光凭上课是讲不清楚的。目前来看，作文教学采取1个人对50个人的办法是很难有效的，很难想象通过“大锅饭”的形式能够有效、普遍、全面地提高学生的作文质量。所以语文教师要把自己的使命承担起来，自己要爱写作，要比学生高明。现在讲平等对话，对话也是需要资本的。不要沉迷于做题，要读一点书，多关注文学界、文化界的现象。只有自己的阅读量大了，有了自己的见解，才不至于成天就拿着教参、教案去套，才有可能把自己的语文教学水平提高上去。

第四辑　新进和前卫

写作：超越世俗的实用需求的精神建构
——序潘新和《语文：表现与存在》

摆在我眼前的是一部高水平的原创性著作，作者潘新和继《中国现代写作教育史》以后，登上了又一学术高度。华东师大中文系教授巢宗棋先生认为，这是写作教育发轫以来“罕见的力著”。

我们国家的学术传统向来都是注重实践理性的，几乎没有欧洲那样在基本概念和范畴中追本穷源的传统。在超越现实的抽象世界中遨游，和我们的民族性格格不入。这当然有好处，至少避免了欧洲中世纪那种烦琐哲学的自我迷惑，把简单的问题复杂化的弊端在我国学苑里是很罕见的，占据主流的学术潮流都集中在实践理性方面。语文教育学也不例外，一直是把经世致用的实用性放在第一位的，从孔夫子到叶圣陶都强调写作为了应对社会需求，为了争取生存条件改善，经世致用，修齐治平，国脉所系，文脉所存，香烟不绝，源远流长。直至21世纪，这种语文、写作教育思想从未有人质疑，向来被当作不言而喻的大前提。这并不奇怪，不用太高深的学问，就能感觉到它的某种合理性。语言学习和写作难道不是为了社会的进步和生存境界的提升？一切学问，难道不都是为了人生，为了人生的竞争？但是，从学术研究上来说，没有一种学说是绝对正确的。一切的学说，不论有多么深刻的内涵，都在两个方面难以逃脱其局限性。第一，从理论上来说，由于话语符号所揭示的经验和事实之间的差距，能指和所指之间的不确定关系，没有任何理论能够穷尽客观存在和主体生命的全部属性，没有任何一种理论不存在“漏洞”，而漏洞几乎是思维的必要代价。第二，这种“漏洞”是永远填不满的，一切“漏洞”离不开历史局限性，历史的发展变化又是无限的。正是因为这样，每到一个新的历史阶段，学术的基石就会发生巨大的震荡，权威的，乃至神圣的理论的巨大裂痕、破绽，就会暴露出来。当然，这种暴露是一个历史的过程，它不能不经历一个从潜在状态到显在状态的曲折的搏斗。由于一切权威理论都伴随着独霸的话语权力，而霸权则是以无须论证，知识的现成化为特点，这就造成了大多数人习惯于接受现成的结论，而不是重新思考。因而，权威话语中的裂痕，不管多么荒谬，往往被掩盖，甚至被神圣化，对于权威的质疑和挑战，往往被视为大逆不道。要冲击权威，不但需要有学术的水准，还需要有道德的勇气。学术历史之所以总是艰难曲折，就是因为对于权威的历史局限性的科学剖析需要过人的智慧和勇气。

潘新和现在所做工作正是听从了历史的召唤，以多年的学术积累，在系统地研究了中国写作教学史以后，又从语文教学的理论和实践两个方面，向传统的语言和写作学发起了无畏的冲击。

在基础理论方面，他提出以叶圣陶为代表的现代写作学以应对社会和生活需要，是偏颇的，当然他并没有绝对否定叶氏的这种思想，他指出这种思想的局限是非终极性的。即使这样的非终极性的理论，他也承认了它的历史合理性，但是，他指出，正是这种历史合理性，又给它带来了历史的局限性。

潘新和以极大的理论魄力和道德勇气提出，如果把语文教学和写作仅仅当作应付生活的实用需要，则是贬低了写作的真正意义和价值。他提出，写作乃是一种精神的建构，一种人生价值自我的实现，这往往是超越世俗的实用需求的。

他在下册的绪论中明确地提出，要给语文教育洗去百年的铅华，吸纳近世学术的成果，革故鼎新，发动传统的语文学理的当代转换：

> 我以为在语文教育中，“以人为本”的“本”就是“言语生命”。除此之外没有第二个“本”。
>
> 在“表现存在论”“言语生命动力学”背景下，教学实践层面的认知也将发生重大转向；从当代重言语技能训练向重言语动机和人格的养育，从重语文素养的培养转向重言语生命的本性的养护，从重阅读转向重表现、重写作，发现并关注每一个个体的言语生命潜能、才情和天性、个性，顺应言语智慧的自生长，扶助言语生命的成长，引领言语上的自我实现，促成每一个言语生命的最大发展。

的确，不论从学理来说，还是从教学实践来说，这无异于一场地震，他对此有充分的预期，哪怕是传统语文教学的概念体系像庞贝古城一样遭受灭顶之灾，他也面不改色。学术的价值，并不仅仅取决于命题的提出，而且更重要的取决于系统分析论证的严密。值得庆幸的是，潘先生不但善于破，而且善于立，不但有批判，而且有创造。在“语言生命动力学”的总体概念之下，他从容地推出了自己原创的范畴系列，衍生出多个系列的亚范畴，力求让各个亚范畴之间，相互联系，相互支持，相互说明，构成相当严密的内在的连接，层层深入地展现了一种森严的体系。其思考领域之广，逻辑覆盖之大，如果不是绝后的话，至少也可谓空前。

他的理论建构不仅提供了一个新的高度，而且开辟了一种语文教学的新途径，尤其是写作教学论，以其可操作性、实践性使人大开眼界。

当代语文（写作学）从20世纪80年代复兴以来，一直缺乏一种全面的、学理意义上的突破，这是因为，上一代的语文教育工作者，在知识结构上有历史的局限，在观念和方法上多多少少受到机械唯物主义和狭义形而上学的严重影响，难以从客观反映和主观能动性的线性思维模式中突破，在方法和观念上画地为牢的现象比比皆是。潘新和之所以能够横空出世，关键在于他突破性的命题的理论阐释，接触到当代学术的前沿。在心理学方面，当代语文学和写作学，从20世纪80年代以来就一直在弗洛伊德的圈子里徘徊，连荣格都难以涉及，而潘新和则更多地借助更加现代的马斯洛的人本主义心理学观照写作过程，故每每给人以见地不凡、豁然开朗之感。在此基础上，他把当代写作学带进了西方最为前卫的话语学说的境界之中。可以说，活学活用了这种学说的很大一部分，为语文教学理论带来了一股新风，破天荒地提出了发展学生言语生命意识的命题。虽然，他的一些论述由于某些术语和日常用语的内涵不尽相同，可能给一些缺乏准备的读者带来理解上的障碍，但是，对于任何一个比较用心的读者来说，他的主要观念是不难把握的：每一个学生都有自己的个性，但是，并不能自发地拥有自身的言语。启发学生主体的觉醒，让学生获得自己的话语自觉和能力，这是共同的愿望。但是，要完成这项任务，关键在于从现成话语中挣脱出来，否则，语文教育和写作教育，就不能不是无效劳动。从言语生命意识来说，每一个学生都有天才。然而，这种天才如果不加开发，就可能遭到窒息，乃至夭亡。语文教学和写作教学，从某种意义上来说，就是一种语言生命意识和能力的开发学。这是一个极其艰巨的任务，光是从理论上来阐释，就意味着对于一系列当代文化哲学的前沿学术成果的综合。难能可贵的是，潘新和具有自觉的历史使命感，将语言的人文性和当代哲学、语言学、文学研究的最新成就融会贯通，承担起根治当代写作学理论上严重落伍和实践脱离的顽症的重任。上一代的写作学术当家人，没有完成改变滞后状态的历史使命，到了潘新和这一代，应该是当仁不让了。然而，并不是每一个同龄人都有这样的自觉和足够的修养的。融西方语言学、文化哲学理论，中国古代和现代的作文教学史料于一炉，高屋建瓴，建构宏大的语文（写作学）的历史任务已经摆在了新一代学人的面前。从这个意义上说，他的这本 100 多万字的著作，对于立志跨越新的学术历史台阶的学人来说，是一个鼓舞。

操作性与哲理性的统一
——读马正平《写的智慧》

李保均教授在他为本书写的序言中说，马正平是一个有争议的人物。这个说法很委婉。综观文中李教授对马正平为文和为人的激赏，可以看出他本想说的话也许应该是：马正平是个不可小觑的人物，尽管一时有人对他还不理解，看不惯，甚至有意无意地压制。

我和李保均先生一样，很为中国写作学界有马正平这样的人物而高兴。

长期以来我对中国写作学界的现状感到悲观，其主要原因倒不在于写作学在外部得不到充分的肯定，而在于写作学界自身缺乏学术的成果和水平。许多同人多少有一点误解，他们在很长一段时期里误以为编教材就是学术研究。其实教材，乃至百科全书只是高级通俗读物，其特点是将已有的，包括大部分得到公认的学术研究成果加以系统化的普及。我曾经以万字长文（《建设中国当代写作学的操作性理论体系》，原载《福建论坛》1994 年第 6 期，《澳门写作学刊》1995 年第 9—10 期、中国人民大学报刊资料中心《文艺理论》1995 年第 3 期全文转载）批评过中国写作教科书多达数百本，而缺乏与之在数量上相应的学术论文和专著。这是一大怪事，正足以说明我国写作学界学术自觉的缺乏。在那篇学术论文中，我强调了两点：第一，对于写作学本身价值取向——操作性的明确，是写作学获得本学科独立生命的关键；第二，在批判兄弟学科基本范畴、概念体系的基础上重新确立写作学范畴概念的内涵，是写作学从草创走向成熟的必由之路。

当我这样写的时候，我的内心是悲凉的，因为要做到这点就意味着在写作界需要出现一批“原创性”的人才，而在当时，我综观国内，这样的人才寥若晨星。在我们写作学界不乏具有科学研究能力的宿将，但是这些宿将由于历史的原因，对于现代哲学缺乏必要的修养，因而他们不可能融会贯通传统的黑格尔、康德哲学和现代西方的结构主义和解构主义、科学主义与人文主义于一炉，因而也就不可能将中国写作学建立在坚实的与世纪之交的人类智慧高度相适应的水平之上。我常常痛切地感到写作学学术基础的贫弱，除了历史的资料系统性不足以外，还有一点，那就是哲学观念的褊狭和粗陋。许多和我同辈的朋友对于世界观和方法论的忽视，使得他们苦心经营的“体系”处于风雨飘摇之中。事实上，那种体系越是显得高大，就越是增加了崩塌的危险。我很难相信实际上满足于机械唯物论和狭隘经验主义的自发性，还能草创什么学科体系，如果连辩证法都不得不是羞羞答答的，还能把握多少当代写作的复杂理论和实践过程。多少写作教材讲了“证明”而不知波普尔的“证伪”，讲了“观点与材料的统一”，而不知观点的普遍性与材料的特殊性永远不可能统一。在这种哲学的盲目性中，怎么可能建立什么真正的学科体系！

我应该承认我的悲观是过分了。特别是在这一两年，我有幸对中国写作学界年轻一代的学术论文稍作浏览之后，我觉得应该非常愉快地改正我的偏颇。

放在我面前的马正平先生《写的智慧》这部皇皇巨著，正是一个颇为雄辩的事实。

五卷本论文集，100 多万字，气魄之在，13 年之功，恒心之坚，固然值得仰慕，但是更令人心折的是在马正平的著作里，我看到了我所渴望的学术研究。

多少年来，我一直为写作学缺乏学术性研究而焦灼，现在我看到了在相当博大的学术领域里，马正平取得了可喜的进展。这里有中国古代写作理论与实践系统的描述与批判，同时又有将西方现代文化哲学理论与中国当代写作学结合的尝试。对于新时期以来中国写作学的某些成果，从“双重转化”的粗陋假说，到“三级飞跃”中可贵的“感知飞跃”范畴，以及“雏物化”的猜想，他都进行了细致的观察与分析。马正平之所以能超出上述假设性的范畴，其根本原因在于他的哲学观念超越了他的前辈。他显然不局限于唯物主义的单向刺激—反应模式，他在后康德的哲学思潮启发下，着重强调主体作用，而且在西方大文化学的基础上提出主体文化模式的历史性，这都不仅更加逼近写作学本身的特殊矛盾，而且使写作学更具可操作性和哲理性的统一。

他的主体控制中介论是一大创造，一大突破。长期以来，我们的写作学受机械唯物论，或者美国行为主义的“刺激—反应”单向思路的贻误而忽略了写作主体的作用，马正平在学术上提出了“主体建构成了由客观生活到写作的中介”。这个主体建构的范畴不像流行的缺乏学术性的贫乏的概念，而是充满了学术的内涵和丰富的规定性的，它不仅仅是操作主体人格修养的胸襟、境界、信息储备等，而且有社会时代历史文化的内涵。这就使得马正平比之他的前辈们在学术上高出一筹。

马正平的研究领域相当广泛，从写作行为到写作哲学，到写作教学以及写作学研究方法论本身，他都有自成系列的论文。如今在这些涉及领域众多的论文中，马正平终于在宏观上、中观上、微观上找到了统一的核心范畴——中介，这使得马正平的整个论著形成了一个以中介范畴为核心的层次丰富、秩序井然的体系。作为一个读者，我不得不惊叹他系统化、层次化的魄力：

> 写作过程作为一个中介系统的最大特点就是层次性。双重转化、三级飞跃、三重转化是非常大的层次，可以称为宏观中介。像文章写作动机、写作构思这样的写作环节是较宏观中介更小层次的中介，可以称之中观层次的中介。再进一步是微观中介，即小层次上的写作中介环节。例如：在写作动机研究中，我曾提出价值（感受）评估这个写作思维环节是文章胚胎到写作冲动之间的中介，而文体酌定则是写作欲望到写作构思的中介；在文章深层结构研究中，我们认为线索与线索系统是文章深层结构到文章表层结构的中介；在试思研究中，我们认为文章基调是文章构思到文章开笔的中介；文章开笔又是文章基调到文章起草传达的中介；而传达状态的达成又是从文章构思到文章基调的中介。很明显，即使在微观的层次，写作中介也是有几个亚层次的。

如果所有这些黑格尔式的层次系统只是一种名词术语的排列组合，那就和一些无志于作学术研究而专心致志于空想体系的建立的同行差不多了。马正平的可爱可敬之处在于他的体系是在他的百万字以上的学术论文之后建立起来的，因而不管这个体系是否也具有某种范畴概念体系化过程中难以避免的形式大于内容的某些疏漏，但就整体而言，这个体系是我所见到的现代写作学中，最富有学术研究基础的体系。我赞赏他对每个独创的范畴和基本概念所作的如痴如醉的有时不免有点过分玄虚的阐述和论证，但是这些玄虚性也许是必要的，可以容忍的。因为这里的理论价值并不一定和操作性实用价值直接联系在一起，何况这种充满抽象演绎特点的理论本身就是一种操作性的理论，而任何一种学科体系的建立都应该允许其中一部分其纯理论价值高于其实用价值。从严格意义上来说，没有这些部分，理论就不可能自洽，也不可能摆脱经验的狭隘性，从而也就不可能在更广泛、更高层次上实现其实用价值。自然，马正平的理论并不完全是纯理论，他也有相当一部分是直接面向操作性的。在我看来这两个部分都是弥足珍贵的。

对于马正平这样大规模的学术研究，我的学习是很不够的，本来没有本钱来为他的论著写序，但是考虑到马正平目前的研究还没有得到广泛的认可，有些不必要的怀疑，光凭马正平本人是不可能很快消除的，也许我的唯一本钱就是我较老的资格，我乐意用我的资格来为马正平“鼓吹”。

在学生原有基础上提高
——评刘春文老师的一堂作文课

中学生写作是语文素养最雄辩的证明，但是，写作教学效果低效却有目共睹。刘春文在本书一开头就以丰富的调查统计分析出一系列原因，其中最主要的是："缺乏一套适合当地推广，有计划、有目的、有系统地指导学生写作的教学体系。""全国通用的语文教材几乎没有独立的写作教材。""现行的人教版初中语文教材虽有独立的作文板块，以'写作・口语交际・语文综合性学习'的形式单独存在，但教材只提供几个活动板块，至于作文题目和训练，确实无计划、无目的，缺少有系统地指导学生写作的教学体系。"

这无疑抓住了课题的核心。

作文向来是语文教学的薄弱环节，不仅是在中学，而且是在大学，原因很简单：作文不像其他课程有严密的理论，有系统的可操作性。大学写作教材极其简陋，记叙文大体是从文艺理论反映生活或者表现自我的观念中套来的，议论文则是从形式逻辑学三段论演绎推理中抄来的，毫无写作学的特殊规律。自 20 世纪 80 年代初以来，以大学写作教师为主的中国写作学会至今没有建构起真正的写作学理论基础，然而带着商业性的写作教材，到 20 世纪 90 年代早已超过了百种，连起码的学术范畴都没有，套话、空话甚至鬼话，炒冷饭，炒来炒去，完全失去了起码的严肃性。学会的会刊《写作》，越办越薄，和差不多同时创刊、同为全国性学会会刊的《文艺理论研究》《现代文学研究丛刊》的学术上的权威性相比，显得气息奄奄之感。重点大学中文系并无写作课，一般师范大学中文系写作教研组是学术的西伯利亚，不在少数的教师是在学术上发展前景不良被流放去的。

写作的至境本该是生命存在的表现，但是，大学写作教师多数并不热爱、也不长于写作，只是无奈地接受命运的安排，以写作为生命者凤毛麟角。从大学中文系出来的毕业生，到中学教写作本来就没有本钱，加上中学语文课本又受大学教材的影响，甚至比大学教材更加教条，更加僵化。有一个被寄予很高期望的语文课本，算是勇敢地将写作进行了独立的单元系统设置：一、写景，二、写人，三、抒情，四、议论。这在表面上很系统，实际上连逻辑的分类都犯了交叉的毛病，在理论上则更是幼稚。世界上哪里有纯粹写景而与抒情绝缘的文章，再说，写景就不能写人，写景写人难道就不能抒情和议论？执笔者逻辑概括力薄弱到连王国维的“一切景语皆情语”，连情景交融、情智交融这样的常识都照顾不上。当然，这样的状况并不是中国特有的，美国大学里所有系科都要必修的写作课，其理论基础和实践的操作性，并不比我们强多少（所以至今罕见译本）。

中学写作所面临的严峻挑战在于，和数学物理化学教师不同，没有世界共识的理论基础，不能指望全世界大学教师不能完成的理论建构任务由中学教师来完成。

把写作教学建立在学科理论和操作系统坚实基础之上这当然是我们的理想，但是，那可能是遥遥无期的空想，一代甚至数代青年在等待中被贻误却是难以逃避的现实。从纯理论的角度观之，写作教学不但现状而且前景可能是相当悲观的。幸而，现实的情况并非如此，没出息的守株待兔的等待派绝无仅有，相反信心满满的创造派比比皆是，正是因为如此，我对中学作文教学的成效并不悲观，此番看到刘春文的这本著作更增加了我的乐观情绪。

这不但是因为她在本书中雄辩地展示了令人印象深刻的成效，而且以其全部实践拓展了写作教学的思路。她和许多作文教学名师一样，不像大学教师那样拘泥于从理论上寻找逻辑的和历史的起点和终点，不是从理念出发，而是从写作实际出发，在学生原有水平的基础上，适当参照理论在反复修改中实现提高。她不是没有理论，她的理论特点不是从什么权威的那里批发来的大前提，而是从实践经验中进行概括。她在前言中说到她的“课题探究的主要着眼点”时说：要“走出作文教学的尴尬处境”最根本的是改变作文教学“先教后写”的模式，代之以“先写后教”的“微格训练”模式。这种模式的主要特点，并不是“微格”（也就是通常所谓的“小作文”），因为这仅仅只是量的问题，决定这种训练模式性质的是“先写后教”。从表面上看，这不过是个先后顺序的操作性调整，但是实质上，这里有个根本性的理论原则。先教后写，是先有教师主导的理念，学生难免被动追随，其主体性很可能受到限制；而“先写后教”则是先有学生的实践，教师“基于学生习作现状来制定作文起始教学”。这样做的意义首先是有的放矢，不至于陷入空论。刘春文把这种做法归纳为“回归写作的本源”。这是有根据的，这个根据不仅仅是经验性质的，而且是哲学性质的，那就是理论指导与实践的关系。一是，其有效性在于从实际出发；二是，在实践中检验、修正、提高。

在具体教学策略上，刘春文打破一般作文教学学生写作、教师批改的模式，勇敢地把实践精神贯彻到底，将重点放到作文的修改中去。修改采取了多种多样的形式，把学生自改、互改，甚至网络修改和教师的指导修改结合了起来。如果要说有所发明的话，这可以称为一大发明。可喜的是这个发明在教学实践中，经受了检验，取得了相当明显的效果。由于是微格性的训练，出现了令人惊异的立竿见影。在反复修改中，在多次实践中提高的经验十分宝贵。最能说明其教学化无效为有效的是把范仲淹的词改写为散文的一堂课。

教师先是让同学阅读范仲淹的《苏幕遮》，然后问学生描绘了哪些景物，想象得出诗人在干什么。学生最初只能说一些景物：碧蓝的天空，树叶纷纷飘零，远山，湖水，芳草，斜阳。看到这里，我未免替教师担心，如果以此为满足，这首词就不可能有任何抒情生命了。幸而教师没有受我在前面批评过的把写景和抒情绝对分割所谓设计的束缚，特别提醒学生："当时诗人的内心"如何？学生马上感到了"抑郁"：很快得出了"借酒消愁"的结论。老师顺势总结：借酒消愁愁更愁。喝下去的酒都化作了思乡的泪水。在此基础上，让同学以散文笔法写下来。

学生展示的作品是：

> 秋天到了，天气晴朗，空气清新，风儿吹拂，树叶从树上飘零下来，天上还飘浮着几朵薄如蝉翼的云彩，秋风一吹，波上荡起了层层涟漪，水面上浮起了烟雾，透着丝丝凉意。

这说明，虽然阅读时学生理解了悲凉，但是到写作时，却没有把悲凉的意味表达出来。老师没有庸俗地表扬，而是坦率地提出补充：

> 如果能调整一下语序，穿插进去作者看到眼前的景色时内心的一些心理活动，融情于景，那就更好了。

接下去，另一个学生朗读自己作品：

> 山峰连绵不断，远处水天相接，融为一体，芳草萋萋，好似没有感情，更是在夕阳之外了。

老师在肯定了一些优点之后，委婉地提出：

> 需要指出的是，这里的"芳草"暗指故乡，草儿绵延到天边，其实就是指家乡远在天边。

学生在老师启发下就有了这样写的例子：

> 远在他乡的游子在思念家乡，追逐旅居异地的愁思连绵不断，长夜漫漫，除非是好梦才会令我安然入睡。

老师显然感到学生还没有感受到，便问：为什么睡不着觉？学生回答：因为思念家乡。教师指出："这是一种浓得化不开的乡愁。所以，在描述作者乡愁的时候，感情还可再深厚，沉重一些。”这时，教师让另一个学生朗读自己的作业：

我独自一人在高楼上休息，借酒消愁愁更愁，心中无限思念家乡，却只能泪流满面。

老师紧追不舍，指出学生写了高楼，但是，忘却了引起乡愁的“月亮”的意象，指出“登上高楼，月圆人不圆，更能烘托出诗人内心的孤苦”，传达出的是对家乡亲人的思念，老师最后要求同学修改自己的文章：

第一位同学：

秋天到了，都说“天凉好个秋”，空气中也弥漫着阵阵寒意，这寒意浸透着河水，水面上腾起凉丝丝的薄雾，似是江河迷蒙的眼泪。难道它也在为我的遭遇哭泣流泪？抬头望去，天高云淡，碧空澄澈，无奈落叶枯黄，飘零满地，再好的秋色，在我的眼里都是如此地萧瑟、悲凉。

师：你觉得跟第一次比较起来有什么不同吗？

生：我加进了诗人内心的感受，而且在景物的描绘上也融入了作者的情感。

第二位同学：

夕阳西下，落日的余晖映得万山红遍，水天相接之处，水天一色。收回目光，看见岸边的芳草，不顾深秋的来临，依然充满生机，芳草烂漫，一直绵延到天涯，似乎比斜阳更遥远，我的家乡应该也在那边吧。

第三位同学：

夜色能笼罩住乾坤，笼不住漂流在外游子的魂灵，斩不断思乡的情思，撇不开羁旅，日日感伤挥去了夜夜的睡意，长夜难寐，只要一合上眼皮，便会梦见与亲人团聚。半夜梦醒，格外凄苦，唯有缥缈的好梦才能让我安然入睡。

最后一位学生：

我登楼远眺，明月皎洁，反而让我倍感寂寞与怅惘。于是，我不由得端起酒杯想一舒愁苦的百转回肠，谁知，酒入愁肠都化作了相思的泪水，幽幽地滴落胸前。

接下来布置作业：把四位同学的四个片段组合成一篇完整的文章。很明显，学生的微格作文在短短的一堂课上，取得了明显的进步。刘春文和她指导的老师们就这样开拓了一条作文教学的新路，这条新路的价值，不但在于某种立竿见影的效果，而且在于把阅读和作文结合得这样紧密。仅仅是在口头上理解了文本，还可能是不完全的，真正的理解应该是在写作中落实。这个经验真是太深刻了。从哲学上说，这个写作原理不是从宏大理论的演绎中产生的，而是在写作实践的反复概括，反复检验中确立的。

正是因为这样，我并不把写作教学的希望寄托在大学教授们在某一天拿出系统的理论来，而是把希望寄托在像刘春文这样的教师，从实践经验中直接总结出来的规律。归根结底，理论并不是来自于理论，而来自于实践经验的升华，理论的权威并不在于自圆其说，而在于为实践所证明。当然，从经验直接上升为规律，并不是绝对完美的，因为经验与理论相比，毕竟是比较狭隘的，故适当的理论修养，在这时就显得相当重要。

附录

建设中国当代写作学的操作性理论体系

应该承认，中国当代写作学至今仍然未能形成自身的学科理论体系，因而仍然停留在学科建设的草创阶段。草创阶段的学术理论其最明显的标志是学科范畴缺乏稳定内涵，并且处于各自独立的状态，不能构成自洽性，亦即不能互相补充、互相说明、互相支持，达到有机的统一，形成理论上的层递性和系统化。任何成熟的学科理论其基本概念，或者基本范畴都应处在一种严格的逻辑关系之中，既不能任意抽出，也不可随意插入。很明显，中国当代写作学的基本概念距离学科体系的基本要求相去甚远。

虽然，自20世纪80年代以来，中国写作学的各类教材纷纷出版，据估计已达数百种，可能是人文学科中教材数量最多的，但是数量的众多与学科理论水平之低下，正好形成强烈的反差。这是因为中国当代写作学缺乏必要的学术研究基础，至今在偌大的中国仍无一个写作学术研究的专业刊物，而在各大学的学报上，称得上写作学的学术论文寥寥无几。即使有些青年学者颇有创见的学术论文，也未得到充分的鼓励和必要的批评，而客观形势对于写作学又有空前迫切的需求，于是就产生了一种写作教材在低水平上不断重复生产的现象。①

造成中国当代写作学这种状况的历史原因自然很多，但是就理论本身而言，最根本的原因还在于缺乏写作学科的自觉性。相对于语言文学等学科，写作学科是比较后起的，因为后起，不免借鉴，由于借鉴不慎，竟至变成了依附。

这种依附性大致可分为两个阶段。

第一个阶段把写作教材当作一种知识，这大概要从20世纪60年代初期北京大学汉语

① 自然，也有一些专业性的写作教材，如公文写作、司法文书写作、经济文书写作等，也非一无是处，至少也为此类专业写作学术理论基础设施提供了许多第一手的而不是抄来抄去的素材，但是从理论上看这些教材的水准仍然是很低的。

教研室出版的《写作》算起。[①] 直到新时期刘锡庆主编的《写作基础知识》仍以传授知识为己任。应该承认，这是一种基本观念的错误。写作不同于文学理论、语言学、逻辑学之处就在于它不是一种传授知识的学科，在这一点上不清醒，遂导致写作学的架空。写作学是一门实实在在的实践的学问，实践的学问是不能靠理论的演绎来完成的，而是需要一代又一代的学者，从实践过程中进行理论概括。中国当代写作学的贫困，本来需要比文艺学、语言学、逻辑学更具原始创造力的人才，像许多学术领域的开山大师一样，直接从经验、直觉和原始素材、历史资料做出第一手的、抽象的理论概括，然而由于历史的原因，在高等学校各学科的竞争中流落到写作学科来的却大多数是缺乏原创性的人才。正因为这样，写作学就非常方便地依附于邻近学科的知识。讲授知识之所以在一段时期中被广泛接受，其原因盖在于从教学队伍的素质来说：别无选择。

从理论上说，这是一种让步，当然会导致日后学科的危机；从实践上说，好像是一种权宜，但由这种权宜带来的危机更为严重，因为在大学课堂上，这种“写作知识”来自文学理论、语言学、逻辑学，又比文学理论、逻辑学和语言学零碎而粗浅。最明显的莫过于关注“主题”的范畴，写作知识从文艺学中抽取了一些贫乏的、僵化的结论：主题是客观的反映，主题又是作家主观的思想，接着又列举了许多大作家对于主题重要性的论述。所有这一切都充满了知识性，但却缺乏大学课堂讲授的生命：可讲性。教师没有什么可讲的，学生没有什么可听的。

这是一种最低层次的学科依附现象。本来，主题范畴并非文学所固有，乃来自音乐，相对于变奏而言，主题是乐章之主要旋律。文学理论在借用这对范畴时本身就不够严谨。在音乐中，主题和变奏是旋律本身的一种结构，主题是丰富曲调中贯穿始终、变化很少的部分，是一种相对稳定的基调。文学理论把它变成贯穿中心处于领导地位的观念、思想，本来就有点粗浅了，写作学在借用文学理论这个范畴时，却对这种不成熟现象没有起码的批判精神，因而写作学对文学理论的依附，不是依附文学理论比较深刻严密的部分，而是依附文学理论比较幼稚、比较简陋的部分。当然，也有些写作知识，还做了一些努力，例如，把主题说成是“文章的灵魂”。灵魂相对于肉体而言，这有点像主题与变奏的对立统一，但很可惜的是，这仅仅是一个比喻，而比喻本身的内涵如果不加阐释的话，是不能成为一种科学的阐述的，任何科学范畴都不可能仅仅借助于比喻而深化。

缺乏理论基础自然引起了写作学界广泛的焦虑，于是就产生了中国当代写作学科建设

---

① 本文论述的范畴系中国当代写作学，其时限为20世纪50年代至今，20世纪40年代以前之写作理论及教材，重要如叶圣陶、夏丏尊等之《文章作法》《文心》均不在论述之列。本文论述的地域本当包括中国台港地区，由于资料缺乏，暂且从略。

的第二阶段，向新兴学科借用理论，向新引进的学科借用概念和原理。在 20 世纪 80 年代中期，写作学在文学理论的带动下，投入了引进新理论的热潮。一时风云际会，从科学主义的系统论、信息论、控制论，到人文主义的存在主义、性心理学、话语理论、结构主义、解构主义。由此还产生了一本笔者也有幸参加的《高等写作学》。这本多所大学联合编写的教材，满足了写作教学队伍追求理论的虚荣心，但是五花八门的“理论”来得快，消失得更快，今天还有谁相信，只要挂上系统论、信息论、控制论的招牌，文学艺术的奥秘就昭然若揭了呢？文学理论的基本范畴本身就薄弱，并不能因为时髦的理论招牌而突然变得充实而深厚起来。写作学的基本范畴较之文学理论更为空疏，因而哪怕再尖端的理论也只能成为空洞的框架。

这一回写作理论的依附性，不但表现在它对文学理论范畴的生搬硬套上，而且表现在对文学思想更迭的潮流缺乏独立的批判性上。

新时期十多年的写作理论追求说明，对于写作学科的建设来说，目前所缺的不是一本又一本的教材，而是站在写作学本身的立场上对已有的写作学教材的总结和批判。当前最缺乏的是写作学的学科自觉性，最迫切需要的是立足于写作学科自觉性的基本范畴的重建。

大学教材，哪怕是百科全书式的教材，充其量也都是一种高级的普及著作。其普及的内容乃是学术研究公认的稳定成果。在学术研究成果缺乏起码积累之时，教材也就缺乏普及的内容，因而也就只能停留在对邻近学科的依附上了。

写作学科长期以来之所以缺乏独立的学科意识，其根本原因就在于找不到写作学科的根本特点。纯知识的传授和纯理论的追求都不是写作学科的特殊规律。写作学的最大特点，写作学的生命就是它的实践性。它不同于文学理论，也不同于逻辑知识之处，就是它的可操作性。知识也好、理论也好，只有成为操作能力的一环，通向有效地阐明操作的规律，提高实际操作水平，才算是写作学科一个组成部分。照搬知识和其他学科理论，或者把其他学科改头换面，并不能说是进入了写作学科体系的创造。

任何一个学科都有特殊的目的性、特殊的思路、特殊的切入方式。对于同一现象，不同学科，由于目的、思路、切入方式不同，应该而且可能产生不同的范畴。不同学科共用的范畴长期不在内涵上分化，只能导致低水平的混淆。如哲学把世界划分为主观与客观两个世界，艺术就不能满足于这种哲学范畴的基本划分。文学理论的特殊目的在于文学写作的普遍规律，而写作理论则比文学创作更广泛，其特殊目的在于将文学与非文学的理论付诸实践，具体化为可操作性的原理。

本来，最理想的途径就是写作学另外建立一系列相应的概念和范畴，但是这不是那么容易的。在学科草创阶段，经常采用折中的办法，亦即借用相邻学科的理论，尤其是那些已被广泛接受的范畴，但是由于文学理论、语言学、逻辑学具有学术优势，因而必须高度警惕借用变成套用，而套用则必然妨碍写作学本身内涵的发生和发展。不借用就等于说是从零开始，凭空产生，这是十分艰难的。借用的目的，仅仅在于利用概念的形式来孕育新的内涵，但学科概念往往比较稳定，比较严密，对新内涵的发生又有相当的抑制作用。如无强烈的学科独立意识，必然造成惰性，亦即学科依附性。

就以主题范畴而言，写作学要求的操作性是文学理论的描述性所没有的，倒是在音乐理论中，主题与变奏的对立还包含着某些操作的基础。这时，对于有志于写作学科独立的学者，就不应该对文学理论的概念、范畴再抱过大的希望，而应该面向直接操作经验，做第一手概括。

对于任何一个具有写作操作经验的人来说，提炼主题的第一个大障碍是素材、资料、思绪的芜杂，如果任其芜杂，则无主题可言，故从操作性来说，主题就是在芜杂而丰富的素材、资料、思绪、思想中去寻求其内在的单纯的深刻联系。简而言之，主题产生于素材与思绪脉络的凝聚，再按凝聚起来的闪光的、独特的、深刻的观念或体验的秩序，重新同化、调节、提纯、剔除，重新创造一种准则。从正面来说，主题是一种选择的目的性，从反面来说，主题又是一种排除的标准。任何对于这种准则的违背，都只能导致主题的损害，不是过分狭窄、干枯，就是主题的模糊甚至转移。

对于行文的过程来说，主题不但是一种终极的目的，而且是一个思绪的结合和展示过程。这里有连续、跨越、遥远和深化的控制问题，也有对于主题徘徊、浮泛的防止问题。

对于不同文体、不同风格的作品来说，主题有不同显示的方法和要求：是开门见山，还是卒章显志；是政论语言的鲜明强烈，还是艺术语言的弦外之音，都是主题在操作过程中所遇到的问题。而在处理这些问题过程中的经验就是主题范畴的特殊内涵的基础。

当代写作学要形成自身独立的主题范畴，不应指望从任何相邻学科去搬用，而应该从自身活生生的经验中去概括、去提炼，去做理论化的第一手抽象。

如果不做这样的艰苦努力，不但任何写作学科的独立体系都是空谈，而且一切大批量引进的科学主义或人文主义的西方理论都只能是华丽的包装而已。写作学要解决的是在操作过程中面临的矛盾，以及如何解决这些矛盾的一般规律，还有解决这些矛盾所应防止的偏向。把这样的操作经验理论化并不十分神秘，只要有实事求是之心，而无哗众取宠之意就成。一切邻近的学科理论、西方的尖端文论都要与写作本身的操作性要求结合起来，或者说得粗暴一点，都要经过写作学科操作目的性的严格批判、化解和扬弃。

对于中国当代写作学来说，目前最缺乏的并非是对于相邻学科现成范畴的借用，也不是西方文论体系的批发，而是以写作操作性的基本范畴去积累研究成果。以中国写作学目前的学科水平，还远远没有达到建立自给体系的火候。学科理论体系的建立，至少需有两个条件：第一，各个方面基本范畴的确立。首先是内涵的稳定，其次是相互关系的严密。第二，写作学基本原理的完善。完善与否，必须经过学术研究的反复考验，而不是多种教材批量生产的重复。

中国现代写作学目前许多广泛流行的说法，根本还没有经过学术研究的考验。没有经过学术研究考验的理论，却匆匆忙忙写进了教材，充其量只是一种停留在常识水平上的准理论或者亚理论，这种理论的特点是理论与常识的矛盾没有得到充分揭露，充满了片面的、表面的、零碎的，乃至歪曲的经验。许多广泛得到认同的“原理”，往往连起码的矛盾都没有揭示，连初级层次的内在联系都没有展开，因而造成某种低水平的随意性。

就以写作学中非常重要的“论证”而言，本来不言而喻的，最重要的是论点的形成和确立，但是非常奇怪的是，中国当代写作学至今仍然连这样基本的问题都没有提出来，就匆匆忙忙地强调议论的三要素：论点、论据、论证。并且不约而同地在大学写作教材中把根据现成论点组织与之相符的材料加以印证叫作论证。光是这一点，就足以暴露中国写作学学术研究的薄弱了。像这样的说法，只能说停留在直觉和印象水平上，而科学和学术，却始于对直觉、印象、常识的批判。

本来，对任何相邻学科的借重，都应该取其最深刻的部分，中国写作学对于逻辑中最富生气的、防止孤证和轻率概括的部分恰恰忽略了。至于在新引进的西方文论中，这种情况更是比比皆是。从1985年以来，我们引进了那么多西方学术流派，可是在作为写作学基础的论证范畴中有什么实质性的吸收呢？很少。其实，在热闹了好一阵的波普尔的“证伪说”中就有许多值得我们的“论证”范畴吸收的营养。波普尔把证伪看得比证明更重要，认为一切论点都不可能通过不管多少肯定的例证得到证明，相反一切真理只有通过证伪才能得到发展。他的著名例子，如有一论点：一切天鹅都是白的，不管你举出古今中外多少天鹅都是白的，你都不可能证明“一切”天鹅都是白的，因为一切是无限的，而人们的验证，也就是人们直接和间接的经验是有限的，有限的不断相加仍然是有限的，不可能得出无限的结论。[①] 波普尔说，倒是如果人们发现了一只黑色的天鹅，便可得出一个可靠的结论：并非一切天鹅都是白的。由此波普尔引出一个原理说，一切论点都是一种“试错”，试错由于证伪而接近真理，因而他把他的著作称之为《猜想与反驳》。他特别强调了论点的探索性，以及反驳比证明有更重要的意义。他认为一切理论的形成都需经过自我非难的“免疫”过程。自然，波普尔的学说自有其偏颇之处，但是他所强调的反证无疑比我们所迷信

---

① 其实波普尔在此陷入悖论，他所举的这个例子就是肯定他的论点的，他的证伪理论是不能起证明作用的。

的根据论点选择论据在学术理论上要高出许多层次。不讲别的，就是其中直接关涉到论证的思想材料和惊世骇俗的思路就有十分宝贵的学术价值。然而，十分令人奇怪的是，波普尔的这种学说在我国当代写作界居然没有引起学术上的反应。倒是在写作学界以外引出了一些深思熟虑的学术论文。而这时，中国写作学界正忙于追随文艺美学，引进了许多文论，然而没有一种文论最后是落实到中国写作学基本范畴的确立和深化上的。

中国写作学的草创性质，不但表现在基本范畴的贫困上，而且表现在对基本范畴的漠视上。至今，许多学者仍然疏于或者不善于对写作的基本范畴做高度抽象的思辨，这是不能简单地归咎于中国古典哲学缺乏思辨传统的，因为，同样是中国古典哲学的反向思维传统在中国当代写作学中也没有得到长足的继承。

中国当代写作学之所以难于做基本范畴的思辨，其原因是：第一，直接从经验上升的抽象力的薄弱；第二，间接对固有前提的批判力的缺乏。[①]如广泛得到认同的“论证的原则是观点与材料的统一”，就没有什么人对之从哲学上和经验上加以批判性的推敲。

从哲学范畴来说，任何文章的论点与材料都不可能完全统一，因为论点是普遍的，而材料是特殊的，普遍与特殊的对立是永恒的。在任何文章中，任何特殊材料都不可能满足论点普遍性的要求，从这个意义上讲，材料从外延上总是小于观点所要求的。反过来说，任何普遍观点的内涵，又只能是特殊材料属性的一部分，正等于水果的内涵只能是香蕉属性的一部分。从逻辑学来说，概念的外延越大，其内涵就越小，概念的外延越小，其内涵越大。具体的香蕉外延自然比之抽象的水果外延小，其内涵自然要大于普遍概念水果，因而从理论上来说，把二者的统一笼统地作为一种理论准则只是一种常识性的印象，是不能作为学科理论基础来看待的，然而由于写作学术研究的幼稚，这一说法居然被戴上了权威的光环。

传统的“观点与材料统一”的原则，其最致命的缺陷乃是把观点预设为绝对完善的论述，论证的任务不过为之寻求理由和证据。其实，这只适合中学生做作文练习，如果把它扩大为高级论证或学科研究的原则，就会变成宗教式的愚昧。学术研究的生命在于不断突破有限的认识。世界上不存在绝对完备的论点，绝对真理只能无限接近而不可能穷尽。理论的最高目的不是证明某种观点绝对正确，而是发现某种观念即使正确，也只在有限的地点、时间、条件之下可行。到了爱因斯坦的世界，牛顿力学也得做出修正。

对于深化论点来说，最方便的莫过于抓住现成的（权威的）观念与事实之矛盾了。对于追求创新的学者来说，一旦发现了任何事实材料为固有的权威理论所不能解释之时，那

① 参阅孙绍振：《论科学抽象的动态，深化》，《福建师范大学学报（哲学社会科学版）》1985年第3期。

就意味着遇上了提出问题的机会了，而提出问题正是发展论点的第一步。不论从理论上来说，还是从操作上来说，观点与材料的统一都属于低层次的原则，而抓住观点与材料的不统一之处不放才是更高层次的创新论点，是提高论证严密度的原则。

长期以来，中国当代写作学满足于传统的描述性，对于操作性特点十分漠视，导致了其学科方向的模糊。这种模糊更造成了它恶化的依附性，而长期恶化的依附性几乎完全窒息了它本来就存在的某种操作性倾向。写作理论必须超越描绘性，才能上升为操作性，而操作性必须超越零碎的技巧（如中国的小说评点）层次，才能上升为概括性的理论。

以情节结构为例，传统理论以描述性为特点，认为由开端、发展、高潮、结局构成。福斯特的《小说面面观》认为情节是一种结果和原因之间的关系，[①]为这样的论点寻求与之相一致的材料是很容易的，中国和西方的许多古典小说、戏剧作品都可以作为例证。

但是这样的证明有什么意义呢？且不说它的理论意义，就说它的操作意义也很渺茫。有开端、发展、高潮、结局的有结有解的情节并不一定是引人入胜的情节，相反，引人入胜的情节并不一定均有开端、发展、高潮、结局，有结无解的小说，同样产生了杰作。更要命的是，这样的理论并没有告诉你如何去构成引人入胜的情节。

描述性和操作性是互相矛盾的，描述性理论有很强的优势，因而它很容易抑制、模糊操作性，这是因为心理定式的强大惯性作用。要改变这种定式，就需要有特别明确的操作性目标意识，只有操作性目标意识强大到足以克服描述性心理定式以后，才有可能产生一种既具操作性又富于理论性的理论。

任何理论的创新，其原因不外乎于视角（思路）的变化，或者材料的发现，从描述性到操作性思路（视角）是一个很大跨度的变化，由于思路的变化使一些原本缺乏重要性的旧材料变成了新材料。

从操作性的思路来看，最重要的是如何创造高潮，或者如何在后果严重的“结”下面揭示奇妙的“因”。根据这个要求，本来极不受重视的左拉的“实验小说”理论就具备了崭新的意义。左拉认为，文学家和科学家在一点上是相通的。科学家把物质放在试管中改变其正常状态，加温、加压、加上不同试剂，以观察其有无特殊的变化，而文学家不过是把人物的情感放在试管（特殊环境）中，改变某种条件，看其有无特殊变化。[②]他还举巴尔扎克的小说《贝姨》为例，说明高明情节产生的关键在于使人物越出常态。

文学的任务在于探索人类的内心奥秘，可是在常态中，人的外部关系迫使人扮演着不

① 其实福斯特的这种说法源自亚里士多德的《诗学》，在《诗学》中亚氏把情节归结为“结”（结果）和“解”（原因）。

② 伍蠡甫主编：《西方文论选》（下），上海译文出版社1979年版，第251页。

同的角色，人的深层心理被“人格面具”掩盖着，只有把人打出常轨，人的深层内心世界，包括潜意识层才可能浮现出来。正如贵族夫人于洛太太本来是坚决拒绝暴发户花粉商的引诱的，但到了她丈夫在名誉和财产上都面临灭顶之灾时，这位贵族夫人才不得不考虑以身相委，这在《贝姨》中是很精彩的情节。

从操作性思路观之，情节的构成并不一定需要开端、发展、高潮、结局都具备，也不一定忙着为结局去寻求原因，只要把人物打出常轨，让他老是掩着自己的人格面具来不及变换，他的真面目就暴露无遗了，他的心理奇观就令人惊叹了。因而所谓情节的操作也就是把人物从常规环境打入例外环境。例如，把武松送到老虎面前，把白骨精放到孙悟空和唐僧面前，在林黛玉和贾宝玉之间安插一个薛宝钗，作者的任务就是在改变了的人物关系和社会环境中去展现心灵各个层次、各个侧面的奇观，在操作中，高潮和结局、解和结都是为这个目的服务的。

这样就不但有了操作性，而且有了理论的独创性。为在理论上把弗洛伊德性心理分析法与小说戏剧情节结构结合起来开辟了途径。由此，我国当代写作理论家再不必因其他学科又引进了与弗氏性心理学说相对立的马斯洛人本主义心理学而自卑了。

中国当代写作学在引进任何新学说时必须步步为营，力戒浮躁，不能像东北民间故事中那个黑瞎子（熊）那样，来到苞米地里十分贪心，掰了一个夹在腋下，又去掰另一个，因而腋下那个就掉了，如此反复，以至折腾良久仍然只有一个。任何一种西方或东方的学说，都只有在与中国当代写作学的操作追求发生关系以后，才能说是有效的引进。在这里，任何抱残守缺、故步自封和满足于新招牌都不可能担负起建设中国当代写作学科理论的重任。

对阅读和写作着迷
——学好语文的捷径

我开始学语文的时候，是在抗日战争时期。我随家人逃难到乡下，不知为什么，日本鬼子和汪伪的军队老在后面追。我才五六岁，常常是一天跑好几个地方。有一次，跑到了傍黑儿，还是被追上了：那是一个打谷场，我筋疲力尽，倚着个草垛软瘫着，望着平原上低垂的星空喘气。“和平军”（汪精卫的汉奸队伍，他们的口号是“和平反共建国”，所以叫“和平军”）拿枪对着我们，厉声喊叫：“城里人，跪下来，把口袋翻过来。”人们跪成一排。妈妈、舅妈顾不得心疼，把金银首饰放在地上。正在这个时候，一串尖厉的枪声好像是从耳朵边上擦过去似的。后来才听说是从邻近打谷场的草垛上打过来的，是新四军的指导员打的。妈妈、舅妈非常机灵地把首饰揣进口袋，又把一个东西塞进我的怀里让我抱着，拉着我高一脚低一脚地往黄豆地里奔。豆荚划破了脸颊，露水打湿了头发。直到早晨，太阳升起来了，我平静下来，才发现自己紧紧抱着的竟是一只自鸣钟，钟摆已经不见了。在我最初的记忆里，一个村子又一个村子跑是家常便饭，常常是刚刚安定下来，端起了饭碗，突然有人说“来了”“来了”，于是立刻丢下饭碗，又跑。在这种情况下，哪里还谈得上上学！但是，爸爸妈妈让孩子念书的信念是坚定不移的。每到一个村镇，第一件事就是找学校，没有学校就找私塾先生，没有私塾先生爸爸就自己教。那时的“战时小学国语课本”很薄，一课也没有几个字，印刷质量又差，有的字都印成横的，一本书用不上几天就念完了。爸爸就随便找一本他小时候念的诸如《论说法程》，都是文言文的。现在想来应该是比较浅近的，因为我都懂了。我记得第一课是《人为万物之灵》。有时连这样的《论说法程》都没有了，就随便弄一本《四书白话句解》(《大学》《中庸》《论语》《孟子》的白话解释)，教法很简单，就是第一天把生字讲一讲，把那些没有标点的句子用红笔点断，一天也就点一页左右，分量并不重，剩下的时间就是自己翻来覆去地念。课本是很枯燥的，但是把古文朗诵出一种调皮的腔调（用妈妈的话来说，就是“洋花唱曲”），却很好玩。第二天，爸爸还没有起身，就让我们弟兄三个轮流在他床前背诵。我的记忆力比较好，很快就把课文背得滚瓜烂熟。闲下来的工夫，听哥哥姐姐们朗读。他们背不出的时候，我还能为他们提示。

那时没有考试，没有什么刁钻的选择题，就是背古文，用老法子念，抑扬顿挫，像唱歌似的，很好玩。直到今天，绝大部分我还能背得出。

回到城市，插入正规学校，我的语文一直都是名列前茅。现在看来，这是因为早期的背诵培养了我良好的语感。

我的语文水平在抗战胜利以后，又有了一个日新月异的飞跃。其原因，今天想起来，和课本、课堂的关系几乎等于零。那时国民政府规定的所谓“国定教科书”是很枯燥的，现在只记得蒋介石给蒋经国的信，开头是“经儿知之”。但是，我的老师却是非常好的。我曾经写过一篇文章，对我小学五六年级时期的语文教师潘祖谨表达了无限的怀念。她献身于教育事业的圣洁形象至今仍然历历在目。她不大理睬“国定教科书”，常常把冰心的《寄小读者》成批地印发给我们，有的还当作“说话”课的教材。在课堂上，她鼓励我们课外阅读文学作品，她推荐的古典文学经典，除了《水浒传》《三国演义》《西游记》以外，还有意大利作家亚米契斯的《爱的教育》。还有一本很有趣的书，叫作《苦儿努力记》，是一个法国作家写的，章衣萍、林雪清翻译的。这本书在中华人民共和国成立初期不怎么有名，但是到了 20 世纪 50 年代中期，我在念大学的时候，才知道原来连老托尔斯泰都很重视这本书，把它从法文翻译成俄文。

潘老师在课堂上经常离开课本，讲她阅读报刊的心得。现在回想起来，她为我们展示了广阔的精神天地。她的最大功绩是让我对语文有了兴趣。她批改作文非常认真，我写过一篇游记，许多地方词不达意，她的修改，常常使我惊叹。我至今还记得，有一处我的原文是“那长长短短的竹林”，被她改成“茂林修竹”。直到我念了大学才知道，这是王羲之《兰亭集序》中的名句。我的作文常常得到很高的分数，每一次，我都感到以后不可能写得这么好了，可是到了学期末翻阅作文本的时候，仍然觉得一篇比一篇好。我老是盼着作文课，盼着听她的讲评。

上潘老师的语文课，实在是一种智慧的享受。即使在我当了许多年的教授以后，回想起来，作为一名小学教师，她的智慧真是有点惊人。我至今还记得，在一堂课上，她说中国古典诗歌的七言有一种吟咏的调子，即使去掉开头两个音节，它的调子还是一样。例如：

清明时节雨纷纷，路上行人欲断魂。

借问酒家何处有？牧童遥指杏花村。

把开头两个字删掉，变成：

时节雨纷纷，行人欲断魂。

酒家何处有？遥指杏花村。

甚至再删去两个音节，也还是一样：

雨纷纷，欲断魂。

何处有？杏花村。

她的这个智慧一直像种子一样埋在我心头，直到30多年后，成了我一篇很有学术质量的论文的写作动因。

可惜的是，不久以后，我考进了初级中学，永远地离开了潘老师。那时中华人民共和国刚刚成立，对于新的意识形态，老教师一窍不通，上课常常是吵吵嚷嚷，隔壁班上甚至有同学在课堂上打起架来。一些调皮的同学，常常借机和老师吵闹。好在当时大家兴奋地从课堂里哄闹着出去，忙着开庆祝会，排练街头演出，演好人和坏人，语文课常常被不断的演出所取代。那时，即使上课也很自由，既没有教学大纲，也没有教学参考书，什么语法知识、主题思想、段落大意，没有人去操心，教师大都是根据自己的体会自由发挥。在这样的混乱中，我们班的课堂秩序却很好。这是我们的幸运：来了一个新教师，名叫周陀星。他和潘老师一样，总是把报纸上、刊物上的好文章和书店里的新书有声有色地加以介绍。在这以前，我虽然也读过一些课外书，但大都是如《武当豪侠传》《蜀山剑侠传》之类。周老师却让我们阅读《人民日报》上连载的《新儿女英雄传》(袁静、孔厥作)，还有《钢铁是怎样炼成的》，不过当时还没有全本的，只有华中新华书店出版，由解放区的年轻作家白刃改写的。印刷质量很差，是麻皮纸的，有时要把书上的一团麻草挖掉才能看清文字，但就是这样的书，从此在我面前展开了一个辉煌的精神世界。我被一种红色的话语迷住了，一种向往在我心头油然而生：什么时候，我也能把那么精彩的生活和缤纷的感情用自己的话语表达出来，那就太幸福了。周老师也很重视批改作文，每一次都有相当详细的评语，不过比之潘老师有比较多的文学理论色彩。在他的指导下，班上掀起了一股作文的热潮。有一次，头一天做了作文，第二天一大早我们就闯到周老师宿舍里。他还没有起身。大家最关心的自然是作文分数，我也问了。他说："86分。"我随便说了一句："啊，才86

分！”他说：“86分还嫌少？我打作文分，从来还没有超过85分的。”一下子，我在班上神气起来。说真的，那种又害羞又得意的感觉，至今仍留存在我心头。

正是这两位老师，把文学的种子播在了我的心头。

这种种子可以叫作“爱”，但是，似乎还不够准确，那起初的感觉应该叫作“贪婪”。那是一种永不满足的饥渴，如痴如醉地阅读，狼吞虎咽，到了一种痴迷的程度。我母亲回忆说，那时我连吃饭都把书本放在面前。当时流行苏联科学家巴甫洛夫的一句话：“科学需要毕生的精力，即使有两倍的生命也是不够的。”我把他的说法发展了一下：如果没有两倍的生命，那就要牺牲除阅读以外的一切爱好。每逢下象棋、打扑克，我就有浪费生命的感觉，不久就全“戒”掉了。

语文，已经成了我生命的一部分，阅读成了我生命的价值所在。一天不阅读，我就觉得很难过。阅读，不是为了考试，因为考试是很容易的，作文才决定一切。

不幸的是，理想的老师总是凤毛麟角。高中时期，语文老师是南京大学（中央大学）外文系毕业的，他教课却令人丧气。有同学甚至要我发动一个驱逐语文老师的运动，但是，我对语文的热爱并没有受到打击。我是语文科代表，但基本上不听课。我从第二排搬到了最后一排，不管老师讲得多差，我都闷声不响地钻研杂志和文学作品。这位语文老师也非常重视批改作文，我的作文常常得到他的表扬。他还组织课外阅读，让我们写读书报告。他营造的文学氛围弥补了他教学上的不足。这位老师对我的作文常常鼓励有加，这使我产生了一点“野心”——向报刊投稿。经过多次失败以后，我终于成功了。我在上海的《青年报》上发表过诗和散文，这在当时是一种轰动性的荣誉，荣誉是鼓舞，鼓舞变成了一种自觉的刻苦。刻苦是自觉的，因而变成一种痴迷的欢畅，语文就这样成了我生命中最幸福的种子。

在这种情况下，我考取北京大学中文系就是顺理成章的事了。

现在看来，有些教育改革的专家在争论什么“苦读”还是“乐读”的问题，真是没必要。根据我的经验，苦不苦，乐不乐，关键在于爱不爱；爱不爱，主要看你迷不迷。如果不迷，光是为了考试而学，那怎么能不苦呢？如果不是为了考试，而是出于一种内心的命令，不让你读，不让你写，才叫难受，才叫苦呢！

进入大学以后，虽然授课的教授大都是全国著名的泰斗，但并不是每一位教授都能满足我的求知欲，也不是每门功课都令人喜欢。尤其是一些理论课程，例如语言学，还有汉语史、古代音韵，神秘莫测，令人望而生畏，读起来真是很苦。但是，几乎所有的教授都以他们渊博的学识激起了我对理论的兴趣，尤其是朱德熙先生的雄辩，让我着迷，当初以为最枯燥的现代汉语，后来居然成了我最喜爱的课程。

爱因斯坦说，兴趣是最好的老师。照此类推，最好的老师应该善于激发学生的兴趣，但是，任何至理名言都有其不够完善的地方，爱因斯坦的话也一样。兴趣有一个培养的过程，从没有兴趣到很有兴趣，这中间还有一个克服惰性的痛苦过程。最好的老师能够把学生最不感兴趣的课程变成让人向往的精神乐园，而且为了进入乐园，不惜穿过但丁式的炼狱。

北京大学中文系的学术泰斗们，诱导我进入一个枯燥无味的理论世界，心甘情愿地忍受煎熬。我下苦功钻研的第一本经典理论著作就是恩格斯的《路德维希·费尔巴哈和德国古典哲学的终结》，我立志硬啃，不啃动它誓不罢休。起初，要是遇到一个看不懂的地方，就没有办法读下去。我硬着头皮，反复看了十五六遍，终于豁然开朗。大学毕业后，正是20世纪60年代，极“左”思潮盛行，读书无用。我仍然孜孜不倦，硬啃经典。有好几年我甚至放弃了文学，一心只读哲学，甚至硬啃马克思的《资本论》，从中求得辩证思维的奥秘。我的这种硬啃精神，都来自对北京大学学术泰斗的崇拜。高名凯先生懂得许多外国语言，光是能写能用的就有四门。与他相比，我实在太渺小了。不甘心这种渺小，就有了动力，动力就变成无声的命令。这种命令是顽强的，到了“文化大革命”，就变得更加顽强。那时读书不但无用，而且往往招来批判，唯一合法的读物，就是四卷本的《毛泽东选集》，我就读英文版的。每逢开会都集体念红宝书《毛主席语录》，我就拿着英文版的念。当时，邮寄毛泽东的著作是免费的。红卫兵全国大串连的时候，我就把英文版的《毛泽东选集》先从邮局寄到目的地，即使在满世界乱窜的时候，我也没有放弃阅读。现在想起来真是有点发昏，那时读英文有什么具体目的呢？没有。没有四六级考试，也没有托福考试之类，但是，不读书觉得难受，完全是为读书而读书。读书就是生命，没有书读，就有一种空虚的感觉。

没有想到，到了改革开放时代，当时无目的的阅读在不知不觉之间提高了理论修养，突然变得有用了。大学毕业18年，校方从来没有要求我们写过论文，却在一夜之间要拿出论文来评职称，而我居然很快就拿了出来。几年之间，居然积累到几百万字，还有了相当的影响，名字还被写到了当代文学史里。最令人意外的是，20世纪80年代后期，突然来了一个通知，说凡是副教授以上的，都可以报名参加国家教委组织的“英语熟练考试”。福建省敢于报名的，只有7个，到了考场门口吓走了2个。最终，5个人考取了3个，文科只有我 1 个。到四川外国语学院培训口语以后，我获得了出国讲学的宝贵机会。

积数十年学习语文之经验，我坚定地相信：兴趣、热爱和痴迷，是永不枯竭的动力，那些使学生厌恶课程的考试方法，应该扫荡。为了防止一代人的创造力遭受扼杀，我在几年前写了轰动性的《炮轰全国统一高考体制》和《全国高考语文试卷批判》。我的最高目的，就是改变语文课不讨人喜欢的现状，让语文成为青少年生命的家园。